»Es ist wie sterben, jeden Tag. Immer und immer wieder.«

Als Christine aufwacht, ist sie verstört: Das Schlafzimmer ist fremd, und neben ihr im Bett liegt ein unbekannter älterer Typ. Sie kann sich an nichts erinnern. Schockiert muss sie feststellen, dass sie nicht Anfang zwanzig ist, wie sie denkt – sondern 47, verheiratet und seit einem Unfall vor vielen Jahren in einer Amnesie gefangen. Jede Nacht vergisst sie alles, was gewesen ist. Sie ist völlig angewiesen auf ihren Mann Ben, der sich immer um sie gekümmert hat. Doch dann findet Christine ein Tagebuch. Es ist in ihrer Handschrift geschrieben – und was darin steht, ist mehr als beunruhigend. Was ist wirklich mit ihr passiert? Wem kann sie trauen, wenn sie sich nicht einmal auf sich selbst verlassen kann?

»Schlicht und einfach der beste Debüt-Thriller, den ich jemals gelesen habe.« *Tess Gerritsen*

»Eine apokalyptische Reise in die menschliche Psyche.«
Denglers Buchkritik

S. J. Watson wurde in den Midlands geboren, lebt in London und hat viele Jahre für den staatlichen britischen Gesundheitsdienst (NHS) gearbeitet. Sein erster Roman ›Ich. Darf. Nicht. Schlafen.‹ wurde aus dem Stand zu einem internationalen Mega-Bestseller, der in über 40 Ländern erschien und mit Nicole Kidman und Colin Firth verfilmt wurde. Auch Watsons neuer Thriller ›Tu es. Tu es nicht.‹ ist weltweit ein Bestseller.

Weitere Informationen, auch zu E-Book-Ausgaben, finden Sie bei
www.fischerverlage.de

S. J. Watson

Ich. Darf. Nicht. Schlafen.

Thriller

Aus dem Englischen von Ulrike Wasel
und Klaus Timmermann

FISCHER Taschenbuch

7. Auflage: September 2015

Erschienen bei FISCHER Taschenbuch,
Frankfurt am Main, Oktober 2012

Die Originalausgabe erschien 2011 im Verlag Doubleday/
Transworld Publishers, London
© Lola Communications 2011
Für die deutsche Ausgabe:
© S. Fischer Verlag GmbH, Frankfurt am Main 2011
Satz: Dörlemann Satz, Lemförde
Druck und Bindung: CPI books GmbH, Leck
Printed in Germany
ISBN 978-3-596-19146-8

Für meine Mutter und für Nicholas

Morgen wurde ich geboren
Heute lebe ich
Gestern hat mich umgebracht
Parviz Owsia

Teil eins

HEUTE

Das Schlafzimmer ist seltsam. Fremd. Ich weiß nicht, wo ich bin, wie ich hier gelandet bin. Ich weiß nicht, wie ich nach Hause kommen soll.

Ich habe die Nacht hier verbracht. Die Stimme einer Frau hat mich geweckt – zuerst dachte ich, sie läge mit mir zusammen im Bett, doch dann merkte ich, dass sie die Nachrichten verlas und ich einen Radiowecker hörte –, und als ich die Augen aufschlug, war ich hier. In diesem Zimmer, das ich nicht kenne.

Meine Augen gewöhnen sich an das Halbdunkel, und ich schaue mich um. Ein Morgenmantel hängt an der Kleiderschranktür – für eine Frau, aber eine, die viel älter ist als ich –, und eine marineblaue Hose liegt ordentlich über der Lehne eines Stuhls am Frisiertisch, aber sonst kann ich wenig erkennen. Der Radiowecker sieht kompliziert aus, aber ich finde den Knopf, der ihn hoffentlich zum Verstummen bringt. Es klappt.

Auf einmal höre ich hinter mir ein zittriges Einatmen und merke, dass ich nicht allein bin. Ich drehe mich um. Ich sehe nackte Haut und dunkles, graugesprenkeltes Haar. Ein Mann. Sein linker Arm liegt auf der Decke, und am Ringfinger der Hand steckt ein goldener Ring. Ich unterdrücke ein Stöhnen. *Der Typ ist also nicht nur alt und grau*, denke ich, *sondern auch noch verheiratet. Ich habe nicht nur mit einem verheirateten Mann gevögelt, sondern vermutlich noch dazu bei ihm zu Hause, in dem Bett, das er normalerweise mit seiner Frau teilt.* Ich sinke zurück, um mich zu sammeln. *Ich sollte mich schämen.*

Ich frage mich, wo die Ehefrau ist. Muss ich befürchten, dass sie jeden Augenblick hereingeschneit kommt? Ich stelle mir vor, wie sie am anderen Ende des Zimmers steht, kreischt, mich als Schlampe beschimpft. Eine Medusa. Ein Schlangenhaupt. Ich überlege, wie ich mich verteidigen soll, falls sie tatsächlich auftaucht, und ob ich dazu überhaupt imstande bin. Der Typ im Bett wirkt jedoch völlig unbesorgt. Er hat sich auf die andere Seite gerollt und schnarcht weiter.

Ich versuche, ganz still zu liegen. Normalerweise kann ich mich erinnern, wie ich in eine derartige Situation geraten bin, aber heute nicht. Ich muss auf einer Party gewesen sein, in einer Bar oder einem Club. Ich muss ganz schön betrunken gewesen sein. So betrunken, dass ich mich an gar nichts erinnere. So betrunken, dass ich mit einem Mann nach Hause gegangen bin, der einen Ehering trägt und Haare auf dem Rücken hat.

So behutsam wie möglich schlage ich die Decke zurück und setze mich auf die Bettkante. Zuallererst muss ich auf die Toilette. Ich ignoriere die Hausschuhe vor meinen Füßen – mit dem Ehemann zu vögeln, ist eine Sache, aber ich könnte niemals die Schuhe einer anderen Frau tragen – und schleiche barfuß auf den Flur. Ich bin mir meiner Nacktheit bewusst, habe Angst, die falsche Tür zu erwischen, in das Zimmer eines Untermieters zu platzen, eines halbwüchsigen Sohnes. Erleichtert sehe ich die Badezimmertür halboffen stehen, gehe hinein und schließe ab. Ich setze mich, benutze die Toilette, drücke die Spülung und wende mich zum Waschbecken, um mir die Hände zu waschen. Ich greife nach der Seife, aber irgendetwas stimmt nicht. Zuerst kann ich nicht benennen, was es ist, aber dann sehe ich es. Die Hand, die die Seife gefasst hat, sieht nicht wie meine aus. Die Haut ist faltig, die Finger dick. Die Nägel sind nicht lackiert und abgekaut, und wie bei dem Mann, neben dem ich vorhin aufgewacht bin, steckt ein schlichter goldener Ehering an der Hand.

Ich starre einen Moment darauf und wackele dann mit den Fingern. Prompt bewegen sich die Finger der Hand, die die Seife hält. Ich schnappe nach Luft, und die Seife flutscht ins Waschbecken. Ich blicke in den Spiegel.

Das Gesicht, das mich daraus ansieht, ist nicht meines. Das Haar hat keine Fülle und ist viel kürzer geschnitten, als ich es trage, die Haut der Wangen und unter dem Kinn ist schlaff, die Lippen sind dünn, der Mund nach unten gezogen. Ich schreie auf, ein wortloses Keuchen, das in ein entsetztes Kreischen übergehen würde, wenn ich es zuließe, und dann bemerke ich die Augen. Sie sind von Falten umgeben, ja, aber trotz allem erkenne ich sie: Es sind meine. Die Person im Spiegel bin ich, aber zwanzig Jahre zu alt. Fünfundzwanzig. Noch mehr.

Das kann nicht sein. Ich beginne zu zittern und halte mich am Waschbeckenrand fest. Ein weiterer Schrei drängt aus meiner Brust, und dieser bricht als ersticktes Keuchen hervor. Ich trete zurück, weg vom Spiegel, und erst jetzt sehe ich sie. Fotos. An die Wand geklebt, an den Spiegel. Bilder, dazwischen gelbe Haftzettel, Notizen mit Filzstift geschrieben, feucht und wellig.

Ich lese wahllos eine. *Christine*, steht da, und ein Pfeil zeigt auf ein Foto von mir – ein Foto von diesem neuen Ich, diesem *alten* Ich –, auf dem ich an einem Kai auf einer Bank sitze, neben einem Mann. Der Name kommt mir bekannt vor, aber nur vage, als müsste ich mich anstrengen zu glauben, dass es meiner ist. Auf dem Foto lächeln wir beide in die Kamera und halten Händchen. Er ist gutaussehend, attraktiv, und als ich genauer hinsehe, erkenne ich in ihm den Mann, mit dem ich geschlafen habe, der noch im Bett liegt. Darunter steht das Wort *Ben*, und daneben *Dein Mann*.

Ich keuche auf und reiße es von der Wand. *Nein*, denke ich. *Nein! Das kann nicht sein* … Ich überfliege die übrigen Fotos. Sie alle zeigen mich und ihn. Auf einem trage ich ein hässliches Kleid und bin dabei, ein Geschenk auszupacken, ein anderes zeigt uns beide im Partnerlook in wetterfesten Jacken, wie wir vor einem Wasserfall stehen, während ein kleiner Hund unsere Füße beschnüffelt. Daneben ist ein Bild, auf dem ich neben ihm sitze, an einem Glas Orangensaft nippe und den Morgenmantel trage, den ich vorhin in dem Schlafzimmer gesehen habe.

Ich trete noch weiter zurück, bis ich kalte Fliesen im Rücken spüre. Im selben Moment erfasst mich eine schwache Ahnung, die ich mit Erinnerung assoziiere. Als mein Verstand versucht, sie zu ergreifen,

13

schwebt sie davon, wie Asche in einem Lufthauch, und mir wird klar, dass es in meinem Leben ein Früher gibt, ein Vorher, doch ich kann nicht sagen, vor *was*, und dass es ein Jetzt gibt und dass zwischen diesen beiden Polen nur eine lange stumme Leere ist, die mich hierher geführt hat, zu mir und ihm, in dieses Haus.

* * *

Ich gehe zurück ins Schlafzimmer. Noch immer habe ich das Bild in der Hand – das von mir und dem Mann, neben dem ich aufgewacht bin –, und ich halte es vor mich. »Was geht hier vor?«, sage ich, schreie ich. Tränen strömen mir übers Gesicht. Der Mann setzt sich im Bett auf, die Augen halb geschlossen. »Wer bist du?«

»Ich bin dein Mann«, sagt er. Sein Gesicht ist verschlafen, zeigt keine Spur von Verärgerung. Er sieht meinen nackten Körper nicht an. »Wir sind seit vielen Jahren verheiratet.«

»Was soll das heißen?«, sage ich. Ich will weglaufen, weiß aber nicht, wohin. »›Seit vielen Jahren verheiratet‹? Was soll das heißen?«

Er steht auf. »Hier«, sagt er und reicht mir den Morgenmantel, wartet, während ich ihn anziehe. Er trägt eine Pyjamahose, die ihm zu groß ist, ein weißes Unterhemd. Er erinnert mich an meinen Vater.

»Wir haben 1985 geheiratet«, sagt er. »Vor zweiundzwanzig Jahren. Du –«

Ich falle ihm ins Wort. »Was –?« Ich spüre, wie mir das Blut aus dem Gesicht weicht, das Zimmer beginnt, sich zu drehen. Eine Uhr tickt, irgendwo im Haus, und es klingt so laut wie Hammerschläge. »Aber –?« Er macht einen Schritt auf mich zu. »Wie –?«

»Christine, du bist jetzt siebenundvierzig«, sagt er. Ich sehe ihn an, diesen Fremden, der mich anlächelt. Ich will ihm nicht glauben, will nicht mal hören, was er da sagt, aber er redet weiter. »Du hattest einen Unfall«, sagt er. »Einen schlimmen Unfall. Mit Kopfverletzungen. Es fällt dir schwer, dich an Dinge zu erinnern.«

»Was für Dinge?«, sage ich und meine eigentlich, *Doch bestimmt nicht die letzten fünfundzwanzig Jahre?* »Was für Dinge?«

Er macht einen weiteren Schritt auf mich zu, nähert sich mir, als wäre ich ein verängstigtes Tier. »Alles«, sagt er. »Manchmal schon seit du Anfang zwanzig warst. Manchmal sogar noch früher.«

Daten und Altersangaben schwirren mir durch den Kopf. Ich will nicht fragen, aber ich weiß, ich muss. »Wann … wann war der Unfall?«

Er sieht mich an, und sein Gesicht ist eine Mischung aus Mitgefühl und Furcht.

»Als du neunundzwanzig warst …«

Ich schließe die Augen. Noch während mein Verstand versucht, diese Information abzulehnen, weiß ich irgendwo, dass sie der Wahrheit entspricht. Ich höre mich selbst, wie ich wieder anfange zu weinen, und sogleich kommt dieser Mann, dieser Ben, zu mir an die Tür. Ich spüre seine Nähe, bewege mich nicht, als er die Arme um meine Taille legt, leiste keinen Widerstand, als er mich an sich zieht. Er hält mich. Gemeinsam wiegen wir uns sacht, und ich merke, dass mir diese Bewegung irgendwie vertraut vorkommt. Sie tröstet mich.

»Ich liebe dich, Christine«, sagt er, und obwohl ich weiß, dass ich jetzt eigentlich das Gleiche zu ihm sagen sollte, schweige ich. Ich sage nichts. Wie kann ich ihn lieben? Er ist ein Fremder. Nichts ergibt irgendeinen Sinn. Ich will so vieles wissen. Wie ich hier gelandet bin, wie ich mit dem Leben zurechtkomme. Aber ich weiß nicht, wie ich fragen soll.

»Ich habe Angst«, sage ich.

»Ich weiß«, erwidert er. »Ich weiß. Aber das brauchst du nicht, Chris. Ich bin für dich da. Ich werde immer für dich da sein. Alles wird gut. Vertrau mir.«

* * *

Er sagt, er will mir das Haus zeigen. Ich fühle mich ruhiger. Ich habe einen Slip und ein altes T-Shirt angezogen, das er mir gegeben hat, mir dann den Morgenmantel um die Schultern gelegt. Wir treten auf den Flur. »Das Bad hast du ja schon gesehen«, sagt er und öffnet die Tür daneben. »Hier ist das Arbeitszimmer.«

Ich sehe einen Schreibtisch mit einer Glasplatte und darauf etwas, das ein Computer sein muss, obwohl es lächerlich klein ist, eher wie ein Spielzeug. Daneben steht ein Aktenschrank in Stahlgrau, darüber hängt ein Wandplaner. Alles ist sauber, ordentlich. »Hier arbeite ich manchmal«, sagt er und schließt die Tür. Wir überqueren den Flur, und er öffnet eine andere Tür. Ein Bett, eine Frisierkommode, Kleiderschränke. Alles sieht fast genauso aus wie in dem Zimmer, in dem ich aufgewacht bin. »Manchmal schläfst du hier«, sagt er, »wenn dir danach ist. Aber normalerweise wachst du nicht gern allein auf. Du kriegst Panik, wenn du nicht erkennen kannst, wo du bist.« Ich nicke. Ich fühle mich wie eine Mietinteressentin, der man eine neue Wohnung zeigt. Eine mögliche Mitbewohnerin. »Gehen wir nach unten.«

Ich folge ihm die Treppe hinab. Er zeigt mir ein Wohnzimmer – braunes Sofa mit passenden Sesseln, ein flacher, an der Wand befestigter Bildschirm, der, wie er mir erklärt, ein Fernseher ist –, Esszimmer, Küche. Alles ist mir fremd. Ich empfinde gar nichts, nicht mal, als ich auf einem Sideboard ein gerahmtes Foto von uns beiden sehe. »Hinterm Haus haben wir einen Garten«, sagt er, und ich schaue durch die Glastür in der Küche nach draußen. Es wird gerade erst hell, der Nachthimmel färbt sich tintenblau, und ich kann die Silhouette eines großen Baumes und eine Hütte am hinteren Ende eines kleinen Gartens erkennen, aber sonst nichts. Mir wird klar, dass ich nicht mal weiß, in welchem Teil der Welt wir sind.

»Wo sind wir hier?«, frage ich.

Er tritt hinter mich. Ich kann uns beide als Spiegelung in der Scheibe sehen. Mich. Meinen Mann. Beide mittleren Alters.

»Nordlondon«, antwortet er. »Crouch End.«

Ich trete zurück. Panik steigt hoch. »Verdammt«, sage ich. »Ich weiß noch nicht mal, wo ich lebe …«

Er nimmt meine Hand. »Keine Sorge. Alles wird gut.« Ich drehe mich zu ihm um, sehe ihn an und warte darauf, dass er mir erklärt, wie, wie denn alles gut werden soll, aber er tut es nicht. »Soll ich dir deinen Kaffee machen?«

Einen Moment lang bin ich wütend auf ihn, doch dann sage ich: »Ja. Ja, bitte.« Er füllt einen Wasserkessel. »Schwarz bitte«, sage ich. »Ohne Zucker.«

»Ich weiß«, sagt er und lächelt mich an. »Möchtest du Toast?«

Ich sage ja. Er muss so viel über mich wissen, trotzdem fühle ich mich wie am Morgen nach einem One-Night-Stand: Frühstück mit einem Fremden in seinem Haus, abtaxieren, wann man endlich die Flucht antreten und nach Hause gehen kann.

Aber das ist der Unterschied. Angeblich ist das hier mein Zuhause.

»Ich glaube, ich muss mich hinsetzen«, sage ich. Er sieht mich an.

»Mach es dir doch schon mal im Wohnzimmer bequem«, sagt er. »Ich bring den Kaffee dann rüber.«

Ich gehe aus der Küche.

Einige Augenblicke später kommt Ben mir nach. Er gibt mir ein Buch. »Das ist ein Album«, sagt er. »Es könnte dir helfen.« Ich nehme es ihm aus der Hand. Es hat einen Plastikeinband, der wie altes Leder aussehen soll, es aber nicht tut, und drum herum ist eine unordentlich gebundene Schleife. »Bin gleich wieder da«, sagt er und geht aus dem Raum.

Ich setze mich auf das Sofa. Das Album liegt schwer auf meinem Schoß. Es mir anzusehen, kommt mir vor, als würde ich rumschnüffeln. Ich sage mir, dass das, was da drin ist, mit mir zu tun hat. Mein Mann hat es mir gegeben.

Ich löse die Schleife und schlage eine beliebige Seite auf. Ein Foto von mir und Ben, auf dem wir sehr viel jünger aussehen.

Ich knalle das Album zu. Ich fahre mit den Händen über den Einband, fächere die Seiten auf. *Das muss ich jeden Tag machen.*

Ich kann es mir nicht vorstellen. Ich bin sicher, dass da ein schreckliches Versehen vorliegt, und doch kann das nicht sein. Die Beweise sind da – in dem Spiegel oben, in den Falten an den Händen, die das Album vor mir streicheln. Ich bin nicht der Mensch, für den ich mich hielt, als ich heute Morgen aufwachte.

Aber wer war das?, denke ich. Wann war ich diese Person, die im Bett eines Fremden aufwachte und nur an Flucht dachte? Ich schließe die Augen. Ich habe das Gefühl zu schweben. Haltlos. In Gefahr, verlorenzugehen. Ich muss mich irgendwie verankern. Ich schließe die Augen und versuche, mich auf etwas zu konzentrieren, irgendetwas Greifbares. Ich finde nichts. So viele Jahre meines Lebens, denke ich. Einfach weg.

Dieses Album wird mir sagen, wer ich bin, aber ich will es nicht öffnen. Noch nicht. Ich möchte eine Weile hier sitzen, meine gesamte Vergangenheit ein leeres Blatt. Im Schwebezustand, irgendwo zwischen Möglichkeit und Tatsache. Ich habe Angst davor, meine Vergangenheit zu erkunden. Was ich erreicht habe und was nicht.

Ben kommt zurück und stellt ein Tablett vor mir ab. Toast, zwei Tassen Kaffee, ein Kännchen Milch. »Alles in Ordnung?«, fragt er. Ich nicke.

Er setzt sich neben mich. Er hat sich rasiert, trägt Hose, Hemd und Krawatte. Er sieht nicht mehr wie mein Vater aus. Jetzt sieht er aus, als würde er in einer Bank arbeiten oder in irgendeinem Büro. Aber nicht schlecht, denke ich, dann schiebe ich den Gedanken beiseite.

»Ist das jeden Tag so?«, frage ich. Er legt eine Toastscheibe auf einen Teller, bestreicht sie mit Butter.

»So ziemlich«, sagt er. »Möchtest du auch?« Ich schüttele den Kopf, und er nimmt einen Bissen. »Du scheinst Informationen speichern zu können, solange du wach bist«, sagt er. »Aber dann, wenn du schläfst, geht das meiste verloren. Schmeckt dir der Kaffee?«

Ich bejahe, und er nimmt mir das Album aus den Händen. »Das hier ist eine Art Sammelalbum«, sagt er und schlägt es auf. »Vor ein paar Jahren hat es bei uns gebrannt, und dabei haben wir viele alte Fotos und Sachen verloren, aber hier drin ist noch so einiges.« Er zeigt auf die erste Seite. »Das ist dein Abschlusszeugnis«, sagt er. »Und das ist ein Foto von dir auf deiner Abschlussfeier.« Ich schaue hin. Auf dem Bild lächele ich, blinzele in die Sonne, ich trage ein schwarzes Gewand und einen Filzhut mit einer goldenen Quaste. Dicht hinter mir steht ein Mann in Anzug und Krawatte, den Kopf von der Kamera abgewandt.

»Bist du das?«, frage ich.

Er schmunzelt. »Nein. Ich hab meinen Abschluss nicht zur selben Zeit gemacht wie du. Damals hab ich noch studiert. Chemie.«

Ich schaue zu ihm hoch. »Wann haben wir geheiratet?«, frage ich.

Er dreht sich zu mir und nimmt meine Hand mit beiden Händen. Ich bin ein wenig überrascht, wie rau seine Haut ist, vermutlich noch an die Weichheit der Jugend gewöhnt. »In dem Jahr, nachdem du deinen Doktor gemacht hattest. Da waren wir schon ein paar Jahre zusammen, aber du – wir – wir wollten beide warten, bis du mit der Promotion fertig warst.«

Klingt sinnvoll, denke ich, obwohl es mir ein wenig zu vernünftig vorkommt. Ich frage mich, ob ich überhaupt wild darauf war, ihn zu heiraten.

Als könnte er meine Gedanken lesen, sagt er: »Wir waren sehr verliebt«, und schiebt dann nach: »Wir sind es noch immer.«

Dazu fällt mir nichts ein. Er lächelt. Er trinkt einen Schluck Kaffee, ehe er wieder das Album auf seinem Schoß mustert. Er blättert ein paar Seiten weiter.

»Du hast englische Literatur studiert«, sagt er. »Dann hast du verschiedene Jobs gehabt, nach der Uni. Nur Gelegenheitsjobs. Als Sekretärin. Verkäuferin. Ich glaube, eigentlich wusstest du nicht so recht, was du machen wolltest. Ich hab meinen Bachelor gemacht und dann eine Lehrerausbildung. Ein paar Jahre lang mussten wir uns ziemlich nach der Decke strecken, aber dann bekam ich eine Beförderung, und na ja, so haben wir's bis hierher geschafft.«

Ich schaue mich im Wohnzimmer um. Es ist elegant, behaglich. Bürgerliche Langeweile. Über dem Kamin eine gerahmte Waldlandschaft, neben der Uhr auf dem Kaminsims Porzellanfigürchen. Ich frage mich, ob ich diese Deko mit ausgesucht habe.

Ben redet weiter. »Ich unterrichte an der Mittelschule, hier ganz in der Nähe. Ich bin jetzt Fachbereichsleiter.« Er sagt das ohne einen Anflug von Stolz.

»Und ich?«, frage ich, obwohl ich die einzig mögliche Antwort in Wahrheit schon weiß. Er drückt meine Hand.

»Du konntest nicht mehr arbeiten. Nach dem Unfall. Du bist nicht berufstätig.« Offenbar spürt er meine Enttäuschung. »Musst du auch nicht. Ich verdiene nicht schlecht. Wir kommen zurecht. Es geht uns gut.«

Ich schließe die Augen, lege eine Hand an die Stirn. Das wird mir alles zu viel, und ich möchte, dass er den Mund hält. Ich habe das Gefühl, dass ich nicht so viel auf einmal verarbeiten kann, und wenn er immer noch mehr draufpackt, fahre ich irgendwann aus der Haut.

Aber was mache ich denn den lieben langen Tag?, möchte ich fragen, aber weil ich die Antwort fürchte, sage ich nichts.

Er hat seinen Toast aufgegessen und bringt das Tablett in die Küche. Als er zurückkommt, trägt er einen Mantel.

»Ich muss zur Arbeit«, sagt er. Ich merke, wie ich mich innerlich verkrampfe.

»Keine Sorge«, sagt er. »Alles wird gut. Ich ruf dich an. Versprochen. Denk immer dran, heute unterscheidet sich in nichts von irgendeinem anderen Tag. Alles wird gut.«

»Aber –«, setze ich an.

»Ich muss los«, sagt er. »Tut mir leid. Aber vorher zeig ich dir noch rasch ein paar Dinge, die du vielleicht brauchst.«

In der Küche erklärt er, in welchen Schränken ich was finde, zeigt mir ein paar Reste im Kühlschrank, die ich am Mittag essen kann, und deutet auf eine an die Wand geschraubte Wischtafel neben einem schwarzen Textmarker an einem Stück Kordel. »Hier schreibe ich manchmal Nachrichten für dich auf«, sagt er. Ich sehe, dass er das Wort *Freitag* in akkuraten, gleichmäßigen Großbuchstaben hingeschrieben hat und darunter die Worte *Wäsche? Spaziergang? (Telefon mitnehmen!) Fernsehen?* Unter dem Wort *Lunch* hat er notiert, dass im Kühlschrank noch etwas Lachs vom Vortag ist, und *Salat?* hinzugefügt. Am Schluss hat er geschrieben, dass er gegen sechs wieder zu Hause sein müsste. »Du hast auch ein Notizbuch«, sagt er. »In deiner Handtasche. Hinten drin stehen wichtige Telefonnummern und unsere Adresse, falls du dich verläufst. Außerdem ist ein Handy drin –«

»Ein was?«, sage ich.

»Ein Telefon«, sagt er. »Schnurlos. Mobil. Du kannst es überall benutzen. Außerhalb des Hauses, überall. Es ist in deiner Handtasche. Schau aber lieber noch mal nach, falls du weggehst.«

»Mach ich«, sage ich.

»Prima«, sagt er. Wir gehen in die Diele, und er nimmt eine abgegriffene Ledertasche, die neben der Tür steht. »Dann geh ich jetzt.«

»Okay«, sage ich. Ich weiß nicht, was ich sonst sagen soll. Ich fühle mich wie ein Kind, das nicht zur Schule darf und allein zu Hause bleibt, während die Eltern zur Arbeit gehen. *Fass nichts an*, höre ich ihn im Kopf sagen. *Vergiss nicht, deine Medizin zu nehmen.*

Er kommt zu mir herüber. Er küsst mich, auf die Wange. Ich hindere ihn nicht daran, aber ich erwidere den Kuss auch nicht. Er wendet sich zur Tür und will sie schon öffnen, als er verharrt.

»Ach ja!«, sagt er und dreht sich zu mir um. »Das hätte ich beinah vergessen!« Seine Stimme klingt plötzlich gezwungen, die Begeisterung gespielt. Er strengt sich richtig an, natürlich zu wirken; offensichtlich hat er sich schon länger innerlich darauf vorbereitet, das zu sagen, was nun kommt.

Und dann ist es doch nicht so schlimm, wie ich befürchtet habe. »Heute Abend fahren wir weg«, sagt er. »Nur übers Wochenende. Es ist unser Jahrestag, und da hab ich mir gedacht, ich buch uns ein Zimmer. Ist das in Ordnung?«

Ich nicke. »Klingt doch nett«, sage ich.

Er lächelt, wirkt erleichtert. »Mal was, worauf man sich freuen kann, nicht? Ein bisschen Seeluft? Wird uns guttun.« Er wendet sich wieder zur Tür und öffnet sie. »Ich ruf dich später an«, sagt er. »Frag nach, wie du zurechtkommst, ja?«

»Ja«, sage ich. »Mach das. Bitte.«

»Ich liebe dich, Christine«, sagt er. »Vergiss das nie.«

Er schließt die Tür hinter sich, und ich drehe mich um. Ich gehe zurück in die Küche.

* * *

Später am Vormittag sitze ich in einem Sessel. Der Abwasch ist erledigt und steht ordentlich auf dem Abtropfständer, die Wäsche ist in der Maschine. Ich habe mich beschäftigt.

Aber jetzt fühle ich mich leer. Es stimmt, was Ben sagt. Ich habe keine Erinnerung. Nichts. Es gibt keinen Gegenstand in diesem Haus, den ich meine, schon einmal gesehen zu haben. Kein einziges Foto – weder rings um den Spiegel oben im Bad noch in dem Album vor mir – löst eine Erinnerung daran aus, wann es aufgenommen wurde. Ich kann mich an keinen Moment mit Ben erinnern außer heute Morgen, seit ich ihn das erste Mal gesehen habe. Mein Kopf fühlt sich vollkommen leer an.

Ich schließe die Augen, versuche, mich auf etwas zu konzentrieren. Irgendetwas. Gestern. Letztes Weihnachten. Irgendein Weihnachten. Meine Hochzeit. Da ist nichts.

Ich stehe auf. Ich gehe durchs Haus, von Zimmer zu Zimmer. Langsam. Ziellos, wie ein Gespenst. Ich lasse meine Hand an den Wänden entlanggleiten, über Tische und Möbel, ohne jedoch etwas richtig zu berühren. *Wie bin ich hier gelandet?*, denke ich. Ich sehe mir die Teppiche an, die gemusterten Läufer, die Porzellanfigürchen auf dem Kaminsims und die Zierteller auf den Regalen im Esszimmer. Ich versuche, mir einzureden, dass das mir gehört. Alles mir gehört. Mein Zuhause, mein Mann, mein Leben. Aber diese Dinge gehören nicht zu mir. Sie sind nicht Teil von mir. Im Schlafzimmer öffne ich die Kleiderschranktür und sehe Reihen von Kleidungsstücken, die ich nicht kenne, ordentlich aufgehängt, wie leere Versionen einer Frau, der ich nie begegnet bin. Einer Frau, durch deren Haus ich wandere, deren Seife und Shampoo ich benutzt habe, deren Morgenmantel ich ausgezogen habe und deren Hausschuhe ich trage. Sie bleibt mir verborgen, eine geisterhafte Präsenz, distanziert und unberührbar. Heute Morgen habe ich mit schlechtem Gewissen meine Unterwäsche ausgewählt, habe zwischen Slips, Socken und Strumpfhosen gekramt, als hätte ich Angst, ertappt zu werden. Ich hielt die Luft an, als ich ganz hinten in der Schublade Dessous aus Seide und Spitze fand, die eindeutig nicht nur getragen, sondern auch gesehen werden sollen. Ich sortierte alles wieder genauso, wie ich es vorgefunden hatte, nahm nur einen blassblauen Slip heraus, zu dem es einen ähnlichfarbigen BH gab, und zog beides an, ehe ich dicke Socken überstreifte, dann eine Hose und eine Bluse.

Ich setzte mich an den Frisiertisch und musterte mein Gesicht im Spiegel, näherte mich vorsichtig meinem Bild an. Ich strich über die Linien auf meiner Stirn, die Hautfalten unter den Augen. Ich lächelte und betrachtete meine Zähne, die Fältchen, die sich um die Mundwinkel zusammenzogen, die Krähenfüße, die sichtbar wurden. Ich bemerkte Flecken auf meiner Haut, eine Verfärbung auf der Stirn, die aussah wie ein nicht ganz verblasster Bluterguss. Ich sah mich nach Make-up um und schminkte mich ein bisschen. Ein wenig Puder, ein Hauch Rouge. Ich stellte mir eine Frau vor – meine Mutter, wie mir nun klar ist –, die dasselbe tat und es ihre *Kriegsbemalung* nannte, und heute Morgen, als ich meinen Lippenstift mit einem Kosmetiktuch betupfte und den Lidstrich noch einmal nachzog, schien das Wort genau passend. Ich hatte das Gefühl, als würde ich in einen Kampf ziehen oder als würde ein Kampf auf mich zukommen.

Mich zur Schule schicken. Make-up auflegen. Ich versuchte, mir meine Mutter vorzustellen, wie sie etwas anderes tat. Irgendetwas. Vergeblich. Ich sah nur konturlose riesige Lücken zwischen winzigen Inseln der Erinnerung, Jahre der Leere.

Jetzt bin ich in der Küche und öffne Schränke: Nudeltüten, Reispackungen mit der Aufschrift *Arborio*, Dosen mit Kidneybohnen. Ich erkenne diese Nahrungsmittel nicht. Ich erinnere mich, Käse auf Toast gegessen zu haben, Fisch aus dem Kochbeutel, Sandwichs mit Corned Beef. Ich nehme eine Dose heraus, auf der *Kichererbsen* steht, ein Beutelchen mit etwas, das *Couscous* heißt. Ich weiß nicht, was diese Dinge sind, und erst recht nicht, wie man sie kocht. Wie überlebe ich denn dann, als Ehefrau?

Ich sehe zu der Wischtafel hoch, die Ben mir gezeigt hat, bevor er ging. Sie hat eine schmutziggraue Farbe, Worte sind daraufgeschrieben und weggewischt worden, ersetzt, verbessert, und jedes hat einen schwachen Rückstand hinterlassen. Ich frage mich, was ich wohl finden würde, wenn ich in der Zeit zurückgehen und die Schichten entziffern könnte, ob es möglich wäre, auf diese Weise in meine Vergangenheit einzutauchen, doch mir wird klar, dass es zwecklos wäre, selbst wenn es mir gelänge. Ich bin sicher, dass ich lediglich Botschaften und Listen finden würde, einzukaufende Lebensmittel, zu verrichtende Aufgaben.

Ist das wirklich mein Leben?, denke ich. *Ist das alles, was ich bin?* Ich nehme den Stift und schreibe eine weitere Notiz auf die Tafel. *Für heute Abend packen?*, lautet sie. Nichts Weltbewegendes, aber von mir.

Ich höre ein Geräusch. Eine Melodie, die aus meiner Handtasche kommt. Ich öffne sie und kippe den Inhalt aufs Sofa. Mein Portemonnaie, ein paar Taschentücher, Stifte, ein Lippenstift. Eine Puderdose, eine Quittung für zwei Kaffee. Ein Notizbuch, sehr klein, mit einem Blumenmuster auf dem Deckel und einem eingesteckten Stift.

Ich finde etwas, von dem ich annehme, dass es das Telefon sein muss, von dem Ben gesprochen hat – es ist klein, aus Plastik und mit einer Tastatur, die es wie ein Spielzeug aussehen lässt. Während es weiterklingelt, blinkt ein kleiner Bildschirm. Ich drücke einen Knopf, von dem ich hoffe, dass er der richtige ist.

»Hallo?«, sage ich. Die Stimme, die antwortet, ist nicht Bens.

»Hi«, sagt sie. »Christine? Spreche ich mit Christine Lucas?«

Ich will nicht antworten. Mein Nachname kommt mir so fremd vor wie heute Morgen mein Vorname. Ich habe das Gefühl, dass das bisschen fester Boden, das ich mühsam gewonnen habe, wieder verschwunden ist, durch Treibsand ersetzt.

»Christine? Sind Sie das?«

Wer kann das sein? Wer weiß, wo ich bin, wer ich bin? Ich begreife, dass es Gott weiß wer sein könnte. Ich spüre Panik in mir aufsteigen. Schon schwebt mein Finger über dem Knopf, der das Gespräch beenden wird.

»Christine? Ich bin's. Dr. Nash. Bitte sagen Sie doch was.«

Der Name ist mir fremd, aber ich sage trotzdem: »Wer ist da?«

Die Stimme nimmt einen anderen Tonfall an. Erleichterung? »Hier spricht Dr. Nash«, sagt er. »Ihr Arzt.«

Ein neuer Panikschub. »Mein Arzt?«, frage ich. Ich bin nicht krank, will ich hinzufügen, aber noch nicht mal das weiß ich. Ich merke, wie mein Verstand ins Trudeln gerät.

»Ja«, sagt er. »Aber keine Angst. Wir arbeiten nur zusammen an Ihrem Gedächtnis. Ihnen fehlt nichts.«

Ich registriere seine Wortwahl. *Wir arbeiten zusammen*. Er ist also noch jemand, an den ich mich nicht erinnere.

»Was meinen Sie mit *arbeiten*?«, frage ich.

»Ich versuche, Ihnen dabei zu helfen, Fortschritte zu machen«, sagt er. »Herauszubekommen, was genau Ihre Gedächtnislücken hervorgerufen hat und ob wir irgendwas dagegen tun können.«

Das klingt vernünftig, aber mir kommt ein anderer Gedanke. Warum hat Ben mir nichts von diesem Arzt erzählt, ehe er heute Morgen zur Arbeit ging?

»Und wie?«, frage ich. »Was machen wir?«

»Wir treffen uns seit einigen Monaten häufiger. Etwa zweimal die Woche.«

Es scheint unmöglich. Noch jemand, den ich regelmäßig sehe und der bei mir keinerlei Eindruck hinterlassen hat.

Aber ich bin Ihnen noch nie begegnet, möchte ich sagen. *Sie könnten Gott weiß wer sein*.

Ich sage nichts. Dasselbe trifft auf den Mann zu, neben dem ich heute Morgen aufgewacht bin, und der hat sich als mein Ehemann entpuppt.

»Ich erinnere mich nicht«, sage ich stattdessen.

Seine Stimme wird weich. »Keine Sorge. Das weiß ich.« Wenn das stimmt, was er sagt, dann weiß er es nur allzu gut. Er erklärt mir, dass unser nächster Termin heute ist.

»Heute?«, frage ich. Ich überlege, was Ben mir am Morgen gesagt hat, denke an die Liste von Aufgaben an der Tafel in der Küche. »Aber mein Mann hat mir kein Wort davon gesagt.« Mir fällt auf, dass ich den Mann, neben dem ich aufgewacht bin, zum ersten Mal so bezeichne.

Ein kurzes Zögern am anderen Ende, dann sagt Dr. Nash: »Ich glaube nicht, dass Ben von unseren Treffen weiß.«

Ich registriere, dass er den Namen meines Mannes kennt, sage aber: »Das ist doch absurd! Wieso sollte er nicht? Er hätte es mir gesagt!«

Ein Seufzer. »Sie müssen mir vertrauen«, sagt er. »Ich kann Ihnen alles erklären, wenn wir uns sehen. Wir machen wirklich Fortschritte.«

Wenn wir uns sehen. Wie soll das gehen? Der Gedanke, ohne Ben das Haus zu verlassen, ohne dass er auch nur weiß, wo ich bin oder bei wem, macht mir Angst.

»Tut mir leid«, sage ich. »Ich kann nicht.«

»Christine«, sagt er. »Es ist wichtig. Wenn Sie in Ihrem Notizbuch nachsehen, werden Sie feststellen, dass ich die Wahrheit sage. Haben Sie es da? Es müsste in Ihrer Tasche sein.«

Ich nehme das Büchlein mit dem Blumenmuster vom Sofa und sehe erschrocken die Jahreszahl, die in goldenen Lettern auf dem Einband steht. Zweitausendsieben. Zwanzig Jahre weiter, als es sein sollte.

»Ja.«

»Schauen Sie auf das Datum von heute«, sagt er. »Dreißigster November. Da müsste unser Termin stehen.«

Ich begreife nicht, wie es November sein kann – morgen Dezember –, aber ich blättere trotzdem die hauchdünnen Seiten bis zum heutigen Datum durch. Dort steckt zwischen den Blättern ein gelber Zettel, und darauf steht in einer Handschrift, die ich nicht kenne: *30. November – Termin bei Dr. Nash*. Darunter steht: *Nicht Ben sagen*. Ich frage mich, ob er das gelesen hat, ob er meine Sachen durchsieht.

Ich befinde, dass es dafür keinen Grund gibt. Die anderen Tage sind ohne Einträge. Keine Geburtstage, keine abendlichen Verabredungen, keine Partys. Gibt das hier wirklich mein Leben wieder?

»Okay«, sage ich.

Er erklärt, dass er herkommen und mich abholen wird, dass er weiß, wo ich wohne, und dass er in einer Stunde da sein wird.

»Aber mein Mann«, sage ich.

»Das geht in Ordnung. Wir sind längst wieder zurück, wenn er nach Hause kommt. Versprochen. Vertrauen Sie mir.«

Die Uhr auf dem Kaminsims schlägt, und ich schaue zu ihr rüber. Sie ist altmodisch, ein großes Zifferblatt mit römischen Zahlen in einem Holzgehäuse. Sie zeigt halb zwölf an. Daneben liegt ein silberner Schlüssel, um sie aufzuziehen, etwas, woran Ben bestimmt jeden Abend denkt. Sie sieht beinahe aus wie eine Antiquität, und ich frage mich, wie wir an so eine Uhr gekommen sind. Vielleicht hat sie keine Geschichte, oder zumindest keine mit uns, sondern ist einfach nur ein Stück, das wir irgendwo gesehen haben, in einem Geschäft oder auf dem Flohmarkt, und einem von uns gefiel sie. Wahrscheinlich Ben, denke ich. Ich merke, dass sie mir nicht gefällt.

Ich treffe mich nur dieses eine Mal mit ihm, denke ich. Und dann, wenn Ben heute Abend nach Hause kommt, werde ich es ihm erzählen. Ich kann mir nicht vorstellen, dass ich ihm so etwas verschwiegen habe. Wo ich doch völlig abhängig von ihm bin.

Aber Dr. Nashs Stimme hat etwas seltsam Vertrautes. Anders als Ben kommt er mir nicht absolut fremd vor. Irgendwie fällt es mir bei ihm sogar fast leichter zu glauben, dass ich ihm schon mal begegnet bin, als bei meinem Mann.

Wir machen Fortschritte, hat er gesagt. Ich muss wissen, was für Fortschritte er meint.

»Okay«, sage ich. »Kommen Sie her.«

* * *

Als Dr. Nash eintrifft, schlägt er vor, irgendwo einen Kaffee trinken zu gehen. »Was halten Sie davon?«, fragt er. »Ich glaube, es macht nicht viel Sinn, den weiten Weg bis zu meiner Praxis zu fahren. Ich wollte heute eigentlich sowieso nur mit Ihnen reden.«

Ich nicke und sage ja. Ich war im Schlafzimmer, als er ankam, und beobachtete, wie er seinen Wagen parkte und abschloss, sah, wie er sich durchs Haar fuhr, die Jacke glattstrich und seine Aktentasche nahm. *Das ist er nicht*, dachte ich, als er den Arbeitern zunickte, die Werkzeug aus einem Lkw luden, doch dann kam er den Weg zu unserem Haus hoch. Er sah jung aus – zu jung, um Arzt zu sein –, und ich hatte nicht erwartet, dass er ein Sportsakko und eine graue Cordhose tragen würde, obwohl ich nicht weiß, was ich erwartet hatte.

»Am Ende der Straße ist ein Park«, sagt er. »Ich glaube, da gibt's auch ein Café. Sollen wir dahin?«

Wir gehen zusammen los. Die Kälte ist schneidend, und ich ziehe meinen Schal fester um den Hals. Ich bin froh über das Handy in meiner Tasche, das Ben mir gegeben hat. Und froh, dass Dr. Nash nicht darauf bestanden hat, irgendwo hinzufahren. Ein Teil von mir vertraut diesem Mann, aber ein anderer, größerer Teil sagt mir, er könnte Gott weiß wer sein. Ein Fremder.

Ich bin eine erwachsene Frau, aber ich bin beschädigt. Es wäre für diesen Mann ein Leichtes, mich irgendwohin zu bringen, obwohl ich nicht weiß, was er dann mit mir machen wollte. Ich bin verletzlich wie ein Kind.

An der Hauptstraße, an die auf der anderen Seite der Park grenzt, müssen wir auf eine Lücke im fließenden Verkehr warten. Die Stille zwischen uns ist bedrückend. Eigentlich wollte ich ihm erst Fragen stellen, wenn wir in dem Café sind, doch urplötzlich rede ich los. »Was für eine Art Arzt sind Sie?«, frage ich. »Was machen Sie? Wie sind Sie an mich gekommen?«

Er schaut mich an. »Ich bin Neuropsychologe«, sagt er. Er lächelt. Ich würde gern wissen, ob ich ihm diese Frage jedes Mal stelle, wenn wir uns treffen. »Mein Spezialgebiet sind Patienten mit Hirnstörungen, und ich befasse mich schwerpunktmäßig mit neueren funktionellen, bildgebenden Verfahren in der Neurologie. Ich interessiere mich schon länger vor allem für die Erforschung von Erinnerungsprozessen und -funktionen. Ich habe in der einschlägigen Fachliteratur über Sie gelesen und Sie ausfindig gemacht. Es war nicht sehr schwer.«

Hinter einem Auto, das weiter vorn um die Kurve kommt, tut sich endlich eine Lücke auf. »Fachliteratur?«

»Ja. Es gibt ein paar Fallstudien über Sie. Ich hab mich mit der Einrichtung in Verbindung gesetzt, in der Sie behandelt wurden, ehe Sie wieder nach Hause konnten.«

»Warum? Warum wollten Sie mich finden?«

Er lächelt. »Weil ich dachte, dass ich Ihnen helfen kann. Ich arbeite schon länger mit Patienten, die ähnliche Probleme haben. Ich bin überzeugt, dass man ihnen helfen kann, aber sie benötigen eine intensivere Behandlung als die übliche eine Stunde pro Woche. Ich hatte ein paar Ideen, wie sich echte Fortschritte erzielen ließen, und wollte ein paar davon ausprobieren.« Er stockt kurz. »Außerdem habe ich eine Arbeit über Ihren Fall geschrieben. Die maßgebliche Arbeit, könnte man sagen.« Er lacht, verstummt aber wieder, als ich nicht mitlache. Er räuspert sich. »Ihr Fall ist ungewöhnlich. Ich glaube, wir können sehr viel mehr über die Funktionsweise des Gedächtnisses erfahren, als wir derzeit wissen.«

Das Auto fährt vorbei, und wir überqueren die Straße. Ich merke, dass ich unruhig werde, angespannt. *Hirnstörungen. Erforschung. Sie ausfindig gemacht.* Ich versuche, ruhig zu atmen, mich zu entspannen, aber es gelingt mir nicht. Es gibt mich jetzt zweimal, in demselben Körper; die eine ist eine siebenundvierzigjährige Frau, ruhig, höflich, die weiß, welches Verhalten angemessen ist und welches nicht, und die andere ist Mitte zwanzig, und sie schreit. Ich kann nicht entscheiden, welche ich bin, aber die einzigen Geräusche, die ich höre, sind die Autos und der Lärm der Kinder im Park, daher vermute ich, dass ich die erste bin.

Auf der anderen Straßenseite bleibe ich stehen und sage: »Hören Sie, was ist eigentlich los? Ich bin heute Morgen in einem Haus aufgewacht, das ich noch nie gesehen habe, in dem ich aber anscheinend wohne. Ich lag neben einem Mann, den ich nicht kenne und der mir sagt, dass ich seit über zwanzig Jahren mit ihm verheiratet bin. Und Sie scheinen mehr über mich zu wissen als ich selbst.«

Er nickt bedächtig. »Sie haben Amnesie«, sagt er und legt eine Hand auf meinen Arm. »Sie haben schon sehr lange Amnesie. Sie können keine neuen Erinnerungen speichern, daher haben Sie so ziemlich alles vergessen, was Sie als Erwachsene erlebt haben. Jeden Tag wachen Sie auf, als wären Sie eine junge Frau. An manchen Tagen wachen Sie als Kind auf.«

Irgendwie klingt es noch schlimmer, wenn er, ein Arzt, es ausspricht. »Dann ist es also wahr?«

»Leider ja. Der Mann bei Ihnen zu Hause ist Ihr Ehemann Ben. Sie haben vor vielen Jahren geheiratet. Lange vor Beginn Ihrer Amnesie.« Ich nicke. »Sollen wir weitergehen?«

Ich sage ja, und wir gehen in den Park. Ein Pfad verläuft außen herum, und in der Nähe ist ein Kinderspielplatz gleich neben einer Hütte, aus der ich Leute kommen sehe, die Tabletts mit Essen und Getränken tragen. Wir gehen in das Café, und ich setze mich an einen der rissigen Resopaltische, während Dr. Nash an der Theke Kaffee für uns bestellt.

Als er zurückkommt, hat er in jeder Hand einen Plastikbecher mit starkem Kaffee, seiner mit, meiner ohne Milch. Er löffelt Zucker aus der Dose auf dem Tisch in seinen Kaffee, ohne mir welchen anzubieten, und das überzeugt mich mehr als alles andere, dass wir uns schon vorher begegnet sind. Er blickt auf und fragt mich, wie ich mich an der Stirn verletzt habe.

»Was –?«, sage ich zuerst, doch dann fällt mir der Bluterguss ein, den ich heute Morgen gesehen habe. Mein Make-up hat ihn offensichtlich nicht kaschiert. »Das da?«, sage ich. »Ich weiß nicht. Ist jedenfalls nicht weiter schlimm. Tut gar nicht weh.«

Er antwortet nicht. Er rührt in seinem Kaffee.

»Mein Mann kümmert sich also zu Hause um mich?«, frage ich.

Er blickt auf. »Ja, aber das war nicht immer so. Zuerst war Ihr Zustand so ernst, dass Sie rund um die Uhr betreut werden mussten. Erst seit einiger Zeit kann Ben Sie allein versorgen.«

Dann ist das, wie ich mich jetzt fühle, also eine Verbesserung. Ich bin froh, dass ich mich nicht an die Zeit erinnern kann, in der es schlechter um mich stand. »Er muss mich sehr lieben«, sage ich, eher zu mir selbst als zu Dr. Nash.

Er nickt. Eine Pause entsteht. Wir trinken beide einen Schluck Kaffee. »Ja. Das muss er wohl.«

Ich lächele und schaue nach unten, auf meine Hände, die den heißen Becher halten, auf den goldenen Ehering, die kurzen Fingernägel, auf meine sittsam gekreuzten Beine. Ich erkenne meinen eigenen Körper nicht.

»Warum weiß mein Mann nicht, dass wir uns treffen?«, frage ich.

Er seufzt und schließt die Augen. »Ich will ehrlich sein«, sagt er, faltet die Hände und beugt sich auf seinem Stuhl vor. »Zu Anfang habe ich Sie gebeten, Ben nicht zu erzählen, dass Sie zu mir kommen.«

Jähe Angst durchfährt mich wie ein Echo. Aber er macht dennoch einen vertrauenerweckenden Eindruck.

»Reden Sie weiter«, sage ich. Ich möchte glauben, dass er mir helfen kann.

»Viele Leute – Ärzte, Psychiater, Psychologen und so weiter – sind in der Vergangenheit an Sie und Ben herangetreten, weil sie mit Ihnen arbeiten wollten. Aber er hat sich heftig dagegen gesträubt, Sie von diesen Spezialisten behandeln zu lassen. Er hat klipp und klar gesagt, Sie wären schon genug therapiert worden und es hätte seiner Meinung nach nichts gebracht, außer Sie aufgeregt. Natürlich wollte er Ihnen – und sich selbst – weitere Aufregungen ersparen.«

Natürlich; er will nicht, dass ich mir falsche Hoffnungen mache. »Also haben Sie mich dazu überredet, mich mit Ihnen zu treffen, ohne dass er davon weiß?«

»Ja. Allerdings habe ich mich zuerst an Ben gewandt. Wir haben telefoniert. Ich habe ihn sogar um ein Treffen gebeten, weil ich ihm erläutern wollte, was ich zu bieten habe, aber er hat abgelehnt. Daraufhin habe ich Sie direkt kontaktiert.«

Erneut durchfährt mich Angst, wie aus dem Nichts. »Wie das?«, frage ich.

Er blickt nach unten in seinen Becher. »Ich habe Sie abgefangen. Ich habe gewartet, bis Sie aus dem Haus kamen, und dann habe ich mich Ihnen vorgestellt.«

»Und ich war einverstanden, mich mit Ihnen zu treffen? Einfach so?«

»Anfangs nicht. Nein. Ich musste erst Ihr Vertrauen gewinnen. Ich habe vorgeschlagen, dass Sie einmal zu mir kommen, nur für eine Sitzung. Nötigenfalls ohne Bens Wissen. Ich habe gesagt, ich würde Ihnen erklären, warum ich wollte, dass Sie mit mir arbeiten, und was ich Ihnen meiner Meinung nach anbieten konnte.«

»Und ich war einverstanden.«

Er blickt auf. »Ja«, sagt er. »Ich habe gesagt, nach der ersten Sitzung läge es allein bei Ihnen, ob Sie es Ben erzählen wollen oder nicht, aber falls Sie sich dagegen entscheiden würden, würde ich Sie anrufen, um Sie an unsere Termine zu erinnern und so weiter.«

»Und ich habe mich dagegen entschieden.«

»Ja. Richtig. Sie meinten, Sie wollten damit lieber warten, bis wir Fortschritte machen. Sie hielten es für besser so.«

»Und?«

»Und was?«

»Machen wir Fortschritte?«

Er trinkt noch einen Schluck Kaffee, stellt den Becher wieder auf den Tisch. »Ich denke, ja. Obwohl es schwierig ist, Fortschritte exakt zu messen. Aber in den letzten paar Wochen scheinen Ihnen viele Erinnerungen wieder eingefallen zu sein – etliche davon zum ersten Mal, soweit wir wissen. Und es gibt gewisse Sachverhalte, die Ihnen häufiger bewusst sind, was früher nicht der Fall war. Sie erinnern sich zum Beispiel nach dem Aufwachen gelegentlich daran, dass Sie verheiratet sind. Und –« Er stockt.

»Und?«, sage ich.

»Und, na ja, Sie werden unabhängiger, denke ich.«

»Unabhängiger?«

»Ja. Sie verlassen sich nicht mehr so stark wie früher auf Ben. Oder auf mich.«

Das ist alles, denke ich. Das sind die Fortschritte, von denen er redet. Unabhängigkeit. Vielleicht meint er damit, dass ich ohne Begleitung in Läden oder eine Bibliothek gehen kann, obwohl ich mir im Augenblick nicht mal sicher bin, ob dem so ist. Jedenfalls habe ich noch nicht so viele Fortschritte gemacht, dass ich sie stolz meinem Mann vorführen könnte. Ich weiß ja offenbar noch immer nicht jeden Morgen, wenn ich aufwache, dass ich überhaupt einen Mann habe.

»Und das ist alles?«

»Es ist wichtig«, sagt er. »Unterschätzen Sie das nicht, Christine.«

Ich sage nichts. Ich trinke einen Schluck Kaffee und schaue mich in dem Café um. Es ist fast leer. Aus der kleinen Küche ganz hinten dringen Stimmen, dann und wann ein Brodeln, wenn das Wasser in einer Teemaschine anfängt zu kochen, der Lärm spielender Kinder in der Ferne. Kaum zu glauben, dass ich ganz in der Nähe von diesem Lokal wohne, mich aber nicht erinnern kann, je hier gewesen zu sein.

»Sie sagen, wir treffen uns seit einigen Wochen«, sage ich zu Dr. Nash. »Was haben wir die ganze Zeit gemacht?«

»Erinnern Sie sich an unsere Sitzungen? An irgendetwas daraus?«

»Nein«, sage ich. »An gar nichts. Soviel ich weiß, sehe ich Sie heute zum ersten Mal.«

»Entschuldigen Sie die Frage«, sagt er. »Wie gesagt, manchmal haben Sie Erinnerungsblitze. Anscheinend wissen Sie an manchen Tagen mehr als an anderen.«

»Ich begreife das nicht«, sage ich. »Ich erinnere mich nicht daran, Ihnen je begegnet zu sein, oder was gestern passiert ist oder vorgestern oder auch letztes Jahr. Dagegen kann ich mich an manche Dinge erinnern, die Jahre her sind. Meine Kindheit. Meine Mutter. Ich erinnere mich daran, dass ich studiert habe, so halbwegs. Mir ist schleierhaft, wie diese Erinnerungen überlebt haben können, wenn doch alles andere wie weggewischt ist.«

Während ich rede, nickt er die ganze Zeit. Ich bin sicher, dass er das alles nicht zum ersten Mal hört. Vielleicht sage ich jede Woche dasselbe. Vielleicht führen wir immer das gleiche Gespräch.

»Das Gedächtnis ist eine komplizierte Angelegenheit«, sagt er. »Menschen haben ein Kurzzeitgedächtnis, das Fakten und Informationen etwa eine Minute lang speichern kann, aber auch ein Langzeitgedächtnis. Darin können wir gewaltige Mengen Informationen speichern, und das anscheinend unbegrenzt lange. Wie wir heute wissen, werden diese beiden Funktionen offenbar von verschiedenen Teilen des Gehirns gesteuert, zwischen denen neuronale Verbindungen bestehen. Ein Teil des Gehirns scheint außerdem dafür zuständig zu sein, kurzzeitige, vorübergehende Erinnerungen im Langzeitgedächtnis zu encodieren, so dass sie sehr viel später wieder abgerufen werden können.«

Er spricht locker, schnell, als wäre er jetzt auf sicherem Boden. Ich muss auch mal so gewesen sein, vermute ich; voller Selbstvertrauen.

»Es gibt zwei Hauptformen von Amnesie«, sagt er. »Die häufigste Form ist die, dass sich die betroffene Person nicht an vergangene Ereignisse erinnern kann, wobei die jüngsten Ereignisse am stärksten betroffen sind. Nehmen wir zum Beispiel an, jemand hat einen Motorradunfall, dann erinnert er sich nicht an den Unfall oder die Tage oder Wochen davor, aber er kann sich durchaus an alles erinnern, was beispielsweise bis zu sechs Monate vor dem Unfall passiert ist.«

Ich nicke. »Und die andere Form?«

»Die ist seltener«, sagt er. »In manchen Fällen ist es unmöglich, Erinnerungen vom Kurzzeit- ins Langzeitgedächtnis zu übertragen. Menschen mit dieser Störung leben im Augenblick, können sich nur an die unmittelbare Vergangenheit erinnern, und das nur für kurze Zeit.«

Er verstummt, als warte er darauf, dass ich etwas sage. Es ist, als hätte jeder von uns beiden seinen Text, als hätten wir dieses Gespräch schon oft geprobt.

»Und ich habe beides?«, frage ich. »Verlust der Erinnerungen, die ich hatte, plus die Unfähigkeit, neue zu bilden?«

Er räuspert sich. »Leider ja. Es ist nicht häufig, aber es kommt vor. Das Ungewöhnliche an Ihrem Fall ist allerdings das Muster Ihrer Amnesie. Die meiste Zeit haben Sie keinerlei zusammenhängende Erinnerung an irgendein Ereignis nach Ihrer frühen Kindheit, aber Sie scheinen neue Erinnerungen auf eine Weise zu verarbeiten, die mir völlig unbekannt ist. Wenn ich jetzt aus dem Raum gehen und zwei Minuten später zurückkommen würde, könnten sich die meisten Menschen mit anterograder Amnesie nicht erinnern, mich je gesehen zu haben, und schon gar nicht heute. Aber Sie scheinen sich an ganze Zeitabschnitte zu erinnern – bis zu vierundzwanzig Stunden –, die Sie dann wieder verlieren. Das ist untypisch. Offen gestanden, nach allem, was wir über die Funktionsweise des Gedächtnisses zu wissen meinen, ergibt es überhaupt keinen Sinn. Ich vermute, dass Sie durchaus imstande sind, Dinge vom Kurzzeitgedächtnis ins Langzeitgedächtnis zu übertragen. Ich verstehe bloß nicht, warum Sie sie nicht speichern können.«

Mein Leben mag ja zersprungen sein, aber wenigstens ist es in so große Stücke zersprungen, dass ich einen Schein von Unabhängigkeit wahren kann. Vermutlich kann ich mich glücklich schätzen.

»Was hat das verursacht?«, frage ich.

Er sagt nichts. Der Raum wird ruhig. Die Luft fühlt sich leblos an und stickig. Als er antwortet, scheinen seine Worte von den Wänden widerzuhallen. »Eine Schädigung des Gedächtnisses, sowohl des Langzeit- als auch des Kurzzeitgedächtnisses, kann viele Ursachen haben«, sagt er. »Krankheit, Unfall, Drogenmissbrauch. Die genaue Art der Schädigung ist offenbar unterschiedlich, je nachdem, welcher Teil des Gehirns betroffen ist.«

»Ja«, sage ich. »Aber was hat meine verursacht?«

Er sieht mich einen Moment lang an. »Was hat Ben Ihnen erzählt?«

Ich denke an unser Gespräch im Schlafzimmer zurück. *Ein Unfall*, hat er gesagt. *Ein schlimmer Unfall.*

»Er hat mir eigentlich nichts gesagt«, antworte ich. »Zumindest nichts Genaues. Er hat nur gesagt, dass ich einen Unfall hatte.«

»Ja«, sagt er und greift nach seiner Tasche unter dem Tisch. »Ihre Amnesie wurde durch ein Trauma ausgelöst. Das ist richtig, zumindest teilweise.« Er öffnet die Tasche und nimmt ein Buch heraus. Zuerst denke ich, er will seine Notizen konsultieren, doch stattdessen schiebt er das Buch über den Tisch zu mir herüber. »Christine, ich möchte, dass Sie sich das ansehen«, sagt er. »Es wird alles erklären. Besser, als ich das kann. Vor allem, was Ihren Zustand verursacht hat. Aber auch noch andere Dinge.«

Ich nehme das Buch in die Hand. Es ist braun, in Leder gebunden, mit einem Gummiband drum herum. Ich streife das Gummiband ab und schlage das Buch blind irgendwo auf. Das Papier ist dick, schwach liniert, mit einem roten Rand, und die Seiten sind eng beschrieben. »Was ist das?«, frage ich.

»Ein Tagebuch«, sagt er. »Das Sie in den letzten Wochen geführt haben.«

Ich bin schockiert. »Ein Tagebuch?« Ich frage mich, warum *er* es hat.

»Ja. Sozusagen ein Protokoll von dem, woran wir in den letzten Sitzungen gearbeitet haben. Ich hatte Sie gebeten, sich Notizen zu machen. Wir haben gemeinsam versucht herauszufinden, wie Ihr Gedächtnis genau funktioniert. Ich dachte, es könnte hilfreich sein, wenn Sie eine Art Protokoll über unsere Arbeit führen.«

Ich betrachte das Buch vor mir. »Dann habe ich das geschrieben?«

»Ja. Ich hatte Sie gebeten, einfach alles aufzuschreiben, was Ihnen in den Sinn kommt. So was machen viele Amnesiekranke, aber bei den meisten ist das nicht so hilfreich, wie man meint, weil sie nur eine ganz kurze Erinnerungsspanne haben. Aber da Sie sich an manche Dinge einen ganzen Tag lang erinnern können, sprach meiner Meinung nach nichts dagegen, dass Sie sich jeden Abend ein paar Notizen machen. Ich dachte, das könnte Ihnen vielleicht helfen, von einem Tag zum nächsten einen Erinnerungsfaden zu bewahren. Außerdem bin ich der Ansicht, dass das Gedächtnis wie ein Muskel ist, der durch Training gekräftigt werden kann.«

»Und Sie haben meine Eintragungen zwischendurch gelesen?«

»Nein«, sagt er. »Sie haben das Tagebuch nur für sich allein geführt.«

»Aber wie –?«, setze ich an und sage dann: »Hat Ben mich daran erinnert, mir Notizen zu machen?«

Er schüttelt den Kopf. »Ich habe Ihnen empfohlen, die Sache geheim zu halten«, sagt er. »Sie haben das Tagebuch zu Hause versteckt. Ich habe Sie regelmäßig angerufen und Ihnen gesagt, wo es ist.«

»Jeden Tag?«

»Ja. Mehr oder weniger.«

»Nicht Ben?«

Er zögert, dann sagt er: »Nein. Ben hat es nicht gelesen.«

Ich wüsste gern, warum nicht, was für Sachen darin stehen, die ich meinem Mann vorenthalten möchte. Was für Geheimnisse mag ich haben? Geheimnisse, von denen ich selbst nichts weiß.

»Aber Sie haben es gelesen?«

»Vor ein paar Tagen haben Sie es mir dagelassen«, sagt er. »Sie haben gesagt, ich soll es lesen. Es wäre an der Zeit.«

Ich starre auf das Buch. Ich bin gespannt. Ein Tagebuch. Eine Verbindung zu einer verlorenen Vergangenheit, auch wenn sie nicht lange zurückliegt.

»Haben Sie alles gelesen?«

»Das meiste, ja«, sagt er. »Jedenfalls glaube ich, dass ich alles gelesen habe, was wichtig ist.« Er stockt, wendet den Blick ab, kratzt sich im Nacken. Verlegen, denke ich. Ich frage mich, ob er die Wahrheit sagt, was den Inhalt des Buches betrifft. Er trinkt den letzten Schluck von seinem Kaffee und sagt: »Ich habe Sie nicht genötigt, es mir zu zeigen. Ich möchte, dass Sie das wissen.«

Ich nicke und trinke schweigend meinen Kaffeebecher leer, während ich die Buchseiten durchblättere. Auf der Innenseite des Deckels steht eine Liste mit Daten. »Was ist damit?«, frage ich.

»Das sind die Tage, an denen wir uns getroffen haben«, sagt er. »Plus die Termine, die wir geplant hatten. Wir haben immer wieder neue ausgemacht. Ich habe Sie dann angerufen, um Sie daran zu erinnern, und Sie gebeten, in Ihr Tagebuch zu schauen.«

Ich denke an den gelben Zettel, der heute in meinem Notizbuch steckte. »Und heute?«

»Heute hatte ich Ihr Tagebuch«, sagt er. »Deshalb hatte ich Ihnen stattdessen einen Zettel geschrieben.«

Ich nicke und schaue den Rest des Buches durch. Es ist mit einer engen Handschrift gefüllt, die ich nicht erkenne. Seite um Seite. Die Arbeit vieler Tage.

Ich frage mich, wie ich die Zeit dafür gefunden habe, doch dann denke ich an die Tafel in der Küche, und die Antwort liegt auf der Hand. Ich hatte sonst nichts zu tun.

Ich lege es wieder auf den Tisch. Ein junger Mann in Jeans und T-Shirt kommt herein und blickt kurz zu uns herüber, ehe er etwas zu trinken bestellt und sich mit einer Zeitung an einen Tisch setzt. Er schaut nicht noch einmal hoch, um mich anzusehen, und mein zwanzigjähriges Ich ist beleidigt. Ich fühle mich unsichtbar.

»Gehen wir?«, sage ich.

Wir spazieren denselben Weg zurück, den wir gekommen sind. Der Himmel hat sich zugezogen, und ein dünner Nebel hängt in der Luft. Der Boden unter den Füßen fühlt sich durchweicht an; ich habe das Gefühl, über Treibsand zu gehen. Auf dem Spielplatz sehe ich ein Kinderkarussell, das langsam kreist, obwohl niemand darauf fährt.

»Treffen wir uns normalerweise nicht hier?«, frage ich, als wir die Hauptstraße erreichen. »In dem Café, meine ich.«

»Nein. Normalerweise treffen wir uns in meiner Praxis. Wir machen Übungen. Tests und so.«

»Warum sind wir dann heute hier?«

»Ich wollte Ihnen wirklich nur das Buch zurückgeben«, sagt er. »Es hat mich beunruhigt, dass Sie es nicht hatten.«

»Bin ich irgendwie darauf angewiesen?«, frage ich.

»In gewisser Weise, ja.«

Wir überqueren die Straße und nähern uns wieder dem Haus, das ich mit Ben bewohne. Ich kann Dr. Nashs Auto sehen, das noch immer an der Stelle parkt, wo er es abgestellt hat, den kleinen Garten vor unserem Fenster, den kurzen Weg und die gepflegten Blumenbeete. Noch immer kann ich nicht richtig glauben, dass das mein Zuhause ist.

»Möchten Sie mit reinkommen?«, frage ich. »Noch etwas trinken?«

Er schüttelt den Kopf. »Nein. Nein danke, lieber nicht. Ich muss los. Julie und ich haben heute Abend was vor.«

Er bleibt kurz stehen und sieht mich an. Mir fällt sein Haar auf, kurz geschnitten und ordentlich gescheitelt, und dass sein Hemd senkrechte Streifen hat, die nicht zu den Querstreifen auf seinem Pullover passen. Mir wird klar, dass er nur ein paar Jahre älter ist, als ich heute Morgen beim Aufwachen zu sein glaubte. »Julie ist Ihre Frau?«

Er lächelt und schüttelt den Kopf. »Nein, meine Freundin. Genauer gesagt, meine Verlobte. Wir haben uns verlobt. Das vergesse ich immer wieder.«

Ich erwidere sein Lächeln. Das sind die Details, an die ich mich erinnern sollte, vermute ich. Die kleinen Dinge. Vielleicht habe ich solche Trivialitäten in meinem Buch aufgeschrieben, diese kleinen Häkchen, an denen sich ein ganzes Leben festmacht.

»Glückwunsch«, sage ich, und er bedankt sich.

Ich habe das Gefühl, dass ich noch mehr fragen, mehr Interesse zeigen sollte, aber das hätte wenig Sinn. Alles, was er mir erzählt, werde ich vergessen haben, wenn ich morgen aufwache. Das Heute ist alles, was ich habe. »Ich glaube, ich muss mich ohnehin sputen«, sage ich. »Wir fahren nämlich übers Wochenende weg. Ans Meer. Ich muss noch packen …«

Er lächelt. »Auf Wiedersehen, Christine«, sagt er. Er wendet sich zum Gehen, doch dann dreht er sich noch einmal um. »In Ihrem Tagebuch stehen meine Nummern«, sagt er. »Vorne drin. Rufen Sie mich an, falls Sie sich mit mir treffen möchten. Um Ihre Behandlung fortzusetzen, meine ich. Okay?«

»Falls?«, sage ich. Ich erinnere mich an die Termine, die im Tagebuch stehen und die von jetzt bis zum Ende des Jahres gehen. »Ich dachte, wir hätten weitere Sitzungen vereinbart?«

»Sie werden es verstehen, wenn Sie das Tagebuch lesen«, sagt er. »Dann ergibt alles einen Sinn. Versprochen.«

»Okay«, sage ich. Ich merke, dass ich ihm vertraue, und das macht mich froh. Froh, dass ich nicht nur auf meinen Mann bauen kann.

»Es liegt an Ihnen, Christine. Rufen Sie mich an, wann immer Sie wollen.«

»Mach ich«, sage ich, und dann winkt er, steigt in sein Auto, fährt nach einem kurzen Blick über die Schulter los und ist fort.

Ich mache mir eine Tasse Kaffee und nehme sie mit ins Wohnzimmer. Von draußen höre ich jemanden pfeifen, immer wieder unterbrochen von lauten Bohrgeräuschen und gelegentlichem meckernden Lachen, doch auch das schwächt sich zu einem leisen Hintergrundsummen ab, als ich mich in den Sessel setze. Die Sonne scheint dünn durch die Gardinen, und ich spüre ihre matte Wärme auf Armen und Oberschenkeln. Ich hole das Tagebuch aus meiner Tasche.

Ich bin nervös. Ich weiß nicht, was das Buch enthält. Welche Erschütterungen und Überraschungen. Welche Geheimnisse. Ich sehe das Album auf dem Couchtisch liegen. Darin ist eine Version meiner Vergangenheit, aber eine, die Ben ausgewählt hat. Enthält das Tagebuch eine andere? Ich schlage es auf.

Die erste Seite ist unliniert. Ich habe meinen Namen in schwarzer Tinte in die Mitte geschrieben. *Christine Lucas*. Es ist ein Wunder, dass ich nicht *Vertraulich!* darunter geschrieben habe. Oder *Finger weg!*.

Es ist etwas anderes hinzugefügt worden. Etwas Unerwartetes, Beängstigendes. Beängstigender als alles, was ich heute gesehen habe. Da, unter meinem Namen, stehen drei Wörter in blauer Tinte und Großbuchstaben.

VERTRAUE BEN NICHT.

Mir bleibt nichts anderes übrig, ich blättere um.

Ich beginne, meine Geschichte zu lesen.

Teil zwei

DAS TAGEBUCH DER CHRISTINE LUCAS

Freitag, 9. November

Ich heiße Christine Lucas. Ich bin siebenundvierzig. Ich habe Amnesie. Ich sitze hier in diesem mir fremden Bett und schreibe meine Geschichte auf, während ich ein Nachthemd trage, das der Mann unten – der sagt, dass er mein Ehemann ist, dass er Ben heißt – angeblich zu meinem sechsundvierzigsten Geburtstag für mich gekauft hat. Das Zimmer ist still, und das einzige Licht kommt von der Lampe auf dem Nachttisch – ein sanfter orange-gelber Schein. Ich komme mir vor, als würde ich schwerelos in einem Tümpel aus Licht treiben.

Ich habe die Schlafzimmertür geschlossen. Ich schreibe das hier für mich allein. Heimlich. Ich kann meinen Mann unten im Wohnzimmer hören – das leise Seufzen des Sofas, wenn er sich vorbeugt oder aufsteht, ein gelegentliches Hüsteln, höflich unterdrückt –, aber ich werde dieses Tagebuch verstecken, wenn er nach oben kommt. Ich werde es unters Bett schieben oder unters Kissen. Ich möchte nicht, dass er mich darin schreiben sieht. Ich möchte ihm nicht erzählen müssen, woher ich es habe.

Ich schaue auf die Uhr auf dem Nachttisch. Es ist fast elf. Ich muss schnell schreiben. Bestimmt werde ich bald hören, wie der Fernseher ausgemacht wird, das Knarren eines Dielenbretts, wenn Ben den Raum durchquert, das Klicken eines Lichtschalters. Wird er in die Küche gehen und sich ein Glas Wasser eingießen? Oder wird er gleich hochkommen? Ich weiß es nicht. Ich kenne seine Rituale nicht. Ich kenne meine eigenen nicht.

Weil ich keine Erinnerungen habe. Laut Ben, laut dem Arzt, bei dem ich heute Nachmittag war, wird mein Gehirn diese Nacht, während ich schlafe, alles löschen, was ich heute weiß. Ich werde morgen früh so aufwachen, wie ich heute Morgen aufgewacht bin. In dem Glauben, ich wäre noch ein Kind. In dem Glauben, ich hätte noch ein ganzes Leben voller Entscheidungsmöglichkeiten vor mir.

Und dann werde ich wieder einmal feststellen, dass ich mich irre. Meine Entscheidungen sind bereits getroffen worden. Mein halbes Leben liegt hinter mir.

Der Arzt hieß Dr. Nash. Er hat mich heute Morgen angerufen, mich mit seinem Wagen abgeholt, mich zu seiner Praxis gefahren. Auf seine Frage hin habe ich ihm gesagt, dass ich ihm noch nie begegnet bin. Er hat gelächelt – aber nicht unfreundlich – und den Deckel von dem Computer aufgeklappt, der auf seinem Schreibtisch stand.

Er hat mir einen Film vorgespielt. Eine Videoaufnahme. Sie zeigte ihn und mich, wie wir in demselben Praxisraum saßen, anders gekleidet, aber in denselben Sesseln. In dem Film gab er mir einen Stift und bat mich, Formen auf ein Blatt Papier zu zeichnen, aber ich sollte dabei in den Spiegel schauen, so dass alles verkehrt herum aussah. Ich konnte sehen, dass mir das schwerfiel, aber während ich nun zuschaute, fielen mir nur meine runzeligen Finger und das Blitzen des Eherings an meiner linken Hand auf. Als ich fertig war, schien er erfreut. »Sie werden schneller«, sagte er in dem Video und fügte dann hinzu, dass ich wohl irgendwo tief, tief in mir die Ergebnisse meiner wochenlangen Übungen in Erinnerung behalten hatte, auch wenn ich mich nicht an die Übungen selbst erinnerte. »Das bedeutet, dass Ihr Langzeitgedächtnis auf irgendeiner Ebene funktioniert«, sagte er. Ich lächelte daraufhin, aber ich sah nicht froh aus. Der Film endete.

Dr. Nash klappte seinen Computer zu. Er sagte, dass wir uns in den vergangenen Wochen regelmäßig getroffen hätten. Dass bei mir etwas, das sich episodisches Gedächtnis nennt, schwer gestört sei. Er erklärte, dass ich mich deshalb an keine Ereignisse oder autobiographischen Details erinnern kann, und er meinte, die Ursache dafür sei normalerweise ein neurologisches Problem. Strukturell oder chemisch, sagte er. Vielleicht auch eine hormonelle Störung. Das Phänomen ist wohl sehr selten, und ich scheine ein besonders schwerer Fall zu sein. Als ich fragte, wie schwer, antwortete er, dass ich mich an manchen Tagen an kaum etwas erinnern könne, das über meine frühe Kindheit hinausgeht. Ich dachte an heute Morgen zurück, als ich mit keinerlei Erinnerungen an mein Erwachsenenleben aufgewacht war.

»An manchen Tagen?«, sagte ich. Er antwortete nicht, und sein Schweigen verriet mir, was er in Wirklichkeit meinte: *An den meisten Tagen.*

Es gebe Behandlungsmöglichkeiten für anhaltende Amnesie, sagte er – Medikamente, Hypnose –, aber die meisten seien bei mir bereits ausprobiert worden. »Sie sind jedoch in der einzigartigen Lage, sich selbst helfen zu können, Christine«, sagte er, und als ich nachfragte, sagte er, weil ich mich von den meisten Amnesiekranken unterscheide. »Ihre Symptome deuten nicht darauf hin, dass Ihre Erinnerungen unwiederbringlich verloren sind«, sagte er. »Sie können sich stundenlang an Ereignisse erinnern. Bis zu dem Moment, an dem Sie einschlafen. Sie können sogar kurz einnicken und sich beim Aufwachen weiter an Dinge erinnern, vorausgesetzt, Sie waren nicht im Tiefschlaf. Das ist höchst ungewöhnlich. Die meisten Amnesiekranken verlieren ihre neuen Erinnerungen alle paar Sekunden ...«

»Und?«, sagte ich. Er schob ein braunes Notizbuch über den Tisch zu mir herüber.

»Ich denke, es könnte etwas bringen, wenn Sie Ihre Therapie

dokumentieren, Ihre Gefühle, sämtliche Eindrücke oder Erinnerungen, die Ihnen einfallen. Hier drin.«

Ich streckte die Hand aus und nahm das Buch. Die Seiten waren leer.

Das soll meine Behandlung sein?, dachte ich. *Tagebuch führen? Ich möchte mich an Dinge erinnern, sie nicht einfach bloß aufschreiben.*

Er schien meine Enttäuschung zu spüren. »Ich erhoffe mir außerdem, dass beim Niederschreiben Ihrer Erinnerungen möglicherweise neue ausgelöst werden«, sagte er. »Die Wirkung könnte kumulativ sein.«

Ich schwieg einen Moment. Aber welche Wahl hatte ich denn? Tagebuch schreiben oder so bleiben, wie ich bin, für immer.

»Okay«, sagte ich. »Ich mach es.«

»Gut«, sagte er. »Ich habe meine Telefonnummern vorne ins Buch geschrieben. Rufen Sie mich an, wenn Sie verwirrt sind.«

Ich sagte, das würde ich tun. Eine lange Pause trat ein, dann sagte er: »In letzter Zeit haben wir uns intensiv mit Ihrer frühen Kindheit beschäftigt. Wir haben uns Fotos angesehen. So was in der Art.« Ich sagte nichts, und er nahm ein Foto aus der Akte vor ihm. »Heute möchte ich Sie bitten, sich das hier anzuschauen«, sagte er. »Erkennen Sie das?«

Auf dem Foto war ein Haus zu sehen. Zuerst kam es mir völlig fremd vor, doch dann sah ich die abgetretene Stufe vor der Haustür, und plötzlich wusste ich es. Es war das Haus, in dem ich aufgewachsen war, das Haus, in dem ich heute Morgen aufzuwachen meinte. Es hatte anders ausgesehen, irgendwie weniger real, aber es war unverkennbar. Ich schluckte trocken. »Da hab ich als Kind gewohnt«, sagte ich.

Er nickte und sagte, dass die meisten meiner frühen Erinnerungen unbeeinträchtigt seien. Er bat mich, das Innere des Hauses zu beschreiben.

Ich sagte ihm, woran ich mich erinnerte: dass man durch die Haustür direkt ins Wohnzimmer trat, dass es hinten ein kleines

Esszimmer gab, dass Besucher gebeten wurden, den kleinen Weg zwischen unserem Haus und dem der Nachbarn zu benutzen, um direkt von hinten in die Küche zu gelangen.

»Und weiter?«, fragte er. »Was war oben?«

»Zwei Schlafzimmer«, sagte ich. »Eines nach vorne, eines nach hinten. Von der Küche unten kam man zum Badezimmer und zur Toilette ganz hinten im Haus. Die waren in einem Nebengebäude untergebracht gewesen, bis es mit zwei gemauerten Wänden und einem Welldach mit dem übrigen Haus verbunden wurde.«

»Weiter?«

Ich wusste nicht, worauf er hinauswollte. »Ich weiß nicht genau …«, sagte ich.

Er fragte mich, ob ich mich an irgendwelche Kleinigkeiten erinnerte.

Da fiel mir etwas ein. »Meine Mutter hatte in der Vorratskammer einen Topf mit der Aufschrift *Zucker*«, sagte ich. »Da hat sie immer Geld drin aufbewahrt. Sie hat ihn auf dem obersten Regal versteckt. Da oben standen auch Gläser mit Marmelade. Die machte sie selbst. Wir haben oft Beeren gesammelt, in einem Wald, zu dem wir extra hingefahren sind. Ich weiß nicht mehr, wo. Wir drei sind tief in den Wald gegangen und haben Brombeeren gepflückt. Eimerweise. Und dann hat meine Mutter sie eingekocht und Marmelade daraus gemacht.«

»Gut«, sagte er und nickte. »Ausgezeichnet!« Er schrieb etwas in die Akte vor ihm. »Was ist hiermit?«

Er zeigte mir zwei weitere Fotos. Eines von einer Frau, in der ich nach einem Moment meine Mutter erkannte. Eines von mir. Ich erzählte ihm alles, was mir einfiel. Als ich fertig war, legte er sie weg. »Das ist gut. Sie haben sich an sehr viel mehr aus Ihrer Kindheit erinnert als sonst. Ich denke, das liegt an den Fotos.« Er zögerte. »Beim nächsten Mal würde ich Ihnen gerne noch ein paar zeigen.«

Ich stimmte zu. Ich fragte mich, wie er an diese Fotos gekommen war, wie viel er über mein Leben wusste, das ich selbst nicht wusste.

»Kann ich das behalten?«, fragte ich. »Das Foto von dem alten Haus?«

Er lächelte. »Selbstverständlich!« Er reichte es mir, und ich schob es zwischen die Seiten des Tagebuchs.

Er fuhr mich nach Hause. Er hatte mir schon erklärt, dass Ben nichts von unseren Treffen weiß, aber jetzt sagte er, ich sollte mir sehr genau überlegen, ob ich meinem Mann von dem Tagebuch erzählen wollte, das ich nun führen würde. »Das könnte Sie hemmen«, sagte er. »Sie daran hindern, über gewisse Dinge zu schreiben. Ich halte es für sehr wichtig, dass Sie das Gefühl haben, wirklich alles aufschreiben zu können, was Sie wollen. Außerdem könnte Ben verärgert sein, wenn er erfährt, dass Sie beschlossen haben, es noch einmal mit einer Therapie zu versuchen.« Er stockte. »Vielleicht sollten Sie es verstecken.«

»Aber wie weiß ich dann, dass ich darin schreiben soll?«, fragte ich. Er sagte nichts. Mir kam eine Idee. »Würden Sie mich daran erinnern?«

Er sagte, ja, das würde er. »Aber Sie werden mir verraten müssen, wo Sie es verstecken«, sagte er. Wir hielten vor einem Haus. Er stellte den Motor aus, und erst da wurde mir klar, dass ich in dem Haus wohnte.

»Der Kleiderschrank«, sagte ich. »Ich werde es hinten im Kleiderschrank verstecken.«

»Gute Idee«, sagte er. »Aber Sie müssen noch heute Abend darin schreiben. Ehe Sie einschlafen. Sonst ist es morgen nur ein nichtssagendes, leeres Buch. Sie werden nicht wissen, was es ist.«

Ich sagte, dass ich das tun würde, dass ich verstanden hätte. Ich stieg aus dem Wagen.

»Machen Sie's gut, Christine«, sagte er.

Jetzt sitze ich im Bett. Warte auf meinen Mann. Ich betrachte das Foto des Hauses, in dem ich aufgewachsen bin. Es sieht so normal aus, so banal. Und so vertraut.

Wie bin ich von dort hierhergekommen?, denke ich. *Was ist passiert? Was habe ich für eine Geschichte?*

Ich höre die Uhr im Wohnzimmer schlagen. Mitternacht. Ben kommt die Treppe herauf. Ich werde das Buch in dem Schuhkarton verstecken, den ich gefunden habe. Ich werde es im Kleiderschrank verstauen, genau wie ich es Dr. Nash gesagt habe. Falls er morgen anruft, werde ich weiterschreiben.

Samstag, 10. November

Ich schreibe das hier am Mittag. Ben ist unten und liest. Er denkt, ich ruhe mich aus, aber das tue ich nicht, obwohl ich müde bin. Ich habe keine Zeit dafür. Ich muss das hier aufschreiben, ehe ich es verliere. Ich muss mein Tagebuch schreiben.

Ich schaue auf die Armbanduhr und sehe nach, wie viel Zeit mir noch bleibt bis zu dem Spaziergang, den Ben vorgeschlagen hat. Noch etwas über eine Stunde.

Ich bin heute Morgen aufgewacht und wusste nicht, wer ich bin. Als ich die Augen aufschlug, erwartete ich, die glatten Kanten eines Nachttischs zu sehen, eine gelbe Lampe. Einen kastenförmigen Kleiderschrank in der Ecke des Raumes und eine Tapete mit schwachem Farnmuster in gedeckten Farben. Ich erwartete, unten meine Mutter zu hören, die Schinken briet, oder meinen Vater im Garten, wie er pfeifend die Hecke schnitt. Ich erwartete, dass das Bett ein Einzelbett wäre, in dem außer mir bloß noch ein Stoffkaninchen mit einem eingerissenen Ohr lag.

Ich irrte mich. *Ich bin im Elternschlafzimmer*, dachte ich zuerst und merkte dann, dass ich nichts wiedererkannte. Das Zimmer war mir völlig fremd. Ich drehte mich auf den Rücken. *Irgendwas stimmt hier nicht*, dachte ich. *Das ist alles ganz furchtbar falsch.*

Als ich schließlich nach unten ging, hatte ich die Fotos rings um den Spiegel gesehen, die Zettel gelesen. Ich wusste, dass ich kein Kind mehr war, nicht mal ein Teenager, und ich hatte be-

50

griffen, dass der Mann, den ich unten hörte, wie er Frühstück machte und zur Musik aus dem Radio pfiff, nicht mein Vater war oder ein Mitbewohner oder ein Lover, sondern dass er Ben hieß und mein Ehemann war.

Vor der Küche zögerte ich. Ich hatte Angst. Gleich würde ich ihm begegnen, als wäre es das erste Mal. Wie mochte er sein? Würde er so aussehen wie auf den Fotos? Oder lieferten auch die ein falsches Bild? Würde er älter sein, dicker, mit weniger Haaren? Wie würde er klingen? Wie würde er sich bewegen? Hatte ich eine gute Partie gemacht?

Von irgendwoher kam eine Vision. Eine Frau – meine Mutter? – sagt mir, ich solle vorsichtig sein. *Jung gefreit …*

Ich schob die Tür auf. Ben stand mit dem Rücken zu mir, schob mit einem Pfannenwender brutzelnde Schinkenstreifen in der Pfanne hin und her. Er hatte mich nicht hereinkommen hören.

»Ben?«, sagte ich. Er drehte sich rasch um.

»Christine? Ist alles in Ordnung?«

Ich wusste nicht, was ich darauf antworten sollte, daher sagte ich: »Ja. Ich glaube schon.«

Dann lächelte er, Erleichterung im Gesicht, und ich lächelte auch. Er sah älter aus als auf den Fotos im Bad – er hatte mehr Falten, sein Haar wurde allmählich grau und ging an den Schläfen leicht zurück –, doch das tat seiner Attraktivität keinen Abbruch, eher im Gegenteil. Sein kräftiges Kinn passte gut zu einem älteren Mann, und seine Augen hatten etwas Verschmitztes. Ich merkte, dass er einer leicht älteren Version meines Vaters ähnelte. Es könnte schlimmer sein, dachte ich. Viel schlimmer.

»Hast du die Fotos gesehen?«, fragte er. Ich nickte. »Keine Sorge. Ich erklär dir alles. Geh doch schon mal durch und setz dich.« Er deutete nach hinten zum Flur. »Da drüben ist das Esszimmer. Bin gleich da. Hier, nimm die mit.«

Er gab mir eine Pfeffermühle, und ich ging ins Esszimmer. Kurz darauf kam er mit zwei Tellern hinterher. Ein blasser Schinkenstreifen schwamm in Fett, ein Spiegelei und eine geröstete Brotscheibe lagen daneben. Ich aß, während er mir erklärte, wie ich mein Leben bewältige.

Heute ist Samstag, sagte er. Die Woche über arbeitet er. Er ist Lehrer. Er erzählte mir von dem Telefon in meiner Handtasche, der Tafel an der Wand in der Küche. Er zeigte mir, wo wir unseren Notgroschen aufbewahren – zwei Zwanzigpfundscheine, fest zusammengerollt und hinter der Uhr auf dem Kaminsims versteckt – und das Album, in dem ich mir Bruchstücke meines Lebens ansehen kann. Er erklärte, dass wir zu zweit zurechtkommen. Ich wusste nicht recht, ob ich ihm glauben sollte, aber was blieb mir anderes übrig.

Wir aßen zu Ende, und ich half ihm, den Tisch abzuräumen. »Wir könnten einen kleinen Spaziergang machen, später«, sagte er. »Wenn du magst?« Ich sagte ja, und er blickte erfreut. »Ich lese nur noch eben die Zeitung«, sagte er. »Okay?«

Ich ging nach oben. Sobald ich allein war, drehte sich mir alles im Kopf, der voll und leer zugleich war. Ich fühlte mich unfähig, irgendetwas festzuhalten. Nichts schien real. Ich betrachtete das Haus, in dem ich war – von dem ich jetzt wusste, dass es mein Zuhause war –, mit Augen, die es noch nie wahrgenommen hatten. Einen Moment lang wäre ich am liebsten weggelaufen. Ich musste mich beruhigen.

Ich setzte mich auf den Rand des Bettes, in dem ich geschlafen hatte. Ich sollte das Bett machen, dachte ich. Aufräumen. Mich beschäftigen. Ich nahm das Kissen, um es aufzuschütteln, und als ich das tat, fing plötzlich etwas an zu summen.

Ich wusste nicht, was es war. Das Geräusch war leise, anhaltend. Eine Melodie, dünn und still. Meine Tasche lag auf dem Boden, und als ich sie aufhob, merkte ich, dass das Summen aus ihr kam. Mir fiel ein, was Ben mir von dem Telefon erzählt hatte.

Das Telefon leuchtete, als ich es herausnahm. Ich starrte es einen Moment lang an. Ein Teil von mir, tief verborgen oder irgendwo am äußersten Rand des Gedächtnisses, wusste genau, um was für einen Anruf es sich handelte. Ich ging ran.

Die Stimme eines Mannes. »Hallo?«, sagte er. »Christine? Christine, sind Sie da?«

Ich bejahte.

»Hier spricht Ihr Arzt. Alles in Ordnung mit Ihnen? Ist Ben in der Nähe?«

»Nein«, sagte ich. »Er ist – Was wollen Sie?«

Er nannte mir seinen Namen und sagte, wir würden seit einigen Wochen zusammen arbeiten. »An Ihrem Erinnerungsvermögen«, sagte er, und als ich nichts erwiderte, sagte er: »Bitte vertrauen Sie mir. Bitte schauen Sie in Ihren Schlafzimmerschrank.« Er stockte kurz, dann sprach er weiter. »Ganz unten im Schrank steht ein Schuhkarton. Sehen Sie hinein. Es müsste ein Tagebuch drin sein.«

Ich warf einen Blick auf den Schrank in der Zimmerecke.

»Woher wissen Sie das alles?«

»Sie haben es mir erzählt«, sagte er. »Wir haben uns gestern getroffen. Wir haben beschlossen, dass Sie Tagebuch führen. Und Sie haben gesagt, Sie würden es dort verstecken.«

Ich glaube Ihnen nicht, wollte ich sagen, aber das kam mir unhöflich vor und entsprach auch nicht ganz der Wahrheit.

»Schauen Sie nach?«, fragte er. Ich sagte, ja, das würde ich, und dann fügte er hinzu: »Tun Sie's sofort. Sagen Sie Ben nichts. Tun Sie's sofort.«

Ich legte nicht auf, sondern ging hinüber zum Schrank und öffnete ihn. Er hatte recht. Ganz unten stand ein Schuhkarton – ein blauer Karton mit dem Wort *SCHOLL* auf dem schlecht schließenden Deckel –, und darin lag ein Buch, eingewickelt in Seidenpapier.

»Haben Sie's?«, fragte Dr. Nash.

Ich nahm es und packte es aus. Es hatte einen braunen Ledereinband und sah teuer aus.

»Christine?«

»Ja. Ich hab's.«

»Gut. Haben Sie etwas reingeschrieben?«

Ich schlug die erste Seite auf. Ich sah, dass ich etwas geschrieben hatte. *Ich heiße Christine Lucas,* stand da. *Ich bin siebenundvierzig. Ich habe Amnesie.* Ich war nervös, aufgeregt. Ich kam mir vor, als würde ich jemandem nachspionieren, mir selbst.

»Ja, hab ich«, sagte ich.

»Ausgezeichnet!«, sagte er, und dann sagte er, er würde mich morgen wieder anrufen, und wir legten auf.

Ich rührte mich nicht. Dort, in der Hocke auf dem Boden vor dem offenen Kleiderschrank, das Bett noch ungemacht, begann ich zu lesen.

Zuerst war ich enttäuscht. Ich erinnerte mich an nichts von dem, was ich geschrieben hatte. Nicht an Dr. Nash, nicht an die Praxis, in die er mich angeblich mitgenommen hatte, nicht an die Aufgaben, die er mir angeblich stellte. Obwohl ich gerade noch seine Stimme gehört hatte, konnte ich ihn mir nicht vorstellen, oder mich bei ihm. Das Buch las sich wie etwas Erfundenes. Doch dann fand ich ziemlich weit hinten zwischen zwei Seiten geschoben ein Foto. Das Haus, in dem ich aufgewachsen war, das Haus, in dem ich heute Morgen erwartet hatte aufzuwachen. Es war real, das war mein Beweis. Ich hatte mich mit Dr. Nash getroffen, und er hatte mir dieses Foto gegeben, dieses Fragment meiner Vergangenheit.

Ich schloss die Augen. Gestern hatte ich mein Elternhaus beschrieben. Den Zuckertopf in der Vorratskammer, Beeren sammeln im Wald. Waren diese Erinnerungen noch da? Konnte ich weitere wachrufen? Ich dachte an meine Mutter, meinen Vater, wollte noch mehr herbeizwingen. Bilder formten sich lautlos.

Ein mattorangefarbener Teppich, eine olivgrüne Vase. Ein rauer Teppich. Ein gelber Strampelanzug mit einer rosa Ente auf der Brust aufgenäht und Druckknöpfen in der Mitte. Ein marineblauer Plastikkindersitz und ein blassrosa Töpfchen. Farben und Formen, aber nichts, das ein Leben beschreiben konnte. Nichts. *Ich will meine Eltern sehen*, dachte ich, und irgendwie begriff ich in diesem Moment zum ersten Mal, dass sie tot waren.

Ich seufzte und setzte mich auf die Kante des ungemachten Bettes. Ein Stift steckte zwischen den Seiten des Tagebuchs, und ich nahm ihn fast ohne nachzudenken heraus, wollte mehr schreiben. Ich hielt ihn über der Seite und schloss die Augen, um mich zu konzentrieren.

Und da geschah es. Ob diese Erkenntnis – dass meine Eltern tot sind – andere auslöste, keine Ahnung, aber ich hatte das Gefühl, als würde mein Verstand aus einem langen tiefen Schlaf erwachen. Er wurde wieder lebendig. Aber nicht allmählich; es geschah mit einem Ruck. Wie ein Stromstoß. Plötzlich saß ich nicht mehr in einem Schlafzimmer mit einer leeren Seite vor mir, sondern irgendwo anders. Ich war zurück in der Vergangenheit – einer Vergangenheit, die ich verloren geglaubt hatte –, und ich konnte alles berühren und fühlen und schmecken. Ich begriff, dass ich mich erinnerte.

Ich sah mich selbst nach Hause kommen, in das Haus, in dem ich aufgewachsen bin. Ich bin dreizehn oder vierzehn, kann es kaum erwarten, an der Geschichte, die ich angefangen habe, weiterzuschreiben, finde aber einen Zettel auf dem Küchentisch. *Mussten schnell weg*, steht da. *Onkel Ted holt dich um sechs ab.* Ich hole mir was zu trinken, mache mir ein Sandwich und setze mich mit meinem Schulheft hin. Mrs Royce hat gesagt, meine Geschichten seien *kraftvoll* und *bewegend*; sie denkt, ich könnte daraus einen Beruf machen. Aber mir fällt nichts ein, was ich schreiben könnte, ich kann mich nicht konzentrieren. Ich koche vor stummer Wut. Die sind schuld. *Wo sind sie? Was machen sie? Wieso haben sie mich nicht mitgenommen?* Ich knülle das Blatt zusammen und werfe es weg.

Das Bild verschwand, doch sofort trat ein anderes an seine Stelle. Stärker. Realer. Mein Vater fährt uns nach Hause. Ich sitze hinten im Auto, starre auf einen Punkt an der Windschutzscheibe. Eine tote Fliege. Ein Schmutzspritzer. Ich weiß es nicht. Ich spreche, ohne zu wissen, was ich sagen werde.

»Wann wolltet ihr es mir sagen?«

Keine Antwort.

»Mum?«

»Christine«, sagt meine Mutter. »Nicht.«

»Dad? Wann wolltet ihr es mir sagen?« Stille. »Wirst du sterben?«, frage ich, den Blick weiter starr auf den Fleck an der Scheibe gerichtet.»Daddy? Wirst du sterben?«

Er blickt über die Schulter und lächelt mir zu. »Natürlich nicht, Engelchen. Erst wenn ich ein ganz alter Mann bin. Mit einer ganzen Schar Enkelkinder!«

Ich weiß, dass er lügt.

»Wir werden kämpfen«, sagt er. »Versprochen.«

Ein Aufkeuchen. Ich öffnete die Augen. Die Vision war zu Ende, verschwunden. Ich saß in einem Schlafzimmer, dem Schlafzimmer, in dem ich heute Morgen aufgewacht war, doch einen Moment lang sah es anders aus. Flächig. Farblos. Ohne jede Energie, als würde ich ein Foto betrachten, das in der Sonne verblasst war. Es war, als hätte die Strahlkraft meiner Vergangenheit der Gegenwart alles Leben ausgesaugt.

Ich schaute nach unten, auf das Buch in meiner Hand. Der Stift war mir aus den Fingern geglitten und hatte auf dem Weg nach unten eine dünne blaue Linie auf dem Blatt hinterlassen. Das Herz raste mir in der Brust. Ich hatte mich an etwas erinnert. Etwas Großes, Wichtiges. Ich war nicht hoffnungslos. Ich hob den Stift vom Boden auf und begann, das hier zu schreiben.

Ich werde hier aufhören. Wenn ich die Augen schließe und versuche, das Bild zurückzuholen, gelingt es mir. Ich. Meine Eltern. Heimfahrt. Es ist noch da. Weniger lebendig, wie mit der Zeit verblasst, aber noch da. Trotzdem bin ich froh, dass ich es aufgeschrieben habe. Ich weiß, dass es letztendlich verschwinden wird. Zumindest geht es nun nicht gänzlich verloren.

Anscheinend hat Ben seine Zeitung ausgelesen. Er hat nach oben gerufen, ob ich fertig sei für den Spaziergang. Ich habe gesagt, ja. Ich werde dieses Buch im Kleiderschrank verstecken, mir eine Jacke und Stiefel anziehen. Später werde ich mehr schreiben. Falls ich dran denke.

* * *

Das habe ich vor Stunden geschrieben. Wir waren den ganzen Nachmittag draußen, sind aber jetzt wieder zu Hause. Ben ist in der Küche, brät Fisch fürs Abendessen. Er hat das Radio eingeschaltet, und Jazzklänge treiben herauf in das Schlafzimmer, in dem ich sitze und das hier schreibe. Ich habe nicht angeboten, das Essen zu machen — ich brannte zu sehr darauf, nach oben zu laufen und zu notieren, was ich heute Nachmittag gesehen habe —, aber das schien ihn nicht zu stören.

»Ruh dich aus«, sagte er. »In einer Dreiviertelstunde können wir essen.« Ich nickte. »Ich ruf dich dann.«

Ich schaue auf die Uhr. Wenn ich schnell schreibe, müsste die Zeit ausreichen.

Wir gingen kurz vor eins aus dem Haus. Wir fuhren ein kurzes Stück mit dem Auto und stellten den Wagen neben einem niedrigen, gedrungenen Gebäude ab. Es sah verlassen aus. In jedem einzelnen der zugenagelten Fenster saß eine graue Taube. Die Tür war mit Wellblech abgedeckt. »Das ist das Freibad«, sagte Ben, als er aus dem Wagen stieg. »Ist im Sommer geöffnet, glaube ich. Gehen wir von hier aus zu Fuß?«

Ein betonierter Pfad wand sich den Hügel hinauf. Wir gingen schweigend, hörten nur das gelegentliche Krächzen der Krähen, die auf dem menschenleeren Fußballplatz hockten, oder in der Ferne ein klagendes Hundebellen, Kinderstimmen, das Rauschen der Stadt. Ich dachte an meinen Vater, an seinen Tod und daran, dass ich mich an ein wenig davon erinnert hatte, immerhin. Eine einsame Joggerin trabte auf einer Laufbahn rings um den Sportplatz vor sich hin, und ich beobachtete sie eine Weile, ehe unser Weg hinter einer hohen Hecke entlangführte und wir uns der Hügelkuppe näherten. Dort war mehr los. Ein kleiner Junge ließ einen Drachen steigen, während sein Vater hinter ihm stand, eine junge Frau führte ein Hündchen an einer langen Leine spazieren.

»Das hier ist der Parliament Hill«, sagte Ben. »Wir kommen oft her.«

Ich sagte nichts. Unter der tiefen Wolkendecke lag die Stadt vor uns ausgebreitet. Sie wirkte friedlich. Und kleiner, als ich gedacht hatte. Ich konnte sehr weit sehen, bis zu niedrigen Hügeln in der Ferne. Ich konnte die schlanke Nadel des Telecom Tower sehen, die Kuppel von Saint Paul's, das Kraftwerk in Battersea, Umrisse, die ich erkannte, wenngleich schwach und ohne zu wissen, warum. Es gab auch noch andere, weniger vertraute Orientierungspunkte: ein Gebäude aus Glas, das aussah wie eine dicke Zigarre, ganz weit weg ein Riesenrad. Die Aussicht kam mir fremd und vertraut zugleich vor, wie mein eigenes Gesicht.

»Ich hab das Gefühl, dass ich das alles hier wiedererkenne«, sagte ich.

»Ja«, sagte Ben. »Ja. Wir kommen schon seit einer ganzen Weile hierher, aber die Aussicht verändert sich ständig.«

Wir gingen weiter. Auf den meisten Bänken saßen Leute, allein oder paarweise. Eine knapp unterhalb der Kuppe war leer, und wir setzten uns. Ich roch Ketchup; ein halbaufgegessener Hamburger lag unter der Bank in einer Kartonverpackung.

Ben hob sie vorsichtig auf und warf sie in einen Mülleimer, dann kam er zurück und setzte sich wieder neben mich. »Das da hinten ist Canary Wharf«, sagte er und deutete auf ein Gebäude, das selbst auf diese Entfernung ungeheuer hoch aussah. »Es wurde in den frühen Neunzigern gebaut, glaube ich. Da sind lauter Büros drin und so.«

Die Neunziger. Es war seltsam, ein ganzes Jahrzehnt, das ich durchlebt hatte, aber an das ich mich nicht erinnern konnte, in so einem knappen Wort zusammengefasst zu hören. Wie viel ich verpasst haben musste. Wie viel Musik, wie viele Filme und Bücher, wie viele Nachrichten. Katastrophen, Tragödien, Kriege. Ganze Länder konnten auseinandergefallen sein, während ich blind von einem Tag zum nächsten taumelte.

Und wie viel von meinem eigenen Leben. So viele Dinge, die ich nicht erkenne, obwohl ich sie jeden Tag gesehen habe.

»Ben?«, sagte ich. »Erzähl mir von uns.«

»Uns?«, sagte er. »Was meinst du?«

Ich wandte mich ihm zu. Der Wind wehte den Hang herauf, blies mir kalt ins Gesicht. Irgendwo bellte ein Hund. Ich wusste nicht, wie viel ich sagen sollte; er weiß, dass ich keinerlei Erinnerung an ihn habe.

»Es tut mir leid«, sagte ich. »Aber ich weiß nichts über dich und mich. Ich weiß nicht mal, wo und wie wir uns kennengelernt oder wann wir geheiratet haben, gar nichts.«

Er lächelte und rückte auf der Bank ganz nah an mich heran, so dass wir uns berührten. Er legte einen Arm um meine Schultern. Ich zuckte instinktiv zurück, doch dann fiel mir ein, dass er kein Fremder ist, sondern der Mann, den ich geheiratet habe. »Was möchtest du wissen?«

»Ich weiß nicht«, sagte ich. »Wie haben wir uns kennengelernt?«

»Tja, wir waren beide an der Uni«, sagte er. »Du hattest gerade mit deiner Dissertation angefangen. Erinnerst du dich?«

Ich schüttelte den Kopf. »Nicht richtig. Was hab ich studiert?«

»Englische Literatur«, sagte er, und ein Bild blitzte vor mir auf, schnell und glasklar. Ich sah mich in einer Bibliothek sitzen und erinnerte mich an diffuse Ideen, eine Dissertation über feministische Theorie und die Literatur des frühen zwanzigsten Jahrhunderts zu schreiben, obwohl das im Grunde bloß ein Projekt war, an dem ich arbeiten konnte, wenn ich nicht meine Romane schrieb, etwas, das meine Mutter zwar nicht verstehen, aber doch für seriös halten würde. Die Szene schwebte mir einen Moment vor Augen, schimmernd, so real, dass ich sie fast berühren konnte, doch dann sprach Ben weiter, und sie verschwand.

»Ich hab Chemie studiert«, sagte er. »War kurz vor'm Diplom. Ich hab dich ständig gesehen. In der Bibliothek, der Unikneipe, überall. Ich war immer ganz hin und weg, weil du so schön warst, aber ich hatte nie den Mut, dich anzusprechen.«

Ich lachte. »Ehrlich?« Ich konnte mir nicht vorstellen, auf jemanden einschüchternd zu wirken.

»Du kamst mir immer so selbstbewusst vor. Und ehrgeizig. Du konntest stundenlang dasitzen, umgeben von Büchern, und immer nur lesen, dir Notizen machen und zwischendurch mal einen Schluck Kaffee oder sonst was trinken. Du sahst so schön aus. Ich hätte mir nie träumen lassen, dass du dich für mich interessieren würdest. Aber eines Tages saß ich zufällig in der Bibliothek neben dir, und du hast deinen Becher umgestoßen, und von deinem Kaffee ist ein bisschen was über meine Bücher geschwappt. Du hast dich tausendmal entschuldigt, obwohl es nicht der Rede wert war, und wir haben alles aufgewischt, und dann hab ich darauf bestanden, dir einen neuen Kaffee zu kaufen. Du hast gesagt, eigentlich müsstest du mich einladen, als Entschuldigung, und ich hab gesagt, also gut, und wir sind Kaffee trinken gegangen. *Voilà*.«

Ich versuchte, mir die Szene vorzustellen, mich an uns beide zu erinnern, jung, in einer Bibliothek, umgeben von durchnässten Unterlagen, lachend. Ich konnte es nicht, und ein heißer, trauriger Stich durchfuhr mich. Mir kam der Gedanke, dass doch jedes Paar die Geschichte liebt, wie alles anfing – wer wen zuerst angesprochen hat, wer was gesagt hat –, ich dagegen habe keinen Funken Erinnerung an unsere erste Begegnung. Der Wind riss an dem Schwanz des Papierdrachens, den der kleine Junge steigen ließ; ein Geräusch wie ein Todesrasseln.

»Wie ging es dann weiter?«, fragte ich.

»Na ja, wir wurden ein Paar. Das Übliche eben. Ich hab mein Diplom gemacht, du deinen Doktor, und dann haben wir geheiratet.«

»Wer hat wen gefragt?«

»Oh«, sagte er. »Ich hab dich gefragt.«

»Wo? Erzähl mir, wie es war.«

»Wir waren total verliebt«, sagte er. Er schaute weg, in die Ferne. »Wir waren ständig zusammen. Du hast in einer WG gewohnt, aber du warst praktisch nie dort. Die meiste Zeit warst du bei mir. Es bot sich einfach an, dass wir zusammenziehen, heiraten. Also hab ich am Valentinstag ein Stück Seife für dich gekauft. Teure Seife, deine Lieblingssorte, und ich hab die Zellophanverpackung abgemacht und einen Verlobungsring in die Seife gedrückt, und dann hab ich sie wieder eingepackt und dir geschenkt. Als du an dem Abend im Bad warst, hast du den Ring entdeckt, und du hast ja gesagt.«

Ich lächelte in mich hinein. Es klang ein bisschen chaotisch, ein mit Seife verkrusteter Ring, und es wäre ja auch durchaus möglich gewesen, dass ich die Seife nicht benutzt oder den Ring erst Wochen später gefunden hätte. Aber dennoch, die Geschichte war nicht unromantisch.

»Mit wem hab ich zusammengewohnt?«, fragte ich.

»Oh«, sagte er. »Das weiß ich gar nicht mehr. Mit irgendeiner Freundin. Jedenfalls, im Jahr darauf haben wir geheiratet. In einer Kirche in Manchester, in der Nähe vom Haus deiner Mutter. Ich war inzwischen in der Lehrerausbildung, deshalb hatten wir nicht viel Geld, aber es war trotzdem eine schöne Hochzeit. Die Sonne schien, alle waren fröhlich. Und dann sind wir in die Flitterwochen gefahren. Nach Italien. Die Seen. Es war wunderbar.«

Ich versuchte, mir die Kirche vorzustellen, mein Kleid, den Blick aus einem Hotelzimmer. Es ging nicht.

»Ich erinnere mich an gar nichts«, sagte ich. »Es tut mir leid.«

Er schaute weg, wandte den Kopf so, dass ich sein Gesicht nicht sehen konnte. »Das macht nichts. Ich versteh das.«

»Es gibt nicht viele Fotos«, sagte ich. »In dem Album, meine ich. Da sind gar keine Fotos von unserer Hochzeit drin.«

»Es hat gebrannt«, sagte er. »In dem letzten Haus, in dem wir gewohnt haben.«

»Gebrannt?«

»Ja«, sagte er. »Unser Haus ist praktisch abgebrannt. Wir haben viele Sachen verloren.«

Ich seufzte. Es kam mir unfair vor, dass ich sowohl meine Erinnerungen als auch meine Andenken an die Vergangenheit verloren hatte.

»Wie ging es dann weiter?«

»Dann?«

»Ja«, sagte ich. »Danach. Nach der Hochzeit und den Flitterwochen.«

»Wir sind zusammengezogen. Wir waren sehr glücklich.«

»Und dann?«

Er seufzte und sagte nichts.

Das kann nicht sein, dachte ich. *Das kann nicht mein ganzes Leben beschreiben. Das kann nicht alles sein, worauf es hinausläuft. Hochzeit, Flitterwochen, Ehe. Aber was hatte ich sonst erwartet? Was hätte da sonst noch sein können?*

Die Antwort kam unvermittelt. Kinder. Babys. Mit einem Frösteln wurde mir klar, was offensichtlich in meinem Leben, in unserem Zuhause fehlte. Auf dem Kaminsims waren keine Fotos von einem Sohn oder einer Tochter – mit einem Zeugnis in der Hand, beim Wildwasserfahren oder bloß gelangweilt für die Kamera posierend – und auch keine von Enkelkindern. Ich hatte kein Kind bekommen.

Die Enttäuschung traf mich wie ein Schlag ins Gesicht. Das unerfüllte Verlangen war tief eingebrannt in mein Unterbewusstsein. Obwohl ich beim Aufwachen nicht gewusst hatte, wie alt ich bin, musste ein Teil von mir gewusst haben, dass ich ein Kind gewollt hatte.

Plötzlich sah ich meine eigene Mutter, die von der biologischen Uhr sprach, als wäre es eine Zeitbombe. »Beeil dich, all das im Leben zu erreichen, was du erreichen willst«, sagte sie, »weil du nämlich schön zufrieden vor dich hin leben kannst, aber dann, von einem Tag auf den anderen …«

Ich wusste, was sie meinte: Peng! Mein beruflicher Ehrgeiz würde verschwinden, und ich würde nur noch einen Wunsch haben, den nach Kindern. »Mir ist es so ergangen«, sagte sie. »Und dir wird es so ergehen. So ergeht es allen.«

Aber so war es dann wohl doch nicht gekommen. Oder stattdessen war etwas anderes geschehen. Ich sah meinen Mann an.

»Ben?«, sagte ich. »Und dann?«

Er sah mich an und drückte meine Hand.

»Dann hast du das Gedächtnis verloren«, sagte er.

Mein Gedächtnis. Letztlich lief alles darauf hinaus. Immer.

Ich blickte über die Stadt. Die Sonne hing tief am Himmel, schien schwach durch die Wolken, warf lange Schatten aufs Gras. Ich bemerkte, dass es bald dunkel werden würde. Die Sonne würde untergehen, unaufhaltsam. Ein weiterer Tag würde enden. Ein weiterer verlorener Tag.

»Wir haben keine Kinder bekommen«, sagte ich. Es war keine Frage.

Er antwortete nicht, wandte sich aber mir zu. Er nahm meine Hände in seine, rieb sie, wie zum Schutz gegen die Kälte.

»Nein«, sagte er. »Nein. Das haben wir nicht.«

Trauer durchzog sein Gesicht. Seinetwegen oder meinetwegen? Ich konnte es nicht sagen. Ich ließ ihn meine Hände reiben, meine Finger zwischen seinen halten. Ich merkte, dass ich mich bei aller Verwirrung trotzdem hier sicher fühlte, bei diesem Mann. Ich spürte, dass er gütig ist und rücksichtsvoll und geduldig. Ganz gleich, wie schrecklich meine Situation ist, sie könnte noch viel schlimmer sein.

»Warum?«, fragte ich.

Er sagte nichts. Er sah mich an, und der Ausdruck auf seinem Gesicht war voller Schmerz. Schmerz und Enttäuschung.

»Wie ist es passiert, Ben?«, fragte ich. »Wie bin ich so geworden?«

Ich merkte, dass er sich verkrampfte. »Willst du das wirklich wissen?«, fragte er.

Ich richtete den Blick auf ein kleines Mädchen, das in einiger Entfernung auf einem Dreirad fuhr. Ich wusste, dass ich ihm diese Frage bestimmt nicht zum ersten Mal stellte, dass er mir diese Dinge nicht zum ersten Mal erklären musste. Möglicherweise frage ich ihn das jeden Tag.

»Ja«, sagte ich und dachte, dass es diesmal anders ist. Dass ich diesmal alles aufschreiben werde, was er mir erzählt.

Er holte tief Luft. »Es war Dezember. Eisig kalt. Du warst tagsüber unterwegs gewesen, hast gearbeitet. Du warst auf dem Heimweg, eine kurze Strecke zu Fuß. Es gab keine Zeugen. Wir wissen nicht, ob du gerade die Straße überqueren wolltest oder ob der Wagen, der dich erfasste, auf den Bürgersteig geriet, aber so oder so musst du über die Motorhaube geflogen sein. Du warst schwer verletzt. Hattest beide Beine gebrochen. Einen Arm und das Schlüsselbein.«

Er hielt inne. Ich hörte den tiefen Rhythmus der Stadt. Autoverkehr, ein Flugzeug über uns, das Raunen des Windes in den Bäumen. Ben drückte meine Hand.

»Sie haben gesagt, du musst mit dem Kopf zuerst aufgeschlagen sein, dass du deshalb das Gedächtnis verloren hast.«

Ich schloss die Augen. Ich konnte mich überhaupt nicht an den Unfall erinnern, daher empfand ich keine Wut, nicht mal Empörung. Stattdessen wurde ich von einer Art stiller Trauer erfasst. Einer Leere. Ein schwaches Kräuseln auf der glatten Fläche des Sees der Erinnerung.

Er drückte meine Hand, und ich legte meine auf seine, spürte das kalte harte Metall seines Eherings. »Du hattest Glück, dass du überhaupt überlebt hast«, sagte er.

Ich fühlte, wie mir kalt wurde. »Was war mit dem Fahrer?«

»Er hat nicht angehalten. Fahrerflucht. Wir wissen nicht, wer dich überfahren hat.«

»Aber wer macht so was?«, sagte ich. »Wer fährt jemanden über den Haufen und haut einfach ab?«

Er sagte nichts. Ich wusste nicht, was ich erwartet hatte. Ich dachte daran, was ich über meine Sitzungen bei Dr. Nash gelesen hatte. *Ein neurologisches Problem*, hatte er mir erklärt. *Strukturell oder chemisch. Eine hormonelle Störung.* Ich hatte gedacht, er hätte eine Krankheit gemeint, etwas, das einfach geschehen war, wie aus dem Nichts. *Schicksal eben.*

Doch das hier kam mir schlimmer vor. Es war mir von jemandem angetan worden, es war vermeidbar gewesen. Wenn ich oder der Fahrer des Unfallwagens an jenem Abend einen anderen Weg gewählt hätten, wäre ich noch immer normal. Vielleicht wäre ich inzwischen sogar schon Großmutter, knapp.

»Warum?«, sagte ich. »Warum?«

Es war keine Frage, die er beantworten konnte, und so sagte Ben nichts. Wir saßen eine Weile schweigend da, unsere Hände fest ineinandergeschoben. Es wurde dunkel. Die Stadt war hell, die Gebäude erleuchtet. Es wird bald Winter, dachte ich. Bald haben wir den halben November hinter uns. Dann kommt der Dezember und dann Weihnachten. Ich konnte mir nicht vorstellen, wie ich von hier nach dort kommen sollte. Ich konnte mir nicht vorstellen, eine endlose Abfolge identischer Tage zu durchleben.

»Sollen wir gehen?«, sagte Ben. »Nach Hause?«

Ich antwortete ihm nicht. »Wo war ich?«, fragte ich. »An dem Tag, als ich überfahren wurde. Was hatte ich gemacht?«

»Du warst von der Arbeit auf dem Weg nach Hause«, sagte er.

»Aber was war das für eine Arbeit? Was hab ich gemacht?«

»Ach so«, sagte er. »Du hattest einen Job als Sekretärin, besser gesagt als Chefsekretärin, in einer Anwaltskanzlei.«

»Aber warum —«, setzte ich an.

»Du musstest arbeiten, damit wir den Kredit abzahlen konnten«, sagte er. »Wir waren ziemlich knapp, eine Zeitlang.«

Aber das hatte ich nicht gemeint. Was ich sagen wollte, war: *Du hast gesagt, ich habe promoviert. Wieso hab ich mich mit so einem Job begnügt?*

»Aber warum hab ich als Sekretärin gearbeitet?«, fragte ich.

»Das war der einzige Job, den du kriegen konntest. Es waren harte Zeiten.«

Ich erinnerte mich an das Gefühl, das ich vorher gehabt hatte: »Habe ich geschrieben?«, fragte ich. »Bücher?«

Er schüttelte den Kopf. »Nein.«

Dann war der Wunsch also nicht von Dauer gewesen. Oder vielleicht hatte ich es versucht und war gescheitert. Als ich mich ihm zuwandte, um ihn das zu fragen, wurden die Wolken plötzlich hell, und einen Moment später ertönte ein lauter Knall. Erschrocken schaute ich hoch. Funken am fernen Himmel, die auf die Stadt niederregneten.

»Was war das?«, fragte ich.

»Ein Feuerwerkskörper«, sagte Ben. »Diese Woche war Bonfire-Night.«

Einen Moment später erhellte eine weitere Rakete den Himmel, knallte es wieder laut.

»Es gibt ein richtiges Feuerwerk«, sagte er. »Sollen wir es uns anschauen?«

Ich nickte. Es konnte nichts schaden, und obwohl ein Teil von mir nach Hause zu meinem Tagebuch eilen wollte, um aufzuschreiben, was Ben mir erzählt hatte, wollte ein anderer Teil von mir bleiben, weil er hoffte, noch mehr zu erfahren. »Ja«, sagte ich. »Schauen wir's uns an.«

Er lächelte und legte einen Arm um meine Schultern. Der Himmel blieb einen Augenblick dunkel, und dann ertönten ein Krachen und Zischen und ein schrilles Pfeifen, als ein winziger Funke in die Höhe schoss. Einen langen Moment hing er in der Luft, ehe er mit einem schallenden Knall zu orangefarbener Pracht zerbarst. Es war wunderschön.

»Wir gehen meistens zu einem Feuerwerk«, sagte Ben. »Einem von den großen offiziellen. Aber ich hab nicht mehr dran gedacht, dass heute Abend eins ist.« Er schmiegte sein Kinn an meinen Hals. »Ist das in Ordnung?«

»Ja«, sagte ich. Ich blickte hinaus über die Stadt, auf die Farbexplosionen in der Luft darüber, auf die wirbelnden Lichter. Rauch stieg aus den Parks der Stadt, wild lodernd – rot und orange, blau und lila –, und die Nachtluft füllte sich mit Qualm, war durchdrungen von einem brenzligen Geruch, trocken und metallisch. Ich leckte mir die Lippen, schmeckte Schwefel, und auf einmal kam mir eine weitere Erinnerung.

Sie war messerscharf. Die Geräusche waren zu laut, die Farben zu grell. Ich fühlte mich nicht wie eine Beobachterin, sondern als wäre ich noch immer mittendrin. Ich hatte den Eindruck, nach hinten zu fallen. Ich umklammerte Bens Hand.

Ich sah mich selbst, mit einer Frau. Sie hat rotes Haar, und wir stehen auf einem Flachdach, schauen uns ein Feuerwerk an. Ich kann das rhythmische Pulsieren der Musik hören, die in dem Raum unter unseren Füßen läuft, und ein kalter Wind weht beißenden Rauch über uns hinweg. Obwohl ich nur ein dünnes

Kleid trage, ist mir warm, ich glühe vom Alkohol und von dem Joint, den ich noch immer zwischen den Fingern halte. Ich spüre Kies unter den Füßen, und mir fällt ein, dass ich meine Schuhe abgestreift und sie unten im Zimmer der Frau neben mir zurückgelassen habe. Ich schaue zu ihr rüber, als sie den Kopf wendet und mich ansieht, und ich fühle mich lebendig, rauschhaft glücklich.

»Chrissy«, sagt sie und nimmt den Joint. »Lust auf ein Ticket?«

Ich weiß nicht, was sie meint, und sage das auch.

Sie lacht. »Du weißt schon!«, sagt sie. »Ein Ticket. Einen Trip. Acid. Ich bin ziemlich sicher, dass Nige was mitgebracht hat. Er hat's mir versprochen.«

»Ich weiß nicht«, sage ich.

»Komm schon! Das wird lustig!«

Ich lache und nehme den Joint wieder, inhaliere tief, als wollte ich beweisen, dass ich nicht langweilig bin. Wir haben uns gegenseitig versprochen, niemals langweilig zu werden.

»Eher nicht«, sage ich. »Ist nicht mein Geschmack. Ich glaube, ich bleib lieber hierbei. Und bei Bier. Okay?«

»Meinetwegen«, sagt sie und blickt wieder über das Geländer. Ich merke ihr an, dass sie enttäuscht, aber nicht sauer auf mich ist, und ich frage mich, ob sie's trotzdem machen wird. Ohne mich.

Ich glaube nicht. Ich habe noch nie eine Freundin wie sie gehabt. Eine, die alles über mich weiß, der ich vertraue, manchmal mehr, als ich mir selbst vertraue. Ich sehe sie jetzt an, ihr rotes windgepeitschtes Haar, die Spitze des Joints rotglühend im Dunkeln. Ist sie zufrieden damit, wie sich ihr Leben entwickelt? Oder ist es noch zu früh, um das sagen zu können?«

»Sieh mal!«, sagt sie und zeigt in die Richtung, wo ein Römisches Licht explodiert ist und die Bäume vor seinem roten Schein als Silhouetten beleuchtet. »Verdammt schön, oder?«

Ich lache, stimme ihr zu, und dann bleiben wir noch ein Weilchen so stehen, lassen den Joint zwischen uns hin und her wandern. Schließlich hält sie mir den letzten aufgeweichten Stummel hin, und als ich ablehne, zertritt sie ihn mit der Stiefelspitze im Kies.

»Komm, wir gehen wieder runter«, sagt sie und nimmt meinen Arm. »Da ist einer, den ich dir vorstellen möchte.«

»Nicht schon wieder!«, sage ich, gehe aber trotzdem mit. Wir steigen über ein knutschendes Pärchen auf der Treppe. »Doch hoffentlich nicht schon wieder einer von diesen Deppen aus deinem Seminar, oder?«

»Leck mich!«, sagt sie und trabt die Stufen hinunter. »Ich dachte, Alan würde dir gefallen!«

»Hat er auch«, sage ich. »Bis zu dem Moment, als er mir gesagt hat, er wäre in einen Typen namens Kristian verknallt.«

»Ach, na ja«, sagt sie lachend. »Wie hätte ich denn ahnen können, dass Alan sich ausgerechnet dich für sein Coming-out ausguckt? Aber der heute ist anders. Der wird dir gefallen. Das weiß ich. Sag einfach hallo. Ganz ohne Druck.«

»Okay«, sage ich. Ich schiebe die Tür auf, und wir stürzen uns ins Partygewühl.

Der Raum ist groß, mit Betonwänden und nackten Glühbirnen, die von der Decke hängen. Wir kämpfen uns in den Küchenbereich durch und holen uns ein Bier, dann suchen wir uns ein Plätzchen am Fenster. »Na?«, sage ich. »Wo ist denn der Typ?« Aber sie hört mich nicht. Ich fühle mich angedröhnt vom Alkohol und dem Gras und fange an zu tanzen. Der Raum ist voller Menschen, die meisten davon schwarz gekleidet. *Scheiß Kunststudenten*, denke ich.

Jemand kommt rüber und bleibt vor uns stehen. Ich erkenne ihn. Keith. Wir sind uns schon mal begegnet, auf einer anderen Party, auf der wir dann irgendwann in einem der Schlafzimmer gelandet sind und rumgemacht haben. Jetzt jedoch redet er mit meiner Freundin, zeigt auf eines ihrer Gemälde, das an der Wand im Wohnzimmer hängt. Ich frage mich, ob er beschlossen hat, mich zu ignorieren, oder nicht mehr weiß, dass wir uns kennen. Wie auch immer, er ist ein Idiot, denke ich. Ich trinke mein Bier aus.

»Willst du noch eins?«, frage ich.

»Klar«, sagt meine Freundin. »Holst du für uns Nachschub, während ich mich mit Keith unterhalte? Und dann stell ich dich dem Typen vor, von dem ich gesprochen hab. Okay?«

Ich lache. »Okay. Wie du meinst.« Ich ziehe ab, Richtung Küche.

Dann eine Stimme. Laut in meinem Ohr. »Christine! Chris! Alles in Ordnung?« Ich war verwirrt. Die Stimme kam mir bekannt vor. Ich öffnete die Augen. Mit einem Ruck wurde mir klar, dass ich im Freien war, in der Abendluft, auf dem Parliament Hill, dass Ben meinen Namen rief und vor mir ein Feuerwerk den Himmel blutrot färbte. »Du hattest die Augen zu«, sagte er. »Was ist los? Hast du was?«

»Nein«, sagte ich. Mir drehte sich alles, ich konnte kaum atmen. Ich wandte mich von meinem Mann weg, tat so, als würde ich mir den Schluss des Feuerwerks anschauen. »Tut mir leid. Es ist nichts. Alles in Ordnung. Alles in Ordnung.«

»Du zitterst ja«, sagte er. »Ist dir kalt? Willst du nach Hause?«

Ich merkte, dass ich tatsächlich fror. Dass ich nach Hause wollte. Um aufzuschreiben, was ich gerade gesehen hatte.

»Ja«, sagte ich. »Wenn es dir recht ist?«

Auf dem Nachhauseweg dachte ich wieder an die Vision, die ich während des Feuerwerks gehabt hatte. Sie hatte mich mit ihrer Klarheit erschreckt, ihren scharfen Konturen. Sie hatte mich gepackt, eingesogen, als würde ich sie erneut erleben. Ich spürte alles, schmeckte alles. Die kalte Luft und das prickelnde Bier. Das Gras, das mir tief in der Kehle brannte. Keiths Speichel warm auf meiner Zunge. Es fühlte sich real an, fast realer als das Leben, das mir vor Augen stand, als die Vision verschwand.

Ich wusste nicht genau, von wann sie war. Aus meiner Zeit an der Uni, schätzte ich, oder kurz danach. Die Party, auf der ich mich gesehen hatte, war so eine, wie sie wohl Studenten feiern. Ich hatte keinerlei Gefühl von Verantwortung. Ich war sorglos. Unbeschwert.

Und obwohl ich mich nicht an den Namen der Frau erinnern konnte, wusste ich, dass sie mir wichtig war. Meine beste Freundin. *Für immer*, hatte ich gedacht, und obgleich ich nicht wusste, wer sie war, hatte ich ein Gefühl von Geborgenheit bei ihr empfunden, Sicherheit.

Ich fragte mich kurz, ob wir einander vielleicht noch immer nahestehen, und überlegte, mit Ben darüber zu reden, als wir nach Hause fuhren. Er war still – nicht mürrisch, aber in Gedanken. Einen Moment lang erwog ich, ihm von der Vision zu erzählen, doch stattdessen fragte ich ihn, mit wem ich denn so befreundet gewesen war, als wir uns kennenlernten.

»Du hattest einen großen Freundeskreis«, sagte er. »Du warst sehr beliebt.«

»Hatte ich eine beste Freundin? Jemand ganz Besonderes?«

Er sah kurz zu mir rüber. »Nein«, sagte er. »Ich glaube nicht. Mir fällt jedenfalls niemand ein.«

Ich fragte mich, wieso ich mich nicht an den Namen dieser Frau auf der Party erinnern konnte, aber noch die von Keith und Alan gewusst hatte.

»Ganz sicher?«, fragte ich.

»Ja«, sagte er. »Ganz sicher.« Er blickte wieder auf die Straße. Es regnete jetzt. Die Lichter der Geschäfte und Neonschilder über ihnen spiegelten sich auf dem Asphalt. *Ich möchte ihn so vieles fragen*, dachte ich, aber ich sagte nichts, und nach einigen Minuten war es zu spät. Wir waren zu Hause, und er hatte mit dem Kochen angefangen. Es war zu spät.

* * *

Ich hatte gerade zu Ende geschrieben, als Ben mich nach unten zum Essen rief. Er hatte den Tisch gedeckt und schenkte uns Weißwein ein, aber ich war nicht hungrig, und der Fisch war zu trocken. Ich aß kaum etwas. Da Ben gekocht hatte, bot ich hinterher an, den Abwasch zu machen. Ich trug die Teller in die Küche und ließ heißes Wasser in die Spüle laufen, doch die ganze Zeit hoffte ich, dass ich später unter irgendeinem Vorwand nach oben verschwinden könnte, um mein Tagebuch zu lesen und vielleicht noch etwas zu schreiben. Aber es ging nicht – es hätte verdächtig gewirkt, wenn ich zu lange allein in unserem Schlafzimmer blieb –, und so verbrachten wir den Abend vor dem Fernseher.

Ich konnte mich nicht entspannen. Ich dachte an mein Tagebuch und sah die Zeiger der Uhr auf dem Kaminsims im Schneckentempo von neun auf zehn auf halb elf kriechen. Endlich, als sie sich elf Uhr näherten, wurde mir klar, dass ich heute Abend keine Zeit mehr für mich haben würde, und sagte: »Ich glaube, ich geh schlafen. Es war ein langer Tag.«

Ben lächelte, legte den Kopf schief. »Okay, Darling«, sagte er. »Ich komm auch gleich.«

Ich nickte und sagte, okay, aber als ich aus dem Zimmer ging, beschlich mich Furcht. *Dieser Mann ist mein Ehemann*, sagte ich mir, *ich bin mit ihm verheiratet*, trotzdem hatte ich irgendwie das Gefühl, dass es falsch war, mich mit ihm in dasselbe Bett zu legen. Ich konnte mich nicht erinnern, das je getan zu haben, und ich wusste nicht, was mich erwartete.

Im Bad ging ich auf die Toilette und putzte mir die Zähne, ohne einen Blick in den Spiegel oder auf die Fotos drum herum zu werfen. Ich ging ins Schlafzimmer, wo mein Nachthemd zusammengefaltet auf dem Kopfkissen lag, und begann, mich auszuziehen. Ich wollte fertig sein, bevor er hereinkam, wollte unter der Decke liegen. Einen Moment lang hatte ich die abstruse Idee, mich schlafend zu stellen.

Ich zog den Pullover aus und betrachtete mich im Spiegel. Ich sah den cremefarbenen BH, den ich am Morgen angezogen hatte, und im selben Moment hatte ich eine flüchtige Vision von mir als Kind, wie ich meine Mutter fragte, warum sie so ein Ding trug und ich nicht, und wie sie mir erklärte, dass ich auch eines Tages einen BH tragen würde. Und jetzt war dieser Tag da, und er war nicht allmählich gekommen, sondern schlagartig. Da war der Beweis, noch offensichtlicher als die Falten im Gesicht und an den Händen, dass ich kein Mädchen mehr war, sondern eine Frau. Da, in der weichen Schwere meiner Brüste.

Ich zog das Nachthemd über den Kopf und strich es glatt. Ich griff darunter, löste die Haken am BH und spürte dabei das Gewicht meiner Brust, dann zog ich den Reißverschluss der Hose auf und streifte sie ab. Ich wollte meinen Körper nicht noch weiter inspizieren, nicht heute Abend, also schlüpfte ich, nachdem ich Strümpfe und Slip abgelegt hatte, unter die Decke, schloss die Augen und drehte mich auf die Seite.

Ich hörte unten die Uhr schlagen, und einen Moment später kam Ben ins Zimmer. Ich rührte mich nicht, sondern lauschte nur, während er sich auszog, und dann spürte ich das Bett nachgeben, als er sich auf die Kante setzte. Einen Moment lang tat er nichts, dann legte sich seine Hand schwer auf meine Hüfte.

»Christine?«, sagte er beinahe flüsternd. »Bist du wach?« Ich bejahte mit einem Murmeln. »Hast du dich heute an eine Freundin erinnert?«, fragte er. Ich schlug die Augen auf und rollte mich herum. Ich konnte die breite Fläche seines nackten Rückens sehen, die feinen Härchen auf seinen Schultern.

»Ja«, sagte ich.

»Woran hast du dich erinnert?«

Ich erzählte es ihm, aber nur vage. »An eine Party«, sagte ich. »Wir waren beide an der Uni, glaube ich.«

Er erhob sich, drehte sich um und schlug die Bettdecke auf. Ich sah, dass er nackt war. Sein Penis schwang aus einem dunklen

Nest aus Haaren, und ich musste den Impuls unterdrücken, loszukichern. Ich konnte mich nicht erinnern, je männliche Genitalien gesehen zu haben, nicht mal in Büchern, und doch waren sie mir nicht völlig fremd. Ich fragte mich, wie viele mir wohl vertraut waren, was für Erfahrungen ich gemacht hatte. Fast widerwillig schaute ich weg.

»Du hast dich auch früher schon an diese Party erinnert«, sagte er, als er sich neben mich legte. »Ich glaube, sie fällt dir ziemlich oft ein. Du hast manche Erinnerungen, die anscheinend regelmäßig an die Oberfläche kommen.«

Ich seufzte. *Dann ist es also nichts Neues*, schien er zu sagen. *Nichts Aufregendes.* Er deckte uns beide zu. Er machte das Licht nicht aus.

»Erinnere ich mich oft an irgendwas?«, fragte ich.

»Ja. An das ein oder andere. Fast täglich.«

»An dieselben Dinge?«

Er wandte sich mir zu, stützte sich auf einen Ellbogen. »Manchmal«, sagte er. »Meistens. Ja. Es gibt selten Überraschungen.«

Ich wandte die Augen von seinem Gesicht ab und sah zur Decke. »Erinnere ich mich auch schon mal an dich?«

Er sah mich weiter an. »Nein«, sagte er. Er nahm meine Hand. Drückte sie. »Aber das macht nichts. Ich liebe dich. Es ist nicht schlimm.«

»Ich muss doch eine schreckliche Belastung für dich sein«, sagte ich.

Er berührte meinen Arm und fing an, ihn zu streicheln. Es knisterte statisch. Ich zuckte zusammen. »Nein«, sagte er. »Überhaupt nicht. Ich liebe dich.«

Dann schob er seinen Körper an meinen und küsste mich auf den Mund.

Ich schloss die Augen. Verwirrt. Wollte er Sex? Für mich war er ein Fremder. Obwohl ich verstandesmäßig wusste, dass wir jede Nacht zusammen zu Bett gingen, und das seit wir verheiratet waren, kannte mein Körper ihn gerade mal einen Tag.

»Ben, ich bin sehr müde«, sagte ich.

Er senkte die Stimme und murmelte: »Ich weiß, mein Liebling.« Er küsste mich sanft auf die Wange, die Lippen, die Augen. »Ich weiß.« Seine Hand glitt tiefer, unter die Decke, und ich spürte eine Welle von Angst in mir aufsteigen, beinahe Panik.

»Ben«, sagte ich. »Es tut mir leid.« Ich packte seine Hand und hielt sie fest, ehe sie noch tiefer glitt. Ich widerstand dem Drang, sie wegzustoßen, als wäre sie widerlich, und streichelte sie stattdessen. »Ich bin müde«, sagte ich. »Heute nicht. Okay?«

Er sagte nichts, nahm aber seine Hand weg und drehte sich auf den Rücken. Enttäuschung drang ihm aus jeder Pore. Ich wusste nicht, was ich sagen sollte. Ein Teil von mir dachte, ich sollte mich entschuldigen, aber ein größerer Teil sagte, dass ich nichts Unrechtes getan hatte. Und so lagen wir stumm nebeneinander, ohne uns zu berühren, und ich fragte mich, wie oft das wohl passiert. Wie oft er ins Bett kommt und Sex will, ob ich je selbst Lust darauf habe oder mich auch nur in der Lage fühle, ihm zu geben, was er will, und ob es immer so endet, in dieser bedrückten Stille, wenn ich es nicht tue.

»Gute Nacht, Liebling«, sagte er, nachdem noch einige Minuten vergangen waren, und die Spannung verflog. Ich wartete ab, bis er leise schnarchte, dann schlüpfte ich aus dem Bett und setzte mich hier in das Gästezimmer, um alles aufzuschreiben.

Ich würde mich so gern an ihn erinnern. Nur ein Mal.

Montag, 12. November

Die Uhr hat gerade vier geschlagen, es wird allmählich dunkel. Ben kann eigentlich noch nicht nach Hause kommen, doch während ich hier sitze und schreibe, lausche ich auf sein Auto. Der Schuhkarton steht auf dem Boden neben meinen Füßen, das Seidenpapier, in das das Tagebuch eingewickelt war, hängt heraus. Wenn er kommt, werde ich mein Buch im Kleiderschrank verstauen und sagen, ich hätte mich etwas hingelegt. Es ist gelogen, aber nicht sehr, und es ist nicht falsch, dass ich den Inhalt meines Tagebuchs geheim halten will. Ich muss aufschreiben, was ich gesehen habe. Was ich erfahren habe. Was aber nicht heißt, dass jemand – irgendwer – außer mir es lesen sollte.

Ich habe mich heute mit Dr. Nash getroffen. Wir saßen einander gegenüber, sein Schreibtisch zwischen uns. Hinter ihm ein Aktenschrank, auf dem das Glasmodell eines Gehirns stand, in der Mitte durchtrennt, aufgeklappt wie eine Orange. Er fragte mich, wie es mir ergangen sei.

»So einigermaßen«, sagte ich. »Glaube ich jedenfalls.« Die Frage war schwer zu beantworten – die wenigen Stunden seit dem Aufwachen an diesem Morgen waren die einzigen, an die ich mich deutlich erinnern konnte. Ich lernte meinen Mann kennen, als wäre es die erste Begegnung, obwohl ich wusste, dass dem nicht so war, wurde von meinem Arzt angerufen, der mir von meinem Tagebuch erzählte. Dann, am frühen Nachmittag, holte er mich ab und fuhr mit mir in seine Praxis.

»Ich hab in mein Tagebuch geschrieben«, sagte ich. »Nach Ihrem Anruf. Am Samstag.«

Er wirkte erfreut. »Meinen Sie, es hat ein kleines bisschen geholfen?«

»Ich denke schon«, sagte ich. Ich erzählte ihm von den Erinnerungen, die ich gehabt hatte. Von meiner Vision mit der Frau auf der Party, wie ich von der Krankheit meines Vaters erfuhr. Während ich sprach, machte er sich Notizen.

»Erinnern Sie sich jetzt immer noch an diese Dinge?«, fragte er. »Oder haben Sie sich daran erinnert, als Sie heute Morgen aufgewacht sind?«

Ich zögerte. Die Antwort war nein. Oder dass ich mich nur an einiges davon erinnerte. Am Morgen hatte ich meinen Eintrag vom Samstag gelesen – über das gemeinsame Frühstück mit meinem Mann, über den Ausflug zum Parliament Hill. Alles hatte so unwirklich auf mich gewirkt, wie irgendein Roman, als hätte es nichts mit mir zu tun, und ich merkte, dass ich denselben Abschnitt wieder und wieder las, dass ich versuchte, ihn in meinen Kopf einzuzementieren, ihn zu verfestigen. Letztendlich brauchte ich über eine Stunde dafür.

Ich las, was Ben mir erzählt hatte, wie wir uns kennengelernt und geheiratet hatten, wie wir lebten, und ich empfand nichts. Anderes dagegen blieb haften. Die Frau, zum Beispiel. Meine Freundin. Ich konnte mir keine Einzelheiten ins Gedächtnis rufen – die Party mit dem Feuerwerk, mit ihr zusammen auf dem Dach gewesen zu sein, einen Mann namens Keith zu treffen –, aber die Erinnerung an sie bestand in mir fort, und heute Morgen, als ich meinen Eintrag von Samstag las, waren weitere Details aufgetaucht. Das leuchtende Rot ihrer Haare, die schwarzen Klamotten, die sie am liebsten trug, der Nietengürtel, der scharlachrote Lippenstift, die Art, wie sie rauchte, als wäre es das Coolste auf der Welt. Ihr Name wollte mir nicht einfallen, aber jetzt erinnerte ich mich an den Abend, an dem wir uns kennenlernten, in einem Raum, der mit dickem Zigarettenqualm vernebelt war und der vom Klingeln und Klackern der Flipperautomaten und dem blechernen Gedudel aus der Musikbox vibrierte. Sie hatte mir Feuer gegeben, als ich sie darum bat, und dann ihren Namen genannt und vorgeschlagen, ich sollte mit rüber zu ihren Freunden kommen. Wir tranken Wodka und Bier, und später, als ich das meiste davon wieder auskotzte, hielt sie meine Haare aus der Kloschüssel. »Ich schätze, jetzt sind wir definitiv Freundinnen«, sagte sie lachend, als ich wieder auf die Beine kam. »So was mach ich nämlich längst nicht für jeden, weißt du?«

Ich dankte ihr, und aus mir unerfindlichen Gründen, als wäre es eine Erklärung für das, was ich gerade getan hatte, erzählte ich ihr, dass mein Vater tot war. »Scheiße …«, sagte sie und mit einem ersten von offenbar vielen Umschwüngen von betrunkener Albernheit zu mitfühlendem Zupacken nahm sie mich mit auf ihr Zimmer, und wir aßen Toast und tranken schwarzen Kaffee, hörten dabei Platten und sprachen über unser Leben, bis es draußen hell wurde.

An den Wänden ihres Zimmers und am Fußende des Bettes lehnten Gemälde, und Skizzenbücher waren im ganzen Raum verteilt. »Bist du Künstlerin?«, fragte ich, und sie nickte. »Deshalb bin ich hier an der Uni«, sagte sie. Ich erinnerte mich, dass sie gesagt hatte, sie studiere Kunst. »Natürlich werde ich als Lehrerin enden, aber bis dahin darf der Mensch ja noch träumen. Oder?« Ich lachte. »Was ist mit dir? Was studierst du?« Ich sagte es ihr. Englische Literatur. »Und was willst du mal machen? Romane schreiben oder unterrichten?« Sie lachte, nicht gehässig, aber ich erzählte ihr trotzdem nichts von der Kurzgeschichte, an der ich auf meinem Zimmer gearbeitet hatte, ehe ich nach unten gekommen war. »Keine Ahnung«, sagte ich stattdessen. »Wahrscheinlich wird's mir genauso gehen wie dir.« Sie lachte wieder und sagte: »Tja, dann auf uns!«, und als wir uns mit Kaffee zuprosteten, hatte ich zum ersten Mal seit Monaten das Gefühl, dass vielleicht doch noch alles gut werden würde.

Ich erinnerte mich an das alles. Die Willensanstrengung, das Vakuum meines Gedächtnisses zu durchforsten, nach irgendwelchen winzigen Details zu suchen, die eine Erinnerung auslösen würden, erschöpfte mich. Doch die Erinnerungen an das Leben mit meinem Mann? Sie waren offenbar unwiederbringlich verloren. Als ich diese Worte las, hatte sich nicht mal das kleinste Rudiment einer Erinnerung geregt. Es war, als wäre nicht bloß der Ausflug zum Parliament Hill nie passiert, sondern auch alles, was mein Mann mir dort erzählt hatte.

»Ich erinnere mich an manche Dinge«, sagte ich zu Dr. Nash. »Dinge aus der Zeit, als ich jünger war, Dinge, die mir gestern eingefallen sind. Die sind noch da. Und ich erinnere mich sogar an weitere Details. Aber ich weiß absolut nicht mehr, was wir gestern gemacht haben. Oder am Samstag. Ich kann versuchen, ein Bild der Szene zu rekonstruieren, die ich im Tagebuch beschrieben habe, aber ich weiß, dass es keine Erinnerung ist. Ich weiß, ich stelle es mir nur vor.«

Er nickte. »Haben Sie irgendeine Erinnerung an vorgestern? Irgendeine Kleinigkeit, die Sie aufgeschrieben haben und die Ihnen wieder einfällt? Von dem Abend zum Beispiel?«

Ich dachte daran, was ich über die Situation nach dem Zubettgehen geschrieben hatte. Ich merkte, dass ich mich schuldig fühlte. Schuldig, weil ich trotz seiner Güte nicht in der Lage gewesen war, mit meinem Mann zu schlafen. »Nein«, log ich. »Nichts.«

Ich fragte mich, was er hätte anders machen können, damit ich den Wunsch verspürt hätte, ihn in die Arme zu nehmen, mich ihm hinzugeben. Blumen? Pralinen? Muss er jedes Mal, wenn er Sex will, romantische Annäherungsversuche machen, als wäre es das erste Mal? Ich begriff, wie verschlossen die Wege der Verführung für ihn sind. Er kann nicht mal den ersten Song spielen, zu dem wir auf unserer Hochzeit getanzt haben, oder mit mir noch einmal in das Restaurant gehen, in dem wir das erste Mal zusammen aus essen waren, weil beides für mich keine Bedeutung mehr hat. Und außerdem bin ich seine Frau; er sollte mich nicht jedes Mal, wenn er mit mir schlafen will, verführen müssen, als wäre es das erste Mal.

Aber kommt es überhaupt je dazu, dass ich ihn mit mir schlafen lasse oder vielleicht sogar selber mit ihm schlafen will? Wache ich je auf und weiß genug, um Begehren zu empfinden, unaufgefordert?

»Ich erinnere mich überhaupt nicht an Ben«, sagte ich. »Heute Morgen hatte ich keine Ahnung, wer er war.«

Dr. Nash nickte. »Möchten Sie das gerne?«

Fast hätte ich gelacht. »Natürlich!«, sagte ich. »Ich möchte mich an meine Vergangenheit erinnern. Ich möchte wissen, wer ich bin. Wen ich geheiratet habe. Das gehört alles dazu —«

»Natürlich«, sagte er. Er zögerte, stützte dann die Ellbogen auf den Schreibtisch und verschränkte die Hände vor dem Gesicht, als überlege er sorgfältig, was er sagen wollte oder wie er es sagen sollte. »Was Sie mir erzählt haben, ist sehr ermutigend. Es deutet darauf hin, dass die Erinnerungen nicht völlig verloren sind. Das Problem ist also nicht das Speichern, sondern der Zugriff.«

Ich dachte kurz nach und sagte dann: »Sie meinen, meine Erinnerungen sind da, ich komm bloß nicht an sie ran?«

Er lächelte. »Wenn Sie so wollen«, sagte er. »Ja.«

Ich war frustriert. Ungeduldig. »Und wie kann ich dann mehr abrufen?«

Er lehnte sich zurück und schaute in die Akte vor ihm. »Letzte Woche«, sagte er, »an dem Tag, als ich Ihnen das Tagebuch gab. Haben Sie da geschrieben, dass ich Ihnen ein Foto gezeigt habe? Ich hab es Ihnen mitgegeben, glaube ich.«

»Ja«, sagte ich. »Hab ich.«

»Nachdem Sie das Foto gesehen hatten, schienen Sie sich an weit mehr zu erinnern als davor, als ich Sie nach Ihrem Elternhaus fragte, ohne Ihnen ein Bild zu zeigen.« Er stockte. »Was wiederum nicht verwunderlich ist. Aber ich würde gern feststellen, was passiert, wenn ich Ihnen Fotos aus der Zeit zeige, an die Sie sich nicht erinnern. Ich möchte herausfinden, ob Ihnen dann irgendetwas wieder einfällt.«

Ich zögerte, wusste nicht, wohin dieser Weg führen würde, war aber sicher, dass mir nichts anderes übrigblieb, als ihn einzuschlagen.

»Okay«, sagte ich.

»Gut! Wir werden uns heute nur ein Bild ansehen.« Er nahm ein Foto hinten aus der Akte, kam dann um den Schreibtisch und setzte sich neben mich. »Ehe wir es anschauen, haben Sie irgendwelche Erinnerungen an Ihre Hochzeit?«

Ich wusste bereits, dass da nichts war. Für mich war meine Hochzeit mit dem Mann, neben dem ich am Morgen aufgewacht war, einfach nie passiert.

»Nein«, sagte ich. »Keine einzige.«

»Ganz sicher?«

Ich nickte. »Ja.«

Er legte das Foto vor mir auf den Schreibtisch. »Sie haben hier geheiratet«, sagte er und tippte darauf. Es war eine Kirche. Klein, mit niedrigem Dach und einem winzigen Türmchen. Völlig fremd.

»Fällt Ihnen irgendwas ein?«

Ich schloss die Augen und versuchte, an nichts zu denken. Eine Vision von Wasser. Meine Freundin. Ein gefliester Boden, schwarz-weiß. Sonst nichts.

»Nein. Ich erinnere mich nicht, sie je gesehen zu haben.«

Er wirkte enttäuscht. »Ganz sicher?«

Ich schloss erneut die Augen. Schwärze. Ich versuchte, an meinen Hochzeitstag zu denken, versuchte, mir Ben vorzustellen, mich, in Anzug und Hochzeitskleid, wie wir auf dem Gras vor der Kirche stehen, aber nichts kam. Keine Erinnerung. Traurigkeit stieg in mir auf. Wie jede Braut hatte ich meine Hochzeit bestimmt wochenlang geplant, hatte das Kleid ausgesucht und gespannt auf die Änderungen gewartet, hatte einen Friseur bestellt, mir Gedanken übers Make-up gemacht. Ich malte mir aus, wie ich an dem Menü feilte, die Musik auswählte, die Blumen, und dabei die ganze Zeit hoffte, dass der Tag meine hochgespannten Erwartungen erfüllen möge. Und jetzt werde ich nie wissen, ob sie erfüllt wurden. Alles ist mir weggenommen worden, jede Spur getilgt. Alles, außer dem Mann, den ich geheiratet habe.

»Nein« sagte ich. »Da ist nichts.«

Er legte das Foto weg. »Den Notizen zufolge, die zu Anfang Ihrer Behandlung gemacht wurden, haben Sie in Manchester geheiratet«, sagte er. »Die Kirche heißt St. Mark's. Das war eine Fotografie jüngeren Datums – die einzige, die ich kriegen konnte –, aber ich vermute, sie sieht heute noch ganz so aus wie damals.«

»Von unserer Hochzeit gibt es keine Fotos«, sagte ich. Es war sowohl eine Frage als auch eine Feststellung.

»Nein. Die sind verbrannt. Bei einem Brand in Ihrem Haus, wie es scheint.«

Ich nickte. Das aus seinem Mund zu hören, verfestigte es irgendwie, ließ es realer wirken. Es war fast, als würde der Umstand, dass er Arzt war, seinen Worten eine Autorität verleihen, die Bens Worte nicht hatten.

»Wann habe ich geheiratet?«, fragte ich.

»Das muss Mitte der Achtziger gewesen sein.«

»Vor meinem Unfall …«, sagte ich.

Dr. Nash blickte beklommen. Ich fragte mich, ob ich je mit ihm über den Unfall gesprochen hatte, durch den ich das Gedächtnis verloren hatte.

»Sie wissen, wodurch Ihre Amnesie verursacht wurde?«, fragte er.

»Ja«, sagte ich. »Ich hab mit Ben gesprochen. Vor ein paar Tagen. Er hat mir alles erzählt. Ich hab es in mein Tagebuch geschrieben.«

Er nickte. »Welche Gefühle löst das bei Ihnen aus?«

»Ich weiß nicht«, sagte ich. Tatsächlich hatte ich keine Erinnerung an den Unfall, daher schien er mir nicht real. Nur seine Auswirkungen waren real für mich. Was er aus mir gemacht hatte. »Ich hab das Gefühl, dass ich die Person hassen müsste, die mir das angetan hat«, sagte ich. »Vor allem, weil sie nie gefasst wurde, nie dafür bestraft wurde, dass sie mich so liegen gelassen hat. Dass sie mein Leben zerstört hat. Aber seltsamerweise tue ich das nicht, nicht wirklich. Ich kann nicht. Ich kann mir die Person nicht vorstellen, mir nicht ausmalen, wie sie aussieht. Es ist, als würde es sie gar nicht geben.«

Er blickte enttäuscht. »Sehen Sie das so?«, fragte er. »Dass Ihr Leben zerstört wurde?«

»Ja«, sagte ich nach ein paar Augenblicken. »Ja. Das sehe ich so.«
Er schwieg. »Stimmt das denn nicht?«

Ich weiß nicht, welche Reaktion, welche Erwiderung ich von ihm erwartete. Ich schätze, ein Teil von mir wollte, dass er mir sagte, wie sehr ich mich irre, dass er versuchen würde, mir einzureden, dass mein Leben lebenswert ist. Aber er tat es nicht. Er sah mich nur offen an. Ich bemerkte, wie auffallend seine Augen sind. Blau mit grauen Einsprengseln.

»Es tut mir leid, Christine«, sagte er. »Es tut mir leid. Aber ich tue alles, was ich kann, und ich denke, ich kann Ihnen helfen. Das denke ich wirklich. Das müssen Sie mir glauben.«

»Das tue ich«, sagte ich. »Das tue ich.«

Er legte seine Hand auf meine, die zwischen uns auf dem Schreibtisch lag. Sie fühlte sich schwer an. Warm. Er drückte meine Finger, und eine Sekunde lang war ich peinlich berührt, seinetwegen, aber auch meinetwegen, doch dann blickte ich ihm ins Gesicht, sah den traurigen Ausdruck darin und begriff, dass hier ein junger Mann eine ältere Frau tröstete. Mehr nicht.

»Entschuldigung«, sagte ich. »Ich muss mal zur Toilette.«

Als ich zurückkam, hatte er Kaffee eingeschenkt, und wir setzten uns wieder vor beziehungsweise hinter den Schreibtisch, nippten an unseren Tassen. Er schien den Blickkontakt mit mir zu vermeiden und blätterte stattdessen die Papiere auf seinem Tisch durch, schob sie linkisch hin und her. Zuerst dachte ich, er wäre verlegen, weil er meine Hand gedrückt hatte, doch dann sah er auf und sagte: »Christine. Ich möchte Sie etwas fragen. Zweierlei, eigentlich.« Ich nickte. »Erstens, ich habe beschlossen, Ihren Fall zu veröffentlichen. Er ist für mein Fachgebiet recht ungewöhnlich, und ich denke, es wäre wirklich von Vorteil, die Einzelheiten einem größeren wissenschaftlichen Kreis zugänglich zu machen. Haben Sie etwas dagegen?«

Ich betrachtete die Fachzeitschriften, die unordentlich gestapelt in den Regalen ringsherum lagen. Wollte er so seine Karriere vorantreiben oder seine Position sichern? *Bin ich deshalb hier?* Einen Moment lang erwog ich, ihm zu sagen, dass es mir lieber wäre, wenn er meine Geschichte nicht für seine Zwecke nutzte, doch letzten Endes schüttelte ich nur den Kopf und sagte: »Nein. Das geht in Ordnung.«

Er lächelte. »Gut. Vielen Dank. Und jetzt hab ich eine Frage. Eigentlich eher einen Vorschlag. Ich möchte etwas ausprobieren. Wären Sie einverstanden?«

»Woran dachten Sie?«, fragte ich. Ich war nervös, aber auch erleichtert, weil er mir endlich sagen würde, was in ihm vorging.

»Also«, sagte er. »Aus Ihren Akten geht hervor, dass Sie und Ben nach der Hochzeit weiter in Ihrer gemeinsamen Wohnung in Ostlondon lebten.« Er stockte. Wie aus dem Nichts kam eine Stimme, die die meiner Mutter sein musste. *In Sünde leben* – ein Zungenschnalzen, ein Kopfschütteln. »Und dann, nach etwa einem Jahr, sind Sie in ein Haus gezogen. Dort wohnten Sie praktisch, bis Sie in die Klinik kamen.« Wieder ein Stocken. »Es liegt gar nicht weit von Ihrem jetzigen Haus entfernt.« Allmählich begriff ich, worauf er hinauswollte. »Ich dachte, wir könnten jetzt gleich dahin fahren, es uns ansehen, auf dem Weg zu Ihnen. Was halten Sie davon?«

Was ich davon hielt? Ich wusste es nicht. Es war eine Frage, die fast unmöglich zu beantworten war. Ich wusste, dass es Sinn ergab, dass es mir auf irgendeine undefinierbare Weise helfen könnte, die bislang keiner von uns verstand, aber dennoch sträubte sich etwas in mir. Es war, als wäre meine Vergangenheit plötzlich irgendwie gefährlich. Ein Ort, den man besser nicht aufsuchte.

»Ich weiß nicht«, sagte ich.

»Sie haben dort etliche Jahre gelebt«, sagte er.

»Ich weiß, aber –«

»Wir können einfach hinfahren und es uns ansehen. Wir müssen nicht reingehen.«

»Reingehen?«, echote ich. »Wie –«

»Ja«, sagte er. »Ich hab den Leuten, die jetzt dort wohnen, einen Brief geschrieben. Wir haben telefoniert. Sie meinten, wenn es vielleicht helfen könnte, würden sie Ihnen gern die Möglichkeit geben, sich ein wenig umzusehen.«

Das überraschte mich. »Ehrlich?«, fragte ich.

Er blickte leicht zur Seite – nur kurz, aber es genügte, um als Verlegenheit rüberzukommen. Ich fragte mich, was er wohl verbarg. »Ja«, sagte er, und dann: »So viel Mühe mache ich mir nicht bei allen meinen Patienten.« Ich sagte nichts. Er lächelte. »Ich denke wirklich, es könnte helfen, Christine.«

Wie hätte ich da nein sagen können?

Ich hatte vorgehabt, auf der Fahrt dorthin in meinem Tagebuch zu schreiben, aber kaum hatte ich meinen letzten Eintrag zu Ende gelesen, als wir auch schon vor einem Haus hielten. Ich klappte das Buch zu und blickte auf. Das Haus sah so ähnlich aus wie dasjenige, wo er mich am Morgen abgeholt hatte – in dem ich jetzt wohne, wie ich mir immer wieder sagen musste –, mit roten Mauern und lackiertem Holz und dem gleichen Erkerfenster und einem gepflegten Garten. Dieses Haus war vielleicht ein klein wenig größer, und ein Dachfenster ließ einen ausgebauten Speicher vermuten, den wir nicht haben. Ich konnte mir nicht vorstellen, warum wir hier weggezogen waren, um ein paar Meilen weiter ein fast identisches Haus zu beziehen. Nach einem Moment begriff ich: Erinnerungen. Erinnerungen an eine bessere Zeit, vor meinem Unfall, als wir glücklich waren, ein normales Leben lebten. Ben musste sie haben, selbst wenn ich sie nicht hatte.

Plötzlich war ich mir sicher, dass das Haus mir Dinge offenbaren würde. Meine Vergangenheit offenbaren würde.

»Ich möchte reingehen«, sagte ich.

Ich unterbreche hier. Ich möchte den Rest schreiben, aber er ist wichtig – zu wichtig, um es zu überhasten –, und Ben kommt jeden Moment nach Hause. Er ist schon etwas spät dran; der Himmel ist dunkel, auf der Straße ist das Schlagen von Türen zu hören, Menschen, die von der Arbeit nach Hause kommen. Autos werden vor dem Haus langsamer – bald wird eines davon Bens sein, und er wird hereinkommen. Es ist besser, wenn ich jetzt aufhöre, wenn ich mein Buch wegpacke, sicher im Kleiderschrank verstecke.

Ich schreibe später weiter.

* * *

Ich schob gerade den Deckel auf den Schuhkarton, als ich Bens Schlüssel im Schloss hörte. Er rief meinen Namen, als er ins Haus trat, und ich erwiderte, dass ich gleich runterkommen würde. Obwohl ich keine Veranlassung habe, so zu tun, als hätte ich nicht gerade in den Kleiderschrank geschaut, schloss ich die Tür möglichst leise, dann ging ich meinen Mann begrüßen.

Der Abend war zerfahren. Mein Tagebuch lockte mich. Während wir aßen, überlegte ich, ob ich weiterschreiben könnte, ehe ich den Abwasch machte, und während ich den Abwasch machte, überlegte ich, ob ich Kopfschmerzen vortäuschen sollte, um weiterzuschreiben, sobald alles gespült war. Dann jedoch, als ich in der Küche fertig war, sagte Ben, er müsste noch etwas arbeiten, und ging in sein Arbeitszimmer. Ich seufzte erleichtert und sagte, ich würde schon mal ins Bett gehen.

Und da bin ich jetzt. Ich kann Ben hören – das Klick-Klick-Klick seiner Tastatur –, und ich muss zugeben, das Geräusch ist wohltuend. Ich habe gelesen, was ich geschrieben hatte, ehe Ben nach Hause kam, und kann mich jetzt erneut so sehen, wie ich heute Nachmittag war: in einem Auto vor einem Haus, in dem ich einmal gelebt habe. Ich kann mit meiner Geschichte weitermachen.

Es geschah in der Küche.

Eine Frau – Amanda – hatte auf das eindringliche Summen der Türklingel hin geöffnet, um Dr. Nash mit einem Händedruck und mich mit einem Blick zu begrüßen, der irgendwo zwischen Mitleid und Faszination lag. »Sie müssen Christine sein«, sagte sie, den Kopf zur Seite geneigt und eine manikürte Hand ausgestreckt. »Kommen Sie doch herein!«

Sie schloss die Tür hinter uns. Sie trug eine cremefarbene Bluse, Goldschmuck. Sie stellte sich vor und sagte: »Bleiben Sie, so lange Sie möchten, okay? So lange Sie brauchen. Ja?«

Ich nickte und schaute mich um. Wir standen in einer hellen, mit Teppichboden ausgelegten Diele. Sonnenlicht strömte durch die Fensterscheibe, beleuchtete eine Vase mit roten Tulpen, die auf einem Beistelltisch stand. Das Schweigen war lang und unbehaglich. »Es ist ein schönes Haus«, sagte Amanda schließlich, und einen Moment lang fühlte ich mich, als wären Dr. Nash und ich potentielle Käufer und sie eine Immobilienmaklerin, die unbedingt ein Geschäft abschließen wollte. »Wir haben es vor zehn Jahren gekauft. Wir fühlen uns hier richtig wohl. Es ist so hell. Sollen wir rüber ins Wohnzimmer gehen?«

Wir folgten ihr. Der Raum war klar, geschmackvoll. Ich spürte nichts, nicht mal ein vages Gefühl von Vertrautheit. Es hätte irgendein Wohnzimmer in irgendeinem Haus in irgendeiner Stadt sein können.

»Vielen Dank, dass wir uns bei Ihnen umsehen dürfen«, sagte Dr. Nash.

»Ach, Unsinn!«, sagte sie mit einem gezierten Prusten. Ich stellte sie mir im Pferdesattel vor oder beim Arrangieren von Blumen.

»Haben Sie viel verändert, seit Sie hier wohnen?«, fragte er.

»So einiges«, sagte sie. »Wie das so ist.«

Ich betrachtete den gebürsteten Holzboden und die weißen Wände, das cremefarbene Sofa, die modernen Kunstdrucke an einer Wand. Ich dachte an das Haus, das ich heute Morgen verlassen hatte; der Unterschied hätte größer nicht sein können.

»Wissen Sie noch, wie der Raum aussah, als sie eingezogen sind?«, fragte Dr. Nash.

Sie seufzte. »Nicht mehr richtig, leider. Hier lag Teppichboden. Hellbraun, glaube ich. Und die Wände waren tapeziert. Irgendwas mit Streifen, wenn ich mich nicht irre.« Ich versuchte, mir den Raum so vorzustellen, wie sie ihn beschrieben hatte. Nichts tat sich. »Außerdem war da ein Kamin, den haben wir ausbauen lassen. Heute bedaure ich das. Der war noch original.«

»Christine?«, sagte Dr. Nash. »Kommt Ihnen irgendetwas bekannt vor?« Ich schüttelte den Kopf. »Könnten wir uns vielleicht den Rest des Hauses ansehen?«, fragte er Amanda.

Wir gingen nach oben. Es gab zwei Zimmer. »Giles arbeitet viel zu Hause«, erklärte sie, als wir in das Zimmer gingen, das nach vorn lag. Es wurde von einem Schreibtisch, Aktenschränken und Büchern dominiert. »Ich glaube, die Vorbesitzer hatten hier ihr Schlafzimmer.« Sie sah mich an, aber ich sagte nichts. »Es ist ein bisschen größer als der andere Raum, aber Giles kann hier nicht schlafen. Wegen des Straßenlärms.« Eine Pause entstand. »Er ist Architekt.« Wieder sagte ich nichts. »Das ist ein ziemlicher Zufall«, sprach sie weiter, »weil der Mann, von dem wir das Haus gekauft haben, auch Architekt war. Wir haben ihn kennengelernt, als wir es uns angesehen haben. Giles und er haben sich gut verstanden. Ich glaube, nur aufgrund dieser Gemeinsamkeit haben wir es ein paar Tausend günstiger bekommen.« Wieder eine Pause. Ich fragte mich, ob sie auf Glückwünsche wartete. »Giles ist dabei, sich selbstständig zu machen.«

Ein Architekt, dachte ich. *Kein Lehrer wie Ben.* Das können also nicht die Leute sein, denen er das Haus verkauft hat. Ich versuchte, mir den Raum mit einem Bett vorzustellen anstelle eines Schreibtisches mit Glasplatte, mit Teppich und Tapete anstelle von abgeschliffenen Dielen und weißen Wänden.

Dr. Nash sah mich an. »Irgendwas?«

Ich schüttelte den Kopf. »Nein. Nichts. Ich erinnere mich an gar nichts.«

Wir schauten in das andere Zimmer, das Bad. Nichts kam mir bekannt vor, also gingen wir wieder nach unten, in die Küche. »Möchten Sie nicht vielleicht doch eine Tasse Tee?«, fragte Amanda. »Es macht wirklich keine Umstände. Geht ganz schnell.«

»Nein, danke«, sagte ich. Der Raum war grell. Kantig. Die Einbauschränke waren chromfarben und weiß, und die Arbeitsplatte sah aus wie aus gegossenem Beton. Nur eine Schale mit Limetten sorgte für ein bisschen Farbe. »Ich denke, wir sollten dann gehen«, sagte ich.

»Natürlich«, sagte Amanda. Ihre muntere Resolutheit schien wie weggeblasen, stattdessen wirkte sie jetzt enttäuscht. Ich hatte ein schlechtes Gewissen. Sie hatte offensichtlich gehofft, dass ein Besuch in ihrem Haus das Wunder meiner Heilung bewirken würde. »Könnte ich ein Glas Wasser haben?«, fragte ich.

Sofort hellten sich ihre Züge auf. »Selbstverständlich!«, sagte sie. »Ich hol Ihnen eins!« Sie gab mir ein Glas Wasser, und in dem Moment, als ich es aus ihrer Hand nahm, sah ich es vor mir.

Amanda und Dr. Nash waren verschwunden. Ich war allein. Auf der Arbeitsplatte sah ich einen rohen Fisch, nass und glänzend, auf einer ovalen Platte liegen. Ich hörte eine Stimme. Eine Männerstimme. Es war Bens Stimme, dachte ich, aber irgendwie jünger. »Weißwein?«, sagte sie, »oder einen Roten?«, und ich drehte mich um und sah ihn in die Küche kommen. Es war dieselbe Küche – in der ich mit Amanda und Dr. Nash stand –, aber die Wände waren anders gestrichen. Ben hielt in jeder Hand eine Flasche Wein, und er war derselbe Ben, nur dünner, mit weniger Grau in den Haaren, und er hatte einen Schnurrbart. Er war nackt, und sein Penis war halb erigiert, wippte komisch bei jedem Schritt. Seine Haut war glatt, spannte sich über den Muskeln von Armen und Brust, und ich spürte jähe Lust in mir aufwallen. Ich sah mich selbst, wie mir der Atem stockte, aber ich lachte.

»Weiß, oder?«, sagte ich, und er lachte mit mir, und dann stellte er beide Flaschen auf den Tisch und kam auf mich zu. Seine Arme umschlangen mich, und dann schloss ich die Augen, und mein Mund öffnete sich wie von selbst, und ich küsste ihn, und er mich, und ich spürte seinen Penis, der in meinen Schritt drückte, und meine Hand, die sich darauf zubewegte. Und noch während ich ihn küsste, dachte ich: *Ich muss mich daran erinnern, was das für ein Gefühl ist. Ich muss das in mein Buch einbauen. Über so was will ich schreiben.*

Dann fiel ich ihm entgegen, drückte meinen Körper an seinen, und seine Hände begannen, an meinem Kleid zu zerren, nach dem Reißverschluss zu tasten. »Hör auf!«, sagte ich. »Nicht –«, doch obwohl ich nein sagte, ihn bat, aufzuhören, hatte ich das Gefühl, ihn mehr zu wollen, als ich je zuvor einen Menschen gewollt hatte. »Nach oben«, sagte ich, »schnell«, und dann stolperten wir aus der Küche, während er weiter versuchte, mich auszuziehen, und beeilten uns, in das Schlafzimmer mit dem grauen Teppich und der blaugemusterten Tapete zu kommen, und die ganze Zeit dachte ich: *Ja, darüber sollte ich in meinem nächsten Roman schreiben, dieses Gefühl will ich wiedergeben.*

Ich taumelte. Der Klang von zersplitterndem Glas, und das Bild vor mir verschwand. Als wäre die Filmspule zu Ende und die Bilder auf der Leinwand würden durch flackerndes Licht und die Schatten von Staubpartikeln ersetzt. Ich öffnete die Augen.

Ich war noch immer in der Küche, aber jetzt stand Dr. Nash vor mir und Amanda ein Stückchen hinter ihm, und beide sahen mich beunruhigt und ängstlich an. Ich merkte, dass ich das Glas hatte fallen lassen.

»Christine«, sagte Dr. Nash. »Christine. Alles in Ordnung mit Ihnen?«

Ich antwortete nicht. Ich wusste nicht, wie mir zumute war. Es war das erste Mal – soweit ich wusste –, dass ich mich an meinen Mann erinnert hatte.

Ich schloss die Augen und versuchte, die Vision zurückzuholen. Ich versuchte, den Fisch zu sehen, den Wein, meinen Mann, mit Bart, nackt, seinen wippenden Penis, aber da kam nichts. Die Erinnerung war verschwunden, verpufft, als hätte es sie nie gegeben oder als wäre sie von der Gegenwart weggeätzt worden.

»Ja«, sagte ich. »Alles in Ordnung. Ich –«

»Was haben Sie?«, fragte Amanda. »Geht's Ihnen gut?«

»Ich habe mich an etwas erinnert«, sagte ich. Ich sah, wie Amandas Hände hoch zu ihrem Mund flogen, wie ihr Gesicht einen beglückten Ausdruck annahm.

»Wirklich?«, sagte sie. »Das ist ja wunderbar. Was war es? Woran haben Sie sich erinnert?«

»Bitte –«, sagte Dr. Nash. Er trat vor und nahm meinen Arm. Glassplitter knirschten unter seinen Schuhen.

»An meinen Mann«, sagte ich. »Hier. Ich habe mich an meinen Mann erinnert —«

Amandas Miene verdunkelte sich. *Mehr nicht?*, schien sie zu sagen.

»Dr. Nash?«, sagte ich. »Ich hab mich an Ben erinnert!« Ich begann zu zittern.

»Gut«, sagte Dr. Nash. »Gut! Ausgezeichnet!«

Gemeinsam führten sie mich rüber ins Wohnzimmer. Ich setzte mich auf das Sofa. Amanda reichte mir eine Tasse heißen Tee, einen Teller mit einem Keks. Sie versteht es nicht, dachte ich. Kann sie auch nicht. Ich habe mich an Ben erinnert. An mich, als ich jung war. An uns beide zusammen. Ich weiß, dass wir uns geliebt haben. Ich muss es ihm nicht mehr einfach bloß glauben. Das ist wichtig. Weit wichtiger, als sie es sich vorstellen kann.

Den ganzen Weg nach Hause war ich aufgeregt. Durchströmt von einer nervösen Energie. Ich betrachtete die Außenwelt – diese fremde, geheimnisvolle, unbekannte Welt –, und ich sah keine Bedrohung darin, sondern Möglichkeiten. Dr. Nash sagte mir, dass wir seiner Meinung nach echte Fortschritte machten. Er schien begeistert. *Das ist gut*, sagte er immer wieder. *Das ist gut.* Ich war nicht sicher, ob er meinte, dass es gut für mich war oder für ihn, für seine Karriere. Er sagte, er würde gern einen Scan machen lassen, und ich stimmte zu, fast ohne zu überlegen. Außerdem gab er mir ein Handy und sagte, dass es mal seiner Freundin gehört hatte. Es sah anders aus als dasjenige, das Ben mir gegeben hatte. Es war kleiner, und man musste es aufklappen, dann kamen eine kleine Tastatur und ein Bildschirm zum Vorschein. *Ein Ersatzhandy*, sagte er. *Sie können mich jederzeit anrufen. Wann immer es wichtig ist. Und Sie sollten es stets bei sich haben. Ich werde Sie anrufen und Sie an Ihr Tagebuch erinnern.* Das war vor einigen Stunden. Jetzt wird mir klar, dass er mir das Handy gegeben hat, damit er mich anrufen kann, ohne dass Ben das mitbekommt. Er hat sogar etwas in der Art gesagt. *Neulich hab ich angerufen, und Ben hat sich gemeldet. Das könnte unangenehm werden. So ist es einfacher.* Ich nahm es, ohne Fragen zu stellen.

Ich habe mich an Ben erinnert. Mich erinnert, dass ich ihn geliebt habe. Vielleicht werde ich später, wenn wir zu Bett gehen, mein Versäumnis von gestern Abend gutmachen. Ich fühle mich lebendig. Trunken vor Möglichkeiten.

Dienstag, 13. November

Es ist Nachmittag. Bald wird Ben von einem weiteren Arbeits-
tag nach Hause kommen. Ich sitze hier mit diesem Tagebuch vor
mir. Ein Mann – Dr. Nash – hat mich gegen Mittag angerufen
und mir gesagt, wo ich es finde. Als er anrief, saß ich im Wohnzimmer, und zuerst glaubte ich ihm nicht, dass er wusste, wer
ich war. *Schauen Sie in den Schuhkarton im Kleiderschrank*, sagte er
schließlich. *Dort finden Sie ein Tagebuch.* Ich glaubte ihm nicht,
aber er blieb in der Leitung, während ich nachsah, und er hatte
recht. Da war mein Tagebuch, eingepackt in Seidenpapier. Ich
nahm es heraus, als wäre es zerbrechlich, und dann, nachdem
ich mich von Dr. Nash verabschiedet hatte, blieb ich vor dem
Schrank knien und las es. Jedes Wort.

Ich war nervös, wusste aber nicht, wieso. Das Tagebuch kam
mir irgendwie verboten vor, gefährlich, doch das lag vielleicht
nur an der Sorgfalt, mit der ich es versteckt hatte. Ich blickte immer wieder von den Seiten auf und sah auf die Uhr, schloss es
einmal sogar rasch und packte es wieder ein, als ich draußen vor
dem Haus ein Auto hörte. Aber jetzt bin ich ruhig. Ich schreibe
dies in dem Erker des Schlafzimmers. Das fühlt sich irgendwie
vertraut an, als wäre es ein Ort, an dem ich oft sitze. Ich kann die
Straße entlangsehen, in die eine Richtung auf eine Reihe hoher
Bäume, hinter der ein Park zu erahnen ist, in die andere auf eine
Häuserreihe und eine weitere, stärker befahrene Straße. Ich mache mir klar, dass ich, selbst wenn ich beschließe, das Tagebuch

vor Ben geheim zu halten, nichts Schlimmes zu befürchten habe, falls er es entdeckt. Er ist mein Mann. Ich kann ihm vertrauen.

Ich lese erneut von der Aufregung, die ich gestern auf dem Nachhauseweg empfand. Sie ist verschwunden. Jetzt fühle ich mich zufrieden. Ruhig. Autos fahren vorbei. Dann und wann sind Schritte zu hören, ein Mann, der vor sich hin pfeift, oder eine junge Mutter mit ihrem Kind auf dem Weg in den Park und später wieder zurück. In der Ferne ein Flugzeug im Landeanflug, es scheint fast auf der Stelle zu stehen.

Die Häuser gegenüber sind leer, die Straße still bis auf den pfeifenden Mann und das Bellen eines unglücklichen Hundes. Die Unruhe des Morgens mit seiner Sinfonie von zufallenden Türen und halbgerufenen Abschiedsgrüßen und anspringenden Motoren ist vorüber. Ich fühle mich allein auf der Welt.

Es fängt an zu regnen. Dicke Tropfen klatschen gegen das Fenster vor meinem Gesicht, bleiben einen Moment haften und beginnen dann zusammen mit weiteren ihre langsame Rutschpartie die Scheibe hinunter. Ich lege eine Hand an das kalte Glas.

So viel trennt mich vom Rest der Welt.

Ich lese von dem Besuch in dem Haus, in dem ich mit meinem Mann gewohnt habe. Sind diese Worte wirklich erst gestern aufgeschrieben worden? Ich habe nicht das Gefühl, dass sie von mir stammen. Ich lese auch von dem Tag, an den ich mich erinnert habe. Dass ich meinen Mann geküsst habe, in dem Haus, das wir gemeinsam gekauft hatten, vor langer Zeit – und wenn ich die Augen schließe, kann ich es wieder sehen. Zunächst nur trübe, unscharf, doch dann flimmert das Bild und klärt sich, wird schlagartig und mit einer fast überwältigenden Intensität scharf. Mein Mann und ich, wie er mir die Kleider vom Leib reißt. Wie Ben mich umschlungen hält, seine Küsse drängender werden, tiefer. Ich erinnere mich, dass wir den Fisch nicht aßen, den Wein nicht tranken; stattdessen blieben wir, nachdem wir uns geliebt hatten, so lange im Bett, wie wir konnten, unsere Beine verschlungen, mein Kopf auf seiner Brust, seine Hand mein Haar streichelnd, trocknendes Sperma auf meinem Bauch. Wir schwiegen. Glück umhüllte uns wie eine Wolke.

»Ich liebe dich«, sagte er. Er flüsterte, als hätte er die Worte vorher noch nie gesagt, und obwohl er sie doch schon zahllose Male ausgesprochen haben musste, klangen sie neu. Verboten und gefährlich.

Ich sah zu ihm hoch, sah die Stoppeln an seinem Kinn, die Fülle seiner Lippen und darüber die Kontur seiner Nase. »Ich liebe dich auch«, sagte ich, flüsterte gegen seine Brust, als wären die Worte zerbrechlich. Dann drückte er meinen Körper an seinen und küsste mich sanft. Auf den Kopf, die Stirn. Ich schloss die Augen, und er küsste meine Lider, streifte sie zart mit den Lippen. Ich fühlte mich sicher, geborgen. Ich fühlte mich, als wäre das hier, an seinen Körper geschmiegt, der einzige Ort, an den ich gehörte. Der einzige Ort, an dem ich je sein wollte. Wir blieben eine Weile schweigend liegen, eng umschlungen, Haut an Haut, im selben Rhythmus atmend. Es kam mir vor, als könnte dieser Augenblick, wenn wir nur still waren, ewig währen – und als wäre selbst das nicht genug.

Ben brach den Bann. »Ich muss los«, sagte er, und ich öffnete die Augen und nahm seine Hand. Sie fühlte sich warm an. Weich. Ich hob sie an den Mund und küsste sie. Der Geschmack von Glas und Erde.

»Schon?«, sagte ich.

Er küsste mich wieder. »Ja. Es ist später, als du denkst. Ich verpass meinen Zug.«

Mein Körper schien in die Tiefe zu stürzen. Trennung war etwas Undenkbares. Unerträgliches. »Bleib doch noch ein bisschen«, sagte ich. »Nimm den nächsten.«

Er lachte. »Ich kann nicht, Chris«, sagte er. »Das weißt du doch.«

Ich küsste ihn wieder. »Ich weiß«, sagte ich. »Ich weiß.«

Ich duschte, nachdem er gegangen war. Ich ließ mir Zeit, seifte mich langsam ein, spürte das Wasser auf meiner Haut wie einen ganz neuen Sinneseindruck. Im Schlafzimmer sprühte ich mich mit Parfüm ein, zog Nachthemd und Morgenmantel an und ging dann nach unten ins Esszimmer.

Es war dunkel. Ich schaltete das Licht ein. Auf dem Tisch vor mir stand eine Schreibmaschine, ein leeres Blatt eingespannt, und daneben war ein flacher Stapel Seiten, Schrift nach unten. Ich setzte mich an die Maschine. Ich begann zu tippen. *Kapitel zwei.*

Dann stockte ich. Mir fiel nichts ein, was ich als Nächstes schreiben, wie ich anfangen sollte. Ich seufzte, die Hände auf der Tastatur. Sie fühlte sich natürlich an, kühl und glatt, an meine Fingerspitzen gewöhnt. Ich schloss die Augen und begann wieder zu tippen.

Lizzy wusste nicht, was sie getan hatte oder wie es ungeschehen gemacht werden konnte.

Ich betrachtete den Satz. Unbeweglich. Schwarz, auf Papier.

Schwachsinn, dachte ich. Ich war verärgert. Ich wusste, dass ich besser sein konnte. Ich war es schon gewesen, zwei Sommer zuvor, als die Worte aus mir herausgeströmt waren, meine Geschichte sich auf dem Papier verteilt hatte wie Konfetti. Aber jetzt? Jetzt war irgendetwas falsch. Die Sprache war unbeweglich geworden, steif. Hart.

Ich nahm einen Stift und zog eine gerade Linie durch den Satz. Ich fühlte mich ein wenig besser, nachdem er durchgestrichen war, doch jetzt hatte ich wieder nichts; keinen Anfang.

Ich stand auf und zündete mir eine Zigarette aus der Packung an, die Ben auf dem Tisch hatte liegen lassen. Ich sog den Rauch tief in die Lunge, hielt ihn ein, atmete aus. Einen Moment lang wünschte ich, es wäre Gras, überlegte, wo ich mir welches besorgen konnte, für das nächste Mal. Ich goss mir einen Drink ein – Wodka pur in ein Whiskyglas – und trank einen kräftigen

Schluck. Ich würde es brauchen. *Schreibblockade*, dachte ich. *Wie bin ich bloß zu so einem Scheißklischee geworden?*

Letztes Mal. Wie habe ich das letztes Mal gemacht? Ich ging zu einem der Bücherregale, die die Wände des Esszimmers säumten, und nahm, die Zigarette zwischen die Lippen geklemmt, ein Buch vom obersten Brett. *Da müssen doch Anhaltspunkte zu finden sein. Oder nicht?*

Ich stellte den Wodka ab und drehte das Buch mit beiden Händen um. Ich legte die Fingerspitzen auf den Deckel, als wäre das Buch empfindlich, und fuhr sacht über den Titel. *Für die Vögel des Morgens*, stand da. *Christine Lucas*. Ich klappte es auf und blätterte die Seiten durch.

Das Bild verschwand. Meine Augen öffneten sich. Das Zimmer, in dem ich mich befand, sah trist und grau aus, aber mein Atem ging stoßweise. Ich registrierte mit vagem Erstaunen, dass ich mal geraucht hatte, doch dann drängte sich etwas anderes in den Vordergrund. War es wahr? Hatte ich einen Roman geschrieben? War er veröffentlicht worden? Ich stand auf; das Tagebuch rutschte mir vom Schoß. Falls ja, dann war ich jemand gewesen, jemand mit einem Leben, mit Zielen und Vorsätzen, jemand, der etwas erreicht hatte. Ich rannte die Treppe hinunter.

War es wahr? Am Morgen hatte Ben mir nichts davon gesagt. Nichts darüber, dass ich Schriftstellerin gewesen war. Am Mittag hatte ich von unserem Ausflug zum Parliament Hill gelesen. Dort hatte er mir erzählt, dass ich als Sekretärin gearbeitet hatte, als der Unfall passierte.

Ich sah das Bücherregal im Esszimmer durch. Wörterbücher. Ein Atlas. Ein Heimwerkerbuch. Ein paar Romane, Hardcover und dem Aussehen nach wohl ungelesen. Aber nichts von mir. Nichts, was vermuten ließ, dass ein Roman von mir veröffentlicht worden war. Ich wirbelte herum, halb verrückt. *Es muss hier sein*, dachte ich. *Es muss.* Doch dann kam mir ein anderer Gedanke. Vielleicht war meine Vision gar keine Erinnerung, sondern eine Erfindung. Vielleicht hatte sich mein Verstand in Ermangelung einer echten Geschichte, die er bewahren und durchdenken konnte, seine eigene erschaffen. Vielleicht hatte mein Unterbewusstsein beschlossen, dass ich Schriftstellerin war, weil ich immer eine hatte werden wollen.

Ich rannte wieder nach oben. Die Regale im Arbeitszimmer waren mit Aktenordnern und Computerhandbüchern gefüllt, und ich hatte in keinem der Schlafzimmer Bücher gesehen, als ich am Vormittag das Haus erkundete. Ich blieb einen Moment stehen, dann sah ich den Computer vor mir, still und dunkel. Ich wusste, was ich zu tun hatte, obwohl ich nicht wusste, woher ich das wusste. Ich schaltete ihn an. Er erwachte unter dem Schreibtisch summend zum Leben, und einen Augenblick später wurde der Monitor hell. Eine anschwellende Fanfare aus den knisternden Lautsprechern seitlich am Bildschirm, und dann tauchte ein Bild auf. Ein Foto von Ben und mir, beide lächelnd. Mitten über unsere Gesichter zog sich ein Kästchen. *Benutzername* stand darin, und darunter war ein weiteres. *Passwort.*

Im meiner Vision hatte ich blind geschrieben, meine Finger waren fast instinktiv über die Tasten geflogen. Ich manövrierte den blinkenden Cursor in das Eingabefeld für den Benutzernamen und hob meine Hände über die Tastatur. War es wahr? Hatte ich tippen gelernt? Ich legte meine Fingerspitzen auf die erhabenen Buchstaben. Sie bewegten sich mühelos, meine kleinen Finger fanden die Tasten, über die sie gehörten, die übrigen taten es ihnen gleich. Ich schloss die Augen und begann zu schreiben, ohne groß zu überlegen, lauschte nur auf das Geräusch meines eigenen Atems und das Klickern der Tasten. Als ich fertig war, sah ich mir an, was ich geschrieben hatte, was in dem Eingabefeld stand. Ich erwartete sinnloses Zeug, aber was ich sah, schockte mich.

Stanleys Expeditionszug quer durch Afrika wird von jedermann bewundert.

Ich stierte auf den Bildschirm. Der korrekte Übungssatz, in dem alle Buchstaben des Alphabets vorkommen. Es war wahr: Ich konnte blind tippen. Vielleicht war meine Vision doch keine Erfindung, sondern eine echte Erinnerung.

Vielleicht hatte ich einen Roman geschrieben.

Ich lief ins Schlafzimmer. Es ergab keinen Sinn. Einen Moment lang wurde ich beinahe von dem Gefühl überwältigt, den Verstand zu verlieren. Der Roman schien zu existieren und gleichzeitig nicht zu existieren, real zu sein und zugleich völlig imaginär. Ich hatte keinerlei Erinnerung daran, wusste nichts über seine Handlung, seine Figuren, wusste nicht mal, warum ich ihm diesen Titel gegeben hatte, und doch kam er mir real vor, als pulsierte er in mir wie ein Herz.

Und warum hatte Ben mir nichts davon erzählt? Warum stand nicht deutlich sichtbar ein Exemplar davon herum? Ich stellte es mir vor, irgendwo im Haus versteckt, in Seidenpapier eingeschlagen, in einer Kiste auf dem Dachboden oder im Keller. Warum?

Eine Erklärung kam mir in den Sinn. Ben hatte mir erzählt, dass ich als Sekretärin gearbeitet hatte. Vielleicht konnte ich deshalb tippen. Vielleicht war das der einzige Grund.

Ich fischte eines der Handys aus meiner Tasche, achtete nicht darauf, welches ich griff, achtete kaum darauf, wen ich anrief. Meinen Mann oder meinen Arzt? Beide kamen mir gleichermaßen fremd vor. Ich klappte es auf und blätterte das Menü durch, bis ich einen Namen entdeckte, den ich wiedererkannte, dann drückte ich die Anruftaste.

»Dr. Nash?«, sagte ich, als sich jemand meldete. »Ich bin's, Christine.« Er wollte etwas sagen, doch ich schnitt ihm das Wort ab. »Hören Sie. Hab ich je irgendwas geschrieben?«

»Wie bitte?«, fragte er. Er schien perplex zu sein, und einen kurzen Augenblick lang hatte ich das Gefühl, einen schrecklichen Fehler zu machen. Ich fragte mich, ob er überhaupt wusste, wer ich war, doch dann sagte er: »Christine?«

Ich wiederholte meine Frage. »Gerade habe ich mich an etwas erinnert. Dass ich etwas geschrieben habe, vor Jahren, als ich Ben ganz frisch kannte, glaube ich. Einen Roman. Habe ich einen Roman geschrieben?«

Er schien nicht zu verstehen, was ich meinte. »Einen Roman?«

»Ja«, sagte ich. »Irgendwie hab ich mich erinnert, dass ich Schriftstellerin werden wollte, als ich noch klein war. Und jetzt frage ich mich, ob ich mal irgendwas geschrieben habe. Ben hat mir erzählt, dass ich als Sekretärin gearbeitet habe, aber ich dachte bloß —«

»Er hat es Ihnen nicht gesagt?«, unterbrach er mich. »Sie haben an Ihrem zweiten Roman gearbeitet, als Sie Ihr Gedächtnis verloren. Ihr erster wurde veröffentlicht. Er war ein Erfolg. Ich meine, nicht gerade ein Bestseller, aber zweifellos ein Erfolg.«

Die Worte wirbelten ineinander. Ein Roman. Ein Erfolg. Veröffentlicht. Es stimmte also, meine Erinnerung war real. Ich wusste nicht, was ich sagen sollte. Denken sollte.

Ich verabschiedete mich von ihm, dann ging ich nach oben, um das hier zu schreiben.

* * *

Auf dem Radiowecker neben dem Bett ist es halb zehn. Ich nehme an, dass Ben bald nach oben kommt, aber ich sitze noch immer hier auf der Bettkante und schreibe. Nach dem Abendessen habe ich mit ihm gesprochen. Den ganzen Nachmittag über war ich aufgewühlt, tigerte von einem Zimmer ins andere, sah alles wie zum ersten Mal, fragte mich, warum er jeden Hinweis auf einen doch bescheidenen Erfolg entfernt hatte. Es ergab keinen Sinn. Schämte er sich? War es ihm unangenehm? Hatte ich über ihn geschrieben, unser Zusammenleben? Oder gab es einen schlimmeren Grund dafür? Etwas Dunkleres, das ich noch nicht sehen konnte?

Als er schließlich nach Hause kam, hatte ich den festen Vorsatz gefasst, ihn direkt zu fragen, doch dann? Dann erschien mir das unmöglich. Es war, als würde ich ihn der Lüge bezichtigen.

Ich sprach möglichst beiläufig. »Ben?«, sagte ich. »Was hab ich beruflich gemacht?« Er blickte von seiner Zeitung auf. »Hatte ich einen Job?«

»Ja«, sagte er. »Du hast eine Zeitlang als Sekretärin gearbeitet. Gleich nach unserer Heirat.«

Ich versuchte, meine Stimme ruhig zu halten. »Wirklich? Ich hab nämlich so ein Gefühl, dass ich schreiben wollte.«

Er faltete die Zeitung zusammen, richtete seine volle Aufmerksamkeit auf mich.

»Ein Gefühl?«

»Ja. Ich erinnere mich klar daran, dass ich als Kind ein Bücherwurm war. Und ich hab so eine vage Erinnerung, dass ich Schriftstellerin werden wollte.« Er schob seine Hand über den Esstisch und ergriff meine. Seine Augen blickten traurig. Enttäuscht. *Wie schade*, schienen sie zu sagen. *Ein Jammer. Daraus wird nun wohl nichts mehr.* »Bist du sicher?«, begann ich. »Irgendwie meine ich mich zu erinnern —«

Er fiel mir ins Wort. »Christine«, sagte er. »Bitte. Du phantasierst dir da was zusammen.«

Den Rest des Abends schwieg ich, hörte nur die Gedanken, die in meinem Kopf widerhallten. *Warum tut er das? Warum tut er so, als hätte ich nie ein Wort geschrieben? Warum?* Ich beobachtete ihn, wie er schlafend auf der Couch lag und leise schnarchte. Warum hatte ich ihm nicht erzählt, dass ich von meinem Roman wusste? Vertraute ich ihm wirklich so wenig? Ich hatte mich daran erinnert, wie wir einander in den Armen lagen, uns leise murmelnd unsere Liebe beteuerten, während der Himmel draußen dunkler wurde. Wie hatte es zwischen uns so weit kommen können?

Doch dann begann ich mir auszumalen, was passieren würde, wenn ich doch irgendwann auf ein Exemplar meines Romans stoßen würde, in irgendeinem Schrank oder ganz hinten auf einem hohen Regal. Was würde mir das vermitteln? Doch nur: *Sieh dir an, wie tief du gefallen bist. Sieh dir an, was du mal geleistet hast, bevor ein Auto auf einer eisglatten Straße dir alles nahm, dich zu einer nutzlosen Belastung machte.*

Es wäre kein glücklicher Augenblick. Ich sah mich, wie ich hysterisch wurde – noch sehr viel schlimmer als heute Nachmittag, als sich die Erkenntnis wenigstens allmählich einstellte, ausgelöst durch eine herbeigesehnte Erinnerung –, wie ich schrie, weinte. Die Wirkung könnte verheerend sein.

Kein Wunder, dass Ben mir das ersparen wollte. Ich stelle ihn mir jetzt vor, wie er alle Exemplare zusammensucht, sie in dem Grill auf der Veranda hinter dem Haus verbrennt, ehe er beschließt, was er mir erzählen wird. Wie er meine Vergangenheit am besten neu erfindet, um sie für mich erträglich zu machen. Was ich für den Rest meines Lebens glauben soll.

Doch damit ist nun Schluss. Ich kenne die Wahrheit. Meine eigene Wahrheit, eine, die mir nicht erzählt wurde, sondern an die ich mich erinnert habe. Und sie ist jetzt niedergeschrieben, zwar nicht in meinem Gedächtnis fixiert, aber doch in diesem Tagebuch, und somit dauerhaft.

Mir wird klar, dass das Buch, an dem ich schreibe – mein zweites, wie ich mir stolz sage – ebenso gefährlich sein könnte, wie es notwendig ist. Es ist keine Fiktion. Es könnte Dinge ans Tageslicht bringen, die besser unentdeckt blieben. Geheimnisse, an die man lieber nicht rühren sollte.

Und dennoch gleitet mein Stift weiter über die Seite.

Mittwoch, 14. November

Heute Vormittag habe ich Ben gefragt, ob er mal einen Schnurr-bart hatte. Ich war noch immer ganz durcheinander, unsicher, was wahr war und was nicht. Ich war früh wach geworden, und anders als an den Tagen davor hatte ich nicht gedacht, ich wäre noch ein Kind. Ich hatte mich erwachsen gefühlt. Als Frau. Die Frage, die mich beschäftigte, war nicht, *Warum liege ich mit einem Mann im Bett?*, sondern, *Wer ist der Mann?* und, *Was haben wir ge-macht?* Im Bad blickte ich mich entsetzt im Spiegel an, doch die Fotos drum herum schienen keinen Zweifel an der Wahrheit zu lassen. Ich sah den Namen des Mannes – Ben –, und er kam mir irgendwie vertraut vor. Mein Alter, meine Ehe, es schien, als würde ich an diese Tatsachen erinnert, anstatt sie zum ersten Mal zu erfahren. Vergraben, aber nicht tief.

Dr. Nash rief mich, unmittelbar nachdem Ben zur Arbeit ge-gangen war, an. Er erinnerte mich an mein Tagebuch, und dann – nachdem er gesagt hatte, er würde mich später abholen, um mich zu meiner Untersuchung zu bringen – las ich es. An einiges, was darin stand, meinte ich mich zu erinnern, sogar daran, ganze Pas-sagen geschrieben zu haben. Es war, als hätte ein Rest Erinne-rung die Nacht überstanden.

Vielleicht musste ich mich deshalb vergewissern, dass die Dinge, die darin standen, stimmten. Ich rief Ben an.

»Ben«, begann ich, als ich ihn erreichte, und er sagte, er hätte einen Moment Zeit. »Hast du mal einen Schnurrbart gehabt?«

»Was für eine komische Frage!«, sagte er. Ich hörte das Klimpern eines Löffels an einer Tasse und stellte mir vor, wie er Zucker in seinen Kaffee löffelte, eine Zeitung vor sich ausgebreitet. Ich war verlegen. Unsicher, wie viel ich sagen sollte.

»Ich –«, setzte ich an. »Ich hatte eine Erinnerung. Glaube ich.«
Schweigen. »Eine Erinnerung?«

»Ja«, sagte ich. »Glaube ich jedenfalls.« In meinem Kopf blitzten die Dinge auf, von denen ich neulich geschrieben hatte – sein Schnurrbart, sein nackter Körper, seine Erektion –, und das, woran ich mich gestern erinnert hatte. Wir zwei im Bett. Zärtlich. Für einen kurzen Moment war das alles erhellt, ehe es wieder in die Tiefe sank. Urplötzlich bekam ich Angst. »Ich meine, irgendwie erinnere ich mich an dich mit einem Schnurrbart.«

Er lachte, und ich hörte, wie er seine Tasse abstellte. Ich spürte, wie ich den Boden unter den Füßen verlor. Vielleicht war ja alles, was ich geschrieben hatte, eine Lüge. Ich bin schließlich Romanautorin, dachte ich. Zumindest war ich das mal.

Schlagartig wurde mir die Absurdität meiner Logik klar. Als Romanautorin habe ich Geschichten erfunden, weshalb es durchaus erfunden sein könnte, dass ich mal Romanautorin war. Was bedeuten würde, dass ich nie einen Roman geschrieben hatte. In meinem Kopf drehte sich alles.

Aber es hatte sich wahr angefühlt. Das sagte ich mir. Außerdem konnte ich blind tippen. Zumindest hatte ich das ins Tagebuch geschrieben …

»Hattest du einen?«, fragte ich verzweifelt. »Es ist … es ist wichtig …«

»Mal überlegen«, sagte er. Ich stellte mir vor, wie er die Augen schloss, sich mit übertrieben konzentrierter Miene auf die Unterlippe biss. »Ja, könnte sein, dass ich wirklich mal einen hatte«, sagte er. »Ganz kurz. Vor Jahren. Ich weiß nicht mehr …« Eine Pause, dann: »Ja. Ich glaube, ich hatte wirklich mal einen. Nur etwa eine Woche oder so. Vor langer Zeit.«

»Danke«, sagte ich erleichtert. Der Boden, auf dem ich stand, fühlte sich ein bisschen sicherer an.

»Alles in Ordnung mit dir?«, fragte er, und ich sagte ja.

Dr. Nash holte mich am Mittag ab. Er hatte gesagt, ich sollte vorher etwas essen, aber ich hatte keinen Hunger. Aus Nervosität, schätze ich. »Wir sind mit einem Kollegen von mir verabredet«, sagte er im Wagen. »Dr. Paxton.« Ich sagte nichts. »Er ist Fachmann auf dem Gebiet der funktionalen Bildgebung bei Patienten mit Problemen wie Ihren. Wir arbeiten schon länger zusammen.«

»Okay«, sagte ich. Wir steckten im Stau. »Habe ich Sie gestern angerufen?«, fragte ich.

Er bejahte. »Haben Sie Ihr Tagebuch gelesen?«, fragte er.

»Das meiste. Ich habe ein paar Passagen übersprungen. Es ist schon ganz schön lang geworden.«

Er horchte auf. »Was für Passagen überspringen Sie?«

Ich überlegte einen Moment. »Manche Teile kommen mir bekannt vor. Ich vermute, sie erinnern mich bloß irgendwie an Sachen, die ich bereits weiß. An die ich mich bereits erinnere …«

»Das ist gut«, sagte er und schielte zu mir rüber. »Sehr gut.«

Ich empfand warme Freude. »Und weshalb hab ich Sie angerufen? Gestern?«

»Sie wollten wissen, ob Sie wirklich einen Roman geschrieben hatten«, sagte er.

»Und, hatte ich?«, fragte ich. »Habe ich?«

Er blickte mich wieder an. Er lächelte. »Ja«, sagte er. »Haben Sie.«

Der Stau löste sich auf, und wir fuhren weiter. Ich war erleichtert. Ich wusste, dass das, was ich geschrieben hatte, stimmte. Ich entspannte mich den Rest der Fahrt.

Dr. Paxton war älter, als ich erwartet hatte. Er trug ein Tweedsakko, und weiße Haare sprossen ihm ungebändigt aus Ohren und Nase. Er sah aus wie jemand, der längst im Ruhestand sein müsste.

»Willkommen im Bildgebungszentrum Vincent Hall«, sagte er, nachdem Dr. Nash uns einander vorgestellt hatte, um mir dann, ohne die Augen von mir abzuwenden, mit einem Zwinkern die Hand zu schütteln. »Keine Bange«, fügte er hinzu. »Das klingt bombastischer, als es ist. So, kommen Sie herein. Ich führ Sie rum.«

Wir betraten das Gebäude. »Wir sind dem Krankenhaus und der Universität angegliedert«, sagte er, als wir durch den Haupteingang gingen. »Was sowohl ein Segen als auch ein Fluch sein kann.« Ich wusste nicht, was er meinte, und wartete auf eine Erläuterung, doch er sagte nichts weiter und lächelte nur.

»Tatsächlich?«, sagte ich. Er wollte mir bloß helfen. Ich wollte höflich sein.

»Wir sollen für alle immer alles machen«, sagte er lachend. »Aber keiner will uns für irgendwas bezahlen.«

Wir kamen in einen Warteraum. Er war voll mit unbesetzten Stühlen, Ausgaben derselben Zeitschriften, die Ben für mich mit nach Hause brachte – *Radio Times*, *Hello!* und neuerdings auch noch *Country Life* und *Marie Claire* –, und vergessenen Plastikbechern. Es sah aus, als hätte hier vor kurzem eine Party stattgefunden, von der alle Gäste Hals über Kopf geflohen waren. Dr. Paxton blieb an einer weiteren Tür stehen. »Möchten Sie den Kontrollraum sehen?«

»Ja«, sagte ich. »Bitte.«

»Die funktionelle MRT ist ein recht neues Verfahren«, sagte er, sobald wir durch die Tür waren. »Sagt Ihnen der Begriff MRT was? Magnetresonanztomographie?«

Wir standen in einem kleinen Raum, der nur vom gespenstischen Schein einer Reihe Computermonitore erhellt wurde. Durch eine Glaswand sah man in einen weiteren Raum, der von einer großen, zylindrischen Maschine beherrscht wurde, aus der eine Liege ragte, wie eine Zunge. Angst stieg in mir auf. Ich wusste nichts über diese Maschine. Wie denn auch, ohne Gedächtnis?

»Nein«, sagte ich.

Er lächelte. »Tut mir leid, natürlich. MRT ist ein recht verbreitetes Verfahren. Ein bisschen so wie röntgen. Die Technik ist in etwa die gleiche, bloß dass wir uns anschauen, wie das Gehirn arbeitet. Wie es funktioniert.«

Dann schaltete Dr. Nash sich ein – er hatte eine ganze Weile nichts gesagt –, und seine Stimme klang schwach, fast zaghaft. Ich fragte mich, ob er durch Dr. Paxton eingeschüchtert war oder unbedingt bei ihm Eindruck schinden wollte.

»Bei einem Gehirntumor scannen wir den Kopf, um zu sehen, wo genau sich der Tumor befindet, welcher Teil des Gehirns betroffen ist. Wir schauen uns also die Struktur an. Mit Hilfe der funktionellen MRT können wir sehen, welcher Teil des Gehirns bei der Ausführung bestimmter Aufgaben benutzt wird. In Ihrem Fall möchten wir sehen, wie Ihr Gehirn Erinnerungen verarbeitet.«

»Welche Teile aufleuchten, sozusagen«, warf Paxton ein. »Wo sich etwas tut.«

»Und das hilft?«, sagte ich.

»Wir hoffen, dass wir auf diese Weise feststellen können, wo der Schaden liegt«, sagte Dr. Nash. »Was falschläuft. Was nicht richtig funktioniert.«

»Und das wird mir helfen, meine Erinnerung zurückzubekommen?«

Er stockte und sagte dann: »Das hoffen wir.«

Ich nahm Ehering und Ohrringe ab und legte beides in eine Plastikschale. »Ihre Handtasche müssen Sie auch hierlassen«, sagte Dr. Paxton und fragte mich dann, ob ich vielleicht noch irgendwelche Piercings hätte. »Sie würden sich wundern, meine Liebe«, sagte er, als ich den Kopf schüttelte. »Also, das Ding macht einen Höllenlärm. Deshalb brauchen Sie die hier.« Er reichte mir ein Paar gelbe Ohrstöpsel. »Bereit?«, fragte er.

Ich zögerte. »Ich weiß nicht«, sagte ich. Angst beschlich mich. Der Raum schien zu schrumpfen und dunkler zu werden, und durch die Scheibe ragte der Scanner bedrohlich auf. Ich hatte das Gefühl, ihn oder ein ganz ähnliches Gerät schon einmal gesehen zu haben. »Ich bin mir nicht sicher«, sagte ich.

Daraufhin trat Dr. Nash zu mir. Er legte mir eine Hand auf den Arm.

»Es ist völlig schmerzlos«, sagte er. »Bloß ein bisschen laut.«

»Ist es sicher?«, fragte ich.

»Absolut. Ich werde hier sein, auf dieser Seite der Scheibe. Wir können Sie die ganze Zeit sehen.«

Offenbar wirkte ich noch immer unsicher, denn in diesem Moment sagte Dr. Paxton: »Keine Sorge. Sie sind in guten Händen, meine Liebe. Es wird nichts schiefgehen.« Ich sah ihn an, und er lächelte und sagte: »Stellen Sie sich einfach vor, Ihre Erinnerungen wären verlorengegangen, irgendwo in Ihrem Kopf. Und wir versuchen nichts anderes, als mit der Maschine da rauszufinden, wo sie stecken.«

Es war kalt, trotz der Decke, die sie mir übergelegt hatten, und dunkel, bis auf ein rotes Licht, das irgendwo im Raum blinkte. Ein Spiegel, der ein paar Zentimeter über meinem Kopf hing, war so ausgerichtet, dass ich darin einen Computerbildschirm sehen konnte, der irgendwo anders stand. Zusätzlich zu den Ohrstöpseln trug ich einen Kopfhörer, über den sie mit mir reden würden, wie sie sagten, doch im Augenblick schwiegen sie. Ich konnte nur noch ein fernes Summen hören, mein eigenes Atmen, heftig und schwer, das dumpfe Pochen meines Herzens.

In der rechten Hand hielt ich einen mit Luft gefüllten Gummiball. »Drücken Sie den, wenn Sie uns irgendwas sagen wollen«,

hatte Dr. Paxton gesagt. »Wir werden nämlich nicht hören können, wenn Sie sprechen.« Ich strich über die wulstige Oberfläche
und wartete. Ich hätte gern die Augen geschlossen, aber sie hatten
gesagt, ich solle sie auflassen, auf den Bildschirm sehen. Schaum-
stoffkeile hielten meinen Kopf völlig reglos; ich hätte ihn nicht
bewegen können, selbst wenn ich gewollt hätte. Die Decke über
mir war wie ein Leichentuch.

Einen Moment Stille, dann ein Klacken. So laut, dass ich er-
schrak, trotz der Ohrstöpsel, gleich darauf ein weiteres Klacken
und ein drittes. Ein tiefer Lärm, aus dem Inneren der Maschine
oder meines Kopfes. Ich konnte es nicht genau sagen. Ein schwer-
fälliges Ungeheuer, das erwacht, ein regloser Augenblick vor dem
Angriff. Ich umklammerte den Gummiball, entschlossen, ihn nicht
zu drücken. Dann ein Geräusch, wie ein Alarm oder ein Bohrer,
wieder und wieder, unfassbar laut, so laut, dass mein ganzer Körper bei jedem erneuten Stoß erbebte. Ich schloss die Augen.

Eine Stimme in meinem Ohr. »Christine«, sagte sie. »Öffnen
Sie bitte die Augen, ja?« Sie konnten mich also sehen, irgendwie.
»Keine Sorge, es ist alles in Ordnung.«

In Ordnung?, dachte ich. *Was wissen die denn schon? Was wissen
sie schon, wie es ist, ich zu sein, hier zu liegen, in einer Stadt, an die ich
mich nicht erinnern kann, mit Menschen, denen ich nie begegnet bin. Ich
treibe dahin*, dachte ich, *völlig haltlos, dem Wind ausgeliefert.*

Eine andere Stimme. Dr. Nashs. »Können Sie sich die Bilder
ansehen? Überlegen Sie, was sie darstellen, und sagen Sie es, aber
nur sich selbst. Sprechen Sie es nicht laut aus.«

Ich öffnete die Augen. Über mir, in dem kleinen Spiegel, erschienen Zeichnungen, eine nach der anderen, schwarz auf weiß.
Ein Mann. Eine Leiter. Ein Stuhl. Ein Hammer. Ich nannte sie
nacheinander, wie sie kamen, und dann blinkten auf dem Bildschirm die Worte *Danke! Jetzt entspannen Sie sich!* auf, und ich
sagte mir das auch, um mich abzulenken, fragte mich aber gleich-

zeitig, wie sich jemand im Bauch von so einer Maschine entspannen sollte.

Weitere Anweisungen blinkten auf. *Erinnern Sie sich an ein vergangenes Ereignis*, stand da und dann darunter: *Eine Party.*

Ich schloss die Augen.

Ich versuchte, an die Party zu denken, an die ich mich erinnert hatte, als ich mir zusammen mit Ben das Feuerwerk ansah. Ich versuchte, mich auf dem Dach neben meiner Freundin zu sehen, den Partylärm unter uns zu hören, das Feuerwerk in der Luft zu schmecken.

Bilder tauchten auf, aber sie waren irgendwie nicht real. Ich merkte, dass ich mich nicht an sie erinnerte, sondern sie erfand.

Ich versuchte, Keith zu sehen, mich zu erinnern, wie er mich ignorierte, aber es kam einfach nichts. Diese Erinnerungen waren erneut für mich verloren. Wie für immer vergraben, obwohl ich jetzt wenigstens weiß, dass sie existieren, dass sie da drin sind, irgendwo, eingeschlossen.

Meine Gedanken schweiften zu Kinderpartys. Geburtstage, mit meiner Mutter und Tante und meiner Cousine Lucy. Twister. Flaschendrehen. Die Reise nach Jerusalem. Stille Post. Meine Mutter mit Tüten Süßigkeiten, die als Preise eingepackt werden sollen. Sandwichs mit Schmalzfleisch und Fischpaste und abgeschnittener Kruste. Trifle und Wackelpudding.

Ich erinnerte mich an ein weißes Kleid mit Rüschen an den Ärmeln, Rüschensöckchen, schwarze Schuhe. Mein Haar ist noch blond, und ich sitze an einem Tisch vor einem Kuchen mit Kerzen drauf. Ich hole tief Atem, beuge mich vor, puste. Rauch steigt in die Luft.

Dann drängten Erinnerungen an eine andere Party auf mich ein. Ich sah mich zu Hause, wie ich zum Fenster meines Zimmers hinausschaute. Ich bin nackt, etwa siebzehn. Auf der Straße sind Tapeziertische aufgebaut, in langen Reihen, beladen mit Tabletts voller Würstchen im Schlafrock und Sandwichs, Krüge mit Orangensaft. Überall hängen Union Jacks, die Fenster sind mit Wimpeln geschmückt. Blau. Rot. Weiß.

Kinder haben sich verkleidet – als Piraten, Hexen, Wikinger –, und die Erwachsenen versuchen, Mannschaften fürs Eierlaufen aufzustellen. Ich sehe meine Mutter auf der anderen Straßenseite, wo sie Matthew Soper gerade ein Cape umbindet, und direkt unter meinem Fenster sitzt mein Vater mit einem Glas Saft auf einem Klappstuhl.

»Komm zurück ins Bett«, sagt eine Stimme. Ich drehe mich um. Dave Soper sitzt auf meinem schmalen Bett, unter meinem Poster von den Slits. Das weiße Laken um ihn herum ist zerknittert, blutbefleckt. Ich hatte ihm nicht gesagt, dass es mein erstes Mal war.

»Nein«, sage ich. »Steh auf und zieh dich an! Meine Eltern können jeden Augenblick reinkommen!«

Er lacht, aber nicht unfreundlich. »Komm her!«

Ich ziehe meine Jeans an. »Nein«, sage ich, als ich nach einem T-Shirt greife. »Steh auf. Bitte.«

Er wirkt enttäuscht. Ich habe das hier nicht geplant – was nicht heißen soll, dass ich es nicht gewollt habe –, und jetzt möchte ich allein sein. Es hat überhaupt nichts mit ihm zu tun.

»Okay«, sagt er und steht auf. Sein Körper wirkt blass und dünn, sein Penis beinahe lächerlich. Ich schaue weg, während er sich anzieht, blicke zum Fenster hinaus. Meine Welt hat sich verändert, denke ich. Ich habe eine Grenze überschritten, und ich kann nicht mehr zurück. »Bis dann«, sagt er, aber ich antworte nicht. Ich schaue mich erst wieder um, als er weg ist.

Eine Stimme in meinem Ohr holte mich in die Gegenwart zurück. »Gut. Jetzt kommen weitere Bilder, Christine«, sagte Dr. Paxton. »Schauen Sie sich jedes einzelne an und sagen Sie sich, was oder wer das ist. Okay? Fertig?«

Ich schluckte schwer. Was würden sie mir zeigen?, dachte ich. Wen? Wie schlimm könnte es werden?

Ja, dachte ich bei mir, und es ging los.

Das erste Foto war schwarzweiß. Ein Kind – ein Mädchen, vier, fünf Jahre alt –, auf dem Arm einer Frau. Das Mädchen zeigte auf etwas, und sie lachten beide, und im Hintergrund, leicht unscharf, war ein Gitter, hinter dem ein Tiger lag. *Eine Mutter*, dachte ich. *Eine Mutter. Im Zoo.* Und dann schaute ich dem Kind ins Gesicht und erkannte, dass ich das kleine Mädchen war und die Frau meine Mutter. Der Atem stockte mir in der Kehle. Ich konnte mich nicht erinnern, je in einem Zoo gewesen zu sein, aber offenbar doch, wie das Foto bewies. *Ich*, sagte ich leise, als mir Dr. Paxtons Anweisung einfiel. *Mutter.* Ich starrte auf den Bildschirm, versuchte, mir ihr Bild ins Gedächtnis einzubrennen, doch das Foto verblasste und wurde durch ein anderes ersetzt, ebenfalls von meiner Mutter, jetzt älter, obwohl sie noch nicht so aussah, als würde sie den Gehstock brauchen, auf den sie sich stützte. Sie lächelte, wirkte aber erschöpft, die Augen tief eingesunken in ihrem schmalen Gesicht. *Meine Mutter*, dachte ich, und andere Worte kamen mir in den Sinn, wie von selbst: *Sie hat Schmerzen.* Ich schloss unwillkürlich die Augen, musste sie wieder aufzwingen. Ich umfasste den Gummiball in meiner Hand fester.

Dann kamen die Bilder in rascherer Folge, und ich erkannte nur ein paar davon. Eines war von der Freundin, die ich in meiner Erinnerung gesehen hatte, und mit einem freudigen Schauer erkannte ich sie fast auf Anhieb. Sie sah genauso aus, wie ich sie gesehen hatte, bekleidet mit einer alten Bluejeans und einem T-Shirt, rauchend, das rote Haar offen und zerzaust. Auf einem anderen Bild trug sie das Haar kurz und schwarz gefärbt und eine Sonnenbrille hoch auf die Stirn geschoben. Es folgte ein Foto von meinem Vater – so wie er aussah, als ich klein war, lächelnd, glücklich, beim Zeitunglesen in unserem Wohnzimmer – und dann eins von mir und Ben, wie wir mit einem anderen Pärchen posierten, das ich nicht erkannte.

Auf anderen Fotos waren Fremde abgebildet. Eine Schwarze in einer Krankenschwestermontur, eine weitere Frau, die in einem Kostüm vor einem Bücherregal saß und mit ernster Miene über ihre Lesebrille spähte. Ein Mann mit rotbraunem Haar und rundem Gesicht, ein anderer mit Bart. Ein kleiner Junge, sechs oder sieben, der ein Eis aß, und dann später derselbe Junge an einem Schreibtisch, wie er ein Bild malte. Eine Gruppe von Leuten, die in lockerer Aufstellung in die Kamera schauten. Ein Mann, attraktiv, das Haar schwarz und recht lang, mit einer Brille, deren dunkles Gestell schmale Augen umrahmte, und einer senkrechten Narbe über die rechte Gesichtshälfte. Ein Foto folgte auf das andere, und ich versuchte, sie einzuordnen, mich zu erinnern, wie sie – oder auch nur ob sie – in das Gefüge meines Lebens passten. Ich tat, worum ich gebeten worden war. Ich war brav, und doch spürte ich wachsende Panik. Das Surren der Maschine wurde schriller und lauter, bis es wie eine Alarmsirene klang, eine Warnung, und mein Bauch verkrampfte sich und ließ sich nicht mehr entspannen. Ich bekam keine Luft, ich schloss die Augen, und das Gewicht der Decke auf mir wurde immer drückender, schwer wie eine Marmorplatte, und mir war, als würde ich ertrinken.

Ich drückte die rechte Hand zusammen, doch sie ballte sich zur Faust, schloss sich um nichts. Nägel pressten sich ins Fleisch. Ich hatte den Gummiball fallen lassen. Ich rief, ein wortloser Schrei.

»Christine«, ertönte eine Stimme in meinem Ohr. »Christine.«

Ich konnte nicht sagen, wer das war oder was er von mir wollte, und ich rief erneut und fing an, die Decke von meinem Körper zu strampeln.

»Christine!«

Die Stimme klang jetzt lauter, und dann erstarb der Sirenenlärm, eine Tür wurde aufgerissen, und es waren Stimmen im

Raum, und ich spürte Hände auf mir, an Armen und Beinen und auf der Brust, und ich öffnete die Augen.

»Alles okay«, sagte Dr. Nash in meinem Ohr. »Es ist überstanden. Ich bin da.«

Nachdem sie mir so lange versichert hatten, dass alles gut werden würde, bis ich mich beruhigte, und nachdem sie mir Handtasche, Ohrringe und Ehering zurückgegeben hatten, gingen Dr. Nash und ich in eine Cafeteria. Sie war im Foyer, klein, mit orangeroten Plastikstühlen und angegilbten Resopaltischen. Vitrinen mit weichem Gebäck und Sandwichs, die in dem grellen Licht langsam schlappmachten. Ich hatte kein Geld dabei, ließ mich aber von Dr. Nash zu einer Tasse Kaffee und einem Stück Möhrenkuchen einladen und setzte mich an einen Tisch am Fenster. Draußen warf die Sonne lange Schatten in den grasbewachsenen Hof, ein paar letzte lila Blüten auf dem Rasen.

Dr. Nash kam mit einem Tablett, das er vor mich auf den Tisch stellte, und setzte sich. Er wirkte deutlich entspannter, jetzt, wo wir beide allein waren. »Bedienen Sie sich«, sagte er. »Ich hoffe, es schmeckt.«

Ich sah, dass er sich einen Tee geholt hatte. Der Beutel schwamm noch in der sirupartigen Flüssigkeit, als er sich aus der Schale Zucker mitten auf dem Tisch bediente. Ich trank einen Schluck und verzog das Gesicht. Der Kaffee war bitter und zu heiß.

»Ja, danke«, sagte ich.

»Tut mir leid«, sagte er nach einem Augenblick. Zuerst dachte ich, er meinte den Kaffee. »Ich hätte nicht gedacht, dass das für Sie da drin so verstörend werden würde.«

»Es ist sehr klaustrophobisch«, sagte ich. »Und laut.«

»Ja, natürlich.«

»Ich hab den Notknopf fallen lassen.«

Er sagte nichts, sondern rührte stattdessen in seiner Tasse. Er fischte den Teebeutel heraus und legte ihn auf das Tablett. Er nahm einen Schluck.

»Was ist passiert?«, fragte ich.

»Schwer zu sagen. Sie sind in Panik geraten. Das ist nicht ungewöhnlich. Es ist da drin ja nicht gerade gemütlich, wie Sie schon sagten.«

Ich blickte auf mein Stück Kuchen. Unangetastet. Trocken. »Die Fotos. Wer waren die Leute? Woher haben Sie die?«

»Es war eine Mischung. Ein paar waren in Ihrer Krankenakte. Ben hatte sie zur Verfügung gestellt, vor Jahren. Ein paar haben Sie auf meine Bitte hin selbst von zu Hause mitgebracht, extra für diese Übung. Sie haben gesagt, dass sie rings um den Badezimmerspiegel geklebt waren. Einige habe ich beigesteuert – von Leuten, denen Sie nie begegnet sind. Wir nennen das Kontrollbilder. Wir haben alles durcheinandergemischt. Auf einigen Bildern waren Menschen zu sehen, die Sie kannten, als Sie ganz jung waren, Menschen, an die Sie sich eigentlich erinnern könnten oder müssten. Familie. Freunde. Die Übrigen waren Menschen aus dem Zeitraum in Ihrem Leben, an den Sie sich eindeutig nicht erinnern können. Dr. Paxton und ich wollten herausfinden, ob Sie unterschiedlich auf Erinnerungen aus diesen verschiedenen Zeiträumen zuzugreifen versuchen. Am stärksten war Ihre Reaktion auf Ihren Mann, klar, aber Sie haben auch auf andere reagiert. Obwohl Sie sich nicht an die Menschen aus Ihrer Vergangenheit erinnern, sind die Muster neuronaler Erregung eindeutig vorhanden.«

»Wer war die rothaarige Frau?«, fragte ich.

Er lächelte. »Eine alte Freundin vielleicht?«

»Kennen Sie ihren Namen?«

»Leider nein. Die Fotos waren in Ihrer Akte. Sie waren nicht beschriftet.«

Ich nickte. *Eine alte Freundin.* Das wusste ich natürlich – ich hätte nur schrecklich gern gewusst, wie sie hieß.

116

»Aber ich habe auf die Fotos reagiert, sagen Sie?«

»Auf einige, ja.«

»Ist das gut?«

»Wir müssen uns die Ergebnisse genauer anschauen, ehe wir wirklich wissen, was wir für Schlüsse ziehen können. Diese Methode ist ganz neu«, sagte er. »Experimentell.«

»Verstehe.« Ich probierte eine Ecke von dem Möhrenkuchen. Auch er schmeckte bitter, die Glasur zu süß. Wir saßen eine Weile schweigend da. Ich bot ihm meinen Kuchen an, und er lehnte ab, tätschelte seinen Bauch. »Ich muss ein bisschen auf den hier achten!«, sagte er, obwohl ich keinen Grund erkennen konnte, warum er sich in der Hinsicht schon Sorgen machen musste. Sein Bauch war beinahe flach. Allerdings sah er aus, als würde er leicht Speck ansetzen. Doch noch war Dr. Nash jung und kaum berührt vom Alter.

Ich dachte an meinen eigenen Körper. Ich bin nicht dick, nicht einmal übergewichtig, dennoch überrascht er mich immer wieder. Wenn ich mich hinsetze, nimmt er eine ganz andere Form an, als ich erwarte. Mein Gesäß gibt nach, meine Oberschenkel reiben aneinander, wenn ich die Beine übereinanderschlage. Ich beuge mich vor, um meine Tasse zu nehmen, und meine Brüste bewegen sich im BH, als wollten sie mich an ihre Existenz erinnern. Wenn ich dusche, spüre ich, dass die Haut unter den Armen leicht schwabbelt, kaum merklich. Ich bin ausladender, als ich glaube, ich nehme mehr Platz in Anspruch, als mir bewusst ist. Ich bin kein kleines Mädchen, kompakt, die Haut straff über den Knochen, nicht einmal mehr ein Teenager, mein Körper schichtet allmählich sein Fett auf.

Ich starrte den ungegessenen Kuchen an und fragte mich, was in der Zukunft passieren wird. Vielleicht werde ich weiter auseinandergehen. Ich werde rundlich werden und dann fett, mich aufblähen wie ein Luftballon. Oder aber meine Figur bleibt, wie sie ist, ohne dass ich mich je daran gewöhne, und ich werde im

Badezimmerspiegel beobachten, wie sich die Falten in meinem Gesicht vertiefen und die Haut an meinen Händen so dünn wird wie die einer Zwiebel und ich mich in eine alte Frau verwandele, Stufe für Stufe.

Dr. Nash senkte den Blick und kratzte sich am Kopf. Durch sein Haar hindurch konnte ich die Kopfhaut sehen, deutlicher in einer Kreisform oben am Hinterkopf. Er hat das wahrscheinlich noch gar nicht bemerkt, dachte ich, aber eines Tages wird er es wissen. Er wird ein Foto von sich sehen, das von hinten aufgenommen wurde, oder es überrascht im Spiegel einer Umkleidekabine feststellen, oder sein Friseur macht ihn darauf aufmerksam oder seine Freundin. Das Alter erwischt uns alle, dachte ich, als er aufsah. Auf die eine oder andere Art.

»Ach ja«, sagte er, mit einer Heiterkeit, die gezwungen klang. »Ich hab Ihnen was mitgebracht. Ein Geschenk. Na ja, kein richtiges Geschenk, bloß etwas, das Sie vielleicht gern hätten.« Er griff nach seiner Aktentasche, die auf dem Boden stand. »Wahrscheinlich haben Sie ja schon eine Ausgabe«, sagte er und öffnete die Tasche. Er zog ein Päckchen heraus. »Bitte sehr.«

Ich wusste, was es war, schon als ich es entgegennahm. Was konnte es sonst sein? Es wog schwer in meiner Hand. Er hatte es in einen wattierten Umschlag gesteckt, mit Klebeband zugeklebt. Mein Name war mit dickem schwarzen Textmarker daraufgeschrieben. *Christine.* »Es ist Ihr Roman«, sagte er. »Den Sie geschrieben haben.«

Ich wusste nicht, was ich empfinden sollte. Beweismaterial, dachte ich. Der Beleg dafür, dass das, was ich ins Tagebuch geschrieben habe, der Wahrheit entspricht, falls ich morgen einen Beleg brauche.

Ich zog das Buch aus dem Umschlag. Es war eine Taschenbuchausgabe, nicht neu. Vorn auf dem Deckel war ein Kaffeering, und die Ränder der Seiten waren vergilbt. Ich fragte mich, ob Dr. Nash mir seine eigene Ausgabe geschenkt hatte. Ob der

Roman überhaupt noch erhältlich ist. Während ich das Buch hielt, sah ich mich wieder so, wie ich mich neulich gesehen hatte; jünger, deutlich jünger, nach diesem Roman greifend, um einen Weg zum nächsten zu finden. Irgendwie wusste ich, dass das nicht geklappt hatte – der zweite Roman war nie vollendet worden.

»Danke«, sagte ich. »Vielen Dank.«

Er lächelte. »Nicht der Rede wert.«

Ich steckte das Buch unter die Jacke, wo es auf dem ganzen Weg nach Hause wie ein Herz schlug.

* * *

Zu Hause angekommen, warf ich nur einen kurzen Blick auf den Roman. Ich wollte möglichst viel von meinen Erinnerungen aufschreiben, ehe Ben von der Arbeit kam, doch sobald ich fertig war und das Tagebuch versteckt hatte, eilte ich nach unten, um mir das Geschenk genauer anzusehen.

Ich betrachtete das Cover. Es zeigte eine Pastellzeichnung von einem Schreibtisch, auf dem eine Schreibmaschine stand. Auf dem Wagen hockte eine Krähe, den Kopf leicht schief, als würde sie lesen, was auf dem eingespannten Blatt stand. Über der Krähe stand mein Name und darüber der Titel.

Für die Vögel des Morgens, stand da. *Christine Lucas.*

Meine Hände begannen zu zittern, als ich das Buch aufschlug. Auf dem Titelblatt stand eine Widmung. *Für meinen Vater*, und dann die Worte *Du fehlst mir.*

Ich schloss die Augen. Das Zucken einer Erinnerung. Ich sah meinen Vater, in einem Bett, unter grellweißen Lampen, seine Haut durchscheinend, mit einem Schweißfilm überzogen, so dass er fast glänzte. Ich sah einen Schlauch in seinem Arm, einen Beutel mit klarer Flüssigkeit an einem Infusionsständer, eine Pappschale und ein Tablettenröhrchen. Eine Krankenschwester fühlte ihm den Puls, maß den Blutdruck, und er wurde nicht wach. Meine Mutter, die auf der anderen Seite des Bettes saß, versuchte,

nicht zu weinen, während ich versuchte, die Tränen herbeizu-
zwingen.

Dann kam ein Geruch. Schnittblumen und tiefe, fette Erde.
Süß und widerlich. Ich sah den Tag, an dem wir ihn einäscherten.
Ich trage Schwarz – was, wie ich irgendwie weiß, nicht ungewöhnlich ist –, doch diesmal ohne Make-up. Meine Mutter sitzt
neben meiner Großmutter. Die Vorhänge öffnen sich, der Sarg
gleitet davon, und ich weine, stelle mir vor, wie mein Vater in
Staub und Asche verwandelt wird. Meine Mutter drückt meine
Hand, und dann gehen wir nach Hause und trinken billigen Perl-
wein und essen Sandwichs, während die Sonne untergeht und
meine Mutter sich im Halbdunkel auflöst.

Ich seufzte. Das Bild verschwand, und ich öffnete die Augen.
Mein Roman, vor mir.

Ich schlug die erste Seite auf, den Anfang. *In dem Moment,*
hatte ich geschrieben, *als der Motor aufheulte und sie das Gaspedal
durchtrat, ließ sie das Lenkrad los und schloss die Augen. Sie wusste, was
passieren würde. Sie wusste, wohin das führen würde. Sie hatte es immer
gewusst.*

Ich blätterte weiter bis zur Mitte des Romans. Ich las dort
einen Absatz, und dann noch einen kurz vor dem Schluss.

Ich hatte über eine Frau namens Lou geschrieben, einen
Mann – ihren Ehemann, vermutete ich – namens George, und
der Roman schien während eines Krieges zu spielen. Ich war enttäuscht. Ich weiß nicht, was ich mir erhofft hatte – eine Autobiographie vielleicht? –, doch wie es aussah, konnte der Roman mir,
wenn überhaupt, nur sehr eingeschränkt Antworten liefern.

Dennoch, dachte ich, als ich das Buch umdrehte, um mir den
hinteren Deckel anzusehen, immerhin hatte ich es geschrieben,
hatte geschafft, dass es veröffentlicht wurde.

Statt eines Fotos der Autorin war nur eine kurze Biographie
abgedruckt.

Christine Lucas wurde 1960 in Nordengland geboren, stand da. *Sie hat am University College in London, wo sie derzeit lebt, englische Literatur studiert. Dies ist ihr erster Roman.*

Ich lächelte, spürte eine Welle von Glück und Stolz. *Ich habe das Buch geschrieben.* Ich wollte es lesen, seine Geheimnisse entschlüsseln, doch gleichzeitig auch wieder nicht. Ich hatte Angst, die Realität würde mir das Glück, das ich empfand, wieder wegnehmen. Entweder der Roman würde mir gefallen, dann wäre ich traurig, nie einen zweiten schreiben zu können, oder er würde mir nicht gefallen, dann wäre ich frustriert, weil ich mein Talent nie entwickelt hatte. Ich konnte nicht sagen, was wahrscheinlicher war, aber ich wusste, dass ich es eines Tages herausfinden werde, wenn ich mich der Sogkraft meines einzigen Werkes nicht länger widersetzen kann. Ich werde diese Entdeckung machen.

Aber nicht heute. Heute hatte ich etwas anderes zu entdecken, etwas, das viel schlimmer war als Traurigkeit, schädlicher als bloße Frustration. Etwas, das mich in Stücke reißen könnte.

Ich versuchte, das Buch wieder in den Umschlag zu stecken. Da war noch etwas anderes drin. Ein Blatt Papier, viermal gefaltet, die Ecken steif. Darauf hatte Dr. Nash geschrieben: *Ich dachte, das könnte Sie interessieren!*

Ich faltete das Blatt auseinander. Ganz oben hatte er geschrieben: *Standard, 1986.* Darunter war der Ausdruck eines Zeitungsartikels neben einem Foto. Ich blickte ein oder zwei Sekunden auf das Blatt, ehe ich begriff, dass der Artikel eine Rezension meines Romans war und das Foto von mir.

Ich zitterte, während ich das Blatt in der Hand hielt. Ich wusste nicht, warum. Es war ein Artefakt aus ferner Zeit. Seine Auswirkungen, ob sie nun gut oder schlecht gewesen waren, lagen lange zurück. Es war inzwischen Geschichte, die Wellen, die es geschlagen haben mochte, längst geglättet. Aber es war wichtig für mich. Wie war mein Werk aufgenommen worden, damals? War ich erfolgreich gewesen?

Ich überflog den Artikel, hoffte, den Tenor herauszulesen, um nicht gezwungen zu sein, ihn haarklein zu studieren. Wörter sprangen mir ins Auge. Überwiegend positive. *Durchdacht. Einfühlsam. Gekonnt. Menschlich. Schonungslos.*

Ich sah mir das Foto an. Schwarzweiß. Ich saß an einem Schreibtisch, den Körper zur Kamera gewandt. Ich wirke darauf verlegen. Irgendetwas ist mir unangenehm, und ich fragte mich, ob es die Person hinter der Kamera war oder meine Sitzposition. Trotzdem lächele ich. Mein Haar ist lang und offen, und es wirkt trotz des Schwarzweißfotos dunkler, als es jetzt ist, als hätte ich es schwarz gefärbt, oder als wäre es feucht. Hinter mir sind Terrassentüren, und durch sie hindurch, in der Ecke des Bildes gerade noch sichtbar, ist ein laubloser Baum zu erkennen. Das Foto hat eine Bildunterschrift. *Christine Lucas, in ihrem Haus in Nordlondon.*

Ich begriff, dass es das Haus sein musste, das ich mit Dr. Nash besucht hatte. Eine Sekunde lang überkam mich das fast überwältigende Verlangen, noch einmal hinzufahren, dieses Foto mitzunehmen und mich selbst davon zu überzeugen, dass es stimmte; dass ich damals existiert hatte. Dass ich es gewesen war.

Aber das wusste ich natürlich schon. Ich konnte mich zwar nicht daran erinnern, aber ich wusste, dass ich mich, als ich in der Küche stand, an Ben erinnert hatte. Ben, und seine hüpfende Erektion.

Ich lächelte und berührte das Foto, fuhr mit den Fingern darüber, suchte nach versteckten Hinweisen, wie eine Blinde. Ich zeichnete die Kontur meines Haars nach, fuhr mit den Fingerspitzen über mein Gesicht. Auf dem Foto wirke ich, als fühlte ich mich unwohl, aber auch irgendwie strahlend. So als würde ich ein Geheimnis bewahren, es wie einen Talisman hüten. Mein Roman ist veröffentlicht worden, ja, aber da ist noch etwas anderes, etwas Größeres.

Ich schaute genauer hin. Ich sah die Wölbung meiner Brüste in dem weiten Kleid, das ich trug, sah, dass ich einen Arm quer über den Bauch gelegt hatte. Eine Erinnerung sprudelte aus dem Nichts auf – ich, die ich für das Foto posiere, vor mir der Fotograf hinter seinem Stativ, die Journalistin, mit der ich eben über meine Arbeit gesprochen habe, in der Küche. Sie ruft etwas, will wissen, wie wir vorankommen, und wir beide antworten mit einem munteren »Prima!« und lachen. »Gleich sind wir fertig«, sagt der Fotograf und legt einen neuen Film ein. Die Journalistin hat sich eine Zigarette angezündet und ruft erneut etwas, fragt, ob wir einen Aschenbecher haben, nicht, ob es mich stört. Ich ärgere mich, aber nur leicht. Die Wahrheit ist, ich habe selbst Lust auf eine Zigarette, aber ich habe aufgehört, seit ich erfahren habe, dass –

Ich sah mir erneut das Bild an, und plötzlich wusste ich es. Auf dem Foto bin ich schwanger.

Mein Verstand setzte für einen Moment aus und raste dann wieder los. Er stolperte über sich selbst, blieb an den scharfen Kanten der Erkenntnis hängen, der Tatsache, dass ich ein Baby im Bauch hatte, als ich mich in dem Esszimmer ablichten ließ, und dass ich es gewusst hatte, dass ich glücklich darüber war.

Es ergab keinen Sinn. Was war geschehen? Das Kind müsste jetzt – wie alt sein? Achtzehn? Neunzehn? Zwanzig?

Aber es ist kein Kind da. Wo ist mein Sohn?

Ich spürte, wie meine Welt erneut ins Schwanken geriet. Das Wort *Sohn*. Ich hatte es gedacht, es mir selbst gesagt, mit Gewissheit. Irgendwie, von irgendwo tief in mir drin, wusste ich, dass das Kind, mit dem ich schwanger gewesen war, ein Junge war.

Ich umklammerte die Stuhlkante, um mich festzuhalten, und im selben Moment sprudelte ein weiteres Wort hoch und explodierte. *Adam*. Ich spürte, wie meine Welt aus einer Rille in eine andere rutschte.

Ich hatte das Kind zur Welt gebracht. Wir hatten es Adam genannt.

Ich stand auf, und der Umschlag mit dem Roman rutschte zu Boden. Mein Verstand raste, wie ein surrender Motor, der endlich angesprungen ist. Energie ballte sich in mir, als suche sie verzweifelt nach einem Ventil. Er fehlte auch in dem Sammelalbum im Wohnzimmer. Das wusste ich. Ich hätte mich daran erinnert, ein Foto von meinem eigenen Kind gesehen zu haben, als ich das Album heute Morgen durchblätterte. Ich hätte Ben gefragt, wer der Junge war. Ich hätte es in meinem Tagebuch erwähnt. Ich stopfte den Zeitungsausschnitt zusammen mit dem Buch zurück in den Umschlag und rannte nach oben. Im Bad stellte ich mich vor den Spiegel. Ich warf nicht mal einen Blick auf mein Gesicht, sondern sah mir die rings um den Spiegel geklebten Fotos aus der Vergangenheit an, die Fotos, die ich brauche, um mich selbst zu konstruieren, wenn mir die Erinnerung fehlt.

Ich und Ben. Ich, allein, und Ben, allein. Wir zwei mit einem anderen Pärchen, älter, wahrscheinlich seine Eltern. Ich, wesentlich jünger, mit einem Schal, wie ich einen Hund streichele, lächelnd, glücklich. Aber nirgendwo Adam. Kein Baby, kein Kleinkind. Keine Fotos von seinem ersten Schultag oder einem Sportfest oder aus einem Urlaub. Keine Fotos von ihm, wie er am Strand eine Sandburg baut. Nichts.

Es ergab keinen Sinn. Das sind doch schließlich Fotos, wie sie alle Eltern machen, die niemand wegwirft?

Es muss welche geben, dachte ich. Ich hob die Fotos an, um zu sehen, ob unter ihnen noch andere klebten, geschichtete Geschichte sozusagen. Nichts. Bloß die hellblauen Fliesen an der Wand, das glatte Glas des Spiegels. Leere.

Adam. Das Wort wirbelte mir durch den Kopf. Meine Augen schlossen sich, und weitere Erinnerungen stürmten auf mich ein, jede einzelne schlug brutaler zu, schimmerte einen Moment lang, ehe sie wieder verschwand, die nächste auslöste. Ich sah Adam, sein blondes Haar, von dem ich wusste, dass es irgendwann braun werden würde, das Spiderman-T-Shirt, das er unbedingt tragen wollte, bis es ihm zu klein war und ausrangiert werden musste. Ich sah ihn in einem Kinderwagen, schlafend, und erinnere mich, wie ich dachte, dass er das perfekteste Baby war, das Perfekteste, was ich je gesehen hatte. Ich sah ihn auf einem blauen Plastikdreirad und wusste irgendwie, dass wir es ihm zum Geburtstag geschenkt hatten und dass er damit überall hinfuhr, wo wir es ihm erlaubten. Ich sah ihn in einem Park, den Kopf tief über den Lenker gebeugt, wie er grinsend einen abschüssigen Weg auf mich zugesaust kam und eine Sekunde später stürzte, weil das Vorderrad gegen irgendetwas auf dem Weg geprallt war und sich verdrehte, so dass er auf dem Boden aufschlug. Ich sah, wie ich ihn in den Armen hielt, während er weinte, ihm das Blut aus dem Gesicht wischte, einen Zahn von ihm neben dem Vorderrad fand, das sich noch immer drehte. Ich sah, wie er mir ein Bild zeigte, das er gemalt hatte – einen blauen Streifen für den Himmel, Grün für die Erde und dazwischen drei klecksige Figuren und ein winziges Haus –, und ich sah den Stoffhasen, den er überallhin mitnahm.

Ich wurde zurück in die Gegenwart gerissen, in das Badezimmer, in dem ich stand, schloss aber wieder die Augen. Ich wollte mich an ihn in der Schule erinnern oder als Teenager oder wollte ihn zusammen mit mir oder seinem Vater sehen. Aber es gelang mir nicht. Wenn ich meine Erinnerungen zu steuern versuchte, flatterten sie auf und verschwanden, wie eine Feder, die im Wind die Richtung ändert, sobald eine Hand sie fangen will. Stattdessen sah ich ihn mit einem tropfenden Eis in der Hand, dann mit lakritzverschmiertem Mund, dann schlafend auf dem Rücksitz im Wagen. Ich konnte nur tatenlos zusehen, wie die Erinnerungen kamen und ebenso schnell wieder gingen.

Ich musste all meine Kraft aufbieten, um nicht die Fotos vor mir von der Wand zu reißen, auf der Suche nach Beweisen für meinen Sohn. Stattdessen blieb ich völlig reglos vor dem Spiegel stehen, jeder Muskel in meinem Körper angespannt, als fürchtete ich, dass mich meine Gliedmaßen schon bei der geringsten Bewegung im Stich lassen könnten.

Keine Fotos auf dem Kaminsims. Kein Teenagerzimmer mit Postern von Popstars an der Wand. Keine T-Shirts im Wäschekorb oder in der Bügelwäsche. Keine abgelaufenen Sportschuhe im Schrank unter der Treppe. Selbst wenn er einfach von zu Hause ausgezogen wäre, müsste doch noch irgendein Anzeichen von seiner Existenz vorhanden sein, oder? Irgendeine Spur?

Aber nein, er ist nicht in diesem Haus. Mit einem Frösteln begriff ich, dass es war, als existierte er nicht, als hätte er nie existiert.

Ich weiß nicht, wie lange ich da im Badezimmer stand, seine Abwesenheit betrachtete. Zehn Minuten? Zwanzig? Eine Stunde? Irgendwann hörte ich einen Schlüssel in der Haustür, das Schaben, als Ben sich die Füße auf der Matte abputzte. Ich rührte mich nicht. Er ging in die Küche, dann ins Esszimmer und rief nach oben, fragte, ob alles in Ordnung sei. Er klang ängstlich, seine Stimme hatte einen nervösen Beiklang, den ich heute Morgen nicht gehört hatte, doch ich murmelte bloß, ja, ja, es sei alles in Ordnung. Ich hörte, wie er ins Wohnzimmer ging, dann den Ton vom Fernseher.

Die Zeit blieb stehen. Mein Kopf leerte sich völlig. Zurück blieb nur das Bedürfnis, zu erfahren, was aus meinem Sohn geworden war, und zugleich die ebenso starke Angst vor dem, was ich herausfinden könnte.

Ich versteckte den Umschlag mit meinem Roman im Kleiderschrank und ging nach unten.

Vor der Wohnzimmertür blieb ich stehen. Ich versuchte, meinen Atem zu verlangsamen, doch vergeblich, er ging heiß und keuchend. Ich wusste nicht, was ich Ben sagen sollte: Wie sollte ich ihm beibringen, dass ich von Adam wusste? Er würde fragen, woher, und was würde ich dann sagen?

Aber das war egal. Alles war egal. Außer dass ich erfuhr, was mit meinem Sohn war. Ich schloss die Augen, und als ich meinte, halbwegs ruhig zu sein, schob ich sachte die Tür auf. Ich spürte, wie sie über den rauen Teppichboden glitt.

Ben hörte mich nicht. Er saß auf dem Sofa und schaute fern, einen Teller mit einem halben Keks auf dem Schoß. Eine Zorneswelle stieg in mir hoch. Er wirkte so entspannt und heiter, ein Lächeln umspielte seinen Mund. Er begann zu lachen. Ich wollte mich auf ihn stürzen, ihn packen und anschreien, bis er mir alles erzählte, mir erzählte, warum er mir meinen Roman verschwiegen hatte, warum er alle Spuren von meinem Sohn beseitigt hatte. Ich wollte verlangen, dass er mir alles zurückgab, was ich verloren hatte.

Aber ich wusste, das würde nichts bringen. Stattdessen hüstelte ich. Ein leises, zartes Hüsteln. Ein Hüsteln, das so viel sagte wie: *Ich will ja nicht stören, aber …*

Er sah mich und lächelte. »Liebling!«, sagte er. »Da bist du ja.«

Ich trat ins Zimmer. »Ben«, sagte ich. Meine Stimme war angespannt. Sie klang mir selbst fremd in den Ohren. »Ben? Ich muss mit dir reden.«

Sein Gesicht nahm sofort einen besorgten Ausdruck an. Er stand auf und kam auf mich zu, der Teller rutschte zu Boden. »Was ist denn, Liebes? Ist alles in Ordnung?«

»Nein«, sagte ich. Er blieb etwa einen Meter vor mir stehen. Er öffnete die Arme, doch ich ließ mich nicht in sie hineinfallen.

»Was ist denn los?«

Ich sah meinen Mann an, sein Gesicht. Er wirkte völlig beherrscht, als hätte er so etwas schon erlebt, als wäre er diese hysterischen Momente gewohnt.

Ich konnte nicht anders, ich musste den Namen meines Sohnes aussprechen. »Wo ist Adam?«, sagte ich. Die Worte kamen mit einem Keuchen aus meinem Mund. »Wo ist er?«

Bens Miene veränderte sich. Überraschung? Oder Schock? Er schluckte.

»Sag's mir!«, befahl ich.

Er nahm mich in die Arme. Ich wollte ihn wegstoßen, tat es aber nicht. »Christine«, sagte er. »Bitte. Beruhige dich. Es ist alles gut. Ich kann dir alles erklären. In Ordnung?«

Ich wollte erwidern, nein, es sei gar nichts in Ordnung, sagte aber nichts. Ich verbarg mein Gesicht vor ihm, vergrub es in den Falten seines Hemdes.

Ich begann zu zittern. »Sag's mir«, sagte ich. »Bitte, sag's mir endlich.«

Wir setzten uns aufs Sofa. Ich an ein Ende. Er ans andere. Näher wollte ich ihm nicht sein.

Ich wollte nicht, dass er es aussprach, doch er tat es.

Dann sagte er es noch mal.

»Adam ist tot.«

Ich spürte, wie ich mich zusammenkrampfte. Wie eine Schnecke in ihr Haus. Seine Worte schneidend wie Stacheldraht.

Ich musste an die Fliege an der Windschutzscheibe denken, auf der Heimfahrt vom Haus meiner Großmutter.

Er sprach erneut. »Christine, Schatz. Es tut mir so leid.«

Ich wurde wütend. Wütend auf ihn. *Scheißkerl*, dachte ich, obwohl ich wusste, dass es nicht seine Schuld war.

Ich zwang mich zu sprechen. »Wie ist …?«

Er seufzte. »Adam war in der Army.«

Ich fühlte mich auf einmal wie betäubt. Alles wich zurück, bis in mir nur noch Schmerz übrigblieb und sonst nichts. Schmerz. Auf einen einzigen Punkt konzentriert.

Ein Sohn, von dessen Existenz ich nicht mal gewusst hatte, und er war Soldat geworden. Ein Gedanke durchfuhr mich. Absurd. *Was wird meine Mutter davon halten?*

Ben sprach wieder, stoßweise, abgehackt. »Er war bei der Marine-Infanterie. Er war in Afghanistan stationiert. Er wurde getötet. Letztes Jahr.«

Ich schluckte. Die Kehle trocken.

»Warum?«, sagte ich, und dann: »Wie?«

»Christine —«

»Ich will es wissen«, sagte ich. »Ich muss es wissen.«

Er griff nach meiner Hand, und ich ließ es zu, obwohl ich erleichtert war, dass er auf dem Sofa nicht näher rückte.

»Du willst doch bestimmt nicht alles wissen, oder?«

Meine Wut schwoll an. Ich konnte nichts dagegen machen. Wut und Panik. »Er war mein Sohn!«

Er sah weg, zum Fenster.

»Er war in einem Panzerfahrzeug unterwegs«, sagte er. Er sprach langsam, fast flüsternd. »Als Truppenbegleitung. Am Straßenrand ist eine Bombe explodiert. Ein Soldat hat überlebt. Adam und ein anderer nicht.«

Ich schloss die Augen, und auch meine Stimme senkte sich zu einem Flüsterton. »War er sofort tot? Hat er leiden müssen?«

Ben seufzte. »Nein«, sagte er nach einem Augenblick. »Er hat nicht leiden müssen. Sie glauben, es ist sehr schnell gegangen.«

Er sah wieder in meine Richtung. Er sah mich nicht an.

Du lügst, dachte ich.

Ich sah Adam, wie er am Straßenrand verblutete, und verdrängte den Gedanken, konzentrierte mich auf nichts. Auf Leere.

In meinem Kopf drehte sich alles. Fragen. Fragen, die ich nicht zu stellen wagte, aus Angst, die Antworten könnten mich umbringen. *Wie war er als kleiner Junge, als Teenager, als Mann? Standen wir uns nahe? Haben wir uns gestritten? War er glücklich? War ich eine gute Mutter?*

Und, *wie konnte der kleine Junge, der ein Plastikdreirad gefahren hat, auf der anderen Seite der Welt getötet werden?*

»Was hatte er in Afghanistan zu suchen?«, sagte ich. »Warum war er dort?«

Ben erzählte mir, dass wir einen Krieg führen. Einen Krieg gegen den Terror, sagte er, obwohl ich nicht weiß, was das bedeutet. Er sagte, es habe einen Anschlag gegeben, einen schrecklichen Anschlag, in Amerika. Tausende sind ums Leben gekommen.

»Und deshalb stirbt mein Sohn in Afghanistan?«, sagte ich. »Ich versteh nicht …«

»Es ist kompliziert«, sagte er. »Er wollte immer zur Army. Er wollte seine Pflicht tun.«

»Seine Pflicht? Hast du das auch gedacht? Dass er seine Pflicht tut? Hab ich das gedacht? Wieso hast du ihm das nicht ausgeredet? Ihm gesagt, er soll was anderes machen? Irgendwas anderes?«

»Christine, er wollte es.«

Einen entsetzlichen Moment lang hätte ich fast gelacht. »Sich umbringen lassen? Wollte er das? Wieso? Ich hab ihn nicht mal gekannt.«

Ben schwieg. Er drückte meine Hand, und eine einzelne Träne lief mir übers Gesicht, brennend wie Säure, und dann wieder eine, und dann noch mehr. Ich wischte sie weg, aus Angst, wenn ich einmal losheulte, nie wieder aufhören zu können.

Ich spürte, dass mein Verstand allmählich aufhörte zu arbeiten, sich leerte, sich ins Nichts flüchtete. »Ich hab ihn nicht mal gekannt.«

Später holte Ben eine Schatulle von oben und stellte sie vor uns auf den Couchtisch.

»Die bewahre ich oben auf«, sagte er. »Zur Sicherheit.«

Vor was?, dachte ich. Die Schatulle war grau, aus Metall. So eine, in der man Geld aufbewahrt oder wichtige Dokumente.

Was immer sie enthielt, es musste gefährlich sein. Ich stellte mir wilde Tiere vor, Skorpione und Schlangen, hungrige Ratten, giftige Kröten. Oder ein unsichtbarer Virus, irgendetwas Radioaktives.

»Zur Sicherheit?«, sagte ich.

Er seufzte. »Es gibt ein paar Dinge, die du nicht sehen solltest, wenn du allein bist«, sagte er. »Dinge, die ich dir besser erkläre.«

Er setzte sich neben mich und öffnete die Schatulle. Ich sah nur lauter Papiere darin.

»Das ist Adam als Baby«, sagte er, nachdem er eine Handvoll Fotos herausgenommen hatte, und reichte mir eins.

Es war ein Foto von mir, auf einer Straße. Ich gehe auf die Kamera zu, mit einem Baby – Adam – in einem Tragetuch vor der Brust. Sein Körper ist mir zugewandt, doch er schaut über die Schulter zu der Person, die das Foto macht, das Lächeln auf seinem Gesicht ein zahnloses Pendant zu meinem.

»Hast du das gemacht?«

Ben nickte. Ich sah es mir wieder an. Es war eingerissen, mit Flecken an den Rändern, die Farben verblasst, als würde es langsam ausbleichen.

Ich. Ein Baby. Es kam mir nicht real vor. Ich versuchte, mir zu sagen, dass ich eine Mutter war.

»Wann war das?«, fragte ich.

Ben blickte über meine Schulter. »Da ist er ungefähr sechs Monate alt«, sagte er. »Also, mal überlegen. Das muss dann 1987 gewesen sein.«

Somit wäre ich siebenundzwanzig gewesen. Das war ein ganzes Leben her.

Das Leben meines Sohnes.

»Wann ist er geboren?«

Er griff wieder in die Schatulle, reichte mir ein Blatt Papier. »Im Januar«, sagte er. Es war vergilbt, brüchig. Eine Geburtsurkunde. Ich las sie schweigend. Sein Name stand da. Adam.

»Adam Wheeler«, sagte ich laut. Zu mir ebenso wie zu Ben.

»Wheeler ist mein Nachname«, sagte er. »Wir haben damals entschieden, dass er meinen Namen haben sollte.«

»Natürlich«, sagte ich. Ich hob das Blatt ans Gesicht. Für ein so bedeutungsvolles Dokument fühlte es sich zu leicht an. Ich wollte es einatmen, es zu einem Teil von mir werden lassen.

»Bitte«, sagte Ben. Er nahm mir das Blatt aus den Händen und faltete es zusammen. »Es gibt noch mehr Bilder«, sagte er. »Willst du sie sehen?«

Er reichte mir noch ein paar Fotos.

»Wir haben nicht mehr so viele«, sagte er, während ich sie mir ansah. »Eine ganze Menge sind verlorengegangen.«

So wie er das sagte, klang es, als wären sie in Zügen liegen gelassen oder fremden Leuten zur Aufbewahrung gegeben worden.

»Ja«, sagte ich. »Ich erinnere mich. Bei uns hat es gebrannt.« Ich sagte das, ohne zu überlegen.

Er blickte mich befremdet an, seine Augen wurden schmal, zusammengekniffen.

»Daran erinnerst du dich?«, fragte er.

Plötzlich war ich mir nicht mehr sicher. Hatte er mir heute Morgen von dem Brand erzählt oder erinnerte ich mich an etwas, was er mir vor ein paar Tagen erzählt hatte? Oder hatte ich es bloß nach dem Frühstück in meinem Tagebuch gelesen?

»Das hast du mir doch erzählt.«

»Hab ich das?«, sagte er.

»Ja.«

»Wann?«

Ja, wann? War es heute Morgen gewesen oder schon länger her? Ich dachte an mein Tagebuch, erinnerte mich, es gelesen zu haben, nachdem er zur Arbeit gegangen war. Er hatte mir von dem Brand erzählt, als wir auf der Bank auf dem Parliament Hill saßen.

Ich hätte ihm in dem Moment von dem Tagebuch erzählen können, aber etwas hielt mich davon ab. Er wirkte keineswegs froh darüber, dass ich mich an etwas erinnert hatte. »Bevor du zur Arbeit gegangen bist?«, sagte ich. »Als wir uns das Album angesehen haben. Bestimmt hast du es dabei erwähnt.«

Er runzelte die Stirn. Ich fand es furchtbar, ihn anzulügen, aber ich sah mich außerstande, noch mehr Enthüllungen zu verkraften. »Woher soll ich es sonst wissen?«, sagte ich.

Er sah mich direkt an. »Stimmt.«

Er hielt einen Moment lang inne, blickte auf den Stoß Fotos in meiner Hand. Es waren erbärmlich wenige, und ich konnte sehen, dass die Schatulle schon fast leer war. Waren diese Fotos wirklich alles, was mir vom Leben meines Sohnes geblieben war?

»Wie ist das Feuer ausgebrochen?«, fragte ich.

Die Uhr auf dem Kaminsims schlug. »Es ist Jahre her. In unserem alten Haus. Wo wir gewohnt haben, bevor wir hierher gezogen sind.« Ich fragte mich, ob er das Haus meinte, in dem ich mit Dr. Nash gewesen war. »Wir haben viel verloren. Bücher, Papiere. Solche Sachen eben.«

»Aber wie ist es ausgebrochen?«, fragte ich.

Einen Moment lang sagte er nichts. Sein Mund öffnete und schloss sich wieder, und dann sagte er: »Es war ein Unfall. Bloß ein Unfall.«

Ich fragte mich, was er mir nicht erzählte. Hatte ich eine brennende Zigarette vergessen oder ein eingestöpseltes Bügeleisen oder einen Topf auf dem Herd? Ich stellte mir mich in der Küche vor, in der ich am Tag zuvor gewesen war, mit der Betonarbeitsplatte und den weißen Einbauschränken, aber vor Jahren. Ich sah mich vor einer brodelnden Fritteuse stehen, sah, wie ich den Drahtkorb schüttelte, in dem ich Pommes briet, sah, wie sie an die Oberfläche schwebten, ehe sie sich drehten und wieder im Öl versanken. Ich sah, wie ich das Telefon klingeln hörte, mir die Hände an der Schürze abwischte, die ich mir um die Taille gebunden hatte, in die Diele ging.

Was dann? War das Öl in Brand geraten, während ich telefonierte, oder war ich anschließend ins Wohnzimmer gegangen oder nach oben ins Bad und hatte völlig vergessen, dass ich mit Kochen beschäftigt gewesen war?

Ich weiß es nicht, werde es niemals wissen. Aber es war lieb von Ben, mir zu sagen, es wäre ein Unfall gewesen. Für jemanden ohne Gedächtnis birgt der Haushalt viele Gefahren, und ein anderer Ehemann hätte mir vielleicht meine Fehler und Unfähigkeiten vorgehalten, hätte der Versuchung erliegen können, seine moralische Überlegenheit zu betonen, und das mit Recht. Ich berührte seinen Arm, und er lächelte.

Ich sah die Handvoll Fotos durch. Auf einem trug Adam einen Cowboyhut und ein gelbes Halstuch und zielte mit einem Plastikgewehr auf die Person mit der Kamera, und auf einem anderen war er ein bisschen älter; sein Gesicht schmaler, sein Haar schon etwas dunkler. Er trug ein Hemd, das bis zum Hals zugeknöpft war, und eine Kinderkrawatte.

»Das wurde in der Schule aufgenommen«, sagte Ben. »Ein offizielles Porträt.« Er deutete auf das Foto und lachte. »Sieh mal. Was für ein Jammer. Das Bild ist ruiniert!«

Das Gummiband der Krawatte war zu sehen, lugte unter dem Kragen hervor. Ich fuhr mit den Fingern über das Foto. Es war nicht ruiniert, dachte ich. Es war perfekt.

Ich versuchte, mich an meinen Sohn zu erinnern, versuchte, mir vorzustellen, wie ich mit einer Kinderkrawatte vor ihm kniete oder ihm die Haare kämmte oder getrocknetes Blut von einem aufgeschrammten Knie wischte.

Nichts kam. Der Junge auf dem Foto hatte die gleichen vollen Lippen wie ich und Augen, die vage denen meiner Mutter ähnelten, aber ansonsten hätte er ein fremdes Kind sein können.

Ben nahm ein weiteres Bild heraus und gab es mir. Auf ihm war Adam ein wenig älter, vielleicht sieben. »Findest du, er sieht mir ähnlich?«, sagte er.

Er hielt einen Fußball in den Händen, trug Shorts und ein weißes T-Shirt. Sein Haar war kurz und verschwitzt. »Ein bisschen«, sagte ich. »Vielleicht.«

Ben lächelte, und wir schauten uns weiter die Fotos an. Es waren größtenteils welche von mir und Adam, auf manchen war er allein zu sehen. Ben hatte offenbar die meisten geschossen. Auf einigen war Adam zusammen mit Freunden abgelichtet, zwei zeigten ihn auf einer Kinderparty, als Pirat verkleidet, mit einem Plastikschwert in der Hand. Auf einem trug er einen kleinen schwarzen Hund auf dem Arm.

Unter den Fotos steckte ein Brief. Er war an den Weihnachtsmann adressiert und mit blauem Buntstift geschrieben. Die wackeligen Buchstaben tanzten über das Blatt. Er wünschte sich ein Fahrrad, schrieb er, oder einen kleinen Hund, und versprach, immer brav zu sein. Er hatte ihn unterschrieben und sein Alter hinzugefügt. Sechs.

Ich weiß nicht, warum, aber als ich das las, schien meine Welt einzustürzen. Trauer explodierte in meiner Brust wie eine Granate. Ich war die ganze Zeit ruhig gewesen – nicht froh, nicht mal resigniert, aber ruhig –, und diese Gefasstheit löste sich in nichts auf, verdampfte förmlich. Darunter war ich roh.

»Tut mir leid«, sagte ich und gab ihm den Brief und die Fotos zurück. »Ich kann nicht. Nicht jetzt.«

Er umarmte mich. Ich spürte, wie mir Übelkeit in die Kehle stieg, aber ich schluckte sie herunter. Er sagte, ich solle mir keine Gedanken machen, alles werde gut, und erinnerte mich daran, dass er für mich da sei, immer für mich da sein würde. Ich klammerte mich an ihn, und wir saßen da, wiegten uns zusammen hin und her. Ich fühlte mich wie betäubt, weit weg von dem Zimmer, in dem wir saßen. Ich beobachtete ihn, als er mir ein Glas Wasser holte, beobachtete, wie er die Schatulle mit den Fotos schloss. Ich schluchzte. Ich sah ihm an, dass auch er aufgewühlt war, doch schon jetzt schien noch etwas anderes in seinem Gesichtsausdruck zu liegen. Resignation vielleicht oder Akzeptanz, aber kein Entsetzen.

Mit einem Schaudern begriff ich, dass er das alles schon öfter gemacht hat. Seine Trauer ist nicht neu. Sie hat Zeit gehabt, sich in ihm einzunisten, Teil seines Fundaments zu werden und es nicht mehr ins Wanken zu bringen.

Nur meine Trauer ist frisch, jeden Tag.

Ich ging unter einem Vorwand nach oben, ins Schlafzimmer. Wieder zum Kleiderschrank. Ich schrieb weiter.

* * *

Diese gestohlenen Momente. Vor dem Kleiderschrank kniend oder ans Bett gelehnt. Ich schreibe. Fieberhaft. Es strömt nur so aus mir heraus, fast ohne nachzudenken. Seite für Seite. Ich bin jetzt wieder hier, während Ben glaubt, ich würde mich ausruhen. Ich kann nicht aufhören. Ich möchte alles aufschreiben.

Ich frage mich, ob es auch so war, als ich meinen Roman schrieb, ob sich alles förmlich auf die Seite ergoss. Oder war das langsamer vonstatten gegangen, überlegter? Ich wünschte, ich könnte mich erinnern.

Nachdem ich nach unten gegangen war, machte ich für uns beide eine Tasse Tee. Während ich die Milch einrührte, überlegte ich, wie oft ich für Adam Mahlzeiten zubereitet hatte, Gemüse püriert, Saft gepresst. Ich ging mit dem Tee zu Ben ins Wohnzimmer. »War ich eine gute Mutter?«, fragte ich und reichte ihm die Tasse.

»Christine —«

»Ich muss das wissen«, sagte ich. »Ich meine, wie habe ich das geschafft? Mit einem Kind? Er muss ja noch sehr klein gewesen sein, als ich —«

»— als du den Unfall hattest?«, fiel er mir ins Wort. »Er war zwei. Aber du warst eine wunderbare Mutter. Bis es passiert ist. Danach, nun ja …«

Er verstummte, ließ den Rest des Satzes fallen und wandte sich ab. Ich fragte mich, was er unausgesprochen ließ, was er mir lieber verschweigen wollte.

136

Ich wusste jedoch genug, um ein paar Leerstellen zu füllen. Ich kann mich zwar nicht an diese Zeit erinnern, aber ich kann sie mir vorstellen. Ich kann mir denken, dass ich jeden Tag aufs Neue daran erinnert werden musste, dass ich verheiratet und Mutter war, dass mein Mann und mein Sohn mich besuchen kommen würden. Ich kann mir vorstellen, wie ich die beiden jeden Tag begrüßte, als hätte ich sie noch nie gesehen, leicht unterkühlt vielleicht oder einfach nur verwirrt. Ich kann sehen, wie schmerzhaft es für uns gewesen sein muss. Für uns alle.

»Schon gut«, sagte ich. »Ich verstehe.«

»Du konntest dich nicht selbst versorgen. Und ich konnte dich nicht zu Hause versorgen, dazu warst du zu krank. Man konnte dich nicht allein lassen, nicht mal für kurze Zeit. Du hast ständig vergessen, womit du gerade beschäftigt warst. Bist abgeglitten. Ich hatte Angst, du würdest dir ein Bad einlaufen lassen und das Wasser nicht abstellen oder dir etwas zu essen kochen und vergessen, dass der Topf auf der glühenden Herdplatte steht. Ich war einfach überfordert. Also bin ich zu Hause geblieben und hab mich um Adam gekümmert. Meine Mutter hat mir geholfen. Aber wir haben dich jeden Abend besucht und –«

Ich nahm seine Hand.

»Entschuldige«, sagte er. »Es fällt mir einfach schwer, an diese Zeit zu denken.«

»Ich weiß«, sagte ich. »Ich weiß. Aber was war mit meiner Mutter? Hat sie auch geholfen? War sie gern Großmutter?« Er nickte und sah aus, als wollte er etwas sagen. »Sie ist tot, nicht wahr?«, sagte ich.

Er drückte meine Hand. »Sie ist vor ein paar Jahren gestorben. Es tut mir leid.«

Ich hatte recht gehabt. Ich spürte, wie mein Verstand abschaltete, als könne er nicht noch mehr Trauer verkraften, nicht noch mehr von dieser dunklen Vergangenheit, aber ich wusste ja, wenn ich morgen aufwachte, würde ich mich an nichts von alledem erinnern können.

Was konnte ich in mein Tagebuch schreiben, das mich den morgigen Tag überstehen lassen würde, den Tag darauf, den übernächsten?

Plötzlich schwebte ein Bild vor mir. Eine Frau mit roten Haaren. Adam bei der Army. Ungebeten tauchte ein Name auf. *Was wird Claire davon halten?*

Und da war er. Der Name meiner Freundin. *Claire.*

»Und Claire?«, sagte ich. »Meine Freundin, Claire. Lebt sie noch?«

»Claire?«, sagte Ben. Er blickte einen langen Augenblick verwirrt, und dann veränderte sich seine Miene. »Du erinnerst dich an Claire?«

Er wirkte überrascht. Ich rief mir in Erinnerung, dass es – jedenfalls laut meinem Tagebuch – ein paar Tage her war, seit ich ihm erzählt hatte, ich hätte mich an sie auf der Party auf dem Dach erinnert.

»Ja«, sagte ich. »Wir waren befreundet. Was ist aus ihr geworden?«

Ben sah mich an, traurig, und einen Moment lang erstarrte ich. Er sprach bedächtig, doch was er dann sagte, war nicht so schlimm, wie ich befürchtet hatte. »Sie ist weggezogen«, sagte er. »Vor vielen Jahren. Ist bestimmt schon zwanzig Jahre her, glaub ich. Jedenfalls nur wenige Jahre nach unserer Heirat.«

»Wohin?«

»Neuseeland.«

»Haben wir Kontakt?«

»Ihr hattet eine Zeitlang Kontakt, aber nein. Nicht mehr.«

Das erscheint mir unmöglich. *Meine beste Freundin*, hatte ich geschrieben, nachdem sie mir auf dem Parliament Hill wieder eingefallen war, und ich hatte das gleiche Gefühl von Nähe empfunden, als ich heute an sie denken musste. Wieso wäre es mir sonst wichtig, was sie dachte?

»Haben wir uns zerstritten?«

Er zögerte, und wieder spürte ich, dass er kalkulierte, sich etwas zurechtlegte. Ich begriff, dass Ben natürlich weiß, was mich aufregt. Er hat jahrelang Erfahrung gesammelt, was mir zuzumuten ist und wann wir uns auf gefährliches Terrain begeben. Schließlich führt er dieses Gespräch nicht zum ersten Mal mit mir. Er hatte reichlich Gelegenheit zu üben, zu lernen, welche Routen keine Schneise durch die Landschaft meines Lebens pflügen und mich woandershin katapultieren.

»Nein«, sagte er. »Ich glaube nicht. Ihr habt euch nicht zerstritten. Jedenfalls hast du nie was davon gesagt. Ich glaube, ihr habt euch einfach auseinandergelebt, und dann hat Claire jemanden kennengelernt, und sie haben geheiratet und sind ausgewandert.«

Ein Bild tauchte auf. Claire und ich, wie wir witzeln, dass wir niemals heiraten werden. »Heiraten ist was für Verlierer!«, sagte sie, hob dann eine Flasche Rotwein an die Lippen, und ich pflichtete ihr bei, obwohl ich gleichzeitig wusste, dass ich eines Tages ihre Brautjungfer sein würde und sie meine, dass wir elegant gekleidet in Hotelzimmern Champagner aus schlanken Gläsern trinken würden, während uns jemand die Haare frisierte.

Ich empfand einen jähen Anflug von Liebe. Obwohl ich mich nur an einen Bruchteil aus unserer gemeinsamen Zeit, unserem gemeinsamen Leben erinnert habe – und selbst den morgen wieder vergessen haben werde –, spürte ich irgendwie, dass nach wie vor eine Verbindung zwischen uns besteht, dass sie eine Zeitlang der wichtigste Mensch für mich gewesen ist.

»Waren wir auf der Hochzeit?«, fragte ich.

»Ja«, nickte er, öffnete die Schatulle auf seinem Schoß und kramte darin herum. »Hier sind ein paar Fotos.«

Es waren Hochzeitsfotos, aber keine Profiaufnahmen. Sie waren verwackelt und dunkel, von einem Amateur aufgenommen.

Von Ben, vermutete ich. Ich nahm das erste behutsam in die Hand. Bisher hatte ich Claire nur in meiner Erinnerung gesehen.

Sie war genauso, wie ich sie mir vorgestellt hatte. Groß, schlank. Vielleicht noch schöner. Sie stand oben auf einer Klippe, ihr durchscheinendes Kleid wehte im Wind, hinter ihr das Meer, über dem die Sonne unterging. Wunderschön. Ich legte das Foto hin und sah die übrigen durch. Auf einigen war sie mit ihrem Bräutigam zu sehen – einem Mann, den ich nicht kannte –, und auf anderen hatte ich mich zu ihnen gesellt; gekleidet in blassblaue Seide sah ich fast ebenso hübsch aus. Es stimmt, ich bin ihre Brautjungfer gewesen.

»Gibt es auch welche von unserer Hochzeit?«, fragte ich.

Er schüttelte den Kopf. »Die hatten wir in einem eigenen Album«, sagte er. »Es ist verlorengegangen.«

Natürlich. Der Brand.

Ich hielt ihm die Fotos hin. Mir war, als würde ich auf ein anderes Leben blicken, nicht mein eigenes. Ich wollte nur noch nach oben, um aufzuschreiben, was ich erfahren hatte.

»Ich bin müde«, sagte ich. »Ich muss mich ausruhen.«

»Natürlich«, sagte er, nahm mir den Stoß Fotos aus der Hand und legte sie zurück in die Schatulle.

»Ich werde sie sicher aufbewahren«, sagte er, während er den Deckel schloss, und ich ging hoch zu meinem Tagebuch und schrieb das hier.

*   *   *

Mitternacht. Ich liege im Bett. Allein. Versuche, zu verstehen, was heute passiert ist. Was ich alles erfahren habe. Ich weiß nicht, ob es mir gelingt.

Ich beschloss, vor dem Abendessen ein Bad zu nehmen. Ich verriegelte die Badezimmertür hinter mir und sah mir rasch die Fotos rings um den Spiegel an. Ich drehte den Heißwasserhahn auf.

An den meisten Tagen kann ich mich offenbar gar nicht an Adam erinnern, doch heute war er mir sofort in den Sinn gekommen, nachdem ich bloß ein einziges Bild gesehen hatte, von mir in einer alten Zeitung. Sind die Fotos um den Spiegel daraufhin ausgewählt, dass sie mich in meinem jetzigen Selbst verankern sollen, ohne mich daran zu erinnern, was ich verloren habe?

Der Raum füllte sich mit heißem Dampf. Ich konnte meinen Mann unten hören. Er hatte das Radio angemacht, und Jazzklänge drangen zu mir herauf, verschwommen und undeutlich. Darunter konnte ich das rhythmische Schneiden eines Messers auf einem Brett hören. Mir wurde klar, dass wir noch nichts gegessen hatten. Er schnitt bestimmt Möhren, Zwiebeln, Paprika klein. Machte Abendessen, als wäre das ein ganz normaler Tag.

Für ihn ist es ein normaler Tag, begriff ich. Ich bin voller Trauer, er aber nicht.

Ich nehme es ihm nicht übel, dass er mir nicht jeden Tag aufs Neue von Adam erzählt, von meiner Mutter, Claire. An seiner Stelle würde ich es genauso machen. Es sind schmerzhafte Dinge, und wenn ich einen ganzen Tag verbringen kann, ohne mich daran zu erinnern, bleibt mir der Kummer erspart und ihm die Qual, ihn zu verursachen. Wie verlockend es für ihn sein muss, zu schweigen, und wie schwer für ihn, mit dem Wissen zu leben, dass ich diese scharfkantigen Erinnerungssplitter ständig mit mir herumtrage, überall, wie winzige Bomben, und dass jederzeit einer die Oberfläche durchstoßen und mich zwingen kann, den Schmerz zu durchleben wie beim allerersten Mal und ihn mitzureißen.

Ich zog mich langsam aus, faltete meine Kleidung zusammen, legte sie auf den Stuhl neben der Wanne. Nackt stellte ich mich vor den Spiegel und betrachtete meinen fremden Körper. Ich zwang mich, die Falten in meiner Haut anzusehen, die hängenden Brüste. Ich kenne mich selbst nicht, dachte ich. Ich erkenne weder meinen Körper noch meine Vergangenheit.

Ich trat näher an den Spiegel. Da waren sie, quer über meinem Bauch, auf meinen Pobacken und auf meinen Brüsten. Dünne, silbrige Streifen, die gezackten Narben der Geschichte. Ich hatte sie vorher nicht wahrgenommen, weil ich nicht nach ihnen gesucht hatte. Ich stellte mir vor, wie ich ihr Wachstum registrierte, mir wünschte, dass sie verschwänden, während mein Körper sich weiter ausdehnte. Jetzt bin ich froh, dass sie da sind; eine Erinnerung.

Mein Spiegelbild verschwand allmählich im Dampf. Ich kann von Glück sagen, dachte ich. Ich kann von Glück sagen, dass ich Ben habe, dass ich jemanden habe, der für mich da ist, hier, in meinem Zuhause, auch wenn ich es nicht als mein Zuhause in Erinnerung habe. Nicht nur ich leide. Er hat heute das Gleiche durchlitten wie ich, aber er wird mit dem Wissen ins Bett gehen, dass ihm vielleicht morgen das Ganze erneut bevorsteht. Ein anderer hätte womöglich nicht die Kraft oder den Willen gehabt, das auszuhalten. Ein anderer Ehemann hätte mich womöglich verlassen. Ich starrte in mein Gesicht, als wollte ich mir das Bild ins Gehirn brennen, um es dicht unter der Oberfläche zu halten, so dass es mir morgen beim Aufwachen nicht so fremd ist, so erschreckend. Als es völlig verschwunden war, wandte ich mich von mir ab und stieg ins Badewasser.

Ich schlief ein. Ich träumte nicht – zumindest glaubte ich nicht, dass ich geträumt hatte –, doch als ich wach wurde, war ich verwirrt. Ich war in einem anderen Badezimmer, das Wasser noch warm, ein Klopfen an der Tür. Ich schlug die Augen auf und erkannte nichts. Der Spiegel war schlicht und schmucklos, an weißen Fliesen verschraubt statt an blauen. Ein Duschvorhang hing von einer Stange über mir, zwei Gläser standen umgedreht auf einem Regal über dem Waschbecken, und neben der Toilette war ein Bidet.

Ich hörte eine Stimme. »Ich komme«, sagte sie, und ich merkte, dass es meine war. Ich setzte mich in der Wanne auf und blickte zu der verriegelten Tür. Zwei Bademäntel hingen an Haken an der Wand gegenüber, beide weiß, identisch, bestickt mit dem Monogramm R. G. H. Ich stand auf.

»Nun komm endlich!«, ertönte eine Stimme von außerhalb der Tür. Es klang wie Ben, aber gleichzeitig auch nicht wie Ben. Die Stimme wurde zu einem Singsang. »Komm endlich! Komm endlich, komm endlich, komm endlich!«

»Wer ist da?«, sagte ich, aber die Stimme hörte nicht auf. Ich stieg aus der Wanne. Der Boden war gefliest, schwarzweiß, diagonal. Er war nass, ich spürte, wie ich ausrutschte, meine Füße, meine Beine nachgaben. Ich stürzte zu Boden, riss den Duschvorhang ab und auf mich drauf. Im Fallen stieß ich mir den Kopf am Waschbecken. Ich schrie: »Hilfe!«

Dann wachte ich richtig auf, und eine andere, anders klingende Stimme rief mich. »Christine! Chris! Ist alles in Ordnung?«, rief sie, und erleichtert begriff ich, dass es Ben war und ich geträumt hatte. Ich öffnete die Augen. Ich lag in einer Wanne, meine Kleidung gefaltet auf einem Stuhl daneben, Fotos von meinem Leben auf die blauen Fliesen über dem Waschbecken geklebt.

»Ja«, sagte ich. »Alles in Ordnung. Ich hab bloß schlecht geträumt.«

Ich stieg aus der Wanne, aß zu Abend und verschwand dann wieder nach oben ins Bett. Ich wollte schreiben, alles notieren, was ich erfahren hatte, bevor es wieder verschwand. Ich war nicht sicher, ob die Zeit dafür reichen würde, ehe Ben ins Bett kam.

Aber was sollte ich anderes tun? Ich habe heute so viel Zeit mit Schreiben verbracht, dachte ich. Da muss er doch misstrauisch werden, sich fragen, was ich so lange mache, oben, allein. Ich sage ihm ständig, ich bin müde, ich muss mich hinlegen, und er hat mir geglaubt.

Ich kann nicht behaupten, dass ich kein schlechtes Gewissen hätte. Ich habe ihn gehört, wie er durchs Haus schleicht, Türen ganz leise öffnet und schließt, um mich nicht aufzuwecken, während ich über mein Tagebuch gebeugt sitze und wie wild schreibe. Aber ich habe keine Wahl. Ich muss diese Dinge festhalten. Das scheint mir fast wichtiger als alles andere, weil ich sie sonst für immer verliere. Ich muss weiter unter irgendwelchen Vorwänden Zeit für mein Tagebuch herausschinden.

»Ich glaube, ich schlafe diese Nacht mal im Gästezimmer«, habe ich heute Abend gesagt. »Ich bin aufgewühlt. Verstehst du?«

Er hat ja gesagt und dass er am nächsten Morgen nach mir sehen würde, bevor er zur Arbeit geht, sich vergewissern, dass ich wohlauf bin. Dann hat er mir einen Gutenachtkuss gegeben. Ich höre ihn jetzt, wie er den Fernseher ausmacht, die Haustür abschließt. Uns einschließt. Es wäre bestimmt nicht gut für mich, draußen herumzulaufen. Nicht in meinem Zustand.

Ich kann nicht glauben, dass ich in wenigen Augenblicken, wenn ich einschlafe, wieder alles über meinen Sohn vergessen werde. Die Erinnerungen an ihn waren so real, so lebendig – sind es noch immer. Und ich habe mich auch noch an ihn erinnert, nachdem ich in der Wanne eingedöst war. Es kommt mir schier unvorstellbar vor, dass ein längerer Schlaf das alles auslöschen wird, doch Ben und Dr. Nash sagen, dass genau das passiert.

Darf ich hoffen, dass sie sich täuschen? Ich erinnere mich jeden Tag an mehr, weiß nach dem Aufwachen mehr darüber, wer ich bin. Vielleicht bin ich auf einem guten Weg, vielleicht hilft mir dieses Tagebuch, meine Erinnerungen an die Oberfläche zu holen.

Vielleicht ist heute der Tag, auf den ich irgendwann als den Tag des großen Durchbruchs zurückblicken werde. Es wäre möglich.

Ich bin jetzt müde. Gleich werde ich den Stift beiseitelegen, dann das Tagebuch verstecken und das Licht ausmachen. Schlafen. Beten, dass ich mich morgen beim Aufwachen noch an meinen Sohn erinnern kann.

Donnerstag, 15. November

Ich war im Bad. Ich wusste nicht, wie lange ich da gestanden und einfach nur geschaut hatte. Diese vielen Fotos von mir und Ben, auf denen wir glücklich lächelten, wo wir doch eigentlich zu dritt hätten sein müssen. Ich starrte darauf, reglos, als glaubte ich, dass dann Adams Bild auftauchen könnte, durch reine Willenskraft. Aber es passierte nicht. Er blieb unsichtbar.

Ich war ohne jede Erinnerung an ihn aufgewacht. Nicht die geringste. Ich glaubte, Mutterschaft wäre für mich noch Zukunftsmusik, strahlend und beunruhigend. Selbst nachdem ich mein nicht mehr junges Gesicht gesehen und erfahren hatte, dass ich verheiratet war, alt genug, um bald Enkelkinder zu haben – selbst nachdem mich diese Erkenntnisse regelrecht umgehauen hatten –, war ich nicht auf das Tagebuch gefasst, das ich im Kleiderschrank aufbewahrte, wie ich von Dr. Nash erfuhr, als er anrief. Ich rechnete nicht mit der Entdeckung, dass ich auch Mutter bin. Dass ich ein Kind geboren habe.

Ich hielt das Tagebuch in der Hand. Sobald ich es las, wusste ich, dass es stimmt. Ich habe ein Kind bekommen. Ich spürte es, fast so, als wäre es noch bei mir, in meinen Poren. Ich las es wieder und wieder, versuchte, es mir ganz fest einzuprägen.

Und dann las ich weiter und erfuhr, dass mein Sohn tot ist. Es kam mir unwirklich vor. Unmöglich. Mein Herz wehrte sich gegen dieses Wissen, versuchte, es zurückzuweisen, obwohl ich wusste, dass es wahr ist. Mir wurde schlagartig übel. Galle stieg mir in die Kehle, und als ich sie runterschluckte, geriet der Raum um mich herum ins Wanken. Einen Moment lang war mir, als würde ich nach vorn auf den Boden kippen. Das Tagebuch rutschte mir vom Schoß, und ich unterdrückte einen Schmerzensschrei. Ich stand auf, zwang mich vorwärts, aus dem Schlafzimmer hinaus.

Ich ging ins Bad, um mir erneut die Fotos anzusehen, auf denen er sein müsste. Ich war verzweifelt, wusste nicht, was ich machen sollte, wenn Ben nach Hause kam. Ich stellte mir vor, wie er hereinkam, mir einen Kuss gab, das Abendessen zubereitete, ich sah uns, wie wir zusammen am Tisch saßen und aßen. Und dann würden wir fernsehen oder was wir sonst so abends machen, und die ganze Zeit würde ich so tun müssen, als wüsste ich nicht, dass ich einen Sohn verloren habe. Und dann würden wir ins Bett gehen, zusammen, und dann –

Es war mehr, als ich ertragen konnte. Ich konnte mich nicht bremsen. Ohne recht zu wissen, was ich da tat, griff ich nach den Fotos, zog sie ab, riss sie herunter. Im Nu waren sie überall. In meinen Händen. Verstreut auf dem Fliesenboden. Schwammen im Wasser der Toilettenschüssel.

Ich schnappte mir dieses Tagebuch und schob es in meine Handtasche. Mein Portemonnaie war leer, daher nahm ich einen der beiden Zwanzig-Pfund-Scheine, die hinter der Uhr auf dem Kaminsims versteckt waren, wie ich gelesen hatte, und rannte aus dem Haus. Ich wusste nicht, wohin ich sollte. Ich wollte zu Dr. Nash, aber ich wusste nicht, wo seine Praxis war oder wie ich dorthin kommen sollte, selbst wenn ich es wüsste. Ich fühlte mich hilflos. Allein. Und so lief ich einfach los.

Auf der Straße bog ich nach links, Richtung Park. Es war ein sonniger Nachmittag. Das orangefarbene Licht spiegelte sich auf den parkenden Autos und in den Pfützen, die vom morgendlichen Regen zurückgeblieben waren, aber es war kalt. Meine Atemwolken umhüllten mich. Ich zog den Mantel enger, den Schal über die Ohren, und eilte weiter. Blätter fielen von den Bäumen, wehten im Wind, häuften sich als brauner Matsch im Rinnstein.

Ich trat vom Bürgersteig. Bremsenquietschen. Ein Auto kam knirschend zum Stehen. Eine Männerstimme, gedämpft, hinter Glas.

Pass doch auf!, blaffte der Mann. *Blöde Kuh!*

Ich sah auf. Ich stand mitten auf der Straße, vor mir ein abgewürgter Wagen, dessen Fahrer wütend schimpfte. Ich hatte eine Vision, ich, Metall auf Knochen, ein Aufprall, ein Krümmen, und dann rutschte ich über die Kühlerhaube des Wagens oder darunter, lag da, ein zerschmettertes Knäuel, das Ende eines ruinierten Lebens.

Konnte es wirklich so einfach sein? Würde eine zweite Kollision das beenden, was durch die erste begonnen hatte, vor so vielen Jahren? Ich habe das Gefühl, schon seit zwanzig Jahren tot zu sein, aber muss das Ganze wirklich so enden?

Wer würde mich vermissen? Mein Mann. Ein Arzt, vielleicht, doch für ihn bin ich nur eine Patientin. Aber sonst gibt es niemanden. Ist mein Freundeskreis so klein geworden? Haben meine Freunde mich im Stich gelassen, einer nach dem anderen? Wie schnell ich vergessen sein werde, sollte ich sterben.

Ich sah den Mann in dem Wagen an. Er oder jemand wie er hatte mir das angetan. Mir alles geraubt. Mich sogar meiner selbst beraubt. Doch da war er, noch quicklebendig.

Noch nicht, dachte ich. *Noch nicht*. Wie immer mein Leben auch enden sollte, so wünschte ich es mir jedenfalls nicht. Ich dachte an den Roman, den ich geschrieben hatte, an das Kind, das ich großgezogen hatte, sogar an die Feuerwerksparty mit meiner besten Freundin vor vielen Jahren. Ich habe noch immer Erinnerungen ans Licht zu bringen. Dinge zu entdecken. Meine eigene Wahrheit zu finden.

Ich formte lautlos das Wort *Entschuldigung* mit den Lippen, lief rasch auf die andere Straßenseite, durch ein Tor und in den Park.

Eine Hütte stand mitten auf dem Rasen. Ich ging hinein und kaufte mir einen Kaffee, setzte mich dann draußen auf eine Bank und wärmte mir die Hände an dem Styroporbecher. Gegenüber war ein Spielplatz. Eine Rutsche, Schaukeln, ein Karussell. Ein kleiner Junge saß auf einem Sitz, der die Form eines Marienkäfers hatte und mit einer dicken Sprungfeder am Boden befestigt war. Ich sah zu, wie er vor und zurück wippte, in einer Hand ein Eis, trotz der Kälte.

Urplötzlich hatte ich eine Vision von mir und einem anderen kleinen Mädchen im Park. Ich sah uns beide zu einem Holzkäfig hochklettern, aus dem wir auf einer Metallrutsche nach unten gleiten konnten. Wie hoch mir das vorgekommen war, damals, doch jetzt, als ich auf den Spielplatz schaute, sah ich, dass es nicht viel höher gewesen sein konnte, als ich groß bin. Wir machten unsere Sachen schmutzig und wurden von unseren Müttern ausgeschimpft, und wenn wir nach Hause hüpften, hielten wir Tüten mit Süßigkeiten oder orangegelben Kartoffelchips in der Hand.

War das eine Erinnerung? Oder Erfindung?

Ich sah dem Jungen zu. Er war allein. Der Park schien ansonsten menschenleer. Nur wir beide, in der Kälte, unter einem nun dunkel verhangenen Himmel. Ich trank einen Schluck Kaffee.

»Hallo!«, rief der Junge. »Hallo! Tante!«

Ich sah auf, blickte dann nach unten auf meine Hände.

»Hallo!« Er rief lauter. »Tante! Hilf mir mal! Schubs mich an!«

Er stand auf und lief zu dem Karussell. »Anschubsen!«, sagte er. Er versuchte, das Metallgerät in Bewegung zu setzen, doch trotz der Anstrengung, die sich in seinem Gesicht zeigte, brachte er es kaum von der Stelle. Er gab auf und blickte enttäuscht. »Bitte?«, sagte er.

»Du schaffst das schon!«, rief ich. Seine Enttäuschung wurde noch größer. Ich nippte wieder an meinem Kaffee. Ich würde hier warten, beschloss ich, bis seine Mutter zurückkam, von woher auch immer. Ich würde auf ihn aufpassen.

Er kletterte auf das Karussell, stellte sich genau in die Mitte. »Schubs mich doch!«, sagte er wieder. Seine Stimme war leiser. Flehend. Ich wünschte, ich wäre nicht hergekommen, wünschte ihn fort. Ich fühlte mich der Welt fern. Unnatürlich. Gefährlich. Ich dachte an die Fotos, die ich von der Wand gerissen und im Bad verstreut liegen gelassen hatte. Ich war hergekommen, weil ich meine Ruhe haben wollte. Nicht das.

Ich sah den Jungen an. Er versuchte jetzt wieder, sich selbst anzuschubsen, doch er kam von der Plattform kaum mit den Füßen an den Boden. Er sah so zerbrechlich aus. Hilflos. Ich ging zu ihm rüber.

»Du musst mich anstoßen!«, sagte er. Ich stellte meinen Kaffee auf den Boden und lächelte.

»Halt dich fest!«, sagte ich. Ich drückte mein Gewicht gegen die Stange. Das Karussell war erstaunlich schwer, aber ich spürte, wie es nachgab, und schließlich schob ich es im Laufschritt mit, bis es richtig in Fahrt kam. »Los geht's!«, sagte ich. Ich setzte mich auf den Rand der Plattform.

Er strahlte vor Begeisterung, umklammerte die Metallstange mit beiden Händen, als würden wir uns wesentlich schneller drehen, als es tatsächlich der Fall war. Seine Hände sahen kalt aus, fast blau. Er trug eine grüne Jacke, die viel zu dünn aussah, eine Jeans, die unten umgeschlagen war. Ich fragte mich, wer ihn ohne Handschuhe oder Schal oder Mütze nach draußen geschickt hatte.

»Wo ist denn deine Mummy?«, fragte ich. Er zuckte mit den Schultern. »Und dein Daddy?«

»Weiß nicht«, sagte er. »Mummy sagt, Daddy ist weg. Sie sagt, er hat uns nicht mehr lieb.«

Ich sah ihn an. Er hatte das ohne eine Spur von Schmerz oder Enttäuschung gesagt. Für ihn war es eine schlichte Feststellung. Einen Moment lang schien das Karussell völlig still zu stehen, als würde die Welt sich um uns beide drehen statt wir uns in ihr.

»Deine Mummy hat dich doch ganz bestimmt lieb, oder?«, fragte ich.

Er schwieg einige Sekunden lang. »Manchmal«, sagte er.

»Aber manchmal nicht?«

Er zögerte. »Ich glaub schon.« Ich spürte ein Dröhnen in der Brust, als würde sich irgendetwas herumwälzen. Oder erwachen. »Sie sagt das. Manchmal.«

»Das ist traurig«, sagte ich. Ich sah die Bank, auf der ich gesessen hatte, auf uns zukommen, dann zurückweichen. Wir drehten uns, immer im Kreis.

»Wie heißt du?«, fragte ich.

»Alfie«, sagte er.

Wir wurden langsamer, die Welt kam hinter seinem Kopf zum Stillstand. Meine Füße berührten den Boden, und ich stieß uns ab, brachte uns wieder in Schwung. Ich sagte seinen Namen vor mich hin. *Alfie.*

»Mummy sagt manchmal, sie wäre besser dran, wenn ich woanders leben würde«, sagte er.

Ich bemühte mich, weiter zu lächeln, meine Stimme heiter klingen zu lassen. »Das meint sie doch bestimmt nicht ernst, oder?«

Er zuckte die Achseln.

Mein ganzer Körper spannte sich an. Ich sah mich, wie ich ihn fragte, ob er gern mit mir mitkommen würde. Zu mir nach Hause. Um bei mir zu leben. Ich stellte mir vor, wie sein Gesicht aufleuchten würde, noch während er sagte, er solle nicht mit Fremden mitgehen. *Aber ich bin doch keine Fremde*, würde ich sagen. Ich würde ihn hochheben – er würde schwer sein und süß riechen, wie Schokolade –, und zusammen würden wir in das Café gehen. *Was für einen Saft möchtest du?*, würde ich sagen, und er würde sich einen Apfelsaft wünschen. Ich würde ihm ein Glas kaufen und obendrein ein paar Süßigkeiten, und dann würden wir den Park verlassen. Auf dem Weg zurück nach Hause, zurück zu dem Haus, in dem ich zusammen mit meinem Mann wohnte, würde er meine Hand halten, und am Abend würde ich ihm Fleisch kleinschneiden und Kartoffeln zerstampfen, und wenn er dann seinen Pyjama angezogen hätte, würde ich ihm eine Geschichte vorlesen, bevor ich seinen schlafenden Körper warm zudeckte und ihm einen Kuss oben auf den Kopf gab. Und morgen –

Morgen? Ich habe kein Morgen, dachte ich. Genau wie ich kein Gestern habe.

»Mummy!«, rief er. Einen Moment lang dachte ich, er meinte mich, aber er sprang von dem Karussell und lief in Richtung Café.

»Alfie!«, rief ich ihm nach, doch dann sah ich eine Frau auf uns zukommen, in jeder Hand einen Plastikbecher.

Sie ging in die Hocke, als er bei ihr war. »Alles klar, Tiger?«, sagte sie, als er die Arme um sie schlang. Dann blickte sie auf, an ihm vorbei, zu mir herüber. Ihre Augen wurden schmal, ihr Gesichtsausdruck hart. *Ich hab nichts Unrechtes getan!*, wollte ich rufen. *Lassen Sie mich in Ruhe!*

Aber ich tat es nicht. Stattdessen schaute ich woanders hin, und dann, nachdem sie mit Alfie weggegangen war, sprang ich vom Karussell. Der Himmel wurde jetzt dunkel, färbte sich tintenblau. Ich setzte mich auf eine Bank. Ich wusste nicht, wie spät es war oder wie lange ich schon unterwegs war. Ich wusste nur, dass ich nicht nach Hause konnte, noch nicht. Ich konnte Ben nicht gegenübertreten. Ich fand den Gedanken unerträglich, so tun zu müssen, als wüsste ich nichts von Adam, als hätte ich keine Ahnung, dass ich ein Kind gehabt hatte. Einen Moment lang wollte ich ihm alles erzählen. Von meinem Tagebuch. Von Dr. Nash. Alles. Doch ich verdrängte den Gedanken gleich wieder. Ich wollte nicht nach Haus, konnte aber auch nirgendwo anders hin.

Als der Himmel schwarz wurde, stand ich auf und ging los.

Das Haus lag im Dunkeln. Ich wusste nicht, was mich erwarten würde, als ich die Haustür öffnete. Ben würde mich vermissen. Er hatte gesagt, er wäre um fünf wieder zu Hause. Ich malte mir aus, wie er nervös im Wohnzimmer auf und ab schritt – aus irgendeinem Grund ergänzte meine Phantasie diese Szene um eine brennende Zigarette, obwohl ich ihn heute Morgen nicht hatte rauchen sehen –, oder vielleicht war er nicht da, fuhr die Straßen ab und suchte nach mir. Ich stellte mir Suchtrupps von Polizisten und Freiwilligen vor, die mit einem fotokopierten Bild von mir die Häuser abklapperten, und hatte Gewissensbisse. Ich versuchte, mich damit zu beruhigen, dass ich, auch wenn ich keine Erinnerungen hatte, kein Kind mehr war, keine Vermisste, noch nicht, trotzdem lag mir eine Entschuldigung auf der Zunge, als ich die Haustür hinter mir schloss.

Ich rief: »Ben?«, und obwohl keine Antwort kam, nahm ich eine Bewegung wahr, spürte sie mehr, als dass ich sie hörte. Ein knarrendes Dielenbrett, irgendwo über mir, eine fast unmerkliche Verschiebung in der Ruhe des Hauses. Ich rief erneut, diesmal lauter: »Ben?«

»Christine?«, ertönte eine Stimme. Sie klang schwach, brüchig.

»Ben«, sagte ich. »Ben, ich bin's. Ich bin wieder da.«

Er tauchte oben an der Treppe auf. Er sah aus, als hätte er geschlafen. Er trug noch die Sachen, die er am Morgen zur Arbeit angezogen hatte, doch jetzt war sein Hemd zerknittert und hing lose aus der Hose, und seine Haare standen kreuz und quer, was seine verstörte Miene irgendwie komisch unterstrich, als wäre er elektrisch aufgeladen. Eine Erinnerung schwebte durch mich hindurch – Physikunterricht und Van-de-Graaff-Generatoren –, drang aber nicht an die Oberfläche.

Er kam die Treppe herunter auf mich zu. »Chris, du bist zu Hause!«

»Ich … ich musste ein bisschen frische Luft schnappen«, sagte ich.

»Gott sei Dank«, sagte er. Er kam zu mir und nahm meine Hand. Er ergriff sie, als wollte er sie schütteln oder sich vergewissern, dass sie real war, bewegte sie aber nicht. »Gott sei Dank!«

Er sah mich mit großen, leuchtenden Augen an. Sie glitzerten im gedämpften Licht, als hätte er geweint. *Wie sehr er mich liebt*, dachte ich. Meine Schuldgefühle verstärkten sich.

»Es tut mir leid«, sagte ich. »Ich wollte nicht —«

Er fiel mir ins Wort. »Ach, lass uns nicht mehr darüber reden, ja?«

Er hob meine Hand an seine Lippen. Sein Gesichtsausdruck veränderte sich, wechselte zu Freude, dann Glück. Alle Spuren von Besorgnis waren verschwunden. Er küsste mich.

»Aber —«

»Jetzt bist du wieder da. Das ist die Hauptsache.« Er schaltete das Licht an und strich sich dann das Haar halbwegs glatt. »Schön!«, sagte er und stopfte sein Hemd in die Hose. »Wie wär's, wenn du dich ein bisschen frisch machst? Und dann, dachte ich, können wir ausgehen. Was hältst du davon?«

»Lieber nicht«, sagte ich. »Ich —«

»Ach, Christine. Bitte! Du siehst aus, als könntest du ein bisschen Abwechslung gebrauchen!«

»Wirklich, Ben«, sagte ich. »Mir ist nicht danach.«

»Bitte, ja?«, sagte er. Er nahm wieder meine Hand, drückte sie sanft. »Es würde mir viel bedeuten.« Er nahm auch meine andere Hand und hielt sie beide zwischen seine. »Ich weiß nicht, ob ich es dir heute Morgen gesagt habe. Heute ist mein Geburtstag.«

Was sollte ich tun? Ich hatte keine Lust, auszugehen. Aber andererseits hatte ich auch zu nichts anderem Lust. Ich sagte, ich würde mich frisch machen, wie er vorgeschlagen hatte, und dann sehen, wie ich mich fühlte. Ich ging nach oben. Seine Stimmung hatte mich verunsichert. Er hatte so besorgt gewirkt, doch sobald er mich sicher und wohlauf gesehen hatte, war diese Besorgnis verflogen. Liebte er mich wirklich so sehr? Vertraute er mir so sehr, dass ihn allein meine Sicherheit interessierte, nicht, wo ich gewesen war?

Ich ging ins Bad. Vielleicht hatte er nicht gesehen, dass die Fotos überall herumlagen, und glaubte wirklich, ich hätte einen Spaziergang gemacht. Es blieb mir noch Zeit, meine Spuren zu verwischen. Meinen Zorn zu verbergen und meinen Schmerz.

Ich schloss die Tür hinter mir ab. Ich schaltete das Licht an. Der Boden war sauber. Dort, ordentlich angeordnet um den Spiegel herum, als wären sie nie entfernt worden, klebten die Fotos, jedes wieder an seinem Platz.

Ich hatte Ben gesagt, ich wäre in einer halben Stunde fertig. Ich setzte mich ins Schlafzimmer und schrieb das hier, so schnell ich konnte.

Freitag, 16. November

Ich weiß nicht, was danach geschah. Was habe ich gemacht, nachdem Ben mir erzählt hatte, er habe Geburtstag? Nachdem ich nach oben gegangen war und festgestellt hatte, dass die Fotos wieder an Ort und Stelle hingen? Ich weiß es nicht. Vielleicht habe ich geduscht und mich schick angezogen, vielleicht sind wir ausgegangen, in ein Restaurant, ins Kino. Ich kann es nicht sagen. Ich habe es nicht aufgeschrieben und ich erinnere mich nicht, obwohl es erst ein paar Stunden her ist. Wenn ich Ben nicht frage, ist es völlig verschwunden. Ich habe das Gefühl, ich werde wahnsinnig.

Heute Morgen, in aller Frühe, bin ich neben ihm aufgewacht. Er war wieder ein Fremder. Das Zimmer war dunkel, still. Ich lag da, starr vor Furcht, wusste weder, wer noch wo ich war. Mein einziger Gedanke war, wegzulaufen, zu fliehen, aber ich konnte mich nicht bewegen. Mein Kopf fühlte sich an wie ausgehöhlt, leer, doch dann trieben Worte an die Oberfläche. Ben. Ehemann. Gedächtnis. Unfall. Tod. Sohn.

Adam.

Sie hingen vor mir, wurden scharf und wieder unscharf. Ich konnte sie nicht miteinander verknüpfen. Wusste nicht, was sie bedeuteten. Sie wirbelten mir durch den Kopf wie ein Echo, ein Mantra, und dann fiel mir der Traum wieder ein, der Traum, von dem ich wach geworden sein musste.

Ich war in einem Zimmer, in einem Bett. In meinen Armen war ein Körper, ein Mann. Er lag auf mir, schwer, mit breitem Rücken. Ich fühlte mich sonderbar, eigenartig, mein Kopf zu leicht, mein Körper zu schwer, der Raum schwankte unter mir, und als ich die Augen aufschlug, konnte ich die Decke nicht klar sehen.

Ich wusste nicht, wer der Mann war – sein Kopf lag zu dicht an meinem, so dass ich sein Gesicht nicht sehen konnte –, aber ich konnte alles spüren, sogar die Haare auf seiner Brust, rau an meinen nackten Brüsten. Ich hatte einen Geschmack auf der Zunge, pelzig, süß. Er küsste mich. Er war zu grob; ich wollte, dass er aufhörte, aber ich sagte nichts. »Ich liebe dich«, murmelte er, und seine Worte verloren sich in meinem Haar, in der Beuge meines Halses. Ich wusste, dass ich etwas sagen wollte – obwohl ich nicht wusste, was –, aber mir war nicht klar, wie ich das machen sollte. Mein Mund hatte anscheinend keine Verbindung zu meinem Gehirn, und so lag ich da, während er mich küsste und in mein Haar sprach. Ich erinnerte mich, dass ich ihn gewollt hatte und zugleich gehofft, dass er aufhörte, dass ich mir vorgenommen hatte, nicht mit ihm zu schlafen, als er anfing mich zu küssen, doch seine Hand war an der Wölbung meines Rückens hinab zu meinem Po geglitten, und ich hatte es zugelassen. Und als er meine Bluse hochgeschoben hatte und seine Hand darunterglitt, dachte ich wieder: *Weiter lass ich dich aber nicht gehen. Ich halte dich nicht auf, nicht jetzt, denn ich genieße es. Weil deine Hand sich warm anfühlt auf meiner Brust, weil mein Körper mit kleinen lustvollen Schaudern reagiert. Weil ich mich zum ersten Mal wie eine Frau fühle. Aber ich werde nicht mit dir schlafen. Nicht heute Nacht. Weiter werden wir nicht gehen, auf gar keinen Fall.* Und dann hatte er mir die Bluse ausgezogen und den BH geöffnet, und es war nicht seine Hand auf meiner Brust, sondern sein Mund, und ich dachte noch immer, ich würde ihn stoppen, bald. Das Wort *Nein* hatte sogar schon begonnen, sich zu formen, verankerte sich fest in meinem Kopf, doch als ich es schließlich aussprach, hatte er mich schon nach hinten auf das Bett gedrückt und schob meinen Slip herunter, und das Nein hatte sich in etwas anderes verwandelt, in etwas, das ich vage als lustvolles Stöhnen erkannte.

Ich spürte etwas zwischen meinen Knien. Es war hart. »Ich liebe dich«, sagte er wieder, und ich begriff, dass es sein Knie war, dass er mit einem Bein meine Beine auseinanderdrückte. Ich wollte es nicht zulassen, doch gleichzeitig wusste ich, dass ich es zulassen sollte, dass ich zu lange gewartet hatte, sah förmlich, wie meine Chancen, etwas zu sagen, dem hier Einhalt zu gebieten, nacheinander verschwanden. Und jetzt hatte ich keine andere Wahl. Dann wollte ich es, als er seine Hose geöffnet und unbeholfen seine Unterwäsche abgestreift hatte, und deshalb musste ich es jetzt wohl immer noch wollen, wo ich unter seinem Körper lag.

Ich versuchte, mich zu entspannen. Er bäumte sich auf und stöhnte – ein wilder, erschreckender Laut, der tief aus seinem Innern kam –, und ich sah sein Gesicht. Ich erkannte es nicht, nicht in meinem Traum, aber jetzt wusste ich Bescheid. Ben. »Ich liebe dich«, sagte er, und mir war klar, dass ich etwas sagen sollte, dass er mein Mann war, obgleich ich meinte, ihn an dem Morgen zum ersten Mal gesehen zu haben. Ich konnte ihn zurückhalten. Ich konnte darauf vertrauen, dass er sich selbst zurückhielt.

»Ben, ich –«

Er brachte mich mit seinem nassen Mund zum Schweigen, und ich spürte, wie er in mich hineinstieß. Schmerz oder Lust. Ich konnte nicht sagen, wo das eine aufhörte und das andere begann. Ich klammerte mich an seinen Rücken, feucht vor Schweiß, und versuchte, mich ihm zu öffnen, versuchte zunächst, zu genießen, was geschah, und dann, als ich merkte, dass es nicht ging, versuchte ich, es zu ignorieren. *Ich hab es ja so gewollt*, dachte ich, und gleichzeitig, *Ich hab es nie gewollt*. Ist es möglich, etwas gleichzeitig zu wollen und nicht zu wollen? Dass Begehren und Furcht Hand in Hand gehen?

Ich schloss die Augen. Ich sah ein Gesicht. Einen Fremden mit dunklem Haar, Bart. Eine Narbe zog sich über seine Wange. Er kam mir bekannt vor, und doch konnte ich nicht sagen, woher. Vor meinen Augen verschwand sein Lächeln, und in diesem Moment schrie ich auf, in meinem Traum. Das war der Augenblick, als ich wach wurde und merkte, dass ich in einem stillen, leisen Bett lag, neben Ben, und keine Ahnung hatte, wo ich war.

Ich stand auf. Um auf die Toilette zu gehen? Zu fliehen? Ich wusste nicht, wohin ich wollte, was ich tun würde. Wenn ich irgendwie von der Existenz meines Tagebuchs gewusst hätte, hätte ich die Kleiderschranktür geöffnet, so leise wie möglich, und den Schuhkarton herausgenommen, in dem es sich befand, aber ich wusste es nicht. Und so ging ich nach unten. Die Haustür war verschlossen, das Mondlicht fiel bläulich durch das Milchglas. Ich merkte, dass ich nackt war.

Ich setzte mich unten auf die Treppe. Die Sonne ging auf, die Diele färbte sich von blau zu dunkelorange. Nichts ergab einen Sinn; der Traum am allerwenigsten. Er kam mir zu real vor, und ich war in demselben Bett aufgewacht wie dem in dem Traum, neben einem Mann, mit dem ich nicht gerechnet hatte.

Und jetzt, jetzt, wo ich nach Dr. Nashs Anruf das Tagebuch gelesen habe, bildet sich ein Gedanke. *Könnte es eine Erinnerung gewesen sein?* Eine Erinnerung, die ich von der Nacht zuvor behalten hatte?

Ich weiß es nicht. Falls ja, dann ist das ein Zeichen dafür, dass ich Fortschritte mache, schätze ich. Aber es bedeutet auch, dass Ben sich mir aufgezwungen hat, und, schlimmer noch, dass ich, während er das tat, einen bärtigen Fremden gesehen habe, mit einer Narbe im Gesicht. Es kommt mir grausam vor, dass ich von allen möglichen Erinnerungen ausgerechnet diese bewahrt habe.

Aber vielleicht hat es ja auch nichts zu bedeuten. Es war bloß ein Traum. Bloß ein Albtraum. Ben liebt mich, und der bärtige Fremde existiert nicht.

Aber wie kann ich mir dessen je sicher sein?

Später traf ich mich mit Dr. Nash. Wir saßen in seinem Auto an einer roten Ampel, Dr. Nash trommelte mit den Fingern auf dem Lenkrad, nicht ganz im Takt mit der Musik aus dem CD-Player – Popmusik, die ich weder kannte noch mochte –, während ich geradeaus blickte. Ich hatte ihn heute Morgen angerufen, gleich nachdem ich mein Tagebuch gelesen und meinen Traum aufgeschrieben hatte, der eine Erinnerung gewesen sein könnte. Ich musste mit jemandem sprechen – die Neuigkeit, dass ich Mutter gewesen war, hatte sich wie ein winziger Riss in meinem Leben angefühlt, und jetzt drohte er sich auszuweiten, es zu zerfetzen. Dr. Nash hatte vorgeschlagen, unsere wöchentliche Sitzung auf heute vorzuverlegen. Er hatte mich gebeten, mein Tagebuch mitzubringen. Ich hatte ihm nicht erzählt, was los war, wollte damit warten, bis wir in seiner Praxis waren, doch jetzt wusste ich nicht, ob ich das schaffen würde.

Die Ampel sprang auf Grün. Er hörte mit der Trommelei auf und fuhr mit einem Ruck wieder an.

»Warum erzählt Ben mir nicht von Adam?«, hörte ich mich sagen. »Ich verstehe das nicht. Warum?«

Er warf mir einen Blick zu, sagte aber nichts. Wir fuhren ein Stück weiter. Ein Plastikhund, der im Auto vor uns auf der Kofferraumablage saß, nickte komisch mit dem Kopf, und dahinter konnte ich das blonde Haar eines kleinen Jungen sehen. Ich dachte an Alfie.

Dr. Nash hustete. »Erzählen Sie mir, was passiert ist.«

Dann stimmte es also. Irgendwie hatte ich gehofft, er würde fragen, wovon ich eigentlich rede, doch sobald ich das Wort Adam ausgesprochen hatte, war mir klargeworden, wie vergeblich die Hoffnung gewesen war, wie töricht. Adam fühlt sich real an. Er existiert, in mir, in meinem Bewusstsein, nimmt Raum ein wie kein anderer. Nicht wie Ben oder Dr. Nash. Nicht einmal wie ich selbst.

Ich wurde wütend. Er hatte es die ganze Zeit gewusst.

»Und Sie«, sagte ich. »Sie haben mir meinen Roman gegeben. Wieso haben Sie kein Wort von Adam gesagt?«

»Christine«, sagte er. »Erzählen Sie mir, was passiert ist.«

Ich starrte geradeaus. »Ich hatte eine Erinnerung«, sagte ich. Er warf mir einen Seitenblick zu. »Im Ernst?« Ich sagte nichts. »Christine«, sagte er. »Ich will Ihnen helfen.«

Ich erzählte es ihm. »Es war neulich«, sagte ich. »Als Sie mir meinen Roman gegeben haben. Ich habe mir das Foto angesehen, auf dem Zeitungsausschnitt, den Sie beigelegt hatten, und plötzlich konnte ich mich an den Tag erinnern, als es gemacht wurde. Ich kann nicht sagen, warum. Es ist mir einfach so eingefallen. Und ich konnte mich erinnern, dass ich schwanger war.«

Er sagte nichts.

»Sie wussten von ihm?«, sagte ich. »Von Adam?«

Er sprach langsam. »Ja«, sagte er. »Ich wusste es. Es steht in Ihrer Akte. Er war ein paar Jahre alt, als Sie Ihr Gedächtnis verloren.« Er stockte. »Außerdem haben wir schon mal über ihn gesprochen.«

Ich spürte, wie mir kalt wurde. Ich fröstelte, trotz der Wärme im Auto. Ich wusste, dass es möglich war, sogar wahrscheinlich, dass ich mich vorher schon an Adam erinnert hatte, aber diese nackte Wahrheit – dass ich das alles schon mal durchgemacht hatte und es folglich wieder durchmachen würde – erschütterte mich.

Er schien meine Verblüffung zu spüren.

»Vor ein paar Wochen«, sagte er. »Sie haben mir erzählt, Sie hätten ein Kind gesehen, auf der Straße. Einen kleinen Jungen. Zuerst hatten Sie das überwältigende Gefühl, ihn zu kennen, dass er sich verirrt hatte, aber nach Hause kam, zu Ihnen, und dass Sie seine Mutter wären. Dann ist es Ihnen wieder eingefallen. Sie haben es Ben erzählt, und er hat Ihnen von Adam erzählt. Später am selben Tag haben Sie es mir erzählt.«

Ich konnte mich an nichts davon erinnern. Ich machte mir klar, dass er nicht über eine Fremde sprach, sondern über mich.

»Aber seitdem haben Sie mir nicht von ihm erzählt?«

Er seufzte. »Nein –«

Plötzlich erinnerte ich mich daran, was ich heute Morgen gelesen hatte, von den Bildern, die sie mir bei dem MRT gezeigt hatten.

»Ich habe Fotos von ihm gesehen!«, sagte ich. »In dem MRT-Tunnel! Fotos ...«

»Ja«, sagte er. »Aus Ihrer Akte.«

»Aber Sie haben ihn nicht erwähnt! Wieso? Ich versteh das nicht.«

»Christine, Sie müssen sich klarmachen, dass ich Ihnen nicht zu Beginn jeder Sitzung alles erzählen kann, was ich weiß und Sie nicht. Außerdem fand ich in diesem Fall, dass es für Sie nicht unbedingt von Vorteil wäre.«

»Von Vorteil?«

»Nein. Ich wusste, es würde Sie sehr aufwühlen, von Ihrem Sohn zu erfahren und dass Sie ihn vergessen haben.«

Wir fuhren in eine Tiefgarage. Das sanfte Tageslicht verschwand, wurde ersetzt durch grelles Neonlicht und den Geruch nach Benzin und Beton. Ich fragte mich, was er mir aus Gründen seines Berufsethos sonst noch alles verschwieg, was für Zeitbomben sonst noch in meinem Kopf ticken, kurz vor der Explosion.

»Hab ich noch mehr –?«, sagte ich.

»Nein«, fiel er mir ins Wort. »Sie hatten nur Adam. Er war Ihr einziges Kind.«

War. Dann wusste Dr. Nash also auch, dass Adam tot war. Ich wollte nicht fragen, wusste aber, dass ich keine Wahl hatte.

Ich zwang mich zu sprechen. »Sie wissen, dass er getötet wurde?«

Er parkte den Wagen und stellte den Motor ab. Die Tiefgarage lag im Halbdunkel, war nur an den Stellen erhellt, wo Neonlampen hingen, und es war still. Ich hörte nichts außer einem gelegentlichen Türenknallen, dem Rattern eines Aufzugs. Einen

Moment dachte ich, es gäbe noch eine Chance. Vielleicht irrte ich mich. Adam war am Leben. Der Gedanke beschwingte mich. Adam war mir so real erschienen, als ich heute Morgen von ihm las, sein Tod dagegen kam mir noch immer nicht real vor. Ich versuchte, mir vorzustellen oder mich zu erinnern, wie das gewesen sein musste, als mir die Nachricht von seinem Tod überbracht wurde, doch es gelang mir nicht. Es kam mir nicht richtig vor. Ich hätte doch von Trauer überwältigt sein müssen. Jeder Tag hätte erfüllt sein müssen von Schmerz, von Sehnsucht, von dem Wissen, dass ein Teil von mir gestorben ist und ich nie wieder ganz sein werde. Die Liebe zu meinem Sohn müsste doch so stark sein, dass ich mich an meinen Verlust erinnern könnte. Wenn er wirklich tot wäre, dann müsste meine Trauer doch eine noch größere Kraft sein als meine Amnesie.

Ich begriff, dass ich meinem Mann nicht glaubte. Ich glaubte nicht, dass mein Sohn tot war. Einen Moment lang hing mein Glück in der Schwebe, doch dann sprach Dr. Nash.

»Ja«, sagte er. »Ich weiß es.«

Die Spannung entlud sich in mir wie eine winzige Explosion, schlug in das Gegenteil von Freude um. In etwas Schlimmeres als Enttäuschung. In etwas Zerstörerisches, durchsetzt von Schmerz.

»Wie …?«, war alles, was ich herausbrachte.

Er erzählte mir die gleiche Geschichte wie Ben. Adam, als Soldat in Afghanistan. Eine Bombe am Straßenrand. Ich hörte zu, entschlossen, die Kraft zu finden, nicht zu weinen. Als er fertig war, trat Stille ein, ein Moment des Schweigens, dann legte er seine Hand auf meine.

»Christine«, sagte er. »Es tut mir so leid.«

Ich wusste nicht, was ich sagen sollte. Ich sah ihn an. Er beugte sich zu mir. Ich schaute auf seine Hand, die meine bedeckte und ganz verkratzt war. Ich sah ihn bei sich zu Hause vor mir. Wie er mit einem Kätzchen spielte, vielleicht mit einem kleinen Hund. Ein normales Leben führte.

»Mein Mann erzählt mir nicht von Adam«, sagte ich. »Er bewahrt alle Fotos von ihm in einer verschlossenen Metallschatulle auf. Zu meinem eigenen Schutz.« Dr. Nash sagte nichts. »Warum macht er das?«

Er blickte zum Fenster hinaus. Ich sah das Wort *Fotze* auf die Wand vor mir gesprüht. »Ich möchte Ihnen die gleiche Frage stellen. Was glauben *Sie*, warum er das macht?«

Ich überlegte. Ich dachte an alle Gründe, die mir einfielen. Damit er mich kontrollieren kann. Macht über mich hat. Damit er mir genau das vorenthalten kann, das mir das Gefühl geben könnte, vollständig zu sein. Ich merkte, dass ich nichts davon für möglich hielt. Mir blieben bloß die banalen Tatsachen. »Ich vermute, es ist einfacher für ihn. Es mir nicht zu erzählen, wenn ich mich sowieso nicht erinnern kann.«

»Warum ist es einfacher für ihn?«

»Weil es mich so fertigmacht? Es muss entsetzlich sein, mir das tagtäglich aufs Neue erzählen zu müssen, nicht nur, dass ich einen Sohn hatte, sondern auch, dass er gestorben ist. Noch dazu auf so grässliche Art und Weise.«

»Fallen Ihnen noch andere Gründe ein?«

Ich schwieg, und dann begriff ich. »Na ja, es muss auch für ihn hart sein. Er war Adams Vater und, na ja …« Ich dachte daran, dass er nicht nur seine eigene Trauer bewältigen musste, sondern auch noch meine.

»Es ist schwer für Sie, Christine«, sagte er. »Aber Sie sollten sich klarmachen, dass es auch für Ben schwer ist. In gewisser Weise noch schwerer. Er liebt Sie sehr, denke ich, und −«

»− und ich kann mich nicht mal daran erinnern, dass es ihn gibt.«

»Genau«, sagte er.

Ich seufzte. »Ich muss ihn mal geliebt haben. Schließlich hab ich ihn geheiratet.« Er sagte nichts. Ich dachte an den Fremden, neben dem ich heute Morgen aufgewacht war, an die Fotos von unserem gemeinsamen Leben, die ich gesehen hatte, an den Traum – oder die Erinnerung –, den ich in der Nacht gehabt hatte. Ich dachte an Adam und Alfie, daran, was ich getan hatte oder überlegt hatte zu tun. Panik stieg in mir auf. Ich fühlte mich wie in der Falle, als gäbe es keinen Ausweg, und meine Gedanken jagten mal hierhin, mal dorthin, auf der Suche nach Freiheit und Unabhängigkeit.

Ben, dachte ich bei mir. *Ich kann mich an Ben klammern. Er ist stark.*

»Was für ein Chaos«, sagte ich. »Ich bin einfach überfordert.«

Er wandte sich mir wieder zu. »Ich wünschte, ich könnte irgendwas tun, um Ihnen das alles leichter zu machen.«

Er sah aus, als ob er es ehrlich meinte, als ob er tun würde, was in seiner Macht stand, um mir zu helfen. In seinen Augen lag etwas Zärtliches, auch in der Art, wie seine Hand auf meiner lag, und auf einmal, im Halbdunkel der Tiefgarage, fragte ich mich, was passieren würde, wenn ich meine Hand auf seine legte oder den Kopf leicht vorbeugte, ihm in die Augen blickte und dabei den Mund öffnete, nur ein klein wenig. Würde er sich auch vorbeugen? Würde er mich küssen wollen? Würde ich ihn lassen?

Oder würde er mich lächerlich finden? Absurd? Auch wenn ich heute Morgen nach dem Aufwachen dachte, ich wäre Mitte zwanzig, ich bin es nicht. Ich bin fast fünfzig. Beinahe alt genug, um seine Mutter zu sein. Also sah ich ihn stattdessen einfach nur an. Er saß völlig reglos da, sah mich an. Er wirkte stark. Stark genug, um mir zu helfen. Mich zu stützen.

Ich öffnete den Mund, um etwas zu sagen, ohne zu wissen, was, doch das gedämpfte Klingeln eines Telefons kam mir zuvor. Dr. Nash rührte sich nicht, außer dass er seine Hand wegnahm, und ich begriff, dass es mein Telefon sein musste.

Ich holte das klingelnde Telefon aus meiner Handtasche. Es war nicht das aufklappbare, sondern das, was mein Mann mir gegeben hatte. *Ben*, stand auf dem Display.

Beim Anblick seines Namens wurde mir bewusst, wie ungerecht ich war. Auch er hatte einen Sohn verloren. Und er musste damit leben, jeden Tag, ohne mit mir darüber reden zu können, ohne sich hilfesuchend an seine Frau wenden zu können.

Und er tat das alles aus Liebe.

Und ich saß hier, in einer Tiefgarage, mit einem Mann, von dessen Existenz er kaum wusste. Ich dachte an die Fotos, die ich am Morgen gesehen hatte, in dem Album. Ich und Ben, wieder und wieder. Lächelnd. Glücklich. Verliebt. Wenn ich jetzt nach Hause ginge und sie mir anschaute, würde ich auf ihnen vielleicht nur das sehen, was fehlte. Adam. Doch es sind dieselben Bilder, und wir blicken einander darauf an, als gäbe es niemanden sonst auf der Welt.

Wir hatten uns geliebt; das war offensichtlich.

»Ich ruf ihn später zurück«, sagte ich. Ich steckte das Telefon wieder ein. *Ich sag es ihm heute Abend*, dachte ich. *Das mit dem Tagebuch. Dr. Nash. Alles.*

Dr. Nash hüstelte. »Wir sollten nach oben in die Praxis gehen«, sagte er. »Und anfangen.«

»Natürlich«, sagte ich. Ich sah ihn nicht an.

* * *

Ich fing schon an, das hier zu schreiben, während Dr. Nash mich nach Hause fuhr. Vieles davon ist kaum lesbar, ein hastiges Gekritzel. Dr. Nash sagte nichts, während ich schrieb, doch ich sah, wie er herüberschielte, wenn ich nach dem richtigen Wort oder einer besseren Formulierung suchte. Ich fragte mich, was er wohl dachte – ehe wir seine Praxis verließen, hatte er mich um meine Einwilligung gebeten, meinen Fall auf einer Tagung vorzustellen, zu der er eingeladen war. »In Genf«, sagte er und konnte dabei einen Anflug von Stolz nicht verbergen. Ich gestattete es ihm, und ich stellte mir vor, dass er mich bald fragen würde, ob er mein Tagebuch fotokopieren dürfe. *Zu Forschungszwecken.*

Als wir bei mir zu Hause ankamen, verabschiedete er sich und fügte dann hinzu: »Ich bin erstaunt, dass Sie schon im Auto weitergeschrieben haben. Sie wirken sehr … entschlossen. Vermutlich wollen Sie nichts auslassen.«

Ich weiß, was er eigentlich meinte. Er meinte fanatisch. Verzweifelt. Von dem verzweifelten Drang beherrscht, alles zu Papier zu bringen.

Und er hat recht. Ich bin entschlossen. Kaum war ich im Haus, schrieb ich den Eintrag am Esstisch zu Ende, klappte das Tagebuch zu und legte es wieder in sein Versteck, ehe ich mich langsam auszog. Ben hatte mir eine Nachricht auf dem Telefon hinterlassen. *Lass uns heute Abend ausgehen*, hatte er gesagt. *Irgendwo schön essen. Es ist Freitag …*

Ich zog die marineblaue Leinenhose aus, die ich am Morgen im Kleiderschrank entdeckt hatte. Ich streifte die blassblaue Bluse ab, die ich ausgesucht hatte, weil sie farblich am besten dazu passte. Ich war verunsichert. Ich hatte Dr. Nash während unserer Sitzung mein Tagebuch gegeben – er hatte gefragt, ob er es lesen dürfe, und ich hatte es ihm erlaubt. Das war, bevor er seine Einladung nach Genf erwähnte, und jetzt überlege ich, ob er deshalb danach gefragt hat. »Das ist ausgezeichnet!«, hatte er gesagt, als er fertig war. »Wirklich gut. Sie erinnern sich an eine ganze Menge, Christine. Es kommen etliche Erinnerungen wieder. Ich sehe keinen Grund, warum das nicht so weitergehen sollte. Das sollte Sie wirklich ermutigen …«

Aber ich fühlte mich nicht ermutigt. Ich fühlte mich durcheinander. Hatte ich mit ihm geflirtet oder er mit mir? Er hatte seine Hand auf meine gelegt, aber ich hatte es zugelassen, meine Hand nicht weggenommen. »Sie sollten das Tagebuch unbedingt weiterführen«, sagte er, als er es mir zurückgab, und ich versprach, dass ich das tun würde.

Jetzt, im Schlafzimmer, versuchte ich, mir einzureden, dass ich nichts Falsches getan hatte. Ich hatte noch immer ein schlechtes

Gewissen. Weil ich es genossen hatte. Die Zuwendung, das Gefühl von Nähe. Für einen kurzen Moment hatte ich trotz allem, was vor sich ging, so etwas wie einen Funken Freude empfunden. Ich hatte mich attraktiv gefühlt. Begehrenswert.

Ich ging zu der Schublade mit der Unterwäsche. Dort, ganz hinten versteckt, fand ich einen schwarzen Seidenslip und einen dazu passenden BH. Ich zog beides an – diese Sachen, von denen ich weiß, dass sie mir gehören müssen, auch wenn ich nicht das Gefühl habe – und dachte dabei die ganze Zeit an mein Tagebuch im Kleiderschrank. Was würde Ben denken, wenn er es fände? Wenn er alles lesen würde, was ich geschrieben hatte, alles, was ich empfunden hatte? Würde er es verstehen?

Ich trat vor den Spiegel. Er würde es verstehen, sagte ich mir. Ich erkundete meinen Körper mit Augen und Händen. Ich erforschte ihn, fuhr mit den Fingern über seine Konturen und Rundungen, als wäre er etwas ganz Neues, ein Geschenk. Etwas, das ich von Grund auf kennenlernen musste.

Ich wusste zwar, dass Dr. Nash nicht mit mir geflirtet hatte, doch in der kurzen Zeitspanne, in der ich das gedacht hatte, hatte ich mich nicht alt gefühlt. Sondern lebendig.

Ich weiß nicht, wie lange ich so dastand. Für mich ist das Verstreichen der Zeit fast bedeutungslos. Jahre sind an mir vorbeigegangen, ohne eine Spur zu hinterlassen. Minuten existieren nicht. Allein das Schlagen der Uhr unten auf dem Kaminsims ist für mich ein Zeichen dafür, dass überhaupt Zeit vergeht. Ich betrachtete meinen Körper, die Schwere meiner Pobacken und Hüften, die dunklen Haare an den Beinen, unter den Armen. Ich fand einen Rasierer im Bad und seifte mir die Beine ein, zog dann die kalte Klinge über die Haut. Ich musste das schon einmal gemacht haben, dachte ich, vermutlich zahllose Male, dennoch kam es mir seltsam vor, leicht albern. Ich schnitt mich an der Wade – ein kleiner Schmerzstich, und dann quoll es glänzend rot hervor, der Blutstropfen zitterte, ehe er am Bein hinunterrann. Ich wischte ihn mit einem Finger weg, verschmierte das Blut wie Sirup, hob es an die Lippen. Der Geschmack von Seife und warmem Metall. Es gerann nicht. Ich ließ das Blut an der nun glatten Haut hinunterlaufen, wischte es dann mit einem feuchten Papiertuch weg.

Zurück im Schlafzimmer zog ich Strumpfhosen und ein enges schwarzes Kleid an. Ich wählte aus der Schatulle auf dem Frisiertisch eine goldene Halskette aus, dazu passende Ohrringe. Ich setzte mich an den Tisch und schminkte mich, machte mir Locken und sprühte Festiger ins Haar. Ich tupfte mir Parfüm auf die Handgelenke und hinter die Ohren. Und währenddessen schwebte die ganze Zeit eine Erinnerung durch mich hindurch. Ich sah mich, wie ich Strümpfe an meinen Beinen hochrollte, sie an einem Strumpfgürtel befestigte, einen BH anzog, aber ich war eine andere, in einem anderen Raum. Der Raum war still. Musik spielte, aber leise, und in der Ferne konnte ich Stimmen hören, Türen, die auf- und zugingen, schwaches Verkehrsrauschen. Ich fühlte mich gelassen und glücklich. Ich drehte mich zum Spiegel, musterte mein Gesicht im Kerzenschein. *Nicht schlecht*, dachte ich. *Wirklich nicht schlecht.*

Die Erinnerung blieb knapp außer Reichweite. Sie schimmerte unter der Oberfläche, und obwohl ich Einzelheiten sehen konnte, Bilder erhaschte, Augenblicke, lag sie zu tief, um zu erkennen, wohin sie führte. Ich sah eine Champagnerflasche auf einem Nachttisch. Zwei Gläser. Einen Strauß Blumen auf dem Bett, eine Karte. Ich sah, dass ich in einem Hotelzimmer war, allein, und auf den Mann wartete, den ich liebe. Ich hörte ein Klopfen, sah mich selbst, wie ich aufstand, zur Tür ging, doch dann war Schluss, als hätte ich ferngesehen und die Übertragung wäre plötzlich unterbrochen worden. Ich blickte auf und sah mich wieder in meinem Schlafzimmer zu Hause. Obwohl die Frau, die ich im Spiegel sah, eine Fremde war, deren Fremdheit durch das Make-up und die elegante Frisur noch ausgeprägter war, als sie es ohnehin schon sein musste, fühlte ich mich bereit. Wozu, konnte ich nicht sagen, aber ich fühlte mich bereit. Bereit für meinen Mann, den Mann, den ich geheiratet hatte, den Mann, den ich liebte.

Liebe, korrigierte ich mich. *Den Mann, den ich liebe.*

Ich hörte seinen Schlüssel im Schloss, die Tür aufgehen, das Abputzen von Schuhen auf der Matte. Ein Pfeifen? Oder war das mein Atem gewesen, hart und schwer?

Eine Stimme. »Christine? Christine, wo bist du?«

»Hier«, erwiderte ich. »Ich bin hier.«

Ein Husten, das Geräusch, wie er seinen Anorak aufhängte, seine Aktentasche abstellte.

Er rief nach oben. »Alles in Ordnung? Ich hab dich angerufen. Eine Nachricht hinterlassen.«

Das Knarren von Treppenstufen. Einen Moment lang dachte ich, er würde schnurstracks ins Bad gehen oder in sein Arbeitszimmer, ohne vorher zu mir hereinzuschauen, und ich kam mir albern vor, lächerlich, weil ich mich so zurechtgemacht hatte und in den Klamotten einer anderen auf meinen Ehemann wartete, mit dem ich seit wer weiß wie vielen Jahren verheiratet war. Am liebsten hätte ich die Sachen wieder ausgezogen, mich abgeschminkt und mich zurück in die Frau verwandelt, die ich bin, doch dann hörte ich ein Ächzen, als er einen Schuh auszog, dann den anderen, und mir wurde klar, dass er sich hingesetzt hatte, um seine Hausschuhe anzuziehen. Die Treppe knarrte erneut, und er kam ins Schlafzimmer.

»Liebling —«, begann er und verstummte. Sein Blick glitt über mein Gesicht, meinen Körper hinunter, wieder hoch zu meinen Augen. Ich konnte ihm nicht ansehen, was er dachte.

»Donnerwetter«, sagte er. »Du siehst —« Er schüttelte den Kopf.

»Ich hab das Kleid hier entdeckt«, sagte ich. »Ich dachte, ich werf mich ein bisschen in Schale. Schließlich ist Freitagabend. Wochenende.«

»Ja«, sagte er, noch immer an der Tür. »Ja. Aber …«

»Willst du nicht mehr ausgehen?«

Ich stand auf und ging zu ihm. »Küss mich«, sagte ich, und obwohl ich es nicht direkt geplant hatte, fand ich es irgendwie richtig, und so legte ich meine Arme um seinen Hals. Er roch nach Seife und Schweiß und Arbeit. Süß, wie Buntstifte. Eine Erinnerung schwebte durch mich hindurch – wie ich mit Adam auf dem Boden kniete, malte –, aber sie blieb nicht.

»Küss mich«, sagte ich wieder. Seine Hände umfassten meine Taille.

Unsere Lippen berührten sich. Streiften einander zunächst nur. Ein Gutenacht- oder Abschiedskuss, wie man sich in der Öffentlichkeit küsst oder die eigene Mutter. Ich zog meine Arme nicht zurück, und er küsste mich wieder. Genauso.

»Küss mich, Ben«, sagte ich. »Richtig.«

»Ben«, sagte ich, später. »Sind wir glücklich?«

Wir saßen in einem Restaurant, einem, in dem wir schon mal gewesen waren, wie er sagte, woran ich mich natürlich nicht erinnern konnte. Gerahmte Fotos von Leuten – zweitklassige Promis, wie ich vermutete – schmückten die Wände, und im hinteren Teil wartete ein offener Backofen auf Pizzen. Ich stocherte in dem Melonenteller vor mir herum. Ich konnte mich nicht erinnern, ihn bestellt zu haben.

»Ich meine«, fuhr ich fort. »Wir sind … wie lange verheiratet?«

»Warte mal«, sagte er. »Zweiundzwanzig Jahre.« Es klang unwahrscheinlich lang. Ich musste an die Vision vom Nachmittag denken, als ich mich fertig gemacht hatte. Blumen in einem Hotelzimmer. Ich kann da nur auf ihn gewartet haben.

»Sind wir glücklich?«

Er legte seine Gabel hin und trank einen Schluck von dem trockenen Weißwein, den er bestellt hatte. Eine Familie kam herein und setzte sich an den Nebentisch. Ein Elternpaar, schon älter, eine Tochter, in den Zwanzigern. Ben sprach.

»Wir lieben uns, wenn du das meinst. Ich liebe dich jedenfalls.«

Und das war mein Stichwort, mein Stichwort, ihm zu sagen, dass ich ihn auch liebte. Wenn Männer »Ich liebe dich« sagen, ist das immer eine Frage.

Aber was konnte ich sagen? Er ist ein Fremder. Liebe entsteht nicht innerhalb von vierundzwanzig Stunden, ganz gleich, wie gern ich das mal geglaubt hätte.

»Ich weiß, du liebst mich nicht«, sagte er. Ich sah ihn an, einen Moment lang schockiert. »Keine Angst. Ich verstehe deine Situation. Unsere Situation. Du erinnerst dich nicht daran, aber wir haben uns mal geliebt. Über alles. Wie in den ganz großen Liebesgeschichten, weißt du? Romeo und Julia, der ganze Mist.« Er versuchte zu lachen, wirkte aber hilflos. »Ich habe dich geliebt, und du hast mich geliebt. Wir waren glücklich, Christine. Sehr glücklich.«

»Bis zu meinem Unfall.«

Bei dem Wort zuckte er zusammen. Hatte ich zu viel gesagt? Ich hatte mein Tagebuch gelesen, aber hatte er mir heute von dem Unfall mit Fahrerflucht erzählt? Ich wusste es nicht, aber egal, für jemanden in meiner Situation war ein *Unfall* ja wohl eine naheliegende Vermutung. Ich beschloss, mir deswegen keine Sorgen zu machen.

»Ja«, sagte er traurig. »Bis dahin. Wir waren glücklich.«

»Und jetzt?«

»Jetzt? Ich wünschte, die Situation wäre anders, aber ich bin nicht unglücklich, Chris. Ich liebe dich. Ich würde mir keine andere Frau wünschen.«

Und ich?, dachte ich. *Bin ich glücklich?*

Ich sah zum Nebentisch hinüber. Der Vater hielt sich eine Brille vor die Augen und schielte auf die laminierte Speisekarte, während seine Frau den Hut der Tochter zurechtrückte und ihr den Schal abnahm. Die junge Frau saß da, ohne zu helfen, blickte leer, den Mund leicht geöffnet. Ihre rechte Hand zuckte unter dem Tisch. Ein Faden Speichel hing ihr am Kinn. Ihr Vater bemerkte, dass ich sie anschaute, und ich blickte weg, sah wieder meinen Mann an, zu hastig, um den Anschein zu erwecken, ich hätte nicht gestarrt. Sie waren das sicher gewohnt − dass Leute wegschauten, eine Sekunde zu spät.

Ich seufzte. »Ich wünschte, ich könnte mich erinnern, was passiert ist.«

»Was passiert ist?«, sagte er. »Wieso?«

Ich dachte an all die anderen Erinnerungen, die ich gehabt hatte. Sie waren kurz gewesen, flüchtig. Sie waren jetzt weg. Verschwunden. Aber ich hatte sie aufgeschrieben; ich wusste, dass sie da gewesen waren − noch immer da waren, irgendwo. Sie waren nur verlorengegangen.

Ich war sicher, dass es einen Schlüssel geben musste, eine Erinnerung, die alle anderen aufschloss.

»Ich meine bloß, wenn ich mich an meinen Unfall erinnern könnte, dann würde ich mich vielleicht auch an andere Dinge erinnern. Vielleicht nicht an alles, aber doch an genug. Unsere Hochzeit zum Beispiel, unsere Flitterwochen. Nicht mal daran kann ich mich erinnern.« Ich trank von meinem Wein. Beinahe hätte ich den Namen unseres Sohnes ausgesprochen, ehe mir gerade noch rechtzeitig einfiel, dass Ben ja nicht wusste, dass ich von ihm gelesen hatte. »Allein morgens aufzuwachen und mich daran zu erinnern, wer ich bin, das wäre schon etwas.«

Ben verschränkte die Finger, stützte das Kinn auf die geballten Fäuste. »Die Ärzte haben gesagt, das würde nicht passieren.«

»Aber sie wissen es nicht, oder? Nicht mit Sicherheit? Sie könnten sich irren.«

»Das bezweifele ich.«

Ich stellte mein Glas hin. Er irrte sich. Er dachte, es wäre alles verlorengegangen, dass meine Vergangenheit komplett verschwunden wäre. Vielleicht war jetzt der richtige Moment, um ihm von den erhaschten Augenblicken zu erzählen, die ich noch immer hatte, von Dr. Nash. Meinem Tagebuch. Von allem.

»Aber dann und wann erinnere ich mich an etwas«, sagte ich. Er blickte überrascht. »Ich glaube, es kommt so einiges zurück, in Erinnerungsblitzen.«

Er löste seine Hände. »Wirklich? Was denn so?

»Ach, kommt drauf an. Manchmal nichts Großartiges. Bloß sonderbare Gefühle, Empfindungen. Visionen. Ein bisschen wie Träume, aber sie kommen mir zu real vor, um ausgedacht zu sein.« Er sagte nichts. »Das müssen Erinnerungen sein.«

Ich wartete, rechnete damit, dass er nachhakte, wissen wollte, was ich alles gesehen hatte und woher ich überhaupt wusste, was für Erinnerungen ich gehabt hatte.

Aber er schwieg. Er sah mich bloß weiter traurig an. Ich dachte an die Erinnerungen, die ich aufgeschrieben hatte, die eine, in der er mir in der Küche unseres ersten Hauses Wein angeboten hatte. »Ich hatte eine Vision von dir«, sagte ich. »Viel jünger …«

»Was hab ich gemacht?«, fragte er.

»Nicht viel«, erwiderte ich. »Bloß in der Küche gestanden.« Ich dachte an die junge Frau, ihre Mutter und ihren Vater, die ein paar Schritte entfernt saßen. Meine Stimme senkte sich zu einem Flüstern. »Mich geküsst.«

Da lächelte er.

»Ich dachte, wenn ich fähig bin, *eine* Erinnerung zu haben, dann bin ich vielleicht auch fähig, noch viel mehr zu haben –«

Er griff über den Tisch und nahm meine Hand. »Aber die Sache ist die, morgen kannst du dich nicht mehr an die Erinnerung erinnern. Das ist das Problem. Du hast kein Fundament, auf das du aufbauen kannst.«

Ich seufzte. Es stimmt, was er sagte. Ich kann nicht für den Rest meines Lebens alles aufschreiben, was ich erlebe, wenn ich es auch noch jeden Tag lesen muss.

Ich sah wieder zu der Familie am Nebentisch hinüber. Die junge Frau löffelte sich unbeholfen Minestrone in den Mund, bekleckerte das Stofflätzchen, das ihre Mutter ihr umgebunden hatte. Ich konnte das Leben der Eltern sehen, gefangen in der Rolle von Betreuern, einer Rolle, von der sie gedacht hatten, dass sie sie schon seit Jahren nicht mehr ausfüllen müssten.

Wir sind genauso, dachte ich. Auch ich muss mit dem Löffel gefüttert werden. Und mir wurde eines klar: Ganz ähnlich wie die beiden ihre Tochter liebt Ben mich auf eine Art, die ich nie erwidern kann.

Dennoch, vielleicht waren wir ja doch anders. Vielleicht bestand noch Hoffnung für uns.

»Möchtest du, dass ich wieder gesund werde?«, fragte ich.

Er blickte überrascht. »Christine«, sagte er. »Bitte …«

»Vielleicht könnte ich mir ja Hilfe suchen? Bei einem Arzt?«

»Das haben wir schon versucht −«

»Aber vielleicht bringt es ja diesmal was? Es werden ständig Fortschritte gemacht, auf allen Gebieten. Vielleicht gibt es eine neue Behandlungsmethode? Etwas, was wir ausprobieren könnten?«

Er drückte meine Hand. »Christine, es gibt keine. Glaub mir. Wir haben alles versucht.«

»Was?«, sagte ich. »Was haben wir versucht?«

»Chris, bitte. Nicht −«

»Was haben wir versucht?«, sagte ich. »Was?«

»Alles«, sagte er. »Alles. Du weißt nicht, wie das war.« Er blickte beklommen. Seine Augen huschten von links nach rechts, als rechnete er mit einem Schlag und wüsste nicht, aus welcher Richtung er kommen würde. Ich hätte die Frage auf sich beruhen lassen können, tat es aber nicht.

»Wie, Ben? Ich muss das wissen. Wie war es?«

Er sagte nichts.

»Erzähl's mir!«

Er hob den Kopf und schluckte schwer. Er blickte erschrocken, das Gesicht rot, die Augen weit aufgerissen. »Du lagst im Koma«, sagte er. »Alle dachten, du würdest sterben. Aber ich nicht. Ich wusste, dass du stark warst, dass du durchkommen würdest. Ich wusste, du würdest wieder wach werden. Und dann, eines Tages, rief das Krankenhaus an, und sie sagten, du wärst aufgewacht. Die hielten das für ein Wunder, aber ich wusste, dass es keins war. Du warst zu mir zurückgekommen, meine Chris. Du warst benommen. Durcheinander. Du wusstest nicht, wo du warst, und du konntest dich überhaupt nicht an den Unfall erinnern, aber du hast mich erkannt, und deine Mutter, obwohl du nicht so richtig wusstest, wer wir waren. Die Ärzte meinten, es bestände kein Grund zur Besorgnis, ein vorübergehender Gedächtnisverlust wäre ganz normal nach einem so schweren Unfall, das würde sich aber wieder geben. Doch dann –« Er zuckte mit den Schultern, sah nach unten auf die Serviette, die er in den Händen hielt. Einen Moment lang dachte ich, er würde nicht weitersprechen.

»Dann was?«

»Na ja, dein Zustand schien sich zu verschlechtern. Eines Tages wusstest du nicht mehr, wer ich war, als ich hereinkam. Du hast gedacht, ich wäre ein Arzt. Und dann hast du auch vergessen, wer du bist. Du wusstest weder deinen Namen, noch in welchem Jahr du geboren bist. Nichts mehr. Sie stellten fest, dass du auch keine neuen Erinnerungen bilden konntest. Sie haben Tests gemacht, MRTs. Alles. Aber es hat nichts genützt. Sie sagten, der Unfall hätte einen Gedächtnisverlust verursacht. Einen permanenten. Es gäbe keine Heilung, nichts, was sie tun könnten.«

»Nichts? Sie haben nichts versucht?«

»Nein. Sie meinten, entweder dein Gedächtnis würde zurückkommen oder nicht, und dass die Wahrscheinlichkeit, dass es jemals wiederkäme, immer geringer würde, je länger sich keine Besserung einstellte. Mir haben sie gesagt, ich könnte nichts anderes tun, als gut für dich sorgen. Und das habe ich seitdem versucht.« Er nahm meine beiden Hände, streichelte meine Finger, streifte das harte Metall meines Eherings.

Er beugte sich vor, bis sein Kopf nur wenige Zentimeter von

meinem entfernt war. »Ich liebe dich«, flüsterte er, doch ich konnte nichts erwidern, und wir aßen unser Essen schweigend zu Ende. Ich spürte einen Groll in mir anwachsen. Wut. Er wirkte so fest davon überzeugt, dass mir nicht zu helfen war. So unerschütterlich. Plötzlich hatte ich keine Lust mehr, ihm von meinem Tagebuch zu erzählen oder von Dr. Nash. Ich wollte meine Geheimnisse zumindest noch ein Weilchen für mich behalten. Irgendwie, so fand ich, waren sie das Einzige, von dem ich sagen konnte, dass es wirklich mir gehörte.

* * *

Wir kamen nach Hause. Ben machte sich einen Kaffee, und ich ging ins Bad. Dort schrieb ich, so viel ich konnte, vom vergangenen Tag auf, zog mich dann aus und schminkte mich ab. Ich schlüpfte in meinen Bademantel. Wieder ging ein Tag zu Ende. Bald werde ich schlafen, und mein Gehirn wird alles wieder löschen. Morgen werde ich alles wieder neu durchmachen.

Ich erkannte, dass ich kein Ziel habe. Wie denn auch. Ich will mich einfach nur ganz normal fühlen. Will ein Leben wie alle anderen, in dem Erfahrungen auf Erfahrungen aufbauen, und jeder Tag den nächsten formt. Ich möchte mich entwickeln, Dinge lernen und aus ihnen lernen. Dort, im Badezimmer, dachte ich daran, wie mein Alter aussehen würde. Ich versuchte, es mir vorzustellen. Werde ich mit siebzig oder achtzig morgens nach dem Aufwachen immer noch denken, ich stünde am Anfang meines Lebens? Werde ich aufwachen, ohne zu ahnen, dass meine Knochen alt, meine Gelenke steif und schwer sind? Ich kann mir nicht vorstellen, wie ich es verkraften soll, wenn ich feststelle, dass mein Leben hinter mir liegt, bereits gelebt wurde, ohne irgendetwas, das davon zeugt. Kein Haus voller Erinnerungen, kein Erfahrungsschatz, keine Lebensweisheiten, die ich weitergeben könnte. Was sind wir denn, wenn nicht eine Ansammlung von Erinnerungen? Wie werde ich mich fühlen, wenn ich in den Spiegel schaue und das Gesicht meiner Großmutter sehe? Ich weiß es nicht, aber ich darf mir nicht erlauben, jetzt darüber nachzudenken.

Ich hörte Ben ins Schlafzimmer gehen. Ich konnte das Tagebuch also nicht mehr im Kleiderschrank verstecken, daher legte ich es unter meine ausgezogenen Sachen auf den Stuhl neben der Wanne. *Ich werde es später holen*, dachte ich, *sobald er schläft*. Ich machte das Licht aus und ging ins Schlafzimmer.

Ben saß im Bett und schaute mich an. Ich sagte nichts, legte mich aber neben ihn. Ich sah, dass er nackt war. »Ich liebe dich, Christine«, sagte er und fing dann an, mich zu küssen, auf den Hals, die Wange, die Lippen. Sein Atem war warm und roch nach Knoblauch. Ich wollte nicht, dass er mich küsste, aber ich schob ihn nicht weg. *Ich bin schließlich selbst schuld*, dachte ich. Indem ich dieses blöde Kleid angezogen habe, mich geschminkt und Parfüm aufgelegt, gesagt habe, er soll mich küssen, ehe wir ausgingen.

Ich wandte mich ihm zu und erwiderte seine Küsse, obwohl ich es nicht wollte. Ich versuchte, mir vorzustellen, wie wir beide in dem Haus waren, das wir frisch gekauft hatten, wie wir uns auf dem Weg ins Schlafzimmer die Kleider vom Leib rissen und unser ungekochtes Mittagessen in der Küche verdarb. Ich sagte mir, dass ich ihn damals geliebt haben musste – warum hätte ich ihn sonst geheiratet? – und dass deshalb auch kein Grund bestand, warum ich ihn jetzt nicht mehr lieben sollte. Ich sagte mir, dass das, was ich tat, wichtig war, ein Ausdruck von Liebe und Dankbarkeit, und als seine Hand meine Brust fand, bremste ich ihn nicht, sondern sagte mir, dass es ganz natürlich war, normal. Ich bremste ihn auch nicht, als seine Hand zwischen meine Beine glitt, sich auf meine Scham legte, und als ich später, viel später, anfing, leise zu stöhnen, wusste nur ich, dass es nichts damit zu tun hatte, was er tat. Es hatte nicht das Geringste mit Lust zu tun, sondern mit Angst. Angst wegen dem, was ich sah, als ich die Augen schloss.

Ich, in einem Hotelzimmer. Demselben, das ich gesehen hatte, als ich mich früher am Abend ausgehfertig gemacht hatte. Ich sehe die Kerzen, den Champagner, die Blumen. Ich höre das Klopfen an der Tür, sehe, wie ich das Glas hinstelle, aus dem ich getrunken habe, aufstehe, um die Tür zu öffnen. Ich bin aufgeregt, voller Vorfreude, die Luft ist voller Verheißung. Sex und Erlösung. Ich greife nach der Türklinke, umschließe sie, kalt und hart. Ich atme tief ein. Endlich wird alles gut.

Dann eine Lücke. Eine Leerstelle in meiner Erinnerung. *Die Tür geht auf, schwingt in meine Richtung, aber ich kann nicht sehen, wer dahinter steht.* Hier, im Bett mit meinem Mann, brach Panik über mich herein, wie aus dem Nichts. »Ben!«, rief ich, doch er hörte nicht auf, schien mich nicht einmal zu hören. »Ben!«, sagte ich wieder. Ich schloss die Augen und klammerte mich an ihn. Ich trudelte zurück in die Vergangenheit.

Er ist im Zimmer. Hinter mir. Dieser Mann, wie kann er es wagen? Ich drehe mich um, sehe aber nichts. Schmerz, brennend. Druck auf meiner Kehle. Ich kann nicht atmen. Er ist nicht mein Mann, nicht Ben, doch seine Hände sind auf mir, überall, seine Hände und sein Fleisch, bedecken mich. Ich versuche zu atmen, schaffe es aber nicht. Mein Körper, zitternd, zermalmt, verwandelt sich in nichts, in Asche und Luft. Wasser, in meiner Lunge. Ich öffne die Augen und sehe nichts als Blutrot. Ich werde sterben, hier, in diesem Hotelzimmer. Lieber Gott, denke ich. Das hier hab ich nicht gewollt. Das hier ist nicht meine Schuld. Irgendwer muss mir helfen. Irgendwer muss kommen. Ich habe einen schrecklichen Fehler gemacht, ja, aber diese Strafe habe ich nicht verdient. Ich habe es nicht verdient zu sterben.

Ich spüre, wie ich verschwinde. Ich möchte Adam sehen. Ich möchte meinen Mann sehen. Aber sie sind nicht da. Niemand ist da, bloß ich und dieser Mann, dieser Mann, der seine Hände um meine Kehle hat.

Ich rutsche. Tiefer und tiefer. In die Dunkelheit. Ich darf nicht schlafen. Ich darf nicht schlafen. Ich. Darf. Nicht. Schlafen.

Die Erinnerung endete jählings, ließ eine entsetzliche, hohle Leere zurück. Meine Augen öffneten sich flatternd. Ich war wieder zu Hause, im Bett, mein Mann in mir. »Ben!«, rief ich, aber es war zu spät. Mit kleinen, gedämpften Grunzlauten ejakulierte er. Ich klammerte mich an ihn, hielt ihn, so fest ich konnte, und dann, nach einem Augenblick, küsste er meinen Hals und sagte wieder, dass er mich liebte, und dann: »Chris, du weinst ja …«

Die Schluchzer kamen haltlos. »Was ist denn?«, fragte er. »Hab ich dir weh getan?«

Was konnte ich sagen? Ich zitterte, während mein Verstand versuchte zu verarbeiten, was er gesehen hatte. Ein Hotelzimmer voller Blumen. Champagner und Kerzen. Ein Fremder mit seinen Händen um meinen Hals.

Was konnte ich sagen? Ich konnte bloß noch heftiger weinen und ihn wegschieben und dann warten. Warten, bis er schlief und ich mich aus dem Bett schleichen konnte, um alles aufzuschreiben.

Samstag – 2.07 Uhr

Ich kann nicht schlafen. Ben ist oben im Bett, und ich schreibe das hier in der Küche. Er denkt, ich trinke eine Tasse Kakao, die er eben für mich gemacht hat. Er denkt, ich komme bald wieder ins Bett.

Das werde ich, aber erst, wenn ich alles aufgeschrieben habe.

Das Haus ist jetzt still und dunkel, doch zuvor schien alles irgendwie von Leben erfüllt. Intensiver. Ich hatte mein Tagebuch im Kleiderschrank versteckt und war wieder ins Bett gekrochen, nachdem ich aufgeschrieben hatte, was ich beim Sex gesehen hatte, doch ich war noch immer unruhig. Ich konnte das Ticken der Uhr unten hören, ihre Schläge zur vollen Stunde, Bens leises Schnarchen. Ich konnte den Druck der Bettdecke auf der Brust spüren, sah das Leuchten des Weckers neben mir. Ich drehte mich auf die Seite und schloss die Augen. Ich sah immerzu mich selbst, Hände, die mir die Kehle zudrückten, die Luft abschnürten. Ich hörte immerzu meine eigene Stimme, gellend. Ich werde sterben.

Ich dachte an mein Tagebuch. Würde es helfen, noch mehr zu schreiben? Es noch einmal zu lesen? Konnte ich es wirklich aus seinem Versteck holen, ohne dass Ben wach wurde?

Er lag da, kaum sichtbar im Dunkeln. *Du belügst mich*, dachte ich. Ich weiß es. Weil es stimmt. Er lügt in Bezug auf meinen Roman, in Bezug auf Adam. Und jetzt bin ich sicher, dass auch seine

Erklärung, wie alles passiert ist, wie ich in dieser Gefangenschaft gelandet bin, gelogen ist.

Am liebsten hätte ich ihn wachgerüttelt, ihn angeschrien: *Warum? Warum erzählst du mir, ich wäre auf einer eisglatten Straße von einem Auto überfahren worden?* Ich fragte mich, wovor er mich wohl schützt. Wie schlimm die Wahrheit sein mag.

Und was ich sonst noch alles nicht weiß …

Meine Gedanken schweiften von meinem Tagebuch zu der Metallschatulle, in der Ben die Fotos von Adam aufbewahrt. *Vielleicht finden sich darin ja weitere Antworten*, dachte ich. *Vielleicht finde ich die Wahrheit.*

Ich beschloss aufzustehen. Vorsichtig schlug ich die Bettdecke zurück, um meinen Mann nicht zu wecken. Ich holte das Tagebuch aus dem Versteck und schlich barfuß auf den Flur. Das Haus wirkte jetzt ganz anders, im bläulichen Glanz des Mondlichts. Starr und still.

Ich zog die Schlafzimmertür hinter mir zu, ein leises Schaben von Holz auf Teppich, ein zartes Klicken, als das Schloss einrastete. Gleich auf dem Flur überflog ich rasch, was ich geschrieben hatte. Ich las, dass Ben mir erzählt hatte, ich wäre von einem Auto überfahren worden. Ich las, dass er mir meinen Roman verschwiegen hatte. Ich las von unserem Sohn.

Ich musste ein Foto von Adam sehen. Aber wo sollte ich die Schatulle suchen? »Die bewahre ich oben auf«, hatte er gesagt. »Zur Sicherheit.« Das wusste ich. Ich hatte es aufgeschrieben. Aber wo genau? Im Gästezimmer? Im Arbeitszimmer? Wie sollte ich nach etwas suchen, von dem ich mich nicht erinnern konnte, es je gesehen zu haben?

Ich brachte rasch das Tagebuch wieder zurück und ging dann ins Arbeitszimmer, dessen Tür ich ebenfalls schloss. Mondlicht schien durchs Fenster, tauchte den Raum in einen gräulichen Schimmer. Ich traute mich nicht, Licht zu machen, durfte nicht riskieren, dass Ben mich dabei ertappte, wie ich hier herumschnüffelte. Er würde wissen wollen, wonach ich suchte, und was sollte ich ihm dann sagen? Was für einen Vorwand könnte ich ihm nennen? Es gäbe zu viele Fragen, auf die ich keine Antwort hätte.

Die Schatulle war aus Metall, hatte ich geschrieben, und grau. Ich sah zuerst auf dem Schreibtisch nach. Ein kleiner Computer mit einem unwahrscheinlich flachen Bildschirm, Kugelschreiber und Stifte in einem Becher, Papiere in ordentlichen Stapeln, ein Seepferdchen aus Keramik als Briefbeschwerer. Über dem Schreibtisch hing ein Wandplaner, übersät mit bunten Klebezetteln, Kreisen und Sternchen. Unter dem Schreibtisch standen eine Ledermappe und ein Papierkorb, beide leer, und daneben ein Aktenschrank.

Dort sah ich zuerst nach. Ich zog langsam, geräuschlos die obere Schublade auf. Sie war voll mit Unterlagen in Heftern, die mit *Haus, Arbeit, Finanzen* beschriftet waren. Hinter den Heftern fand ich ein Plastikfläschchen mit Tabletten, konnte im Halbdunkel jedoch den Namen nicht entziffern. Die zweite Schublade war voll mit Büromaterial – Schachteln, Notizblöcke, Stifte, Tipp-Ex –, und ich schloss sie leise wieder, ging dann in die Hocke, um die untere Schublade zu öffnen.

Ein Handtuch, oder eher eine Decke, schwer zu sagen in dem Dämmerlicht. Ich hob eine Ecke an, tastete darunter, berührte kaltes Metall. Ich nahm die Decke heraus. Darunter war die Metallschatulle, größer, als ich sie mir vorgestellt hatte, so groß, dass sie fast die ganze Schublade füllte. Ich hob sie an und stellte fest, dass sie auch schwerer war, als ich gedacht hatte, so dass sie mir fast aus den Händen gerutscht wäre, als ich sie heraushob und auf den Boden stellte.

Die Schatulle stand vor mir. Einen Moment lang wusste ich nicht, was ich jetzt machen sollte, ob ich sie überhaupt öffnen wollte. Was für neue Schrecken mochte sie enthalten? Wie die Erinnerung selbst barg sie womöglich Wahrheiten, die ich mir nicht mal ansatzweise vorstellen konnte. Ungeahnte Träume und unerwartetes Entsetzen. Ich hatte Angst. Doch diese Wahrheiten, so machte ich mir klar, sind alles, was ich habe. Sie sind meine Vergangenheit. Sie sind das, was mich zum Menschen macht. Ohne sie bin ich nichts. Nichts als ein Tier.

Ich atmete tief ein, mit geschlossenen Augen, und wollte den Deckel öffnen.

Er bewegte sich nicht. Ich versuchte es erneut, weil ich dachte, er würde klemmen, und dann ein weiteres Mal, ehe ich begriff. Die Schatulle war abgeschlossen. Ben hatte sie abgeschlossen.

Ich bemühte mich, ruhig zu bleiben, doch dann stieg Wut in mir auf, unaufhaltsam. Wie kam er dazu, diese Schatulle voller Erinnerungen einfach abzuschließen? Mir vorzuenthalten, was mir gehörte?

Der Schlüssel konnte nicht weit sein, da war ich sicher. Ich sah in der Schublade nach. Ich faltete die Decke auseinander und schüttelte sie aus. Ich stand auf, kippte die Kugelschreiber und Stifte aus dem Becher auf den Schreibtisch und schaute hinein. Nichts.

Verzweifelt durchsuchte ich die übrigen Schubladen, so gut das im Halbdunkel möglich war. Ich fand keinen Schlüssel und begriff, dass er Gott weiß wo sein konnte. Überall. Ich sank auf die Knie.

Ein Geräusch. Ein Knarren, so leise, dass ich erst dachte, es wäre mein eigener Körper. Doch dann ein anderes Geräusch. Atmen. Oder ein Seufzen.

Eine Stimme. Ben. »Christine?«, sagte er und dann lauter: »Christine?«

Was sollte ich tun? Ich hockte in seinem Arbeitszimmer, vor mir auf dem Boden die Metallschatulle, von der Ben glaubt, ich hätte keine Erinnerung daran. Panik ergriff mich. Eine Tür öffnete sich, das Licht im Flur ging an, erhellte den Spalt rings um die Tür. Er kam.

Ich reagierte rasch. Ich stellte die Schatulle zurück und knallte die Schublade zu. Schnell zu handeln war wichtiger, als lautlos zu sein.

»Christine?«, rief er wieder. Schritte auf dem Flur. »Christine, Schatz? Ich bin's, Ben.« Ich steckte die Stifte zurück in den Becher auf dem Schreibtisch und ließ mich zu Boden sinken. Die Tür ging auf.

Ich wusste nicht, was ich tun würde, bis ich es tat. Ich reagierte instinktiv, aus der tiefsten Tiefe meines Innersten.

»Hilfe!«, sagte ich, als er in der offenen Tür erschien. Seine Silhouette zeichnete sich gegen das Licht vom Flur ab, und einen Moment lang empfand ich das Grauen, das ich spielte, tatsächlich. »Bitte! Hilfe!«

Er schaltete das Licht an und kam auf mich zu. »Christine! Was hast du?«, sagte er. Er ging vor mir in die Hocke.

Ich wich zurück, weg von ihm, bis ich gegen die Wand unter dem Fenster stieß. »Wer sind Sie?«, sagte ich. Ich merkte, dass ich jetzt weinte, hysterisch zitterte. Ich griff nach der Wand hinter mir, packte den Vorhang, der über mir hing, als wollte ich mich dran hochziehen. Ben blieb, wo er war, auf der anderen Seite des Raumes. Er streckte mir eine Hand entgegen, als wäre ich gefährlich, ein wildes Tier.

»Ich bin es«, sagte er. »Dein Mann.«

»Mein was?«, sagte ich und dann: »Was ist los mit mir?«

»Du hast Amnesie«, sagte er. »Wir sind seit vielen Jahren verheiratet.« Und dann, während er mir die Tasse Kakao machte, die noch immer vor mir steht, ließ ich ihn alles erzählen. Von Anfang an, alles, was ich bereits wusste.

Sonntag, 18. November

Das passierte am Samstag in den frühen Morgenstunden. Heute ist Sonntag. Gegen Mittag. Ein ganzer Tag ist vergangen, ohne Aufzeichnungen. Vierundzwanzig Stunden, verloren. Vierundzwanzig Stunden, in denen ich alles glaubte, was Ben mir erzählt hatte. Nicht wusste, dass ich einen Roman geschrieben habe, dass ich einen Sohn hatte. Glaubte, dass es ein Unfall war, der mir meine Vergangenheit geraubt hat.

Vielleicht hat Dr. Nash, anders als heute, nicht angerufen, so dass ich das Tagebuch nicht lesen konnte. Oder vielleicht hat er angerufen, aber ich beschloss, es nicht zu lesen. Ein Frösteln durchläuft mich. Was würde passieren, wenn er eines Tages beschließt, nie mehr anzurufen? Ich würde das Tagebuch nie finden, nie lesen, nicht mal wissen, dass es existiert. Ich würde nichts über meine Vergangenheit erfahren.

Das wäre unvorstellbar. Ich weiß das jetzt. Mein Mann erzählt mir eine Version, wieso ich keine Erinnerungen habe, meine Gefühle eine ganz andere. Ich frage mich, ob ich Dr. Nash je gefragt habe, was passiert ist. Und selbst falls ja, kann ich glauben, was er sagt? Die einzige Wahrheit, die ich habe, steht in diesem Tagebuch.

Aufgeschrieben von mir. Das darf ich niemals vergessen. Aufgeschrieben von mir.

Ich denke an heute Morgen. Ich erinnere mich, dass die Sonne durch die Vorhänge knallte, mich jäh aufweckte. Meinen Augen, die sich flatternd öffneten, bot sich ein ungewöhnlicher Anblick, und ich war verwirrt. Doch obwohl mir bestimmte Ereignisse nicht mehr einfielen, hatte ich das Gefühl, auf eine reiche Vergangenheit zurückzuschauen, nicht bloß auf ein paar kurze Jahre. Und ich wusste, wenn auch undeutlich, dass in dieser Vergangenheit ein Kind vorkam, mein Kind. In diesem Sekundenbruchteil, ehe ich ganz bei Bewusstsein war, wusste ich, dass ich Mutter war. Dass ich ein Kind großgezogen hatte, dass mein Körper nicht mehr der einzige war, den ich zu nähren und zu schützen hatte.

Ich drehte mich um, spürte einen anderen Körper im Bett, einen Arm über meine Taille gelegt. Ich war nicht beunruhigt, sondern fühlte mich sicher. Glücklich. Je wacher ich wurde, desto mehr wurden die Bilder und Gefühle zu Wahrheit und Erinnerung. Zuerst sah ich meinen kleinen Jungen, sah mich, wie ich seinen Namen rief – Adam – und wie er auf mich zugelaufen kam. Und dann erinnerte ich mich an meinen Mann. An seinen Namen. Ich fühlte mich sehr verliebt. Ich lächelte.

Das friedliche Gefühl währte nicht lange. Ich sah den Mann neben mir an, und sein Gesicht war nicht das, was ich erwartet hatte. Einen Moment später begriff ich, dass ich den Raum, in dem ich geschlafen hatte, nicht kannte, mich nicht erinnern konnte, wie ich hergekommen war. Und dann schließlich wurde mir bewusst, dass ich mich an nichts deutlich erinnern konnte. Diese kurzen, unzusammenhängenden Fragmente waren nicht stellvertretend für meine Erinnerungen gewesen, sondern ihre Gesamtheit.

Ben erklärte es mir natürlich. Zumindest teilweise. Und dieses Tagebuch erklärte den Rest, nachdem Dr. Nash angerufen und ich es gefunden hatte. Ich hatte keine Zeit, es ganz zu lesen – ich hatte nach unten gerufen, ich hätte Kopfschmerzen, und dann auf die leisesten Bewegungen unten gelauscht, aus Sorge, Ben könnte jeden Moment mit einem Aspirin und einem Glas Wasser hoch-kommen –, und übersprang ganze Passagen. Aber ich habe genug gelesen. Das Tagebuch hat mir verraten, wer ich bin, wieso ich hier bin, was ich habe und was ich verloren habe. Es hat mir ver-raten, dass nicht alles verloren ist. Dass meine Erinnerungen zu-rückkommen, und sei es noch so langsam. Dr. Nash hat mir das gesagt, an dem Tag, an dem er während unserer Sitzung mein Ta-gebuch gelesen hat. *Sie erinnern sich an eine ganze Menge, Christine,* hatte er gesagt. *Ich sehe keinen Grund, warum das nicht so weitergehen sollte.* Und das Tagebuch hat mir verraten, dass der Unfall mit Fahrerflucht eine Lüge war, dass ich mich irgendwo, tief ver-steckt, daran erinnern kann, was mir in der Nacht passiert ist, als ich das Gedächtnis verlor. Dass dabei kein Auto und eisglatte Straßen eine Rolle spielen, sondern Champagner und Blumen und ein Klopfen an die Tür eines Hotelzimmers.

Und jetzt habe ich einen Namen. Der Name des Mannes, den zu sehen ich erwartete, als ich heute Morgen die Augen auf-schlug, war nicht Ben.

Ed. Als ich aufwachte, meinte ich, neben einem Mann namens Ed zu liegen.

Ich wusste nicht, wer dieser Ed war. Ich dachte, es gäbe ihn vielleicht gar nicht, ich hätte den Namen erfunden, mir einfach so einfallen lassen. Oder vielleicht wäre er ein früherer Liebhaber, ein One-Night-Stand, den ich nicht ganz vergessen hatte. Doch jetzt habe ich das Tagebuch gelesen. Ich habe erfahren, dass ich in einem Hotelzimmer angegriffen wurde. Und deshalb weiß ich, wer dieser *Ed* ist.

Er ist der Mann, der an jenem Abend auf der anderen Seite der Tür stand. Der Mann, der mich angegriffen hat. Der Mann, der mein Leben gestohlen hat.

* * *

Heute Abend habe ich meinen Mann auf die Probe gestellt. Ich hatte es nicht vor, hatte es nicht geplant, aber ich hatte mir den ganzen Tag über Gedanken gemacht. *Warum hat er mich belogen? Warum? Und belügt er mich jeden Tag? Erzählt er mir nur eine Version der Vergangenheit oder mehrere?* Ich muss ihm vertrauen, dachte ich. Ich habe niemanden sonst.

Wir aßen Lamm; einen billigen Braten, fett und zerkocht. Ich schob dieselbe Gabel voll auf dem Teller hin und her, tauchte sie in Soße, führte sie an den Mund, legte sie wieder hin. »Wie ist das mit mir passiert?«, fragte ich. Ich hatte versucht, die Vision von dem Hotelzimmer heraufzubeschwören, aber sie blieb schwer fassbar, knapp außer Reichweite. In gewisser Weise war ich froh darüber.

Ben blickte von seinem Teller auf, die Augen groß vor Verblüffung. »Christine«, sagte er. »Liebling, lass doch –«

»Bitte«, fiel ich ihm ins Wort. »Ich muss es wissen.«

Er legte sein Besteck hin. »Also gut«, sagte er.

»Du musst mir alles erzählen«, sagte ich. »Alles.«

Er sah mich an, die Augen zusammengekniffen. »Bist du sicher?«

»Ja«, sagte ich. Ich zögerte, doch dann beschloss ich, es auszusprechen. »Manche Leute denken vielleicht, es wäre besser, mir nicht alle Einzelheiten zu erzählen. Vor allem wenn sie verstörend sind. Aber ich finde das nicht. Ich finde, du solltest mir alles erzählen, damit ich selbst entscheiden kann, was ich davon halte. Verstehst du?«

»Nein, Chris«, sagte er. »Das verstehe ich nicht. Was willst du damit sagen?«

Ich sah weg. Meine Augen hefteten sich auf das Foto von uns beiden, das auf dem Sideboard stand. »Ich weiß nicht«, sagte ich. »Ich weiß, ich war nicht immer so wie jetzt. Und jetzt bin ich es. Also muss irgendwas passiert sein. Etwas Schlimmes. Ich will bloß sagen, dass ich das weiß. Ich weiß, es muss irgendwas Schreckliches gewesen sein. Aber trotzdem will ich wissen, was. Ich muss es wissen. Ich muss wissen, was mit mir passiert ist. Lüg mich nicht an, Ben«, sagte ich. »Bitte.«

Er griff über den Tisch und nahm meine Hand. »Liebling. Das würde ich niemals tun.«

Und dann begann er zu reden. »Es war Dezember«, begann er. »Eisglatte Straßen ...«, und ich hörte zu, mit einem wachsenden Gefühl des Grauens, während er mir von dem Autounfall erzählte. Als er fertig war, nahm er sein Besteck und aß weiter.

»Bist du sicher?«, sagte ich. »Bist du sicher, dass es ein Unfall war?«

Er seufzte. »Wieso?«

Ich versuchte abzuschätzen, wie viel ich sagen sollte. Ich wollte nicht verraten, dass ich wieder schrieb, Tagebuch führte, aber ich wollte möglichst ehrlich sein.

»Ich hatte heute so ein komisches Gefühl«, sagte ich. »Fast so was wie eine Erinnerung. Irgendwie fühlte es sich so an, als hätte es was damit zu tun, warum ich so bin.«

»Was für ein Gefühl?«

»Ich weiß nicht.«

»Eine Erinnerung?«

»Irgendwie schon.«

»Na, hast du dich an irgendwas Bestimmtes erinnert, was passiert ist?«

Ich dachte an das Hotelzimmer, die Kerzen, die Blumen. Das Gefühl, dass sie nicht von Ben gewesen waren, dass ich in dem Zimmer nicht auf ihn gewartet hatte. Ich dachte auch an das Gefühl, nicht mehr atmen zu können.

»Was meinst du mit ›irgendwas Bestimmtes‹?«

»Irgendwelche Einzelheiten natürlich. Die Marke von dem Auto, das dich angefahren hat? Oder auch nur die Farbe? Ob du gesehen hast, wer am Steuer saß?«

Ich hätte ihn am liebsten angeschrien. *Wieso soll ich unbedingt glauben, ich wäre von einem Auto angefahren worden? Etwa weil diese Geschichte leichter zu glauben ist als das, was wirklich passiert ist?*

Weil sie leichter anzuhören ist, dachte ich, *oder leichter zu erzählen?*

Ich fragte mich, was er tun würde, wenn ich sagen würde, *Ehrlich gesagt, nein. Ich erinnere mich nicht mal, von einem Auto angefahren worden zu sein. Ich erinnere mich, in einem Hotelzimmer gewesen zu sein, wo ich auf jemanden gewartet habe, aber nicht auf dich.*

»Nein«, sagte ich. »Eigentlich nicht. Es war eher bloß ein allgemeiner Eindruck.«

»Ein allgemeiner Eindruck?«, sagte er. »Was soll das heißen, ›ein allgemeiner Eindruck‹?«

Er war lauter geworden, klang fast wütend. Ich war mir nicht mehr sicher, ob ich die Diskussion fortführen wollte.

»Nichts«, sagte ich. »Es war nichts weiter. Bloß ein komisches Gefühl, als ob irgendwas richtig Schlimmes passiert wäre, und ein Gefühl von Schmerz. Aber an Einzelheiten kann ich mich nicht erinnern.«

Er schien sich zu entspannen. »Hat wahrscheinlich nichts zu bedeuten«, sagte er. »Dein Verstand spielt dir wohl bloß einen Streich. Am besten, du ignorierst das einfach.«

Es ignorieren?, dachte ich. Wie konnte er das von mir verlangen? Hatte er Angst davor, dass ich mich an die Wahrheit erinnerte?

Durchaus möglich, vermute ich. Er hat mir heute schon erzählt, dass ich von einem Auto angefahren wurde. Es wird ihm nicht lieb sein, als Lügner entlarvt zu werden, und wenn auch nur für den Rest des einen Tages, den ich die Erinnerung bewahren kann. Besonders, falls er meinetwegen lügt. Klar, es wäre für uns beide einfacher, zu glauben, dass ich von einem Auto angefahren wurde. Aber wie soll ich je herausfinden, was wirklich passiert ist?

Und auf wen ich in jenem Hotelzimmer gewartet hatte?

»Okay«, sagte ich, denn was hätte ich sonst sagen sollen? »Wahrscheinlich hast du recht.«

Wir aßen weiter unser Lamm, das inzwischen kalt geworden war. Und dann kam mir ein anderer Gedanke. Schrecklich, erschütternd. *Was, wenn er recht hat? Wenn es wirklich ein Unfall mit Fahrerflucht war? Was, wenn mein Verstand das Hotelzimmer erfunden hat, den Angriff?* Es könnte alles Erfindung sein. Einbildung, keine Erinnerung. Hatte ich mir das alles womöglich nur ausgedacht, weil ich die banale Tatsache eines Unfalls auf eisglatter Straße einfach nicht fassen konnte?

Falls ja, dann funktioniert mein Gedächtnis nicht. Es kommen keine Erinnerungen zurück. Mein Zustand verbessert sich keineswegs, sondern ich werde verrückt.

Ich nahm meine Handtasche und kippte sie über dem Bett aus. Dinge purzelten heraus. Mein Portemonnaie, mein geblümter Terminkalender, Lippenstift, Puderdose, Papiertaschentücher. Ein Handy, und dann noch eins. Eine Packung Pfefferminzbonbons. Ein paar Münzen. Ein gelber Notizzettel.

Ich setzte mich aufs Bett, durchsuchte das Durcheinander. Zuerst fischte ich den kleinen Terminkalender heraus und dachte, ich hätte Glück, als ich sah, dass ganz hinten Dr. Nashs Name in schwarzer Tinte stand, doch dann bemerkte ich, dass neben der dazugehörigen Telefonnummer in Klammern »Praxis« stand. Es war Sonntag. Er würde nicht da sein.

Der gelbe Notizzettel hatte an einem Rand eine Gummierung, an der Staub und Haare klebten, ansonsten war er leer. Ich fragte mich schon, wie in aller Welt ich auch nur eine Sekunde gedacht haben konnte, Dr. Nash hätte mir seine Privatnummer gegeben, als mir einfiel, dass ich sie vorn in meinem Tagebuch gelesen hatte. *Rufen Sie mich an, wenn Sie verwirrt sind*, hatte er gesagt.

Ich fand sie, nahm dann beide Handys. Ich konnte mich nicht erinnern, welches Dr. Nash mir gegeben hatte. Ich überprüfte rasch das größere und stellte fest, dass jeder Anruf von Ben oder an ihn gewesen war. Das zweite – das aufklappbare – war kaum benutzt worden. *Wieso sollte Dr. Nash es mir gegeben haben*, dachte ich, *wenn nicht für einen Fall wie jetzt? Was bin ich jetzt, wenn nicht verwirrt?* Ich klappte es auf und tippte seine Nummer ein, drückte dann die Anruftaste.

Stille, ein paar Sekunden lang, und dann ertönte ein summender Rufton, der von einer Stimme unterbrochen wurde.

»Hallo?«, sagte er. Er klang verschlafen, obwohl es noch nicht spät war. »Wer ist da?«

»Dr. Nash«, sagte ich im Flüsterton. Ich konnte Ben unten hören, im Wohnzimmer, wo er sich irgendeine Talentshow im Fernsehen ansah. Gesang, Gelächter, durchsetzt mit lautem Applaus. »Ich bin's, Christine.«

Eine Pause entstand. Eine mentale Anpassung.

»Oh. Okay. Wie –«

Meine Enttäuschung war unerwartet heftig. Er klang nicht erfreut, von mir zu hören.

»Entschuldigung«, sagte ich. »Ich hab Ihre Nummer vorn in meinem Tagebuch entdeckt.«

»Kein Problem«, sagte er. »Kein Problem. Wie geht's Ihnen?« Ich sagte nichts. »Ist alles in Ordnung?«

»Entschuldigung«, sagte ich. Die Worte stürzten aus mir raus, unaufhaltsam. »Ich muss Sie sehen. Sofort. Oder morgen. Ja. Morgen. Ich hatte eine Erinnerung. Gestern Nacht. Ich hab alles aufgeschrieben. Ein Hotelzimmer. Jemand hat an die Tür geklopft. Ich konnte nicht atmen. Ich … Dr. Nash?«

»Christine«, sagte er. »Beruhigen Sie sich. Was ist passiert?«

Ich holte Luft. »Ich hatte eine Erinnerung. Ich bin sicher, sie hat irgendwas damit zu tun, warum ich mich an nichts erinnern kann. Aber sie ergibt keinen Sinn. Ben sagt, ich wurde von einem Auto angefahren.«

Ich hörte eine Bewegung, als würde er sich anders hinsetzen, und eine zweite Stimme. Eine Frauenstimme. »Ist nichts weiter«, sagte er leise, und dann murmelte er etwas, was ich nicht genau verstehen konnte.

»Dr. Nash?«, sagte ich. »Dr. Nash? Bin ich von einem Auto angefahren worden?«

»Ich kann jetzt wirklich nicht reden«, sagte er, und dann hörte ich wieder die Frauenstimme, jetzt lauter, nörgelnd. Ich spürte, wie sich etwas in mir regte. Wut oder Panik.

»Bitte!«, sagte ich. Das Wort zischte aus mir raus.

Schweigen, zuerst, und dann wieder seine Stimme, jetzt mit Nachdruck. »Es tut mir leid«, sagte er. »Ich bin gerade beschäftigt. Haben Sie alles aufgeschrieben?«

Ich antwortete nicht. *Beschäftigt.* Ich dachte an ihn und seine Freundin, fragte mich, wobei ich sie wohl gestört hatte. Er sprach wieder. »Diese neue Erinnerung – haben Sie die in Ihr Tagebuch geschrieben? Sie müssen sie unbedingt aufschreiben.«

»Okay«, sagte ich. »Aber –«

Er fiel mir ins Wort. »Wir unterhalten uns dann morgen. Ich ruf Sie an. Auf dieser Nummer. Versprochen.«

Erleichterung, vermischt mit irgendetwas anderem. Etwas Unerwartetem. Schwer Definierbarem. Glück? Freude?

Nein. Es war mehr als das. Teils Nervosität, teils Gewissheit, durchdrungen mit dem winzigen Kitzel zukünftiger Lust. Ich spüre es noch, während ich dies hier schreibe, gut eine Stunde später, aber jetzt weiß ich, was es ist. Etwas, von dem ich nicht weiß, ob ich es je zuvor empfunden habe. Vorfreude.

Aber Vorfreude auf was? Dass er mir sagen wird, was ich wissen muss, dass er mir bestätigen wird, dass meine Erinnerungen langsam und stockend zurückkommen, dass meine Behandlung erste Erfolge zeigt? Oder ist es mehr? Ich denke daran, wie ich mich gefühlt haben muss, als er mich in der Tiefgarage berührte, was ich mir dabei gedacht haben muss, nicht ans Telefon zu gehen, als mein Mann anrief. Vielleicht ist die Wahrheit einfacher. Ich freue mich darauf, mit ihm zu reden.

»Ja«, habe ich erwidert, als er sagte, er würde mich anrufen. »Ja. Bitte.« Doch da hatte er bereits aufgelegt. Ich dachte an die Frauenstimme, begriff, dass die beiden im Bett gelegen hatten.

Ich verdränge den Gedanken. Ihm nachzugehen hieße, dass ich vollends verrückt werde.

Montag, 19. November

Das Café war gut besucht. Eines von einer Kette. Alles war grün oder braun oder wegwerfbar, aber immerhin umweltfreundlich, wie Plakate an den stofftapezierten Wänden behaupteten. Ich saß tief in einen Sessel versunken und trank meinen Kaffee aus einem Pappbecher, der beängstigend groß war, während Dr. Nash es sich mir gegenüber bequem machte.

Zum ersten Mal hatte ich Gelegenheit, ihn mir richtig anzusehen; genauer gesagt, zum ersten Mal heute, was auf das Gleiche hinausläuft. Er hatte mich auf dem aufklappbaren Handy angerufen, kurz nachdem ich den Frühstückstisch abgeräumt hatte, und mich dann etwa eine Stunde später abgeholt, nachdem ich den größten Teil meines Tagebuchs gelesen hatte. Auf der Fahrt zu dem Café starrte ich zum Fenster hinaus. Ich war durcheinander. Entsetzlich durcheinander. Als ich heute Morgen aufgewacht war, hatte ich gewusst – obwohl ich mir nicht mal meines eigenen Namens sicher war –, dass ich eine erwachsene Frau und Mutter war, obgleich ich keine Ahnung hatte, dass ich auf die fünfzig zuging und mein Sohn tot war. Bislang war mein Tag schrecklich verwirrend gewesen, ein Schock nach dem anderen – der Badezimmerspiegel, das Album und später dann dieses Tagebuch –, bis hin zu der Erkenntnis, dass ich meinem Mann nicht traue. Und ich hatte davor zurückgeschreckt, noch mehr genauer unter die Lupe zu nehmen.

Jetzt jedoch sah ich, dass Dr. Nash jünger war, als ich gedacht hatte, und obwohl ich geschrieben hatte, er müsse nicht auf seine Linie achten, sah ich jetzt, dass er nicht so schlank war, wie ich vermutet hatte. Er wirkte kompakt, was durch das zu große Sakko noch verstärkt wurde, das ihm von den Schultern hing und aus dem seine erstaunlich stark behaarten Unterarme gelegentlich herausragten.

»Wie fühlen Sie sich heute?«, fragte er, sobald er saß.

Ich zuckte die Achseln. »Ich weiß nicht genau. Durcheinander, würde ich sagen.«

Er nickte. »Erzählen Sie.«

Ich schob den Keks weg, den Dr. Nash mir ungebeten gegeben hatte. »Also, als ich heute wach wurde, wusste ich irgendwie, dass ich erwachsen bin. Ich wusste nicht, dass ich verheiratet bin, aber ich war auch nicht direkt überrascht, dass ein Mann neben mir im Bett lag.«

»Das ist gut, auch wenn −«, setzte er an.

Ich fiel ihm ins Wort. »Aber gestern hab ich geschrieben, dass ich beim Aufwachen wusste, dass ich einen Mann habe …«

»Dann führen Sie nach wie vor Tagebuch?«, fragte er, und ich nickte. »Haben Sie es dabei?«

Ich hatte es dabei. Es war in meiner Handtasche. Aber ich hatte auch Dinge darin geschrieben, die er nicht lesen sollte, die niemand lesen sollte. Persönliche Dinge. Meine Vergangenheit. Die einzige Vergangenheit, die ich habe.

Dinge, die ich über ihn geschrieben hatte.

»Ich hab's vergessen«, log ich. Ich konnte nicht sagen, ob er enttäuscht war.

»Okay«, sagte er. »Ist nicht schlimm. Ich kann mir vorstellen, dass es frustrierend sein muss, sich an einem Tag an etwas erinnern zu können und am nächsten nicht mehr, als wäre alles wieder weg. Aber Sie machen trotzdem Fortschritte. Alles in allem erinnern Sie sich an mehr als früher.«

Ich fragte mich, ob diese Beobachtung noch immer stimmte.

In den ersten Tagebucheinträgen hatte ich von Erinnerungen an meine Kindheit geschrieben, an meine Eltern, an eine Party mit meiner besten Freundin. Ich hatte meinen Mann gesehen, als wir jung waren und frisch verliebt, mich selbst, wie ich einen Roman schrieb. Doch seitdem? In letzter Zeit scheine ich nur noch den Sohn zu sehen, den ich verloren habe, und den brutalen Angriff, dem ich meinen Zustand verdanke. Dinge, die ich vielleicht besser vergessen sollte.

»Sie haben gesagt, dass Ben Sie beunruhigt. Was gibt er als Erklärung für Ihre Amnesie an?«

Ich schluckte. Was ich gestern geschrieben hatte schien weit weg zu sein, fremd. Fast fiktiv. Ein Autounfall. Gewalt in einem Hotelzimmer. Keines von beidem schien irgendetwas mit mir zu tun zu haben. Dennoch blieb mir keine andere Wahl, als zu glauben, dass ich die Wahrheit geschrieben hatte. Dass Bens Erklärung für meinen Zustand wirklich gelogen war.

»Erzählen Sie ...«, sagte er.

Ich erzählte ihm, was ich geschrieben hatte, zuerst von Bens Unfall-Version und dann von meiner Erinnerung an das Hotelzimmer, erwähnte jedoch weder, dass ich Letztere beim Sex mit Ben gehabt hatte, noch, dass auch so romantische Dinge wie Blumen, Kerzen und Champagner darin vorgekommen waren.

Ich beobachtete ihn, während ich sprach. Er murmelte zwischendurch eine Aufmunterung oder kratzte sich am Kinn, und einmal kniff er die Augen zusammen, aber eher nachdenklich als überrascht.

»Sie wussten das alles, nicht wahr?«, sagte ich, als ich fertig war. »Sie wussten das alles bereits?«

Er stellte seinen Becher ab. »Nicht alles, nein. Ich wusste, dass Ihre Probleme nicht durch einen Autounfall verursacht wurden, aber dass Ben Ihnen das erzählt hat, weiß ich erst, seit ich neulich Ihr Tagebuch gelesen habe. Ich wusste auch, dass Sie in einem Hotel gewesen sein müssen an dem Abend, als Sie ... als Sie Ihr

Gedächtnis verloren. Aber die anderen Einzelheiten, die Sie erwähnt haben, sind neu. Und soweit ich weiß, ist es das erste Mal, dass Sie sich wirklich von allein an etwas erinnern. Das ist großartig, Christine.«

Großartig? Ich fragte mich, ob er meinte, dass ich mich darüber freuen sollte. »Dann stimmt es also?«, sagte ich. »Es war kein Autounfall?«

Er zögerte, sagte dann: »Nein. Nein, Sie hatten keinen Unfall.«

»Aber warum haben Sie mir nicht gesagt, dass Ben mich anlügt? Als Sie mein Tagebuch gelesen haben? Warum haben Sie mir nicht die Wahrheit gesagt?«

»Weil Ben seine Gründe haben muss«, erwiderte er. »Und ich fand es irgendwie nicht richtig, Ihnen zu sagen, dass er lügt. Nicht in der Situation.«

»Dann haben Sie mich also auch belogen?«

»Nein«, sagte er. »Ich habe Sie nie belogen. Ich habe nie behauptet, dass es ein Autounfall war.«

Ich dachte an das, was ich heute Morgen gelesen hatte. »Aber neulich«, sagte ich. »In Ihrer Praxis. Da haben wir doch darüber gesprochen ...« Er schüttelte den Kopf.

»Ich habe nichts von einem Unfall gesagt«, widersprach er. »Sie haben gesagt, Ben hätte Ihnen erzählt, wie es passiert ist, daher dachte ich, Sie wüssten die Wahrheit. Bedenken Sie, dass ich zu diesem Zeitpunkt Ihr Tagebuch noch nicht gelesen hatte. Ich glaube, wir haben uns da einfach missverstanden ...«

Ich konnte mir vorstellen, wie es dazu gekommen war. Wir hatten beide um ein Thema herumgeredet, das wir nicht beim Namen nennen wollten.

»Also, was ist wirklich passiert?«, fragte ich. »In dem Hotelzimmer? Was habe ich da gemacht?«

»Ich weiß nicht alles«, sagte er.

»Dann erzählen Sie mir, was Sie wissen«, sagte ich. Die Worte kamen wütend heraus, doch es war zu spät, um sie zurückzunehmen. Ich sah, wie er sich einen nicht vorhandenen Krümel von der Hose wischte.

»Sind Sie sicher, dass Sie es wissen wollen?«, sagte er. Ich spürte, dass er mir eine letzte Chance anbot. *Du kannst noch zurück*, schien er zu sagen. *Du kannst mit deinem Leben weitermachen, ohne zu wissen, was ich dir gleich erzählen werde.*

Aber da täuschte er sich. Das konnte ich nicht. Ohne die Wahrheit lebe ich nicht mal ein halbes Leben.

»Ja«, sagte ich.

Seine Stimme war langsam. Stockend. Er fing Sätze an, um sie nach ein paar Worten abzubrechen. Die Geschichte war eine Spirale, als umkreise sie etwas Entsetzliches, etwas, das besser ungesagt blieb. Etwas, das das seichte Geplauder, das in dem Café wohl eher an der Tagesordnung war, ad absurdum führte.

»Es stimmt. Sie wurden angegriffen. Es war …« Er stockte. »Es war ziemlich schlimm. Sie wurden gefunden, wie Sie umherirrten. Verwirrt. Sie hatten keinerlei Ausweispapiere dabei, und Sie hatten keine Erinnerung mehr daran, wer Sie waren oder was passiert war. Sie hatten Kopfverletzungen. Die Polizei dachte zuerst, Sie wären auf der Straße überfallen und ausgeraubt worden.« Wieder eine Pause. »Sie hatten eine Decke um sich gewickelt, waren voller Blut.«

Ich spürte, wie mir kalt wurde. »Wer hat mich gefunden?«, fragte ich.

»Das weiß ich nicht genau …«

»Ben?«

»Nein. Nicht Ben, nein. Ein Fremder. Wer immer es war, er konnte Sie beruhigen. Er hat einen Rettungswagen gerufen. Sie wurden natürlich in ein Krankenhaus gebracht. Sie hatten innere Blutungen und mussten operiert werden.«

»Aber wie hat man herausgefunden, wer ich bin?«

Einen schrecklichen Moment lang dachte ich, dass meine Identität vielleicht nie eindeutig festgestellt worden war. Dass mir an dem Tag, als ich gefunden wurde, vielleicht alles gegeben worden war, eine ganze Vergangenheit, sogar mein Name. Sogar Adam.

»Das war nicht schwierig«, antwortete Dr. Nash. »Sie hatten unter Ihrem richtigen Namen in dem Hotel eingecheckt. Und Ben hatte Sie schon bei der Polizei als vermisst gemeldet. Schon bevor Sie gefunden wurden.«

Ich dachte an den Mann, der in dem Hotelzimmer an die Tür geklopft hatte, den Mann, auf den ich gewartet hatte.

»Ben wusste nicht, wo ich war?«

»Nein«, sagte er. »Er hatte offenbar keine Ahnung.«

»Oder bei wem ich war? Wer mir das angetan hat?«

»Nein«, sagte er. »Es kam nie zu einer Verhaftung. Die Polizei hatte kaum Anhaltspunkte, und Sie waren natürlich keine große Hilfe bei den Ermittlungen. Es wurde vermutet, dass der Täter alle Spuren in dem Hotelzimmer verwischte und Sie einfach liegen ließ, ehe er das Weite suchte. Keiner hat irgendjemanden kommen oder gehen sehen. Anscheinend herrschte in dem Hotel an dem Abend Hochbetrieb, wegen irgendeiner Feier. Sie waren nach dem Angriff vermutlich längere Zeit bewusstlos. Mitten in der Nacht sind Sie dann heruntergekommen und haben das Hotel verlassen. Es hat Sie niemand gehen sehen.«

Ich seufzte. Ich begriff, dass die Polizei den Fall ad acta gelegt haben musste, vor Jahren. Für alle außer mir – sogar für Ben – war die Sache Schnee von gestern. Ich werde nie erfahren, wer mir das angetan hat und warum. Es sei denn, ich erinnere mich.

»Was ist dann passiert?«, sagte ich. »Nach meiner Einlieferung ins Krankenhaus?«

»Die Operation war erfolgreich, aber es gab anschließend Komplikationen. Es war offenbar schwierig, Sie zu stabilisieren. Vor allem Ihren Blutdruck.« Er stockte. »Sie sind ins Koma gefallen.«

»Ins Koma?«

»Ja«, sagte er. »Es stand auf Messers Schneide, aber Sie hatten Glück. Sie hatten gute Ärzte, die alles getan haben, was sie konnten. Sie sind wieder zu sich gekommen. Doch dann stellte sich heraus, dass Sie Ihr Gedächtnis verloren hatten. Zuerst dachte man, es wäre vorübergehend. Eine Kombination aus Kopfverletzung und Hypoxie. Die Vermutung lag nahe –«

»Moment«, sagte ich. »Hypoxie?« Mit dem Begriff konnte ich nichts anfangen.

»Verzeihung«, sagte er. »Sauerstoffmangel.«

Ich spürte, wie mir schwindelig wurde. Alles fing an zu schrumpfen und sich zu verzerren, als würden die Dinge um mich herum kleiner oder ich größer. Ich hörte mich sagen: »Sauerstoffmangel?«

»Ja«, sagte er. »Den Symptomen nach hatte Ihr Gehirn eine schwere Sauerstoffunterversorgung erlitten. Die Folge einer Kohlendioxidvergiftung, auf die ansonsten aber nichts hindeutete, oder von Strangulation. Sie hatten Druckstellen am Hals, die diese Möglichkeit nahelegten. Als wahrscheinlichste Erklärung galt jedoch der Beinahetod durch Ertrinken.« Er hielt inne, während ich in mich aufnahm, was er mir da erzählte. »Haben Sie irgendeine Erinnerung, in der Ertrinken eine Rolle spielt?«

Ich schloss die Augen. Ich sah nichts außer einer Karte auf einem Kissen und darauf die Worte *Ich liebe dich*. Ich schüttelte den Kopf.

»Sie erholten sich körperlich, aber Ihr Gedächtnis kam nicht zurück. Sie lagen einige Wochen im Krankenhaus. Zuerst auf der Intensivstation, dann auf der allgemeinen Station. Sobald sich Ihr Zustand so weit verbessert hatte, dass Sie transportiert werden konnten, wurden Sie zurück nach London gebracht.«

Zurück nach London. Natürlich. Ich war in der Nähe eines Hotels gefunden worden; ich musste also irgendwo auswärts gewesen sein. Ich fragte ihn, wo.

»In Brighton«, sagte er. »Haben Sie irgendeine Ahnung, warum Sie dort gewesen sein könnten? Irgendeine Verbindung zu der Stadt oder der Gegend?«

Ich versuchte, an Urlaube zu denken, aber mir fiel nichts ein. »Nein«, sagte ich. »Keine. Jedenfalls keine, von der ich weiß.«

»Es könnte helfen, mal hinzufahren, irgendwann. Wer weiß, vielleicht fällt Ihnen dann etwas wieder ein.«

Ich spürte, wie mir kalt wurde. Ich schüttelte den Kopf.

Er nickte. »Okay. Tja, Sie könnten natürlich aus allen möglichen Gründen dort gewesen sein.«

Ja, dachte ich. Aber es gab nur einen, in dem flackernde Kerzen und Rosensträuße eine Rolle spielten, aber nicht mein Mann.

»Ja«, sagte ich. »Natürlich.« Ich fragte mich, ob einer von uns das Wort *Affäre* in den Mund nehmen würde und wie Ben zumute gewesen sein musste, als er erfuhr, wo ich gewesen war und warum.

Und dann begriff ich. Begriff, warum Ben mir nicht den wahren Grund für meine Amnesie genannt hatte. Wieso sollte er mich daran erinnern wollen, dass ich einmal, wenn auch vielleicht nur für kurze Zeit, einen anderen Mann ihm vorgezogen hatte? Ein Frösteln durchlief mich. Ich hatte einen anderen meinem Mann vorgezogen und teuer dafür bezahlt.

»Was ist dann passiert?«, fragte ich. »Bin ich zurück zu Ben gezogen?«

Er schüttelte den Kopf. »Nein, nein«, sagte er. »Sie waren noch immer sehr krank. Sie mussten im Krankenhaus bleiben.«

»Wie lange?«

»Sie waren zunächst auf der allgemeinen Station. Ein paar Monate.«

»Und dann?«

»Wurden Sie verlegt«, sagte er. Er zögerte – ich dachte schon, ich würde ihn bitten müssen, fortzufahren – und sagte: »In die Psychiatrie.«

Das Wort erschütterte mich. »Die Psychiatrie?« Ich stellte mir beängstigende Räume vor, voller verrückter Menschen, schreiend, geistesgestört. Mich selbst konnte ich mir nicht dort vorstellen.

»Ja.«

»Aber warum? Warum?«

Er sprach sanft, doch in seinem Tonfall lag eine Spur Gereiztheit. Plötzlich war ich mir sicher, dass wir das alles schon durchgekaut hatten, vielleicht viele Male, vermutlich bevor ich begonnen hatte, Tagebuch zu schreiben. »Es war sicherer«, sagte er. »Ihre körperlichen Verletzungen waren zwar inzwischen weitgehend ausgeheilt, aber Ihre Gedächtnisprobleme waren gravierend. Sie wussten nicht, wer oder wo Sie waren. Sie zeigten Symptome von Paranoia, dachten, die Ärzte hätten sich gegen Sie verschworen. Sie versuchten wiederholt zu fliehen.« Er wartete. »Sie wurden immer schwieriger zu kontrollieren. Sie wurden zu Ihrer eigenen Sicherheit verlegt, und zur Sicherheit von anderen.«

»Von anderen?«

»Es kam vor, dass Sie um sich schlugen.«

Ich versuchte, mir auszumalen, wie es gewesen sein musste. Ich stellte mir einen Menschen vor, der jeden Morgen aufwachte, verwirrt, der nicht wusste, wer er war oder wo oder warum er überhaupt im Krankenhaus war. Der fragte, weil er Antworten haben wollte, und keine bekam. Der von Leuten umgeben war, die mehr über ihn wussten als er selbst. Es musste die Hölle gewesen sein.

Ich rief mir in Erinnerung, dass wir über mich sprachen.

»Und dann?«

Er antwortete nicht. Ich sah, wie er den Blick hob und an mir vorbeisah, zur Tür, als würde er sie beobachten, warten. Aber da war niemand, sie öffnete sich nicht, es ging niemand hinaus, und es kam auch niemand herein. Ich fragte mich, ob er tatsächlich von Flucht träumte.

»Dr. Nash«, sagte ich. »Was ist dann passiert?«

»Sie blieben eine Zeitlang dort«, sagte er. Seine Stimme war jetzt fast ein Flüstern. *Er hat mir das schon einmal erzählt,* dachte ich, *doch diesmal weiß er, dass ich es aufschreiben werde und immer wieder nachlesen kann.*

»Wie lange?«

Er sagte nichts. Ich fragte erneut. »Wie lange?«

Er sah mich an, sein Gesicht eine Mischung aus Traurigkeit und Schmerz. »Sieben Jahre.«

Er bezahlte, und wir verließen das Café. Ich war wie betäubt. Ich wusste nicht, was ich erwartet hatte, wo ich gedacht hatte, den schlimmsten Teil meiner Krankheit durchlebt zu haben, aber mit der Psychiatrie hatte ich nicht gerechnet: nicht inmitten von so viel Schmerz.

Auf dem Weg zum Auto sagte Dr. Nash zu mir: »Christine, ich habe einen Vorschlag.« Mir fiel sein ungezwungener Tonfall auf, als würde er fragen, welche Eissorten mir am besten schmecken. Eine Ungezwungenheit, die nur gespielt sein konnte.

»Lassen Sie hören«, sagte ich.

»Ich glaube, es wäre hilfreich, wenn Sie die Psychiatrie besuchen würden, in die Sie eingewiesen wurden«, sagte er. »Den Ort, an dem Sie so viele Jahre verbracht haben.«

Meine Reaktion war spontan. Instinktiv. »Nein!«, sagte ich. »Wieso?«

»Sie haben wieder Erinnerungen«, sagte er. »Denken Sie daran, was passiert ist, als wir Ihr ehemaliges Haus besucht haben.« Ich nickte. »Da haben Sie sich an etwas erinnert. Ich glaube, das könnte noch einmal passieren. Wir könnten weitere Erinnerungen auslösen.«

»Aber —«

»Sie müssen nicht. Aber ... hören Sie. Ich will ehrlich sein. Ich habe schon alles arrangiert. Die Mitarbeiter würden sich freuen, uns zu sehen. Uns beide. Jederzeit. Ich müsste nur anrufen und sagen, dass wir unterwegs sind. Ich würde mit Ihnen reingehen.

Falls es Sie unter Stress setzt oder irgendwie unangenehm für Sie wird, können wir wieder gehen. Es wird gut laufen. Versprochen.«

»Sie glauben, es könnte mir helfen, wieder gesund zu werden? Im Ernst?«

»Ich weiß es nicht«, sagte er. »Aber es ist möglich.«

»Wann? Wann wollen Sie hinfahren?«

Er blieb stehen. Mir wurde klar, dass sein Wagen derjenige sein musste, neben dem wir standen.

»Heute«, sagte er. »Ich denke, wir sollten noch heute hinfahren.« Und dann sagte er etwas Merkwürdiges. »Wir haben keine Zeit zu verlieren.«

* * *

Ich musste nicht dort hinfahren. Dr. Nash setzte mich nicht unter Druck. Doch obwohl ich mich nicht daran erinnern kann, zugestimmt zu haben – eigentlich kann ich mich an kaum etwas erinnern –, muss ich es wohl getan haben.

Die Fahrt dauerte nicht lange, und wir schwiegen. Mir fiel nichts ein, was ich hätte sagen können, und ich spürte auch nichts. Mein Kopf war leer. Ausgehöhlt. Ich holte mein Tagebuch aus der Handtasche – ohne mich darum zu scheren, dass ich Dr. Nash gesagt hatte, ich hätte es nicht dabei – und schrieb jenen letzten Eintrag. Ich wollte unser Gespräch haarklein festhalten. Ich schrieb, schweigend, fast ohne zu denken, und wir sprachen kein Wort, als wir den Wagen parkten und dann über die sterilen Korridore gingen, wo es nach abgestandenem Kaffee und frischer Farbe roch. Patienten auf Rolltragen, am Tropf, wurden an uns vorbeigeschoben. Plakate lösten sich von den Wänden. Neonlampen an den Decken flackerten und summten. Ich konnte nur an die sieben Jahre denken, die ich hier verbracht hatte. Es kam mir vor wie ein ganzes Leben; ein Leben, an das ich keine Erinnerung hatte.

Wir blieben vor einer Doppeltür stehen. Station Fisher. Dr. Nash drückte eine Taste an einer Sprechanlage an der Wand und murmelte etwas hinein. *Er irrt sich,* dachte ich, als die Tür aufschwang. *Ich habe diesen Angriff nicht überlebt. Die Christine Lucas, die die Hotelzimmertür geöffnet hat, ist tot.*

Eine weitere Doppeltür. »Alles in Ordnung, Christine?«, fragte er, als die erste Tür hinter uns zufiel, uns einsperrte. Ich sagte nichts. »Das hier ist die geschlossene Abteilung.« Plötzlich überfiel mich die Überzeugung, dass die Tür hinter mir sich für immer geschlossen hatte, dass ich hier nicht mehr rauskommen würde.

Ich schluckte. »Verstehe«, sagte ich. Die innere Tür öffnete sich. Ich wusste nicht, was ich dahinter sehen würde, konnte nicht fassen, dass ich einmal hier gewesen war.

»Alles klar?«, fragte er.

Ein langer Korridor mit Türen auf beiden Seiten. Als wir an ihnen vorbeigingen, sah ich, dass sie Glasfenster hatten, durch die man in die Räume dahinter schauen konnte. In jedem Raum stand ein Bett, manche gemacht, manche ungemacht, manche belegt, manche nicht.

»Die Patienten hier leiden an unterschiedlichen Störungen«, sagte Dr. Nash. »Viele zeigen schizoaffektive Symptome, doch einige leiden an Bipolarität, akuten Angstzuständen, Depressionen.«

Ich schaute durch ein Fenster. Eine junge Frau saß auf dem Bett, nackt, und starrte den Fernseher an. In einem anderen Zimmer wiegte sich ein Mann in der Hocke vor und zurück, die Arme um den Oberkörper geschlungen, als wollte er sich vor Kälte schützen.

»Sind sie eingesperrt?«, fragte ich.

»Die Patienten hier wurden offiziell eingewiesen. Gegen ihren Willen, aber in ihrem eigenen Interesse.«

»In ihrem eigenen Interesse?«

»Ja. Sie sind eine Gefahr für sich oder andere. Sie müssen sicher verwahrt werden.«

Wir gingen weiter. Eine Frau schaute auf, als ich an ihrem Zimmer vorbeikam, und obwohl unsere Blicke sich trafen, blieben ihre Augen ausdruckslos. Stattdessen ohrfeigte sie sich, während sie mich weiter ansah, und als ich zusammenzuckte, schlug sie sich erneut. Eine Vision huschte durch mich hindurch – ein Zoobesuch als Kind, wie ich einen Tiger im Käfig auf und ab gehen sehe –, doch ich schob sie beiseite und ging weiter, entschlossen, nicht nach links oder rechts zu schauen.

»Wie bin ich hierhergekommen?«, wollte ich wissen.

»Bevor Sie herkamen, waren Sie auf der allgemeinen Station im Krankenhaus. In einem Bett, wie alle anderen auch. Manchmal hat Ben Sie übers Wochenende nach Hause geholt. Aber Sie wurden immer schwieriger.«

»Schwieriger?«

»Sie sind umhergeirrt. Ben sah sich irgendwann gezwungen, die Haustüren abzuschließen. Sie wurden ein paarmal hysterisch, waren überzeugt, er hätte Ihnen etwas getan, Sie gegen Ihren Willen eingeschlossen. Wenn Sie dann wieder im Krankenhaus waren, ging es eine Zeitlang gut, aber dann fingen Sie an, auch dort ähnliche Verhaltensweisen zu zeigen.«

»Und deshalb mussten sie eine sichere Verwahrung für mich finden«, sagte ich.

Wir gelangten zu einem Schwesternzimmer. Ein Mann in Krankenhausmontur saß an einem Schreibtisch und gab etwas in einen Computer ein. Er blickte auf, als wir kamen, und sagte, die Ärztin hätte gleich Zeit für uns. Er bat uns, Platz zu nehmen. Ich musterte sein Gesicht – die schiefe Nase, den goldenen Ohrstecker –, hoffte, dass irgendetwas einen Funken Vertrautheit entzünden würde. Doch nichts. Alles blieb mir völlig fremd.

»Ja«, sagte Dr. Nash. »Einmal waren Sie verschwunden. Volle viereinhalb Stunden lang. Die Polizei griff Sie dann auf, unten an einem von den Kanälen. Sie waren nur mit Pyjama und Bademantel bekleidet. Ben musste Sie von der Wache abholen. Sie wollten mit keiner der Schwestern mitgehen. Es gab keine andere Möglichkeit. Man hat Sie hierhergebracht.«

Er erzählte mir, dass Ben sofort alle Hebel in Bewegung gesetzt hatte, um mich verlegen zu lassen. »Er fand, dass die Psychiatrie nicht die beste Lösung für Sie war. Und eigentlich hatte er recht. Sie waren keine Gefahr, weder für sich noch für andere. Es ist sogar möglich, dass der Umgang mit Leuten, die noch ernster erkrankt waren als Sie, Ihren Zustand weiter verschlechterte. Er schrieb an die Ärzte, die Klinikleitung, den Abgeordneten Ihres Wahlkreises. Aber es gab keine verfügbare Alternative. Und dann«, sagte er, »machte eine Einrichtung für Menschen mit schweren Hirnverletzungen auf. Ben setzte Himmel und Hölle in Bewegung, damit Sie aufgenommen würden, und Sie wurden begutachtet und für geeignet befunden, doch es gab Geldprobleme. Ben hatte seine Arbeit vorübergehend aufgegeben, weil er sich um Sie kümmern musste, und konnte die Kosten nicht allein tragen, aber er ließ sich nicht abwimmeln. Offenbar drohte er, mit Ihrer Geschichte an die Presse zu gehen. Es gab Besprechungen und Petitionen und so weiter, und schließlich übernahm der Staat die Kosten für die gesamte Dauer Ihrer Erkrankung, und Sie wurden aufgenommen. Das war vor gut zehn Jahren.«

Ich dachte an meinen Mann, versuchte, mir vorzustellen, wie er Briefe schrieb, eine Kampagne führte, drohte. Es kam mir unwahrscheinlich vor. Der Mann, den ich am Morgen kennengelernt hatte, wirkte bescheiden, unterwürfig. Nicht unbedingt schwach, aber nachgiebig. Er machte nicht den Eindruck eines Menschen, der Wellen schlug.

Offenbar, so dachte ich, *hat sich nicht nur mein Charakter durch meine Verletzung verändert.*

»Die Einrichtung war relativ klein«, sagte Dr. Nash. »Eine überschaubare Anzahl von Zimmern in einem Rehazentrum. Es gab nicht viele andere Patienten. Aber reichlich Personal. Sie konnten sich dort etwas freier bewegen. Sie waren sicher. Sie machten Fortschritte.«

»Aber Ben war nicht bei mir?«

»Nein. Er wohnte zu Hause. Er musste wieder arbeiten, und da konnte er sich nicht zusätzlich um Sie kümmern. Er beschloss −«

Eine Erinnerung durchzuckte mich, riss mich unvermittelt zurück in die Vergangenheit. Alles war leicht unscharf und verschleiert, und die Bilder waren so hell, dass ich am liebsten weggeschaut hätte. Ich sah mich durch die Korridore hier gehen, wie ich zurück zu einem Zimmer geführt werde, von dem ich vage weiß, dass es meines ist. Ich trage Pantoffeln, ein blaues Nachthemd, das sich auf dem Rücken zubinden lässt. Die Frau bei mir ist schwarz und trägt eine Schwesterntracht. »Da wären wir, Liebes«, sagt sie zu mir. »Sehen Sie mal, wer da ist!« Sie lässt meine Hand los und dirigiert mich zum Bett.

Eine Gruppe von Fremden sitzt darum herum, beobachtet mich. Ich sehe einen Mann mit dunklen Haaren und eine Frau mit einer Baskenmütze, aber ich kann ihre Gesichter nicht erkennen. Ich bin im falschen Zimmer, will ich sagen. Das muss ein Irrtum sein. Aber ich sage nichts.

Ein kleiner Junge − vier oder fünf Jahre alt − steht auf. Er hat auf der Bettkante gesessen. Er kommt auf mich zugelaufen, und er sagt *Mummy*, und ich sehe, dass er mich meint, und erst da erkenne ich, wer er ist. *Adam*. Ich gehe in die Hocke, und er läuft in meine Arme, und ich halte ihn und küsse ihn auf den Kopf, und dann richte ich mich wieder auf. »Wer sind Sie?«, frage ich die Leute am Bett. »Was machen Sie hier?«

Der Mann sieht auf einmal traurig aus, und die Frau mit der Baskenmütze steht auf und sagt: »Chris. Chrissy. Ich bin's. Du weißt doch, wer ich bin, oder?« Und dann kommt sie auf mich zu, und ich sehe, dass sie weint.

»Nein«, sage ich. »Nein! Verschwindet! Verschwindet!«, und

ich drehe mich um und will aus dem Zimmer, und da steht eine andere Frau hinter mir, und ich weiß nicht, wer sie ist oder woher sie so plötzlich gekommen ist, und ich fange an zu weinen. Ich sinke langsam zu Boden, doch der kleine Junge hält sich an meinen Knien fest, und ich weiß nicht, wer er ist, aber er sagt *Mummy* zu mir, wieder und wieder. *Mummy. Mummy. Mummy,* und ich weiß nicht, warum oder wer er ist oder warum er sich an mich klammert ...

Eine Hand berührte meinen Arm. Ich zuckte zusammen, als wäre ich gestochen worden. Eine Stimme. »Christine? Alles in Ordnung? Dr. Wilson ist da.«

Ich öffnete die Augen, sah mich um. Eine Frau in einem weißen Kittel stand vor uns. »Dr. Nash«, sagte sie. Sie schüttelte ihm die Hand und blickte dann mich an. »Christine?«

»Ja«, sagte ich.

»Freut mich, Sie kennenzulernen«, sagte sie. »Ich bin Hilary Wilson.« Ich nahm ihre Hand. Sie war ein wenig älter als ich; ihr Haar war angegraut, und eine Lesebrille baumelte an einer Goldkette um ihren Hals. »Herzlich willkommen«, sagte sie, und ohne dass ich hätte sagen können, wieso, war ich mir sicher, ihr schon einmal begegnet zu sein. Sie deutete mit einem Kopfnicken den Korridor hinunter. »Sollen wir?«

Ihr Büro war groß, voller Kisten, die vor Papieren überquollen, und mit Büchern an den Wänden. Sie setzte sich hinter einen Schreibtisch und deutete auf zwei Sessel davor, in die Dr. Nash und ich uns sinken ließen. Ich sah zu, wie sie aus einem Stapel auf dem Schreibtisch eine Akte zog und sie aufschlug. »So, meine Liebe«, sagte sie. »Dann wollen wir doch mal sehen.«

Ihr Bild gefror. Ich kannte sie. Ich hatte ihr Foto gesehen, als ich in dem Scanner lag, und obwohl ich sie in dem Moment nicht erkannt hatte, tat ich es jetzt. Ich war schon mal hier gewesen. Oft. Hatte hier gesessen, wo ich jetzt saß, in diesem Sessel oder einem ähnlichen, hatte gesehen, wie sie Notizen in eine Akte schrieb, während sie durch die Brille spähte, die sie elegant an die Augen hob.

»Ich kenne Sie …«, sagte ich. »Ich erinnere mich …«

Dr. Nash sah mich an, dann wieder zu Dr. Wilson hinüber.

»Ja«, sagte sie. »Ja, das stimmt. Obwohl wir uns nicht sehr oft gesehen haben.« Sie erklärte, dass Sie gerade erst angefangen hatte, hier zu arbeiten, als ich die Klinik verließ, und dass sie am Anfang nicht mal für mich zuständig gewesen war. »Es ist aber auf jeden Fall ein sehr gutes Zeichen, dass Sie sich an mich erinnern«, sagte sie. »Es ist lange her, seit Sie hier Patientin waren.«

Dr. Nash beugte sich vor und sagte, es könnte vielleicht helfen, wenn ich mein altes Zimmer sehen würde. Sie nickte, sah in der Akte nach, und sagte dann nach einem Augenblick, sie wisse nicht, welches das gewesen sei. »Wäre aber durchaus möglich, dass Sie öfters verlegt wurden«, sagte sie. »Das wird mit vielen Patienten gemacht. Könnten wir Ihren Mann danach fragen? Laut der Akte haben er und Ihr Sohn Sie ja fast jeden Tag besucht.«

Ich hatte heute Morgen von Adam gelesen, und als sie ihn jetzt erwähnte, durchfuhr mich nicht nur ein Glücksgefühl, sondern auch Erleichterung, dass ich doch ein wenig davon mitbekommen hatte, wie er aufwuchs, aber ich schüttelte den Kopf. »Nein«, sagte ich. »Ich möchte Ben lieber nicht anrufen.«

Dr. Wilson erhob keine Einwände. »Eine Freundin namens Claire hat sie offenbar auch regelmäßig besucht. Was ist mit ihr?«

Ich schüttelte den Kopf. »Wir haben keinen Kontakt mehr.«

»Ach«, sagte sie. »Wie schade. Aber egal. Ich kann Ihnen ein bisschen was darüber erzählen, wie das Leben damals hier so ablief.« Sie blickte auf ihre Notizen und faltete dann die Hände vor sich. »Für Ihre Behandlung war in erster Linie ein Facharzt für Psychiatrie zuständig. Sie erhielten Hypnosesitzungen, doch der Erfolg war leider gering und nicht von Dauer.« Sie las weiter. »Sie haben nicht viele Medikamente bekommen. Ein Beruhigungsmittel gelegentlich, doch in erster Linie, damit Sie schlafen konnten. Hier ist es manchmal ziemlich laut, wie Sie sich vorstellen können«, sagte sie.

Ich erinnerte mich an das Geschrei, das ich mir zuvor vorgestellt hatte, fragte mich, ob ich solche Laute vielleicht auch mal von mir gegeben hatte. »Wie war ich?«, sagte ich. »War ich glücklich?«

Sie lächelte. »Im Allgemeinen ja. Sie waren beliebt. Sie haben sich auch gut mit den Schwestern verstanden, besonders mit einer.«

»Wie hieß sie?«

Sie überflog ihre Notizen. »Tut mir leid, das steht hier nicht. Sie haben oft Patiencen gelegt.«

»Patiencen?«

»Eine Art Kartenspiel. Vielleicht kann Dr. Nash Ihnen das später erklären?« Sie sah auf. »Laut den Unterlagen waren Sie gelegentlich gewalttätig«, sagte sie. »Erschrecken Sie nicht. Das ist nicht ungewöhnlich in solchen Fällen. Patienten mit schweren Schädeltraumata neigen häufig zu Gewaltausbrüchen, vor allem, wenn der Teil des Gehirns, der für die Selbstbeherrschung zuständig ist, verletzt wurde. Außerdem neigen Patienten mit einer Amnesie wie der Ihren zu etwas, das wir konfabulieren nennen. Da sie ihre Umwelt nicht verstehen, entwickeln sie den Drang, Details zu erfinden. Über sich selbst und andere Leute oder über ihre Vergangenheit, was mit ihnen passiert ist. Die Ursache dafür ist vermutlich der Wunsch, Lücken in der Erinnerung zu füllen. In gewisser Weise verständlich. Es kann jedoch auch zu gewalttätigem Verhalten führen, wenn Amnesiepatienten mit ihren Phantasien auf Widerspruch stoßen. Das Leben muss für Sie extrem verwirrend gewesen sein. Besonders, wenn Sie Besuch hatten.«

Besuch. Plötzlich hatte ich Angst, ich könnte meinen Sohn geschlagen haben.

»Was hab ich gemacht?«

»Sie haben gelegentlich Leute vom Personal geschlagen«, sagte sie.

»Aber nicht Adam? Meinen Sohn?«

»Laut diesen Notizen, nein.« Ich seufzte, nicht völlig erleichtert. »Wir haben hier ein paar Seiten aus einer Art Tagebuch, das Sie geführt haben«, sagte sie. »Es könnte durchaus hilfreich für Sie sein, einen Blick darauf zu werfen. Vielleicht verstehen Sie Ihre Konfusion dann etwas besser.«

Das erschien mir gefährlich. Ich warf Dr. Nash einen Blick zu, und er nickte. Sie schob mir ein blaues Blatt Papier hin, und ich nahm es, scheute mich zunächst, auch nur einen Blick darauf zu werfen.

Als ich es schließlich tat, sah ich, dass es mit krakeligem Gekritzel vollgeschrieben war. Ganz oben waren die Buchstaben noch ordentlich und hielten sich säuberlich an die Linierung, die quer über die Seite verlief, nach unten hin wurden sie jedoch groß und chaotisch, erstreckten sich über mehrere Linien, bloß wenige Wörter pro Zeile. Obwohl mir davor graute, was da stehen könnte, begann ich zu lesen.

8.15 Uhr, begann der erste Eintrag. *Bin aufgewacht. Ben ist da.* Direkt darunter hatte ich geschrieben: *8.17 Uhr. Ignorier den letzten Eintrag. Den hat jemand anders geschrieben*, und darunter stand: *8.20 Uhr. Ich bin JETZT wach. Davor war ich es nicht. Ben ist da.*

Meine Augen glitten weiter nach unten. *9.45 Uhr. Ich bin gerade aufgewacht. ZUM ALLERERSTEN MAL*, und dann, ein paar Zeilen weiter: *10.07. JETZT bin ich eindeutig wach. Alle Einträge davor sind eine Lüge. Ich bin JETZT wach.*

Ich sah auf. »Das hab ich wirklich geschrieben?«, sagte ich.

»Ja. Anscheinend hatten Sie lange Zeit ständig das Gefühl, gerade erst aus einem sehr, sehr langen tiefen Schlaf aufgewacht zu sein. Sehen Sie mal da.« Dr. Wilson deutete auf das Blatt Papier vor mir und zitierte Einträge, die dort standen. »*Ich hab eine Ewigkeit geschlafen. Es war, als wäre ich TOT. Ich bin eben erst aufgewacht.*

Ich kann wieder sehen, zum ersten Mal. Man hat Sie offenbar ermutigt, aufzuschreiben, was Sie empfunden haben, um so vielleicht Ihre Erinnerung daran zu wecken, was davor passiert war, doch leider hat Sie das bloß zu der Überzeugung gebracht, jemand anders hätte alle vorherigen Einträge geschrieben. Sie begannen zu glauben, man würde hier Versuche mit Ihnen durchführen, Sie gegen Ihren Willen festhalten.«

Ich sah wieder auf die Seite. Die Einträge waren fast alle identisch, lagen jeweils nur ein paar Minuten auseinander. Mir wurde kalt.

»Ging es mir wirklich so schlecht?«, fragte ich. Meine Worte schienen in meinem Kopf widerzuhallen.

»Eine Zeitlang ja«, sagte Dr. Nash. »Ihre Einträge deuten darauf hin, dass Sie Erinnerungen nur wenige Sekunden behalten konnten. Manchmal ein oder zwei Minuten. Diese Zeitspanne ist im Laufe der Jahre langsam immer länger geworden.«

Ich konnte nicht fassen, dass ich das geschrieben hatte. Es wirkte wie das Werk eines Menschen, dessen Verstand völlig zersplittert ist. Explodiert. Ich sah die Worte wieder. *Es war, als wäre ich TOT.*

»Entschuldigung«, sagte ich. »Ich kann nicht −«

Dr. Wilson nahm mir das Blatt aus der Hand. »Ich verstehe, Christine. Es ist beängstigend. Ich −«

Panik erfasste mich. Ich stand auf, doch der Raum fing an, sich zu drehen. »Ich möchte gehen«, sagte ich. »Das da bin ich nicht. Das kann ich nicht gewesen sein, ich − ich hätte niemals jemanden geschlagen. Niemals. Ich −«

Auch Dr. Nash stand auf und dann Dr. Wilson. Sie trat einen Schritt vor, stieß gegen den Schreibtisch, und Unterlagen rutschten zu Boden. Ein Foto landete zu meinen Füßen. »Großer Gott −«, sagte ich, und Dr. Wilson blickte nach unten, dann bückte sie sich rasch, um es mit einem anderen Blatt abzudecken. Doch ich hatte genug gesehen.

»War ich das?«, sagte ich mit einer Stimme, die sich zu einem Schrei erhob. »War ich das?«

Das Foto zeigte den Kopf einer jungen Frau. Die Haare waren aus dem Gesicht nach hinten gezogen. Zuerst dachte ich, sie würde eine Halloween-Maske tragen. Ein Auge war geöffnet und blickte in die Kamera, das andere zugeschwollen und von einem großen, lila Bluterguss umgeben. Die Lippen waren dick geschwollen, rosa, von Rissen durchzogen. Die Wangen waren aufgequollen, was das ganze Gesicht grotesk aussehen ließ. Ich dachte an zermatschtes Obst, an verfaulte und aufgeplatzte Pflaumen.

»War ich das?«, schrie ich, obwohl ich mich in diesem geschwollenen, verzerrten Gesicht erkannt hatte.

An dieser Stelle spaltet sich meine Erinnerung, zerbricht in zwei Hälften. Ein Teil von mir war ruhig, still. Abgeklärt. Er beobachtete, wie der andere Teil von mir um sich schlug und schrie und von Dr. Nash und Dr. Wilson gebändigt werden musste. *Du solltest dich wirklich benehmen*, schien er zu sagen. *Das ist ja peinlich.*

Doch der andere Teil war stärker. Er hatte das Ruder übernommen, wurde das wirkliche Ich. Ich schrie, wieder und wieder, drehte mich um und lief zur Tür. Dr. Nash kam hinter mir her. Ich riss die Tür auf und rannte los, ohne zu wissen, wohin. Das Bild von verriegelten Türen. Eine Alarmsirene. Ein Mann, der mich verfolgte. Mein Sohn, der weinte. *Ich hab das schon einmal gemacht*, dachte ich. *Ich hab das alles schon einmal gemacht.*

Dann nichts mehr.

Sie müssen mich irgendwie beruhigt haben, mich überredet haben, mit Dr. Nash mitzugehen; als Nächstes weiß ich wieder, dass ich in seinem Auto saß, neben ihm, während er fuhr. Der Himmel zog sich langsam zu, die Straßen wirkten grau, irgendwie flächig. Dr. Nash redete, aber ich konnte mich nicht konzentrieren. Es war, als wäre mein Verstand gestolpert, in irgendetwas anderes zurückgefallen, als käme ich jetzt nicht mehr mit. Ich blickte aus dem Fenster, auf die Menschen, die einkaufen gingen, die Hundeausführer, die Leute mit ihren Kinderwagen und Fahrrädern, und ich fragte mich, ob ich das – diese Suche nach Wahrheit – wirklich wollte. Ja, es könnte mir helfen, Fortschritte zu machen, aber was für Fortschritte kann ich mir realistischerweise erhoffen? Ich denke nicht, dass ich irgendwann morgens aufwachen und alles wissen werde, wie normale Menschen, dass ich wissen werde, was ich am Tag zuvor gemacht habe, welche Pläne ich für den kommenden Tag geschmiedet habe, was für ein Umweg mich ins Hier und Jetzt geführt hat, zu dem Menschen, der ich bin. Ich kann höchstens hoffen, dass ich eines Tages beim Blick in den Spiegel nicht total schockiert sein werde, dass ich mich daran erinnern werde, einen Mann namens Ben geheiratet und einen Sohn namens Adam verloren zu haben, dass ich, auch ohne ein Exemplar meines Romans zu sehen, wissen werde, einen geschrieben zu haben.

Aber selbst das erscheint unerreichbar. Ich dachte daran, was ich auf der geschlossenen Station gesehen hatte. Wahnsinn und Schmerz. Persönlichkeiten, die zerstört worden waren. Ich bin dem näher, dachte ich, als einer Genesung. Vielleicht wäre es doch am besten, wenn ich lernen würde, mit meinem Zustand zu leben. Ich könnte Dr. Nash sagen, dass ich ihn nicht wiedersehen will, und ich könnte mein Tagebuch verbrennen, die Wahrheiten begraben, die ich bereits erfahren habe, sie so gründlich vergraben wie die, die ich noch nicht kenne. Ich würde vor meiner Vergangenheit davonlaufen, aber ich würde nichts bereuen – in nur wenigen Stunden würde ich nicht mal mehr wissen, dass mein Tagebuch oder mein Arzt überhaupt existiert hatten –, und dann könnte ich ein schlichtes Leben führen. Ein Tag würde auf den anderen folgen, zusammenhanglos. Ja, dann und wann würde die Erinnerung an Adam auftauchen. Ich würde einen Tag lang Trauer und Schmerz durchleiden, würde mich an das erinnern, was mir fehlt, aber das wäre nicht von Dauer. Schon bald würde ich schlafen und still und leise vergessen. Wie einfach das wäre, dachte ich. So viel einfacher als das hier.

Ich dachte an das Foto, das ich gesehen hatte. Das Bild hatte sich mir eingebrannt. *Wer hat mir das angetan? Warum?* Ich dachte an die Erinnerung, die ich von dem Hotelzimmer gehabt hatte. Sie war noch da, knapp unter der Oberfläche, knapp außer Reichweite. Wie ich heute Morgen erfahren hatte, musste ich davon ausgehen, dass ich eine Affäre gehabt hatte, doch jetzt wurde mir klar, dass ich mich nicht erinnern konnte, mit wem, vorausgesetzt, es entsprach überhaupt der Wahrheit. Ich hatte nur einen einzigen Namen, der mir vor wenigen Tagen morgens beim Aufwachen eingefallen war, ohne die Aussicht, mich je an mehr erinnern zu können, selbst wenn ich wollte.

Dr. Nash redete noch immer. Ich hatte keine Ahnung, worüber, und ich fiel ihm ins Wort. »Verbessert sich mein Zustand?«, fragte ich.

Für einen Sekundenbruchteil dachte ich, er würde nicht antworten, doch dann sagte er: »Glauben Sie das?«

Tat ich das? Ich konnte es nicht sagen. »Ich weiß nicht. Ja. Sieht so aus. Ich kann mich an Dinge aus meiner Vergangenheit erinnern, manchmal. Erinnerungsblitze. Ich habe sie, wenn ich mein Tagebuch lese. Sie fühlen sich real an. Ich erinnere mich an Claire. Adam. Meine Mutter. Aber sie sind wie Fäden, die ich nicht festhalten kann. Luftballons, die in den Himmel schweben, ehe ich sie fassen kann. Ich kann mich nicht an meine Hochzeit erinnern. Ich kann mich nicht an Adams erste Schritte erinnern, sein erstes Wort. Ich kann mich nicht an seine Einschulung erinnern, an seinen Schulabschluss. An nichts davon. Ich weiß nicht mal, ob ich dabei war. Vielleicht hat Ben gedacht, es würde sowieso nichts bringen, mich mitzunehmen.« Ich holte Luft. »Ich kann mich nicht mal erinnern, von seinem Tod erfahren zu haben, oder an seine Beerdigung.« Ich begann zu weinen. »Ich habe das Gefühl, ich werde verrückt. Manchmal denke ich sogar, er ist gar nicht

217

tot. Ist das zu fassen? Manchmal denke ich, dass Ben mich auch in dem Punkt belügt, wie bei allem anderen.«

»Bei allem anderen?«

»Ja«, sagte ich. »Mein Roman. Der Angriff auf mich. Der Grund, warum ich keine Erinnerung habe. Alles.«

»Aber was glauben Sie, warum er das tut?«

Mir kam ein Gedanke. »Weil ich eine Affäre hatte?«, sagte ich. »Weil ich ihm untreu war?«

»Christine«, sagte er. »Das ist unwahrscheinlich, meinen Sie nicht?«

Ich sagte nichts. Er hatte natürlich recht. Im Grunde meines Herzens glaubte ich nicht, dass seine Lügen tatsächlich eine verspätete Rache für etwas waren, das vor vielen Jahren passiert war. Die Erklärung war wahrscheinlich sehr viel banaler.

»Wissen Sie«, sagte Dr. Nash, »ich glaube auch, Ihr Zustand verbessert sich. Sie können sich an Dinge erinnern. Sehr viel häufiger als am Anfang unserer Zusammenarbeit. Diese Erinnerungsfetzen sind eindeutig ein Zeichen dafür, dass Sie Fortschritte machen. Sie bedeuten –«

Ich sah ihn an. »Fortschritte? Das nennen Sie Fortschritte?« Ich schrie jetzt fast, die Wut brach aus mir hervor, als könnte ich sie nicht länger im Zaum halten. »Wenn das Fortschritte sind, dann weiß ich nicht, ob ich das will.« Die Tränen flossen jetzt haltlos. »Ich will das nicht!«

Ich schloss die Augen und überließ mich meinem Kummer. Es fühlte sich besser an, irgendwie, hilflos zu sein. Ich schämte mich nicht. Dr. Nash redete auf mich ein, sagte zuerst, ich solle nicht verzweifeln, es würde alles gut, und dann, ich solle mich beruhigen. Ich konnte mich nicht beruhigen und ich wollte es nicht.

Er hielt den Wagen an. Stellte den Motor ab. Ich öffnete die Augen. Wir waren von der Hauptstraße abgebogen, und vor mir war ein Park. Durch den Tränenschleier hindurch konnte ich undeutlich eine Gruppe Jungen erkennen – Teenager, vermutlich.

Sie spielten Fußball, und zwei Haufen aus Jacken dienten als Torpfosten. Es hatte angefangen zu regnen, doch sie hörten nicht auf. Dr. Nash wandte sich mir zu.

»Christine«, sagte er. »Es tut mir leid. Vielleicht war das heute ein Fehler. Ich weiß nicht. Ich dachte, wir könnten weitere Erinnerungen auslösen. Ich habe mich geirrt. Auf keinen Fall hätten Sie das Foto sehen dürfen.«

»Ich weiß nicht mal, ob es an dem Foto lag«, sagte ich. Ich hatte jetzt aufgehört zu schluchzen, doch mein Gesicht war nass. Ich spürte, dass mir dünnflüssiger Schleim aus der Nase lief. »Haben Sie ein Taschentuch?«, fragte ich. Er griff an mir vorbei und kramte im Handschuhfach herum. »Es lag an allem«, fuhr ich fort. »Der Anblick der Menschen dort, die Vorstellung, dass ich auch mal so war. Und diese Aufzeichnungen! Ich kann nicht glauben, dass ich das war, die das geschrieben hat. Ich kann nicht glauben, dass ich so krank war.«

Er reichte mir ein Papiertaschentuch. »Aber Sie sind es nicht mehr«, sagte er.

Ich nahm es und putzte mir die Nase. »Vielleicht ist es schlimmer«, sagte ich leise. »Ich habe geschrieben, es war so, als wäre ich tot. Aber das jetzt? Das ist schlimmer. Es ist wie sterben, jeden Tag. Immer und immer wieder. Ich muss wieder gesund werden«, sagte ich. »Ich kann mir nicht vorstellen, noch sehr viel länger so weiterzumachen. Ich weiß, ich werde heute Nacht einschlafen, und ich werde morgen aufwachen und nichts mehr wissen, und am nächsten Tag und am übernächsten, für alle Zeit. Ich kann mir das nicht vorstellen. Ich ertrage das nicht. Das ist kein Leben, das ist bloß ein Vegetieren von einem Moment zum nächsten, ohne eine Vorstellung von der Vergangenheit und ohne einen Plan für die Zukunft. So muss es für Tiere sein. Das Schlimmste ist, dass ich nicht mal weiß, was ich nicht weiß. Vielleicht lauern ja noch jede Menge Dinge darauf, mir weh zu tun. Dinge, die ich mir nicht mal im Traum vorstellen kann.«

Er legte seine Hand auf meine. Ich ließ mich gegen ihn fallen, wusste, was er tun würde, was er tun musste, und er tat es. Er öffnete die Arme und hielt mich, und ich ließ mich von ihm umarmen. »Ist ja gut«, sagte er. »Ist ja gut.« Ich spürte seine Brust unter meiner Wange, und ich atmete, sog seinen Geruch ein, frische Wäsche und schwach etwas anderes. Schweiß und Sex. Seine Hand war auf meinem Rücken, und ich spürte, wie sie sich bewegte, spürte, wie sie mein Haar berührte, meinen Kopf, zunächst leicht, doch dann fester, während ich wieder schluchzte. »Es wird alles gut«, flüsterte er, und ich schloss die Augen.

»Ich will mich bloß daran erinnern, was passiert ist«, sagte ich. »An dem Abend, als ich angegriffen wurde. Irgendwie habe ich das Gefühl, wenn ich mich daran erinnern könnte, dann könnte ich mich an alles erinnern.«

Er sprach sanft. »Es gibt keine Garantie dafür, dass dem so ist. Keinen Grund –«

»Aber ich glaube es«, sagte ich. »Ich weiß es, irgendwie.«

Er zog mich näher. Sacht, fast so sacht, dass ich es nicht spürte. Ich spürte seinen Körper, dicht an meinem, und atmete tief ein, und dabei dachte ich an ein anderes Mal, als mich jemand hielt. Eine andere Erinnerung.

Meine Augen sind geschlossen, genau wie jetzt, und mein Körper ist gegen einen anderen gepresst, obwohl es anders ist. Ich möchte nicht von diesem Mann gehalten werden. Er tut mir weh. Ich wehre mich, versuche, mich loszureißen, doch er ist stark und hält mich fest. Er spricht. Mist-stück, *sagt er.* Schlampe, *und obwohl ich ihm widersprechen möchte, sage ich nichts. Mein Gesicht ist gegen sein Hemd gedrückt, und genau wie bei Dr. Nash weine ich, schreie ich. Ich öffne die Augen und sehe den blauen Stoff seines Hemds, eine Tür, eine Frisierkommode mit drei Spiegeln und darüber ein Bild – ein Gemälde von einem Vogel. Ich kann seinen Arm sehen, stark, muskulös, eine Ader über die ganze Länge.* Lass mich los!, *sage ich, und dann wirbele ich herum und falle, oder der Fußboden hebt sich mir entgegen, keine Ahnung. Er packt mich an den Haaren und schleift mich zur Tür. Ich drehe den Kopf, um sein Gesicht zu sehen.*

Und an der Stelle lässt mein Gedächtnis mich wieder im Stich. Ich erinnere mich zwar, ihm ins Gesicht geblickt zu haben, weiß aber nicht, was ich gesehen habe. Es ist konturlos, leer. Als wäre mein Verstand unfähig, dieses Vakuum zu verkraften, spult er Gesichter ab, die ich kenne, so absurd die Möglichkeiten auch sind. Ich sehe Dr. Nash. Dr. Wilson. Den Mann in der Psychiatrie, der uns begrüßt hatte. Meinen Vater. Ben. Ich sehe sogar mein eigenes Gesicht, lachend, während ich eine Faust hebe, um zuzuschlagen.

Bitte, *schreie ich*, bitte nicht. *Doch mein vielgesichtiger Angreifer schlägt trotzdem zu, und ich schmecke Blut. Er schleift mich über den Fußboden, und dann bin ich im Bad, auf den kalten schwarzweißen Fliesen. Der Boden ist feucht von Kondenswasser, der Raum riecht nach Orangenblüten, und ich erinnere mich, dass ich mich darauf gefreut hatte, ein Bad zu nehmen, mich schön zu machen, mir vorgestellt hatte, ich läge vielleicht noch in der Wanne, wenn er käme, und dass er sich dann zu mir gesellen könnte und wir uns in der Wanne lieben würden, bis das seifige Wasser überschwappen, den Fußboden klatschnass machen würde, unsere Kleidung, alles. Denn nach all den Monaten voller Zweifel ist mir endlich klargeworden, dass ich diesen Mann liebe. Endlich weiß ich es. Ich liebe ihn.*

Mein Kopf schlägt auf den Boden. Einmal, zweimal, ein drittes Mal. Ich sehe alles verschwommen und doppelt, dann wieder scharf. Ein Summen in meinen Ohren, und er ruft etwas, aber ich kann nicht hören, was. Es hallt, als gäbe es zwei von ihm, als würden mich beide festhalten, mir den Arm verdrehen, mich an den Haaren reißen, während sie auf meinem Rücken knien. Ich flehe ihn an, mich loszulassen, und es gibt auch mich zweimal. Ich schlucke. Blut.

Mein Kopf schnellt ruckartig nach hinten. Panik. Ich bin auf den Knien. Ich sehe Wasser, Schaum, der schon dünner wird. Ich versuche zu sprechen, aber es geht nicht. Seine Hand ist um meinen Hals, und ich kann nicht atmen. Ich werde nach vorne gedrückt, tiefer, tiefer, so schnell,

dass ich denke, ich werde niemals bremsen können, und dann ist mein
Kopf im Wasser. Orangenblüten in meiner Kehle.

Ich hörte eine Stimme. »Christine!«, rief sie. »Christine! Bleiben Sie stehen!« Ich öffnete die Augen. Irgendwie war ich nicht
mehr in dem Wagen. Ich rannte. Durch den Park, so schnell ich
konnte, und hinter mir rannte Dr. Nash.

Wir setzten uns auf eine Bank. Holzbretter auf Beton. Eines
fehlte, und die restlichen bogen sich unter uns. Ich spürte die
Sonne im Nacken, sah ihre langen Schatten auf der Erde. Die
Jungen kickten noch immer, obwohl das Fußballspiel zu Ende
sein musste; einige verließen bereits die Wiese, andere unterhielten sich, einer von den Jackenhaufen war entfernt worden, das
Tor nicht mehr zu erkennen. Dr. Nash hatte mich gefragt, was
passiert war.

»Ich hab mich an was erinnert«, sagte ich.

»An den Abend, als Sie angegriffen wurden?«

»Ja«, sagte ich. »Wie kommen Sie darauf?«

»Sie haben geschrien«, sagte er. »Sie haben gesagt, ›Lass mich
los‹, immer wieder.«

»Es war, als würde ich alles noch einmal erleben«, sagte ich.
»Tut mir leid.«

»Bitte entschuldigen Sie sich nicht. Wollen Sie mir erzählen,
was Sie gesehen haben?«

Nein, eigentlich wollte ich es nicht. Mir war, als würde ein
uralter Instinkt mir sagen, dass ich diese Erinnerung besser für
mich behielt. Aber ich brauchte seine Hilfe, wusste, dass ich ihm
vertrauen konnte. Ich erzählte ihm alles.

Als ich fertig war, schwieg er einen Moment, dann sagte er:
»Sonst noch was?«

»Nein«, sagte ich. »Ich glaube nicht.«

»Sie erinnern sich nicht daran, wie er aussah? Der Mann, der
Sie angegriffen hat?«

»Nein. Sein Gesicht kann ich überhaupt nicht sehen.«

»Auch nicht an seinen Namen?«

»Nein«, sagte ich. »Nichts.« Ich zögerte. »Meinen Sie, es würde mir helfen, wenn ich weiß, wer mir das angetan hat? Wenn ich ihn sehe? Mich an ihn erinnere?«

»Christine, das ist kein richtiger Beweis. Es gibt keinen Beleg dafür, dass es wahr ist.«

»Aber es könnte sein?«

»Es scheint eine Ihrer am stärksten verdrängten Erinnerungen zu sein —«

»Also könnte es sein?«

Er schwieg, dann sagte er: »Ich hab den Vorschlag schon einmal gemacht, aber es könnte wirklich etwas bringen, dorthin zurückzukehren …«

»Nein«, sagte ich. »Nein. Ich will nichts davon hören.«

»Wir können zusammen hinfahren. Ihnen würde nichts passieren. Das verspreche ich. Wenn Sie noch einmal dort wären … in Brighton —«

»Nein.«

»— dann erinnern Sie sich vielleicht —«

»Nein! Bitte!«

»— es könnte etwas bringen.«

Ich blickte nach unten auf meine Hände, faltete sie im Schoß. »Ich kann da nicht noch mal hin«, sagte ich. »Ich kann einfach nicht.«

Er seufzte. »Okay«, sagte er. »Vielleicht sprechen wir ein anderes Mal darüber?«

»Nein«, flüsterte ich. »Ich kann nicht.«

»Okay«, sagte er. »Okay.«

Er lächelte, wirkte aber enttäuscht. Ich wollte ihm unbedingt irgendetwas bieten, damit er mich nicht aufgab. »Dr. Nash?«, sagte ich.

»Ja?«

»Neulich hab ich ins Tagebuch geschrieben, dass mir etwas eingefallen war. Vielleicht ist es ja wichtig. Ich weiß nicht.«

Er sah mich an.

»Und was?« Unsere Knie berührten sich. Keiner von uns wich zurück.

»Als ich aufgewacht bin«, sagte ich, »wusste ich irgendwie, dass ich mit einem Mann im Bett lag. Ich hab mich an einen Namen erinnert. Aber der Name war nicht Ben. Ich hab mich gefragt, ob es der Name des Mannes war, mit dem ich die Affäre hatte. Der Mann, der mich angegriffen hat.«

»Durchaus möglich«, sagte er. »Das könnte das erste Zeichen dafür gewesen sein, dass die verdrängte Erinnerung langsam an die Oberfläche steigt. Wie ist der Name?«

Plötzlich wollte ich es ihm nicht mehr erzählen, wollte den Namen nicht aussprechen. Irgendwie hatte ich das Gefühl, ich würde es damit real machen, meinen Angreifer zurück in die Wirklichkeit holen. Ich schloss die Augen.

»Ed«, flüsterte ich. »Ich habe mir vorgestellt, neben jemandem namens Ed aufzuwachen.«

Schweigen. Ein Herzschlag, der ewig zu währen schien.

»Christine«, sagte er. »Das ist mein Name. Ich heiße Ed. Ed Nash.«

Einen Moment lang konnte ich nicht klar denken. Mein erster Gedanke war, dass er mich damals angegriffen hatte. »Was?«, sagte ich panisch.

»Das ist mein Vorname. Ich habe ihn Ihnen schon mal genannt. Vielleicht haben Sie ihn nie aufgeschrieben. Ich heiße Edmund. Ed.«

Ich begriff, dass er es nicht gewesen sein konnte. Er war damals ja kaum auf der Welt.

»Aber —«

»Sie haben vermutlich konfabuliert«, sagte er. »Sie wissen schon. Was Dr. Wilson erklärt hat?«

»Ja«, sagte ich. »Ich –«

»Oder vielleicht hatte der Mann, der Sie angegriffen hat, denselben Namen?«

Er lachte, als er das sagte, wollte die Situation herunterspielen, doch dadurch verriet er, dass er sich bereits dachte, was mir erst später – als er mich nach Hause gebracht hatte – klarwurde. Ich war an dem Morgen glücklich aufgewacht. Glücklich, weil ich mit jemandem namens Ed im Bett lag. Aber es war keine Erinnerung gewesen. Sondern eine Phantasie. Mit diesem Mann namens Ed aufzuwachen, war nicht etwas, was ich in der Vergangenheit erlebt hatte, sondern etwas, was ich in der Zukunft erleben wollte – obwohl mein bewusster, wacher Verstand nicht wusste, wer der Mann war. Ich wollte mit Dr. Nash schlafen.

Und jetzt habe ich es ihm versehentlich, unabsichtlich gesagt. Ich habe verraten, was ich offenbar für ihn empfinde. Er reagierte natürlich professionell. Wir taten beide so, als würden wir der Sache keine Bedeutung beimessen, und verrieten gerade dadurch, wie bedeutsam sie doch war. Wir gingen zurück zum Wagen, und er fuhr mich nach Hause. Wir plauderten über Alltägliches. Das Wetter. Ben. Es gibt nur wenige Themen, über die wir reden können; schließlich bin ich aus ganzen Erfahrungsbereichen komplett ausgeschlossen. Irgendwann sagte er: »Wir gehen heute Abend ins Theater«, und mir fiel der Plural auf, den er mit Bedacht benutzte. *Keine Angst*, hatte ich schon auf der Zunge. *Ich kenne meinen Platz*. Doch ich sagte nichts. Er sollte nicht denken, ich wäre verbittert.

Er sagte, er würde mich morgen anrufen. »Vorausgesetzt, Sie wollen überhaupt weitermachen?«

Ich weiß, dass ich jetzt nicht aufhören kann. Nicht ehe ich die Wahrheit kenne. Das bin ich mir selbst schuldig, sonst lebe ich nur ein halbes Leben. »Ja«, sagte ich. »Ich will.« Auf jeden Fall brauche ich ihn, damit er mich daran erinnert, in mein Tagebuch zu schreiben.

»Okay«, sagte er. »Gut. Beim nächsten Mal sollten wir einen weiteren Ort aus Ihrer Vergangenheit besuchen.« Er warf mir einen Seitenblick zu. »Keine Sorge. Nicht dahin. Ich denke, wir sollten zu der Einrichtung fahren, in die Sie von der Psychiatrie aus verlegt wurden. Sie heißt Waring House.« Ich sagte nichts. »Es liegt ziemlich in Ihrer Nähe. Soll ich da anrufen?«

Ich überlegte einen Moment, fragte mich, was es nützen könnte, kam aber zu dem Schluss, dass ich keine anderen Möglichkeiten habe und alles besser ist als gar nichts.

Ich sagte: »Ja. Ja, rufen Sie an.«

Dienstag, 20. November

Es ist Vormittag. Ben hat vorgeschlagen, ich soll die Fenster putzen.

»Ich hab's an die Tafel geschrieben«, sagte er, als er in sein Auto stieg. »In der Küche.«

Ich sah nach. *Fenster putzen*, hatte er geschrieben, mit einem zaghaften Fragezeichen dahinter. Ich fragte mich, ob er dachte, ich hätte vielleicht keine Zeit, fragte mich, was er glaubte, was ich den ganzen Tag über tat. Er weiß nicht, dass ich inzwischen Stunden brauche, um mein Tagebuch zu lesen, und manchmal noch ein paar Stunden mehr, um alles Neue aufzuschreiben. Er weiß nicht, dass ich mich an manchen Tagen mit Dr. Nash treffe.

Ich frage mich, womit ich mich vorher tagsüber beschäftigt habe. Habe ich wirklich meine Zeit damit verbracht, vor dem Fernseher zu sitzen oder spazieren zu gehen oder Dinge im Haushalt zu erledigen? Habe ich Stunde für Stunde im Sessel gesessen und dem Ticken der Uhr gelauscht, mich gefragt, wie ich leben sollte?

Fenster putzen. Möglicherweise ärgere ich mich an manchen Tagen, wenn ich dergleichen an der Tafel lese, weil ich mich dadurch kontrolliert fühle, aber heute war ich fast gerührt, sah darin nichts Böses, sondern nur den Wunsch, mir etwas zu tun zu geben. Ich lächelte vor mich hin, doch zugleich dachte ich, wie schwierig es sein muss, mit mir zu leben. Er muss sich ungeheuer bemühen, für meine Sicherheit zu sorgen, und doch ständig befürchten, dass ich verwirrt werde, draußen herumirre oder Schlimmeres. Ich erinnerte mich, in meinem Tagebuch von dem

Brand gelesen zu haben, der fast unsere ganze Vergangenheit vernichtet hat, dem Brand, den ich verursacht haben muss, auch wenn Ben mir das nie erzählt hat. Ich hatte eine Vision – eine brennende Tür, fast unsichtbar in dem dichten Rauch, ein Sofa, das zerschmolz wie Wachs –, die zum Greifen nah vor meinem geistigen Auge schwebte, sich aber einfach nicht in eine Erinnerung verwandeln wollte und ein halbeingebildeter Traum blieb. Doch Ben hat mir das verziehen, dachte ich, genau wie er mir so vieles mehr verziehen haben muss. Ich blickte durchs Küchenfenster nach draußen und sah durch die Spiegelung meines Gesichts den gemähten Rasen, die ordentlich geschnittenen Kanten, den Schuppen, die Zäune. Ich begriff, dass Ben von meiner Affäre gewusst haben musste – ganz sicher, nachdem ich in Brighton gefunden worden war, wenn nicht schon früher. Wie viel Kraft es ihn gekostet haben musste, sich um mich zu kümmern – nach meinem Gedächtnisverlust –, erst recht mit dem Wissen, dass ich, als es passierte, von zu Hause weg gewesen war, um mit einem anderen Mann zu vögeln. Ich dachte daran, was ich gesehen hatte, an die von mir geschriebenen Tagebucheinträge. Mein Verstand war zersplittert worden. Zerstört. Dennoch hatte Ben zu mir gestanden, wo ein anderer Mann vielleicht gesagt hätte, dass ich das alles verdiente, und mich hätte verrotten lassen.

Ich wandte mich vom Fenster ab und schaute unter die Spüle. Putzzeug. Spülmittel. Packungen mit Pulver, Plastiksprühflaschen. Ich sah einen roten Plastikeimer und füllte ihn mit heißem Wasser, gab einen Spritzer Spülmittel und einen Tropfen Essig hinein. *Wie habe ich es ihm gedankt?*, dachte ich. Ich nahm einen Schwamm und fing an, die Fenster einzuseifen, von oben nach unten. Ich schleiche in London herum, treffe mich mit Ärzten, lasse MRTs machen, besuche unser ehemaliges Haus und die Kliniken, in denen ich nach meinem Unfall behandelt worden bin, ohne ihm etwas davon zu sagen. Und warum? Weil ich ihm nicht vertraue? Weil er beschlossen hat, mich vor der Wahrheit zu schützen, mir das Leben so einfach und leicht wie möglich zu machen? Ich sah zu, wie das Seifenwasser in kleinen Rinnsalen herunterlief, sich unten sammelte, nahm dann einen trockenen Lappen und polierte das Fenster, bis es glänzte.

Jetzt weiß ich, dass die Wahrheit noch schlimmer ist. Heute Morgen war ich mit einem überwältigenden Schuldgefühl aufgewacht, und die Worte *Du solltest dich schämen* wirbelten mir durch den Kopf. *Das wird dir noch leidtun.* Zuerst dachte ich, ich läge neben einem Mann, der nicht mein Mann war, und erst später fand ich die Wahrheit heraus. Dass ich ihn betrogen habe. Zweimal. Das erste Mal vor Jahren, mit einem Mann, der mir am Ende alles nehmen würde, und jetzt habe ich es wieder getan, zumindest im Herzen. Ich habe mich wie ein alberner Backfisch in einen Arzt verknallt, der versucht, mir zu helfen, versucht, mich zu trösten. Ein Arzt, den ich mir im Augenblick nicht mal ansatzweise vorstellen kann, an den ich nicht die geringste Erinnerung habe, der aber, wie ich weiß, deutlich jünger ist als ich und eine Freundin hat. Und jetzt habe ich ihm gesagt, was ich empfinde! Aus Versehen zwar, aber ich habe es ihm gesagt. Ich habe nicht nur Gewissensbisse. Ich komme mir lächerlich vor. Ich kann mir absolut nicht vorstellen, was mich dazu gebracht haben muss. Ich bin jämmerlich.

Dort, beim Polieren des Glases, traf ich eine Entscheidung. Auch wenn Ben nicht wie ich der Auffassung ist, dass meine Behandlung etwas nützt, kann ich mir nicht vorstellen, dass er mir die Gelegenheit verbauen wird, das selbst herauszufinden. Nicht, wenn ich es wirklich will. Ich bin eine erwachsene Frau, er ist kein Unmensch; bestimmt kann ich ihm die Wahrheit anvertrauen.

Ich schüttete das Putzwasser in die Spüle und füllte den Eimer erneut. Ich werde meinem Mann alles erzählen. Heute Abend. Wenn er nach Hause kommt. So kann es nicht weitergehen. Ich nahm mir das nächste Fenster vor.

* * *

Das habe ich vor einer Stunde geschrieben, aber jetzt bin ich mir nicht mehr so sicher. Ich denke an Adam. Ich habe von den Fotos in der Metallschatulle gelesen, doch noch immer sind nirgendwo im Haus Bilder von ihm zu sehen. Nicht eines. Ich kann nicht glauben, dass Ben, dass überhaupt jemand imstande wäre, sämtliche Spuren des Sohnes, den er verloren hat, aus dem eigenen Haus zu entfernen. Es kommt mir nicht richtig vor, es kommt mir unmöglich vor. Kann ich einem Mann vertrauen, der zu so etwas in der Lage ist? Ich erinnerte mich, gelesen zu haben, dass ich ihn an dem Tag, als wir auf einer Bank auf dem Parliament Hill saßen, direkt darauf angesprochen hatte. Er hatte gelogen. Ich blättere jetzt in meinem Tagebuch zurück und lese die Stelle noch einmal. *Wir haben keine Kinder bekommen*, hatte ich gesagt, und er hatte erwidert, *Nein. Nein, das haben wir nicht.* Kann es denn wirklich sein, dass er mich mit der Lüge nur schützen wollte? Kann er wirklich glauben, dass es so am besten ist? Mir immer nur das zu erzählen, was er erzählen muss, was zweckmäßig ist?

Und was am schnellsten geht. Wahrscheinlich langweilt es ihn zu Tode, mir immer dasselbe zu erzählen, wieder und wieder, Tag für Tag. Mir kommt der Gedanke, dass der Grund, warum er Erklärungen verkürzt und Geschichten abändert, gar nichts mit mir zu tun haben muss. Vielleicht macht er das, damit er sich durch die ständige Wiederholung nicht selbst in den Wahnsinn treibt.

Ich habe das Gefühl, verrückt zu werden. Alles ist im Fluss, alles ist in Bewegung. Ich denke eine Sache und im nächsten Moment das Gegenteil. Ich glaube alles, was mein Mann sagt, und dann glaube ich nichts. Ich vertraue ihm und dann wieder nicht. Nichts fühlt sich real an, alles erfunden. Sogar ich selbst.

Ich wünschte, ich wüsste auch nur eine Sache mit Sicherheit. Eine einzige Sache, die mir nicht erzählt werden muss, an die ich nicht erinnert werden muss.

Ich wünschte, ich wüsste, mit wem ich zusammen war, an jenem Tag in Brighton. Ich wünschte, ich wüsste, wer mir das angetan hat.

* * *

Später. Ich habe gerade mit Dr. Nash gesprochen. Ich döste im Wohnzimmer, als das Telefon klingelte, der Fernseher lief, mit leisegestelltem Ton. Einen Moment lang konnte ich nicht sagen, wo ich war, ob ich schlief oder wach war. Ich meinte, Stimmen zu hören, die lauter wurden. Ich begriff, dass eine davon meine war, und die andere klang wie Ben. Doch er sagte, *Du blödes Miststück* und Schlimmeres. Ich schrie ihn an, vor Wut, und dann vor Angst. Eine Tür knallte, das Geräusch eines Faustschlags, splitterndes Glas. In dem Moment merkte ich, dass ich träumte.

Ich öffnete die Augen. Eine angeschlagene Tasse kalter Kaffee stand vor mir auf dem Tisch, ein Telefon surrte daneben. Das aufklappbare. Ich ging ran.

Es war Dr. Nash. Er stellte sich vor, obwohl mir seine Stimme gleich irgendwie vertraut vorgekommen war. Er fragte mich, ob es mir gutging. Ich bejahte und sagte, ich hätte mein Tagebuch gelesen.

»Dann wissen Sie, worüber wir gestern gesprochen haben?«, fragte er. Ein Schock durchfuhr mich. Entsetzen. Er hatte also beschlossen, die Sache anzusprechen. Hoffnung keimte in mir auf – vielleicht hatte er ja tatsächlich dasselbe empfunden wie ich, dieselbe Mischung aus Verlangen und Furcht –, doch sie währte nicht lange. »Darüber, zu der Einrichtung zu fahren, in der Sie nach der Psychiatrie untergebracht waren?«, sagte er. »Waring House?«

Ich sagte: »Ja.«

»Also, ich habe heute Morgen da angerufen. Es ist alles klar. Wir können jederzeit kommen.« Die Zukunft. Wieder kam sie mir fast bedeutungslos vor. »In den nächsten zwei Tagen habe ich ziemlich viel zu tun«, sagte er. »Wir könnten am Donnerstag hinfahren.«

»Klingt gut«, sagte ich. Es war mir mehr oder weniger egal, wann wir hinfuhren. Ich versprach mir ohnehin nicht viel davon.

»Schön«, sagte er. »Ich ruf Sie dann an.«

Ich wollte mich schon verabschieden, als mir einfiel, was ich geschrieben hatte, ehe ich eingedöst war. Ich begriff, dass ich nicht tief geschlafen haben konnte, weil ich sonst alles wieder vergessen hätte.

»Dr. Nash?«, sagte ich. »Kann ich kurz mit Ihnen reden?«

»Ja?«

»Über Ben?«

»Selbstverständlich.«

»Tja, also, ich bin einfach durcheinander. Er erzählt mir viele Dinge nicht. Wichtige Dinge. Über Adam. Meinen Roman. Und er belügt mich. Er erzählt mir, dass ich durch einen Autounfall so geworden bin.«

»Okay«, sagte er. Er zögerte einen Moment, sagte dann: »Was glauben Sie, warum er das tut?« Er betonte das *Sie*, nicht das *Warum*.

Ich überlegte kurz. »Er weiß nicht, dass ich mir alles Wichtige notiere. Er weiß nicht, dass ich weiß, wie es wirklich war. Ich schätze, so ist es leichter für ihn.«

»Nur für ihn?«

»Nein. Wohl auch für mich. Zumindest glaubt er das. Aber das stimmt nicht. Es hat bloß zur Folge, dass ich nicht mal weiß, ob ich ihm vertrauen kann.«

»Christine, wir verändern andauernd Tatsachen, schreiben unsere Geschichte neu, um Dinge einfacher zu machen, um sie unserer bevorzugten Version der Ereignisse anzupassen. Wir machen das automatisch. Wir erfinden Erinnerungen. Unbewusst. Wenn wir uns oft genug einreden, dass irgendetwas passiert ist, glauben wir es irgendwann und können uns schließlich sogar richtig dran erinnern. Kann es nicht sein, dass Ben genau das macht?«

»Möglich«, sagte ich. »Aber ich habe das Gefühl, dass er mich ausnutzt. Meine Krankheit ausnutzt. Er denkt, er kann meine Geschichte neu schreiben, wie es ihm passt, ohne dass ich es merke, ohne dass ich es je weiß. Aber ich weiß es. Ich weiß genau, was er macht. Und deshalb vertraue ich ihm nicht. Letzten Endes stößt er mich weg, Dr. Nash. Macht alles kaputt.«

»Also«, sagte er. »Was meinen Sie, können Sie dagegen tun?«

Ich wusste die Antwort bereits. Ich habe meinen Tagebucheintrag von heute Morgen gelesen, wieder und wieder. Dass ich ihm vertrauen sollte. Aber nicht weiß, wie. Und schließlich hatte ich nur einen Gedanken: *So kann es nicht weitergehen.*

»Ich muss ihm erzählen, dass ich Tagebuch schreibe«, sagte ich. »Ich muss ihm erzählen, dass ich mich mit Ihnen treffe.«

Er sagte einen Moment lang nichts. Ich weiß nicht, was ich erwartete. Missbilligung? Doch dann sagte er: »Ich glaube, Sie haben recht.«

Erleichterung durchströmte mich. »Ehrlich?«

»Ja«, sagte er. »Ich denke schon seit ein paar Tagen, dass es vielleicht klüger wäre. Ich hatte keine Ahnung, dass sich Bens Version der Vergangenheit so stark von dem unterscheidet, woran Sie sich Stück für Stück wieder erinnern. Keine Ahnung, wie hinderlich das sein könnte. Aber ich finde auch, dass wir bislang eigentlich nur die halbe Wahrheit mitbekommen. Nach dem, was Sie gesagt haben, kommen immer mehr von Ihren verdrängten Erinnerungen ans Licht. Es könnte hilfreich für Sie sein, mit Ben zu sprechen. Über die Vergangenheit. Es könnte den Prozess beschleunigen.«

»Glauben Sie?«

»Ja«, sagte er. »Ich glaube, dass es vielleicht falsch war, unsere Arbeit vor Ben zu verheimlichen. Außerdem habe ich heute mit dem Personal im Waring House gesprochen. Ich wollte mir ein

Bild von der Situation damals machen. Ich habe mit einer Mitarbeiterin gesprochen, mit der Sie sich gut verstanden haben. Ihr Name ist Nicole. Sie hat mir erzählt, dass sie ihre Arbeit dort erst vor kurzem wieder aufgenommen hat, aber sie hat sich sehr gefreut, als sie hörte, dass Sie wieder zu Hause leben. Sie hat gesagt, kein Mensch hätte sie mehr lieben können als Ben. Er hat sie fast jeden Tag besucht. Sie hat gesagt, dass er in Ihrem Zimmer oder im Park einfach bei Ihnen gesessen hat. Und er hat sich immer bemüht, fröhlich zu sein, so schwer das alles auch war. Das ganze Personal hat ihn gut kennengelernt. Alle haben sich auf seine Besuche gefreut.« Er stockte einen Moment. »Wie wär's, wenn Sie Ben vorschlagen, mit uns zusammen hinzufahren?« Wieder ein Stocken. »Ich sollte ihn ohnehin allmählich mal kennenlernen.«

»Sind Sie ihm denn noch nie begegnet?«

»Nein«, sagte er. »Wir haben nur kurz telefoniert, als ich ihn damals gefragt habe, ob ich Sie sehen könnte. Ist nicht besonders gut gelaufen …«

Plötzlich begriff ich. Deshalb sollte ich Ben vorschlagen, mit uns zum Waring House zu fahren. Er wollte ihn endlich kennenlernen. Er wollte, dass sich alles offen abspielt, damit sich eine peinliche Situation wie gestern nie wiederholt.

»Okay«, sagte ich. »Wenn Sie meinen.«

Er sagte, das tue er. Dann wartete er einen langen Augenblick, ehe er fragte: »Christine? Sie haben gesagt, Sie hätten Ihr Tagebuch gelesen?«

»Ja«, sagte ich. Er wartete erneut. »Ich hab heute Morgen nicht angerufen. Ich hab Ihnen nicht gesagt, wo Sie es versteckt haben.«

Mir wurde bewusst, dass das stimmte. Ich war von allein zum Kleiderschrank gegangen, und obwohl ich nicht wusste, was ich darin finden würde, hatte ich den Schuhkarton gesehen und ihn geöffnet, fast ohne nachzudenken. Ich hatte das Tagebuch von selbst gefunden. Beinahe als hätte ich mich erinnert, dass es dort war.

»Das ist ausgezeichnet«, sagte er.

* * *

Ich schreibe das hier im Bett. Es ist spät, doch Ben ist in seinem Arbeitszimmer, auf der anderen Seite des Flurs. Ich kann ihn arbeiten hören, das Klackern der Tastatur, das Klicken der Maus. Dann und wann höre ich ein Seufzen, das Knarren seines Sessels. Ich stelle mir vor, wie er mit zusammengekniffenen Augen auf den Bildschirm starrt, hochkonzentriert. Ich baue darauf, dass ich höre, wenn er seinen Computer ausschaltet, um ins Bett zu gehen, damit ich noch Zeit habe, mein Tagebuch zu verstecken. Obwohl ich heute Mittag noch der gleichen Meinung war wie Dr. Nash, möchte ich inzwischen auf keinen Fall, dass mein Mann erfährt, was ich alles aufgeschrieben habe.

Ich habe heute Abend beim Essen mit ihm gesprochen. »Kann ich dich was fragen?«, sagte ich, und dann, als er aufblickte: »Wieso haben wir keine Kinder?« Ich schätze, ich wollte ihn auf die Probe stellen. Ich wünschte mir, dass er die Wahrheit sagte, meiner Behauptung widersprach.

»Irgendwie war es nie der richtige Zeitpunkt«, sagte er. »Und dann war es zu spät.«

Ich schob meinen noch halbvollen Teller beiseite. Ich war enttäuscht. Er war spät nach Hause gekommen, hatte gleich in der Diele meinen Namen gerufen, gefragt, ob alles in Ordnung sei. »Wo steckst du?«, hatte er gesagt. Es hatte geklungen wie ein Vorwurf.

Ich rief, dass ich in der Küche sei. Ich war beim Kochen, schnitt Zwiebeln klein, die ich in dem Olivenöl anbraten wollte, das in der Pfanne heiß wurde. Er blieb in der Tür stehen, als zögere er, den Raum zu betreten. Er sah müde aus. Unzufrieden. »Ist alles in Ordnung?«, fragte ich.

Er sah das Messer in meiner Hand. »Was machst du da?«

»Abendessen«, sagte ich. Ich lächelte, doch er lächelte nicht zurück. »Ich hab gedacht, ich mach uns ein Omelett. Im Kühlschrank waren noch Eier und Pilze. Haben wir irgendwo Kartoffeln? Ich konnte nirgends welche finden, ich –«

»Ich hatte für heute Abend Koteletts vorgesehen«, sagte er. »Ich hab welche gekauft. Gestern. Ich dachte, wir essen die.«

»Tut mir leid«, sagte ich. »Ich –«

»Aber nein. Omelett ist in Ordnung. Wenn du darauf Lust hast.«

Ich spürte, wie das Gespräch in eine Richtung abglitt, die mir nicht gefiel. Er starrte auf das Schneidebrett, über dem meine Hand schwebte, das Messer umklammert.

»Nein«, sagte ich. Ich lachte, aber er lachte nicht mit mir. »Nicht unbedingt. Ich wusste nichts von den Koteletts. Ich kann doch –«

»Du hast ja schon die Zwiebeln geschnitten«, sagte er. Seine Worte waren tonlos. Eine nüchterne Feststellung.

»Ich weiß, aber … Wir könnten die Koteletts doch immer noch machen, oder?«

»Ganz wie du meinst«, sagte er. Er drehte sich auf dem Absatz um und ging Richtung Esszimmer. »Ich deck den Tisch.«

Ich antwortete nicht. Ich wusste nicht, ob ich irgendetwas falsch gemacht hatte. Ich schnitt weiter die Zwiebeln.

Dann saßen wir einander gegenüber. Wir hatten beim Essen kaum ein Wort gesprochen. Ich hatte ihn gefragt, ob alles in Ordnung sei, doch er hatte bloß mit den Schultern gezuckt und genickt. »Es war ein langer Tag«, war das Einzige, was er sagte, und als ich ihn erwartungsvoll ansah, fügte er knapp hinzu: »Auf der Arbeit.« Das Gespräch war erstorben, ehe es richtig begonnen hatte, und ich hielt es erst mal für besser, ihm nichts von dem Tagebuch zu erzählen und von Dr. Nash. Ich stocherte in meinem

Essen herum, versuchte, mir keine Gedanken zu machen – schließlich, so sagte ich mir, darf er ja auch mal einen schlechten Tag haben –, doch die Anspannung nagte an mir. Ich spürte, wie mir die Gelegenheit, ihm reinen Wein einzuschenken, entglitt, und ich wusste nicht, ob ich morgen früh nach dem Aufwachen genauso überzeugt sein würde wie jetzt, dass es richtig wäre. Schließlich hielt ich es nicht länger aus.

»Aber wollten wir denn Kinder?«, fragte ich.

Er seufzte. »Christine, muss das jetzt sein?«

»Entschuldige«, sagte ich. Ich wusste noch immer nicht, ob ich etwas sagen sollte, und wenn ja, was. Es wäre vielleicht besser gewesen, es einfach zu lassen. Doch mir wurde klar, dass ich das nicht konnte. »Aber heute ist was ganz Merkwürdiges passiert«, sagte ich. Ich versuchte, meine Stimme möglichst ungezwungen klingen zu lassen, eine Heiterkeit an den Tag zu legen, die ich nicht empfand. »Ich hab nämlich gedacht, ich hätte mich an etwas erinnert.«

»Etwas?«

»Ja. Ach, ich weiß nicht …«

»Erzähl mal«, sagte er. Er beugte sich vor, plötzlich ganz gespannt. »Woran hast du dich erinnert?«

Meine Augen richteten sich auf die Wand hinter ihm. Ein Bild hing dort, ein Foto. Eine Blüte in Großaufnahme, in Schwarzweiß, mit Wassertropfen, die noch an ihr hafteten. Es sah billig aus, dachte ich. Als ob es in ein Kaufhaus gehörte, nicht in die eigenen vier Wände.

»Ich hab mich daran erinnert, dass ich ein Baby bekommen habe.«

Er lehnte sich auf seinem Stuhl zurück. Seine Augen wurden groß und schlossen sich dann ganz. Er holte tief Luft, ließ sie mit einem langen Seufzer entströmen.

»Stimmt das?«, sagte ich. »Hatten wir ein Baby?« *Wenn er jetzt lügt, dann weiß ich nicht, was ich tue.* Ihn anschreien, schätzte ich.

Ihm alles, alles sagen, in einem einzigen unbeherrschten, katastrophalen Ausbruch. Er öffnete die Augen und sah mich an.

»Ja«, sagte er. »Es stimmt.«

Er erzählte mir von Adam, und Erleichterung durchflutete mich. Erleichterung, aber mit Schmerz durchsetzt. All die Jahre, für immer verloren. All die Augenblicke, an die ich keine Erinnerung habe, die ich nie zurückholen kann. Ich spürte, wie Sehnsucht in mir erwachte, spürte sie wachsen, so groß werden, dass ich meinte, sie könnte mich verschlingen. Ben erzählte mir von Adams Geburt, seiner Kindheit, seinem Leben. Wo er zur Schule gegangen war, von dem Krippenspiel, bei dem er mitgemacht hatte; von seinen Leistungen als Fußballer und Leichtathlet, von seiner Enttäuschung über die Noten im Abschlusszeugnis. Von Freundinnen. Von dem Mal, als eine unvorsichtig Selbstgedrehte für einen Joint gehalten wurde. Ich stellte Fragen, und er beantwortete sie. Es schien ihm Freude zu machen, über seinen Sohn zu reden, als würde seine schlechte Laune durch die Erinnerung vertrieben.

Unwillkürlich schloss ich die Augen, während er erzählte. Bilder schwebten durch mich hindurch. Bilder von Adam und mir und Ben – aber ich konnte nicht sagen, ob sie Erinnerungen waren oder erfunden. Als er fertig war, schlug ich die Augen auf und war einen Moment lang erschrocken, als ich sah, wer da vor mir saß, wie alt er geworden war, so ganz anders als der junge Vater, den ich mir vorgestellt hatte. »Aber wir haben keine Fotos von ihm im Haus«, sagte ich. »Nirgendwo.«

Er blickte beklommen. »Ich weiß«, sagte er. »Es nimmt dich zu sehr mit.«

»Was denn?«

Er sagte nichts. Vielleicht hatte er nicht die Kraft, mir von Adams Tod zu erzählen. Er wirkte irgendwie matt. Ausgelaugt. Ich hatte Schuldgefühle, weil ich ihm das antat, jetzt und Tag für Tag.

»Schon gut«, sagte ich. »Ich weiß, dass er tot ist.«

Er blickte überrascht. Unsicher. »Du ... weißt es?«

»Ja«, sagte ich. Ich war drauf und dran, ihm von meinem Tagebuch zu berichten, dass er mir das alles schon einmal erzählt hatte, tat es aber nicht. Seine Stimmung wirkte noch immer anfällig, die Atmosphäre gespannt. Das konnte warten. »Ich spüre es einfach«, sagte ich.

»Das kann gut sein. Ich hab es dir schon mal erzählt.«

Das stimmte natürlich. Er hatte es mir schon mal erzählt. Genau wie Adams Leben. Und doch, so wurde mir klar, fühlte sich die eine Geschichte real an und die andere nicht. Mir wurde klar, dass ich nicht glaubte, dass mein Sohn tot war.

»Erzähl es mir noch einmal«, sagte ich.

Er erzählte mir von dem Krieg, der Bombe am Straßenrand. Ich hörte zu, so ruhig ich konnte. Er sprach von Adams Beerdigung, erzählte mir von den Salutschüssen am Grab, dem Union Jack, der über dem Sarg lag. Ich versuchte, die Erinnerungen mit aller Gewalt heraufzubeschwören, so unerträglich, so grässlich sie auch waren. Doch nichts kam.

»Ich will hingehen«, sagte ich. »Ich will sein Grab sehen.«

»Chris«, sagte er. »Ich weiß nicht ...«

Ich begriff, dass ich in Ermangelung von Erinnerungen einen Beweis für seinen Tod sehen musste, sonst würde ich für alle Zeit die Hoffnung hegen, dass er nicht tot war. »Ich will«, sagte ich. »Ich muss.«

Ich dachte, er würde nein sagen. Würde sagen, dass er das für keine gute Idee hielt, dass es mich viel zu sehr mitnehmen würde. Und was sollte ich dann machen? Wie könnte ich ihn zwingen?

Aber er sagte nichts dergleichen. »Wir fahren am Wochenende hin«, sagte er. »Versprochen.«

Eine Mischung aus Erleichterung und Entsetzen betäubte mich regelrecht.

Wir räumten den Tisch ab. Dann stand ich in der Küche an der Spüle, tauchte die Teller, die er mir reichte, in heißes Seifenwasser, wischte sie sauber und reichte sie ihm zum Abtrocknen zurück, und die ganze Zeit mied ich den Blick auf mein Spiegelbild im Fenster. Ich zwang mich, an Adams Beerdigung zu denken, stellte mir vor, wie ich an einem wolkenverhangenen Tag neben einem ausgehobenen Erdhügel auf dem Gras stand und auf einen Sarg blickte, der über dem Loch im Boden schwebte. Ich versuchte, mir die Salutschüsse vorzustellen, den einsamen Trompeter, der spielte, während wir – seine Familie, seine Freunde – lautlos schluchzten.

Aber es gelang mir nicht. Es war noch nicht lange her, und dennoch sah ich nichts. Ich versuchte, mir vorzustellen, was ich empfunden haben musste. Mit Sicherheit war ich an dem Morgen aufgewacht, ohne überhaupt zu ahnen, dass ich Mutter war. Ben musste mich sicherlich zuerst davon überzeugen, dass ich einen Sohn hatte, um mir dann zu offenbaren, dass wir ihn noch am Nachmittag beerdigen würden. Ich stelle mir nicht Entsetzen vor, sondern Gefühllosigkeit, Unglauben. Unwirklichkeit. Es gibt eine Grenze dessen, was ein Verstand ertragen kann, und mit so was wird er ganz sicher nicht fertig, jedenfalls nicht meiner. Ich stellte mir vor, wie mir gesagt wurde, was ich anziehen sollte, wie ich vom Haus zu einem wartenden Wagen geführt, auf die Rückbank gesetzt wurde. Vielleicht fragte ich mich auf der Fahrt, zu wessen Beerdigung wir eigentlich fuhren. Womöglich kam es mir so vor wie zu meiner eigenen.

Ich sah Bens Spiegelung in der Fensterscheibe. Er hatte das alles bewältigen müssen, zu einer Zeit, als seine eigene Trauer am heftigsten war. Es wäre vielleicht erträglicher für uns alle gewesen, wenn er mich gar nicht mit zu der Beerdigung genommen hätte. Mit einem Frösteln fragte ich mich, ob er vielleicht genau das getan hatte.

Ich wusste noch immer nicht, ob ich ihm von Dr. Nash erzählen sollte. Er wirkte jetzt wieder müde, fast niedergeschlagen. Er lächelte nur, wenn ich ihm in die Augen sah und ihn anlächelte. Vielleicht später, dachte ich, obwohl ich nicht wusste, ob es je einen besseren Zeitpunkt geben würde. Ich hatte irgendwie das Gefühl, dass ich für seine Stimmung verantwortlich war, weil ich irgendetwas getan oder nicht getan hatte. Mir wurde klar, wie wichtig mir dieser Mann doch war. Ich konnte nicht sagen, ob ich ihn liebte – das kann ich noch immer nicht –, aber das liegt daran, dass ich eigentlich nicht weiß, was Liebe ist. Trotz der nebulösen, flirrenden Erinnerung, die ich an Adam habe, empfinde ich Liebe für ihn, den instinktiven Drang, ihn zu beschützen, den Wunsch, ihm alles zu geben, das Gefühl, dass er ein Teil von mir ist und ich ohne ihn unvollständig bin. Auch für meine Mutter empfinde ich Liebe, wenn ich sie vor meinem geistigen Auge sehe, aber die ist anders geartet. Es ist eine komplexere Bindung, mit Widersprüchen und Vorbehalten. Eine, die ich nicht ganz verstehe. Aber Ben? Ich finde ihn attraktiv. Ich vertraue ihm – trotz der Lügen, die er mir aufgetischt hat, weiß ich, dass ihm mein Wohl am Herzen liegt –, doch wie kann ich sagen, ich liebe ihn, wenn mir nur vage bewusst ist, dass ich ihn länger als ein paar Stunden kenne?

Ich wusste es nicht. Aber ich wollte ihn glücklich sehen, und auf einer gewissen Ebene wusste ich, dass ich der Mensch sein wollte, der ihn glücklich macht. Ich muss mir mehr Mühe geben, beschloss ich. Aktiv werden. Mein Tagebuch könnte ein Mittel sein, um unser beider Leben zu verbessern, nicht bloß meines.

Ich wollte ihn gerade fragen, wie es ihm gehe, als es passierte. Ich hatte den Teller wohl losgelassen, ehe er ihn richtig packen konnte; er fiel zu Boden – begleitet von einem geknurrten *Scheiße!* aus Bens Mund – und zersprang in tausend kleine Stücke. »Tut mir leid!«, sagte ich, doch Ben sah mich nicht an. Er bückte sich leise fluchend. »Ich mach das schon«, sagte ich, aber er achtete gar nicht auf mich und fing an, die größeren Teile in der rechten Hand aufzusammeln.

»Tut mir leid!«, sagte ich wieder. »Ich bin so ungeschickt!«

Ich weiß nicht, was ich erwartete. Vergebung wahrscheinlich, oder die Beruhigung, dass es nicht weiter schlimm wäre. Doch stattdessen sagte Ben: »Scheiße!« Er ließ die Scherben wieder fallen und fing an, am linken Daumen zu saugen. Blutstropfen fielen auf das Linoleum.

»Alles in Ordnung?«, fragte ich.

Er sah zu mir hoch. »Ja doch. Ich hab mich bloß geschnitten. Verdammte Scheiße …«

»Lass mal sehen.«

»Ist nichts weiter«, sagte er. Er richtete sich auf.

»Lass mal sehen«, sagte ich wieder. Ich griff nach seiner Hand. »Ich hole dir einen Verband. Oder ein Pflaster. Haben wir –?«

»Verdammt nochmal!«, sagte er und schlug meine Hand weg. »Lass gut sein! Ja?«

Ich war wie vor den Kopf gestoßen. Ich sah, dass der Schnitt tief war. Blut quoll hervor und rann in einer dünnen Linie an Bens Handgelenk herunter. Ich wusste nicht, was ich tun, was ich sagen sollte. Er hatte nicht direkt geschrien, aber er hatte auch keinen Hehl aus seiner Verärgerung gemacht. Wir standen einander gegenüber, erstarrt, dicht am Rande eines Streits, warteten beide auf ein Wort vom anderen, unsicher, was geschehen war, wie viel Bedeutung dem Augenblick zuzumessen war.

Ich hielt es nicht länger aus. »Es tut mir leid«, sagte ich, obwohl ein Teil von mir sich darüber ärgerte.

Sein Gesicht wurde sanfter. »Schon gut. Mit tut es auch leid.« Er zögerte. »Ich bin zu nervös, glaube ich. Es war ein langer Tag.«

Ich holte ein Stück Küchenpapier und reichte es ihm. »Hier. Wisch dir das Blut ab.«

Er nahm es. »Danke«, sagte er und tupfte das Blut an Handgelenk und Fingern ab. »Ich geh besser nach oben. Unter die Dusche.« Er beugte sich vor, küsste mich. »Okay?«

Er drehte sich um und verließ die Küche.

Ich hörte, wie oben die Badezimmertür geschlossen wurde, das Wasser aufgedreht. Der Boiler neben mir sprang an. Ich sammelte die Tellerscherben auf, wickelte sie in Papier und warf sie in den Abfalleimer. Dann fegte ich die kleineren Splitter zusammen, ehe ich das Blut aufwischte. Anschließend ging ich ins Wohnzimmer.

Das aufklappbare Telefon klingelte, gedämpft durch die Handtasche. Ich holte es hervor. Dr. Nash.

Der Fernseher war noch eingeschaltet. Über mir hörte ich Dielen knarren, als Ben oben von Zimmer zu Zimmer ging. Damit er nicht mitbekam, dass ich mit einem Handy telefonierte, von dem er nichts wusste, flüsterte ich: »Hallo?«

»Christine«, meldete sich die Stimme. »Ich bin's, Ed. Dr. Nash. Können Sie reden?«

Am Nachmittag hatte er ruhig geklungen, fast nachdenklich, doch jetzt hatte seine Stimme einen dringenden Tonfall. Ich bekam Angst.

»Ja«, sagte ich und sprach noch leiser. »Was ist denn?«

»Hören Sie«, sagte er. »Haben Sie schon mit Ben gesprochen?«

»Ja«, sagte ich. »Gewissermaßen. Wieso? Was ist passiert?«

»Haben Sie ihm von dem Tagebuch erzählt? Von mir? Haben Sie gefragt, ob er mit zum Waring House kommen will?«

»Nein«, sagte ich. »Wollte ich gerade. Er ist oben, ich – Nun sagen Sie doch, was los ist.«

»Verzeihen Sie«, sagte er. »Wahrscheinlich ist es nichts weiter. Aber vorhin hat mich jemand vom Waring House angerufen. Die Frau, mit der ich heute Morgen gesprochen habe. Nicole. Sie wollte mir eine Telefonnummer geben. Sie hat gesagt, Ihre Freundin Claire hat anscheinend dort angerufen und wollte mit Ihnen sprechen. Sie hat ihre Telefonnummer hinterlassen.«

Ich wurde aufgeregt. Ich hörte die Toilettenspülung und dann Wasser ins Waschbecken laufen. »Ich verstehe nicht«, sagte ich. »Vor kurzem?«

»Nein«, sagte er. »Das war ein paar Wochen, nachdem Ben Sie nach Hause geholt hat. Da Sie nicht mehr da waren, hat sie sich Bens Nummer geben lassen, aber, na ja, Nicole meinte, Claire hätte kurz darauf wieder angerufen und gesagt, dass sie ihn unter der Nummer nicht erreicht hat. Sie hat gefragt, ob sie Ihre Adresse haben könnte. Die konnten sie ihr natürlich nicht geben, aber sie hat ihre Nummer hinterlassen, für den Fall, dass Sie oder Ben mal anrufen würden. Nicole hat nach unserem Telefonat heute Morgen einen Zettel mit der Nummer in Ihrer Akte gefunden und mich noch mal angerufen, um sie mir zu geben.«

Ich verstand kein Wort. »Aber wieso haben sie mir die Nummer nicht einfach per Post geschickt? Oder an Ben?«

»Nun ja, Nicole meinte, das hätten sie. Aber weder Sie noch Ihr Mann hätten je reagiert.« Er verstummte.

»Ben kümmert sich um die ganze Post«, sagte ich. »Er holt sie morgens aus dem Briefkasten. Jedenfalls hat er das heute Morgen gemacht ...«

»Hat Ben Ihnen Claires Nummer gegeben?«

»Nein«, sagte ich. »Nein. Er hat gesagt, wir hätten seit Jahren keinen Kontakt mehr. Sie ist ausgewandert, kurz nachdem wir geheiratet haben. Nach Neuseeland.«

»Okay«, sagte er und dann: »Christine? Sie haben mir das schon mal erzählt, und ... na ja ... es ist keine ausländische Nummer.«

Ich spürte Furcht in mir aufkeimen, obwohl ich nicht hätte sagen können, warum.

»Dann ist sie wieder zurückgekommen?«

»Laut Nicole hat Claire Sie im Waring House ständig besucht. Sie war fast genauso oft da wie Ben. Und Nicole hat nie irgendwas davon gehört, dass sie ausgewandert wäre. Weder nach Neuseeland noch sonst wohin.«

Irgendwie hatte ich das Gefühl, dass sich plötzlich alles beschleunigte, sich zu schnell für mich bewegte, um noch mitzukommen. Ich konnte Ben oben hören. Die Dusche lief nicht mehr, der Boiler schwieg. Es gibt bestimmt eine vernünftige Erklärung dafür, dachte ich. Es muss eine geben.

Mir war, als müsste ich nur alles wieder verlangsamen, um aufzuholen und herausfinden zu können, wie diese Erklärung aussah. Ich wollte, dass er aufhörte zu reden, das Gesagte zurücknahm, aber er tat es nicht.

»Da ist noch was«, sagte Dr. Nash. »Es tut mir leid, Christine, aber Nicole hat mich gefragt, wie es Ihnen geht, und ich hab ihr ein bisschen was von Ihnen erzählt. Sie war überrascht, dass Sie wieder mit Ben zusammenleben. Ich habe sie gefragt, wieso.«

»Okay«, hörte ich mich sagen. »Reden Sie weiter.«

»Es tut mir leid, Christine, aber hören Sie. Nicole hat gesagt, Sie und Ben seien geschieden.«

Der Raum kippte weg. Ich packte die Sessellehne, als wollte ich mich daran festhalten. Das ergab keinen Sinn. Im Fernseher schrie eine blonde Frau einen älteren Mann an, schleuderte ihm entgegen, dass sie ihn hasste. Ich hätte auch am liebsten geschrien.

»Was?«, sagte ich.

»Sie hat gesagt, Sie und Ben seien getrennt. Ben hat Sie verlassen. Etwa ein Jahr nach Ihrer Verlegung ins Waring House.«

»Getrennt?«, sagte ich. Mir war, als würde das Zimmer zurückweichen, immer kleiner werden. Verschwinden. »Sind Sie sicher?«

»Ja. Jedenfalls hat sie das gesagt. Sie hat gesagt, sie glaubt, es könnte etwas mit Claire zu tun gehabt haben. Mehr wollte sie aber nicht sagen.«

»Claire?«, sagte ich.

»Ja«, sagte er. Trotz meiner eigenen Verwirrung entging mir nicht, wie schwer ihm das Gespräch fiel, das Zögern in seiner Stimme, die bedächtige Suche nach den richtigen Worten. »Mir ist schleierhaft, warum Ben Ihnen nicht alles erzählt«, sagte er. »Bestimmt glaubt er, das Richtige zu tun. Sie zu schützen. Aber das jetzt? Ich weiß nicht. Ihnen zu verschweigen, dass Claire noch im Lande ist? Ihre Scheidung zu unterschlagen? Ich weiß nicht. Es kommt mir nicht richtig vor, aber ich schätze, er wird seine Gründe haben.« Ich sagte nichts. »Ich dachte, Sie sollten vielleicht mit Claire reden. Möglicherweise kann sie Ihnen manches erklären. Vielleicht spricht sie sogar mit Ben. Ich weiß es nicht.« Wieder eine Pause. »Christine? Haben Sie was zu schreiben? Soll ich Ihnen die Telefonnummer durchgeben?«

Ich schluckte schwer. »Ja«, sagte ich. »Ja, bitte.«

Ich griff nach einer Ecke der Zeitung auf dem Couchtisch und dem Stift daneben und notierte die Nummer, die er mir nannte. Ich hörte, wie die Badezimmertür aufging, Ben auf den Flur trat.

»Christine?«, sagte Dr. Nash. »Ich ruf Sie morgen an. Sagen Sie Ben kein Wort. Nicht, solange wir nicht wissen, was los ist. Okay?«

Ich hörte, wie ich zustimmte, mich verabschiedete. Er erinnerte mich daran, alles in mein Tagebuch zu schreiben, bevor ich schlafen ging. Ich schrieb *Claire* neben die Nummer, wusste noch immer nicht, was ich machen sollte. Ich riss die Ecke mit der Nummer ab und steckte sie in die Handtasche.

Ich sagte nichts, als Ben nach unten kam, nichts, als er sich mir gegenüber aufs Sofa setzte. Ich richtete den Blick auf den Fernseher. Ein Naturfilm. Über die Bewohner des Meeresbodens. Ein ferngesteuertes Tauchboot erkundete mit ruckeligen Bewegungen einen Unterwassergraben. Zwei Scheinwerfer beleuchteten Orte, die nie zuvor Licht gesehen hatten. Geister in der Tiefe.

Ich hätte Ben gern gefragt, ob er noch Kontakt zu Claire hatte, aber ich wollte keine Lüge mehr hören. Ein riesiger Krake schwebte in der Dunkelheit, trieb in der sanften Strömung. »Dieses Geschöpf ist nie zuvor gefilmt worden«, sagte die Off-Stimme zu elektronischer Musikuntermalung.

»Geht es dir gut?«, fragte Ben. Ich nickte, ohne den Blick vom Bildschirm abzuwenden.

Er stand auf. »Ich muss noch was arbeiten«, sagte er. »Oben. Ich komme bald ins Bett.«

Dann sah ich ihn an. Ich wusste nicht, wer er war.

»Ja«, sagte ich. »Bis gleich.«

Mittwoch, 21. November

Ich habe den ganzen Vormittag über dieses Tagebuch gelesen. Aber noch immer nicht alles. Manche Seiten habe ich nur überflogen, andere habe ich wieder und wieder gelesen, versucht, zu glauben, was da stand. Und jetzt bin ich im Schlafzimmer, sitze am Erkerfenster, schreibe weiter.

Ich habe das Telefon auf dem Schoß. Warum fällt es mir so schwer, Claires Nummer zu wählen? Neuronale Impulse, Muskelkontraktionen. Mehr ist nicht dazu erforderlich. Nichts Kompliziertes. Nichts Schwieriges. Dennoch fällt es mir erheblich leichter, einen Stift zu nehmen und stattdessen drüber zu schreiben.

Heute Morgen bin ich in die Küche gegangen. Mein Leben, dachte ich, ist auf Treibsand gebaut. Es verändert sich von einem Tag auf den anderen. Dinge, die ich zu wissen meine, sind falsch, Dinge, deren ich mir sicher bin, Fakten meines Lebens, von mir, gehören in eine Zeit, die Jahre zurückliegt. Meine ganze Vergangenheit liest sich wie eine erfundene Geschichte. Dr. Nash. Ben. Adam und jetzt Claire. Sie existieren, aber als Schatten in der Dunkelheit. Wie Fremde kreuzen sie durch mein Leben, stellen Verbindung zu mir her, lösen die Verbindung zu mir auf. Trügerisch, flüchtig. Wie Gespenster.

Und nicht bloß sie. Alles. Es ist alles erfunden. Aus dem Nichts heraufbeschworen. Ich sehne mich verzweifelt nach festem Boden, nach etwas Realem, nach irgendetwas, das nicht verschwindet, während ich schlafe. Ich muss Halt finden.

Ich öffnete den Deckel des Abfalleimers. Warme Luft stieg aus ihm auf – die Wärme von Fäulnis und Verfall –, und er stank leicht. Der süßliche, eklige Geruch von faulenden Essensresten. Ich sah eine Zeitung, mit ausgefülltem Kreuzworträtsel, braun durchtränkt von einem einsamen Teebeutel. Ich hielt den Atem an und kniete mich hin.

In die Zeitung eingewickelt waren Porzellanscherben, Krümel, ein feiner weißer Staub und darunter eine zugeknotete Tragetasche. Ich angelte sie heraus, dachte an schmutzige Windeln, beschloss, sie später aufzureißen, falls erforderlich. Darunter lagen Kartoffelschalen und eine fast leere Plastikflasche, aus der Ketchup quoll. Ich schob beides beiseite.

Eierschalen – vier oder fünf – und eine Handvoll papierdünne Zwiebelschalen. Die Reste einer entkernten roten Paprikaschote, ein großer Pilz, halb verfault.

Beruhigt tat ich alles zurück in den Abfalleimer und schloss ihn wieder. Es stimmte. Gestern Abend hatten wir ein Omelett gegessen. Ein Teller war kaputtgegangen. Ich schaute in den Kühlschrank. Zwei Koteletts lagen in einer Styroporschale. In der Diele standen Bens Pantoffeln unten an der Treppe. Alles war da, genauso, wie ich es gestern Abend in mein Tagebuch geschrieben hatte. Ich hatte es nicht erfunden. Es stimmte alles.

Und das bedeutete, dass das wirklich Claires Telefonnummer war. Dr. Nash hatte mich wirklich angerufen. Ben und ich waren geschieden worden.

Ich möchte jetzt Dr. Nash anrufen. Ich möchte ihn fragen, was ich machen soll, oder, noch besser, ihn bitten, es für mich zu tun. Aber wie lange kann ich nur Besucherin in meinem eigenen Leben sein? Passiv? Ich muss die Führung übernehmen. Mir schießt der Gedanke durch den Kopf, dass ich Dr. Nash vielleicht nie wiedersehe – jetzt, wo ich ihm von meinen Gefühlen erzählt habe, von meiner *Schwärmerei* –, aber ich lasse nicht zu, dass er sich festsetzt. So oder so, ich muss selbst mit Claire sprechen.

Aber was soll ich sagen? Eigentlich gibt es so vieles, worüber wir reden könnten, und zugleich so wenig. So viel gemeinsame Vergangenheit, aber keine, von der ich weiß.

Ich denke daran, was Dr. Nash gesagt hat, über den möglichen Grund, warum Ben und ich uns getrennt haben. *Es könnte etwas mit Claire zu tun haben.*

Das würde erklären, warum mein Mann sich vor Jahren, als ich ihn am meisten brauchte, aber am wenigsten verstand, von mir scheiden ließ. Und warum er mir jetzt, wo wir wieder zusammen sind, erzählt, dass meine beste Freundin ans andere Ende der Welt gezogen ist, ehe das mit mir passierte.

Ist das der Grund, warum ich sie nicht anrufen kann? Weil ich Angst habe, sie könnte mehr vor mir zu verbergen haben, als ich mir auch nur ansatzweise vorstellen kann? Ist das der Grund, warum Ben offenbar nicht gerade wild darauf ist, dass ich mich an mehr erinnere? Ist das vielleicht sogar der Grund dafür, dass er mir einredet, eine weitere therapeutische Behandlung wäre Zeitverschwendung? Damit ich nicht irgendwann Erinnerungen mit Erinnerungen verknüpfe und dann weiß, was passiert ist?

Ich kann mir nicht vorstellen, dass er zu so was fähig wäre. Niemand wäre das. Es ist einfach lächerlich. Ich denke daran, was Dr. Nash mir über meine Zeit in der Klinik erzählt hat. *Sie dachten, die Ärzte hätten sich gegen Sie verschworen*, hatte er gesagt. *Zeigten Symptome von Paranoia.*

Ich frage mich, ob ich das jetzt wieder tue.

Plötzlich stürzt eine Erinnerung auf mich ein. Sie trifft mich mit voller Wucht, steigt aus der Leere meiner Vergangenheit auf und schleudert mich zurück, um dann genauso schnell wieder zu verschwinden. Claire und ich, auf einer anderen Party. »Mann«, sagt sie. »Das ist echt nervig! Weißt du, was meiner Meinung nach nicht stimmt? Dass alle so verdammt sexbesessen sind. Dabei ist Sex doch bloß animalische Kopulation, oder? Egal, wie wir es drehen und wenden und zu was anderem hochstilisieren. Mehr ist es nicht.«

Ist es möglich, dass Claire und Ben Trost beieinander gesucht haben, während ich in meiner eigenen Hölle festsaß?

Ich blicke nach unten. Das Telefon liegt tot auf meinem Schoß. Ich habe keine Ahnung, wohin Ben eigentlich geht, wenn er jeden Morgen das Haus verlässt, oder wo er vielleicht nach der Arbeit einen Zwischenstopp einlegt. Das könnte überall sein. Und ich habe keine Möglichkeit, Verdachtsmomente miteinander zu verknüpfen, Fakten aneinanderzureihen. Selbst wenn ich Claire und Ben irgendwann zusammen im Bett erwischen würde, hätte ich schon am nächsten Tag vergessen, was ich gesehen habe. Ich bin das ideale Betrugsopfer. Vielleicht sind die beiden noch immer zusammen. Vielleicht habe ich sie ja schon mal erwischt und es vergessen.

Ich halte das für denkbar und zugleich irgendwie auch nicht. Ich vertraue Ben und zugleich auch nicht. Es ist durchaus möglich, gleichzeitig zwei gegensätzliche Standpunkte zu vertreten, zwischen ihnen hin und her zu schwanken.

Aber warum sollte er lügen? *Er glaubt einfach, das Richtige zu tun*, sage ich mir immerzu. *Er will dich beschützen. Dich nicht mit Dingen belasten, die du nicht wissen musst.*

Natürlich wählte ich die Nummer. Es wäre unmöglich gewesen, das nicht zu tun. Es klingelte eine Weile am anderen Ende, dann ertönte ein Klicken, und eine Stimme sagte: »Hi. Bitte hinterlassen Sie eine Nachricht.«

Ich erkannte die Stimme sofort. Es war Claires. Eindeutig.

Ich sprach ihr eine Nachricht aufs Band, *Bitte ruf mich an*, sagte ich. *Ich bin's, Christine.*

Ich ging nach unten. Ich hatte alles getan, was ich tun konnte.

* * *

Ich wartete. Aus einer Stunde wurden zwei. Ich vertrieb mir die Zeit mit Tagebuchschreiben, und da Claire immer noch nicht anrief, machte ich mir ein Sandwich und aß es im Wohnzimmer.

Als ich hinterher in der Küche die Arbeitsplatte abwischte und die Krümel, die ich auf meine Handfläche geschoben hatte, in die Spüle werfen wollte, klingelte es an der Haustür. Das Geräusch ließ mich zusammenschrecken. Ich legte den Wischlappen hin, trocknete mir die Hände an dem Geschirrtuch ab, das an der Herdstange hing, und ging nachsehen, wer da war.

Durch die Milchglasscheibe konnte ich die Umrisse eines Mannes sehen. Er hatte etwas an, das aussah wie ein Anzug, mit Krawatte. *Ben?*, dachte ich, bevor ich mir klarmachte, dass er ja nicht klingeln würde. Ich öffnete die Tür einen Spalt.

Es war Dr. Nash. Ich wusste es, teils weil es niemand anders sein konnte, aber auch, weil ich ihn erkannte – obwohl ich ihn mir, als ich heute Morgen von ihm las, nicht hatte vorstellen können und obwohl sogar mein Mann mir fremd geblieben war, selbst nachdem er mir gesagt hatte, wer er war. Dr. Nashs Haar war kurz, gescheitelt, die Krawatte saß locker und schief, und unter dem Jackett trug er einen Pullover, der nicht dazu passte.

Er musste die Verblüffung in meinem Gesicht gesehen haben. »Christine?«, sagte er.

»Ja«, sagte ich. »Ja.« Ich öffnete die Tür keinen Millimeter weiter.

»Ich bin's. Ed. Ed Nash. Dr. Nash?«

»Ich weiß«, sagte ich. »Ich …«

»Haben Sie Ihr Tagebuch gelesen?«

»Ja, aber …«

»Ist alles in Ordnung?«

»Ja«, sagte ich. »Mir geht's gut.«

Er senkte seine Stimme. »Ist Ben zu Hause?«

»Nein. Nein, ist er nicht. Es ist bloß, na ja. Ich hab nicht mit Ihnen gerechnet. Waren wir verabredet?«

Er zögerte einen Moment, einen Sekundenbruchteil, lange genug, um unser Gespräch aus dem Rhythmus zu bringen. Wir waren nicht verabredet, das wusste ich. Zumindest hatte ich mir nichts notiert.

»Ja«, sagte er. »Haben Sie es sich nicht aufgeschrieben?«

Ich sagte nichts. Wir blickten einander über die Schwelle des Hauses an, das ich noch immer nicht als mein Zuhause empfand. »Darf ich reinkommen?«, fragte er.

Ich antwortete nicht sofort. Ich war nicht sicher, ob ich ihn hereinlassen wollte. Es kam mir irgendwie falsch vor. Wie ein Verrat.

Aber Verrat an was? Bens Vertrauen? Ich wusste nicht, wie wichtig mir das noch war. Nach all seinen Lügen. Lügen, von denen ich fast den ganzen Morgen über gelesen hatte.

»Ja«, sagte ich. Ich öffnete die Tür. Er nickte, als er ins Haus trat, und schaute dabei nach links und rechts. Ich nahm seine Jacke und hängte sie an die Garderobe, neben einen Regenmantel, der vermutlich mir gehörte. »Dort hinein«, sagte ich, in Richtung Wohnzimmer deutend, und er tat wie geheißen.

Ich machte für uns beide Kaffee, gab ihm seine Tasse, setzte mich mit meiner ihm gegenüber. Er sagte nichts, und ich nahm einen langsamen Schluck, wartete, während er ebenfalls trank. Er stellte seine Tasse auf den Couchtisch zwischen uns.

»Sie erinnern sich nicht, mich hergebeten zu haben?«, sagte er.

»Nein«, sagte ich. »Wann?«

Als er antwortete, lief es mir kalt über den Rücken. »Heute Morgen. Als ich Sie angerufen habe, um Ihnen zu sagen, wo Sie das Tagebuch finden.«

Ich konnte mich nicht erinnern, dass er am Morgen angerufen hatte, und kann es noch immer nicht, auch jetzt nicht, wo er gegangen ist.

Ich dachte an andere Sachen, die ich aufgeschrieben hatte. *Ein Melonenteller, den ich meiner Erinnerung nach nicht bestellt hatte. Ein Keks, um den ich nicht gebeten hatte.*

»Ich erinnere mich nicht«, sagte ich. Panik stieg langsam in mir hoch.

In seinem Gesicht blitzte Besorgnis auf. »Haben Sie heute geschlafen? Mehr als ein kurzes Nickerchen?«

»Nein«, sagte ich, »nein. Gar nicht. Ich kann mich einfach nicht erinnern. Wann war das? Wann?«

»Christine«, sagte er. »Beruhigen Sie sich. Es hat wahrscheinlich nichts zu bedeuten.«

»Aber was, wenn – ich weiß nicht –«

»Christine, bitte. Es hat nichts zu bedeuten. Sie haben es bloß vergessen, mehr nicht. Jeder vergisst schon mal was.«

»Aber ein ganzes Telefonat? Das kann doch höchstens ein paar Stunden her sein!«

»Ja«, sagte er. Er sprach sanft, versuchte, mich zu beruhigen, blieb aber weiter auf seinem Platz sitzen. »Aber Sie haben allerhand durchgemacht, in letzter Zeit. Ihre Erinnerung war immer unbeständig. Mal etwas zu vergessen heißt noch nicht, dass sich Ihr Zustand verschlechtert, dass Sie nie wieder gesund werden. Okay?« Ich nickte, versuchte verzweifelt, ihm zu glauben. »Sie haben mich hergebeten, weil Sie mit Claire sprechen wollten, aber unsicher waren, ob Sie dazu in der Lage sind. Und Sie wollten, dass ich für Sie mit Ben spreche.«

»Im Ernst?«

»Ja. Sie haben gesagt, Sie würden sich das allein nicht zutrauen.«

Ich sah ihn an, dachte an all die Dinge, die ich aufgeschrieben hatte. Ich merkte, dass ich ihm nicht glaubte. Ich musste mein Tagebuch von allein gefunden haben. Ich hatte ihn heute nicht hergebeten. Ich wollte nicht, dass er mit Ben sprach. Wieso sollte ich das wollen, wo ich doch selbst entschieden hatte, Ben noch nichts zu erzählen? Und wieso sollte ich ihn herbitten, um mir bei dem Telefonat mit Claire zu helfen, wenn ich sie bereits selbst angerufen und ihr eine Nachricht hinterlassen hatte?

Er lügt. Ich überlegte, aus welchen Gründen er sonst gekommen sein mochte. Was er vielleicht glaubte, mir nicht sagen zu können.

Ich habe zwar keine Erinnerung, aber ich bin nicht blöd. »Warum sind Sie wirklich hier?«, fragte ich. Er rutschte unruhig hin und her. Vielleicht wollte er bloß mal sehen, wie ich wohne. Oder vielleicht wollte er mich noch einmal sehen, ehe ich mit Ben spreche. »Haben Sie Angst, Ben könnte was dagegen haben, dass wir uns weiter treffen, wenn ich ihm von uns erzähle?«

Ein weiterer Gedanke kam mir in den Sinn. Vielleicht schrieb er ja gar nicht an einer Forschungsarbeit. Vielleicht suchte er aus anderen Gründen den Kontakt zu mir. Ich verdrängte die Vorstellung wieder.

»Nein«, sagte er. »Das ist nicht der Grund. Ich bin gekommen, weil Sie mich darum gebeten haben. Außerdem haben Sie beschlossen, Ben nichts von unseren Treffen zu erzählen. Nicht, solange Sie nicht mit Claire gesprochen haben. Erinnern Sie sich?«

Ich schüttelte den Kopf. Ich erinnerte mich nicht. Ich wusste nicht, wovon er redete.

»Claire schläft mit meinem Mann«, sagte ich.

Er blickte schockiert. »Christine«, sagte er. »Ich –«

»Er behandelt mich, als wäre ich blöd«, sagte ich. »Er belügt mich nach Strich und Faden. Aber ich bin nicht blöd.«

»Das kann ich mir wirklich nicht vorstellen«, sagte er. »Wieso –?«

»Sie gehen seit Jahren miteinander ins Bett«, sagte ich. »Das erklärt alles. Warum er mir weismachen will, sie wäre ausgewandert. Warum ich keinen Kontakt mehr zu ihr habe, obwohl sie doch angeblich meine beste Freundin ist.«

»Christine«, sagte er. »Sie denken nicht klar.« Er kam zum Sofa und setzte sich neben mich. »Ben liebt Sie. Das weiß ich. Ich habe mit ihm gesprochen, als ich ihn überreden wollte, mich mit Ihnen arbeiten zu lassen. Er war absolut loyal. Absolut. Er hat mir erzählt, dass er Sie schon einmal verloren hat und Sie nicht noch mal verlieren will. Dass er gesehen hat, wie sehr Sie jedes Mal gelitten haben, wenn Leute versuchten, Sie zu behandeln, und dass er Ihnen das nicht noch einmal zumuten möchte. Er liebt Sie. Das ist offensichtlich. Er will Sie schützen. Vor der Wahrheit, vermute ich.«

Ich dachte daran, was ich heute Morgen gelesen hatte. Das mit der Scheidung. »Aber er hat mich verlassen. Um mit ihr zusammen zu sein.«

»Christine«, sagte er. »Überlegen Sie doch mal. Wenn das wahr wäre, wieso hätte er Sie dann zurückholen sollen? Zurück nach Hause? Er hätte Sie doch einfach im Waring House lassen können. Aber das hat er nicht. Er kümmert sich um Sie. Jeden Tag.«

Ich spürte, wie ich innerlich zusammenbrach. Ich hatte das Gefühl, seine Worte zu verstehen, aber gleichzeitig auch nicht. Ich spürte die Wärme, die sein Körper abstrahlte, sah die Güte in seinen Augen. Er sah mich an und lächelte. Er schien irgendwie größer zu werden, bis ich nur noch seinen Körper sehen konnte, nur noch seinen Atem hören. Er sprach, doch ich hörte nicht, was er sagte. Ich hörte nur ein Wort. *Liebe.*

Was ich dann tat, war nicht beabsichtigt. Nicht geplant. Es passierte unvermittelt, mein Leben bewegte sich wie ein festsitzender Deckel, der endlich nachgibt. Einen Moment später konnte ich nichts anderes fühlen als meine Lippen auf seinen, meine Arme um seinen Hals. Sein Haar war klamm. Ich wusste nicht, warum, und es war mir egal. Ich wollte sprechen, ihm sagen, was ich empfand, tat es aber nicht, weil ich dann hätte aufhören müssen, ihn zu küssen, den Augenblick beenden, den ich bis in alle Ewigkeit verlängern wollte. Ich fühlte mich wie eine Frau, endlich. Herrin der Lage. Obwohl ich es schon mal getan haben musste – darüber geschrieben hatte –, konnte ich mich nicht erinnern, je jemand anderen als meinen Mann geküsst zu haben; es hätte wirklich das erste Mal sein können.

Ich weiß nicht, wie lange es dauerte. Ich weiß nicht mal, wie es dazu kam, dass ich ihn auf einmal küsste, nachdem ich neben ihm auf dem Sofa gesessen hatte, zaghaft, so klein, dass ich glaubte zu verschwinden. Ich erinnere mich nicht, es darauf angelegt zu haben, was nicht heißt, dass ich mich nicht erinnere, es gewollt zu haben. Ich erinnere mich nicht, wie es anfing. Ich erinnere mich nur, dass ich von einem Zustand in einen anderen glitt, mit nichts dazwischen, ohne die Möglichkeit eines bewussten Gedankens, einer Entscheidung.

Er stieß mich nicht grob weg. Er war sanft. Zumindest das gewährte er mir. Er beleidigte mich nicht, indem er fragte, was das sollte, oder gar, was mir denn einfiele. Er löste einfach zuerst die Lippen von meinen, dann meine Hände von seinen Schultern, auf denen sie irgendwie gelandet waren, und sagte leise: »Nicht.«

Ich war fassungslos. Wegen dem, was ich getan hatte? Oder seiner Reaktion darauf? Ich kann es nicht sagen. Ich hatte nur das Gefühl, einen Moment lang irgendwo anders gewesen zu sein, als wäre eine neue Christine an meine Stelle getreten, hätte mich völlig verdrängt, um dann wieder zu verschwinden. Aber ich war nicht entsetzt. Nicht mal enttäuscht. Ich war froh. Froh, dass ihretwegen etwas passiert war.

Er blickte mich an. »Es tut mir leid«, sagte er, und ich konnte ihm nicht ansehen, was er dachte. Verärgerung? Mitleid? Bedauern? Alles war möglich. Vielleicht war der Ausdruck, den ich sah, eine Mischung aus allen drei Empfindungen. Er hielt noch immer meine Hände fest, und er legte sie zurück auf meinen Schoß, ließ sie dann los. »Es tut mir leid, Christine«, sagte er wieder.

Ich wusste nicht, was ich sagen sollte. Was ich tun sollte. Ich schwieg, wollte mich schon entschuldigen, doch dann sagte ich: »Ed. Ich liebe Sie.«

Er schloss die Augen. »Christine«, begann er, »ich —«

»Bitte«, sagte ich. »Nicht. Sagen Sie mir nicht, dass Sie nicht genauso empfinden.« Er runzelte die Stirn. »Sie wissen, dass Sie mich lieben.«

»Christine«, sagte er. »Bitte, Sie sind … Sie sind …«

»Was?«, sagte ich. »Verrückt?«

»Nein. Durcheinander. Sie sind durcheinander.«

Ich lachte. »Durcheinander?«

»Ja«, sagte er. »Sie lieben mich nicht. Wissen Sie noch, dass wir über Konfabulation gesprochen haben? Das kommt häufig vor bei Leuten, die —«

»Oh«, unterbrach ich ihn. »Ich weiß. Ich erinnere mich. Bei Leuten, die keine Erinnerung haben. Denken Sie, das ist hier der Fall?

»Es ist möglich. Durchaus möglich.«

Da hasste ich ihn. Er bildete sich ein, alles zu wissen, mich besser zu kennen als ich mich selbst. Dabei kannte im Grunde nur ich meine Krankheit.

»Ich bin nicht blöd«, sagte ich.

»Ich weiß. Das weiß ich, Christine. Das denke ich auch nicht. Ich denke nur —«

»Sie müssen mich lieben.«

Er seufzte. Jetzt enttäuschte ich ihn. Strapazierte seine Geduld.

»Warum sind Sie denn sonst so oft hergekommen? Haben mich durch London kutschiert? Machen Sie das mit all Ihren Patienten?«

»Ja«, erwiderte er, dann: »Also, nein. Nicht direkt.«

»Warum dann?«

»Ich versuche, Ihnen zu helfen«, sagte er.

»Ist das alles?«

Eine Pause, dann sagte er: »Nicht nur, nein. Ich schreibe auch an einer Arbeit. Einer wissenschaftlichen Arbeit —«

»Sie studieren mich?«

»Na ja, in gewisser Weise schon«, sagte er.

Ich versuchte, das, was er da sagte, aus meinem Kopf zu verbannen. »Aber Sie haben mir nicht erzählt, dass Ben und ich getrennt waren«, sagte ich. »Warum? Warum haben Sie kein Wort davon gesagt?«

»Weil ich es nicht wusste!«, sagte er. »Aus keinem anderen Grund. Es stand nicht in Ihrer Akte, und Ben hat es mir nicht erzählt. Ich wusste es nicht!« Ich schwieg. Er machte eine Bewegung, als wollte er wieder meine Hände nehmen, hielt dann inne, kratzte sich stattdessen an der Stirn. »Ich hätte es Ihnen erzählt. Wenn ich es gewusst hätte.«

»Wirklich?«, sagte ich. »So wie Sie mir das von Adam erzählt haben?«

Er blickte gekränkt. »Christine, bitte.«

»Wieso haben Sie mir Adam verschwiegen?«, fragte ich. »Sie sind genauso mies wie Ben!«

»Herrje, Christine«, sagte er. »Wir haben das alles schon mal besprochen. Ich habe getan, was ich für das Beste hielt. Ben hatte Ihnen nichts von Adam erzählt. Da konnte ich es Ihnen doch nicht erzählen. Das wäre ethisch nicht vertretbar gewesen.«

Ich lachte. Ein hohles, schnaubendes Lachen. »Ethisch nicht vertretbar? Aber es vor mir zu verheimlichen, das können Sie ethisch vertreten?«

»Die Entscheidung, Ihnen von Adam zu erzählen oder nicht, lag allein bei Ben. Nicht bei mir. Aber es war meine Entscheidung, Ihnen vorzuschlagen, Tagebuch zu führen. Alles aufzuschreiben, was Sie erfahren. Das hielt ich für das Beste.«

»Und was ist mit dem Angriff auf mich? Sie haben mich doch gerne in dem Glauben gelassen, ich wäre Opfer eines Autounfalls gewesen!«

»Christine, nein. Nein, das stimmt nicht. Das mit dem Unfall hat Ben Ihnen erzählt. Ich wusste nicht, dass er Ihnen diese Version erzählt. Woher denn auch?«

Ich dachte daran, was ich gesehen hatte. Badewasser mit Orangenblütenduft und Hände um meinen Hals. Das Gefühl, nicht atmen zu können. Der Mann, dessen Gesicht ein Geheimnis blieb. Ich heulte los. »Warum haben Sie mir es dann überhaupt erzählt?«, sagte ich.

Er sprach sanft, berührte mich aber noch immer nicht. »Das habe ich nicht«, sagte er. »Ich habe Ihnen nicht erzählt, dass Sie angegriffen wurden. Daran haben Sie sich selbst erinnert.« Er hatte natürlich recht. Ich empfand Wut. »Christine, ich –«

»Ich möchte, dass Sie gehen«, sagte ich. »Bitte.« Ich weinte jetzt haltlos, fühlte mich aber seltsamerweise lebendig. Ich wusste nicht, was gerade geschehen war, konnte mich kaum erinnern, was gesagt worden war, aber trotzdem war mir, als wäre irgendetwas Schreckliches von mir abgefallen, irgendein Damm in mir endlich gebrochen.

»Bitte«, sagte ich. »Bitte gehen Sie.«

Ich dachte, er würde Einwände erheben. Mich bitten, bleiben zu dürfen. Ich hätte es mir fast gewünscht. Doch er tat es nicht. »Sind Sie sicher?«, fragte er.

»Ja«, flüsterte ich. Ich wandte mich zum Fenster, entschlossen, ihn nicht wieder anzusehen. Nicht heute, was für mich bedeutet, dass es morgen für mich so sein wird, als hätte ich ihn nie im Leben gesehen. Er stand auf, ging zu Tür.

»Ich rufe Sie an«, sagte er. »Morgen? Ihre Behandlung. Ich –«

»Gehen Sie einfach«, sagte ich. »Bitte.«

Er sagte nichts mehr. Ich hörte, wie die Haustür ins Schloss fiel.

Ich blieb eine Weile sitzen. Einige Minuten? Stunden? Ich weiß es nicht. Mein Herz raste. Ich fühlte mich leer, und allein. Schließlich ging ich nach oben. Im Badezimmer sah ich mir die Fotos an. Mein Mann. Ben. *Was habe ich getan?* Jetzt habe ich gar nichts mehr. Niemanden, dem ich vertrauen kann. Niemanden, an den ich mich wenden kann. Meine Gedanken überschlugen sich. Ich musste ständig daran denken, was Dr. Nash gesagt hatte. *Er liebt Sie. Er will Sie schützen.*

Aber vor was will er mich schützen? Vor der Wahrheit. Ich hielt die Wahrheit für das Wichtigste überhaupt. Vielleicht täuschte ich mich ja.

Ich ging ins Arbeitszimmer. *Er hat mir so viele Lügen erzählt. Nichts kann ich ihm glauben. Gar nichts.*

Ich wusste, was ich tun musste. Ich musste es wissen. Wissen, dass ich ihm in dieser einen Sache vertrauen konnte.

Die Schatulle war da, wo sie laut meinem Tagebucheintrag sein musste, abgeschlossen, wie ich erwartet hatte. Ich regte mich nicht auf.

Ich machte mich an die Suche. Ich schwor mir, nicht eher aufzuhören, bis ich den Schlüssel gefunden hatte. Zuerst durchsuchte ich das Arbeitszimmer. Die anderen Schubladen, den Schreibtisch. Ich ging systematisch vor. Ich legte alles an die Stelle zurück, wo ich es gefunden hatte, und als ich damit fertig war, ging ich ins Schlafzimmer. Ich sah in den Kommodenschubladen nach, suchte tief unter Bens Unterwäsche, den Taschentüchern, ordentlich gebügelt, den Unterhemden und T-Shirts. Nichts, und auch in meinen Schubladen war nichts.

Die Nachttische hatten auch Schubladen. Ich ging zuerst zu dem auf Bens Seite des Bettes. Ich öffnete die obere Schublade und durchsuchte den Inhalt – Stifte, eine Armbanduhr, die stehengeblieben war, ein Streifen Tabletten, die mir nichts sagten –, dann zog ich die untere Schublade auf.

Zuerst dachte ich, sie wäre leer. Aber als ich sie sachte wieder schloss, hörte ich ein leises Klappern, Metall auf Holz. Ich öffnete sie wieder, und mein Herz begann, wild zu pochen.

Es war ein Schlüssel.

Ich setzte mich mit der offenen Schatulle auf den Fußboden. Sie war voll. Größtenteils Fotos. Von Adam und mir. Einige kamen mir bekannt vor – ich vermute diejenigen, die Ben mir bereits gezeigt hatte –, aber nicht viele. Ich fand Adams Geburtsurkunde, den Brief, den er an den Weihnachtsmann geschrieben hatte. Stoßweise Fotos von ihm als Baby – grinsend auf die Kamera zukrabbelnd, nuckelnd an meiner Brust, schlafend, in eine grüne

Decke gewickelt – und wie er heranwuchs. Das Foto, auf dem er als Cowboy verkleidet war, die Schulfotos, das Dreirad. Sie waren alle da, genau, wie ich sie in meinem Tagebuch beschrieben hatte.

Ich nahm sie alle heraus und breitete sie auf dem Boden aus, sah mir dabei jedes an. Es waren auch Fotos von mir und Ben dabei. Eines, auf dem wir vor den Houses of Parliament posieren; wir lächeln beide, stehen aber irgendwie unbeholfen da, als ob keiner von uns beiden weiß, dass der andere existiert. Ein weiteres, von unserer Hochzeit, in Positur gestellt. Wir stehen vor einer Kirche unter einem bedeckten Himmel. Wir sehen glücklich aus, lächerlich glücklich, und sogar noch glücklicher auf einem, das offenbar später aufgenommen worden war, in unseren Flitterwochen. Wir sitzen in einem Restaurant, lächeln, beugen uns über halbvolle Teller, unsere Gesichter gerötet von Liebe und zu viel Sonne.

Ich starrte auf das Foto. Erleichterung durchflutete mich allmählich. Ich sah die Frau an, die da mit ihrem frisch angetrauten Mann saß, in eine Zukunft schaute, die sie nicht vorhersagen konnte und wollte, und überlegte, wie viel ich mit ihr gemeinsam habe. Nur Physisches. Zellen und Gewebe. DNA. Unsere chemische Signatur. Aber sonst nichts. Sie ist eine Fremde. Nichts verbindet sie mit mir, kein Faden führt mich zurück zu ihr.

Dennoch, sie ist ich, und ich bin sie, und ich konnte sehen, dass sie verliebt ist. In Ben. Den Mann, den sie gerade geheiratet hat. Den Mann, neben dem ich noch immer aufwache, jeden Tag. Er hat das Gelübde nicht gebrochen, das er an dem Tag in der kleinen Kirche in Manchester ablegte. Er hat mich nicht im Stich gelassen. Ich betrachtete das Foto, und Liebe wallte wieder in mir auf.

Aber trotzdem legte ich es hin und suchte weiter. Ich wusste, was ich finden wollte und wovor mir graute. Die eine Sache, die beweisen würde, dass mein Mann mich nicht belog, die mir meinen Partner zurückgeben und mir zugleich meinen Sohn für immer wegnehmen würde.

Ich fand sie. Ganz unten in der Schatulle, in einem Kuvert. Eine Fotokopie von einem Zeitungsartikel, gefaltet, an den Rändern brüchig. Ich wusste, was mich erwartete, ehe ich ihn auseinandergefaltet hatte, aber ich zitterte dennoch, als ich die ersten Zeilen las. *Das Verteidigungsministerium hat den Namen des britischen Soldaten bekanntgegeben, der während einer Patrouille in der Provinz Helmand einem Bombenanschlag zum Opfer fiel. Adam Wheeler*, stand da, *war 19 Jahre alt. In London geboren* … Mit einer Büroklammer war ein Foto daran befestigt. Blumen, auf einem Grab ausgebreitet. Die Inschrift lautete, *Adam Wheeler, 1987 – 2006.*

Mit einem Mal traf mich die Trauer mit voller Wucht, stärker, als ich sie für möglich gehalten hätte. Ich ließ den Zeitungsausschnitt fallen und krümmte mich vor Schmerz, der selbst für Tränen zu stark war, und ich stieß einen Laut aus, der wie Heulen klang, wie ein verwundetes Tier, das halb verhungert sein Ende herbeisehnt. Ich schloss die Augen, und plötzlich sah ich es. Ein kurzer Erinnerungsblitz. Ein flimmerndes Bild, das vor mir schwebte. Ein Orden, der mir in einem schwarzen Samtkästchen übergeben wird. Ein Sarg, eine Fahne. Ich wandte den Blick ab und betete, dass das Bild nie wiederkommen würde. Es gibt Erinnerungen, ohne die ich besser leben kann. Dinge, die besser für immer verschwinden.

Ich begann, die Papiere wieder einzuräumen. Ich hätte ihm vertrauen sollen, dachte ich. Die ganze Zeit. Ich hätte glauben sollen, dass er mir manche Dinge nur deshalb vorenthält, weil es zu schmerzhaft ist, sich ihnen jeden Tag aufs Neue zu stellen. Er wollte mich bloß hiervor schonen. Vor der grausamen Wahrheit. Ich legte die Fotos zurück, alles so, wie ich es vorgefunden hatte. Ich fühlte mich beruhigt. Ich legte den Schlüssel zurück in die Nachttischschublade, stellte die Schatulle wieder in den Aktenschrank. Ich kann sie jetzt hervorholen, wann ich will, und mir alles anschauen, dachte ich. So oft ich will.

Es gab nur noch eines, was ich tun musste. Ich musste wissen, warum Ben mich verlassen hatte. Und ich musste wissen, was ich in Brighton gemacht hatte, vor all den Jahren. Ich musste wissen, wer mir mein Leben gestohlen hatte. Ich musste es noch einmal versuchen.

Zum zweiten Mal an diesem Tag wählte ich Claires Nummer.

Rauschen. Stille. Dann ein Rufton. Sie geht nicht ran, dachte ich. Sie hat ja auch nicht auf meine Nachricht reagiert. Sie hat etwas zu verbergen, etwas vor mir zu verheimlichen.

Ich war fast froh. Dieses Gespräch wollte ich am liebsten nur im Geist führen. Es musste schmerzhaft werden, etwas anderes konnte ich mir nicht vorstellen. Ich machte mich auf eine weitere emotionslose Aufforderung gefasst, eine Nachricht zu hinterlassen.

Ein Klicken. Dann eine Stimme. »Hallo?«

Es war Claire. Das wusste ich sofort. Ihre Stimme war mir so vertraut wie meine eigene. »Hallo?«, sagte sie wieder.

Ich sagte nichts. Bilder strömten auf mich ein, blitzten vor meinem inneren Auge auf. Ich sah ihr Gesicht, das Haar kurz geschnitten, eine Baskenmütze auf dem Kopf. Lachend. Ich sah sie auf einer Hochzeit – meiner eigenen, vermute ich, obwohl ich nicht sicher bin –, wie sie, smaragdgrün gekleidet, Champagner einschenkte. Ich sah sie mit einem Baby auf dem Arm, wie sie es mir brachte und mit den Worten *Essenszeit!* überreichte. Ich sah sie auf der Kante eines Bettes sitzen, mit der Gestalt reden, die darin lag, und erkannte, dass ich diese Gestalt war.

»Claire?«, sagte ich.

»Ja«, sagte sie. »Hallo? Wer ist denn da?«

Ich versuchte, mich zu konzentrieren, mir klarzumachen, dass wir einmal beste Freundinnen gewesen waren, ganz gleich, was in den Jahren seitdem geschehen war. Ich sah ein Bild von ihr, wie sie auf meinem Bett lag, in der Hand eine Flasche Wodka, und mir kichernd erklärte, dass Männer *einfach lächerlich* waren.

»Claire?«, sagte ich. »Ich bin's, Christine.«

Schweigen. Die Zeit zog sich in die Länge, eine Ewigkeit. Ich dachte schon, sie würde nichts sagen, sie hätte vergessen, wer ich war, oder wollte nicht mit mir reden. Ich schloss die Augen.

»Chrissy!«, sagte sie. Eine Explosion. Ich hörte sie schlucken, als wäre sie beim Essen. »Chrissy! Mein Gott, bist du das wirklich?«

Ich öffnete die Augen. Eine Träne suchte sich langsam einen Weg über die unvertrauten Linien meines Gesichts.

»Claire?«, sagte ich. »Ja. Ich bin's. Chrissy.«

»Mein Gott. Verdammt«, sagte sie und dann wieder: »Verdammt«, mit leiser Stimme. »Roger! Rog! Das ist Chrissy! Am Telefon!« Plötzlich laut, sagte sie: »Wie geht's dir? Wo bist du?«, und dann: »Roger!«

»Oh, ich bin zu Hause«, sagte ich.

»Zu Hause?«

»Ja.«

»Bei Ben?«

Ich schaltete auf Verteidigung. »Ja«, sagte ich. »Bei Ben. Hast du meine Nachricht abgehört?«

Ich hörte ein lautes Einatmen. Überraschung? Oder rauchte sie? »Ja klar!«, sagte sie. »Ich hätte dich auch zurückgerufen, aber das hier ist ein Festnetzanschluss ohne Nummernerkennung und du hast keine Nummer hinterlassen.« Sie zögerte, und einen Moment lang fragte ich mich, ob das wirklich stimmte oder ob sie aus anderen Gründen nicht zurückgerufen hatte. Sie sprach weiter. »Egal. Wie geht's dir, Süße? Es tut so gut, deine Stimme zu hören!« Ich wusste nicht, was ich antworten sollte, und als ich nichts sagte, fragte Claire: »Wo wohnst du?«

»Das weiß ich nicht genau«, sagte ich. Ich spürte Freude in mir aufsteigen, schloss aus ihrer Frage, dass sie sich nicht mit Ben traf, um gleich darauf zu denken, dass sie das vielleicht nur fragte, damit ich keinen Verdacht schöpfte. Ich wollte ihr so gern vertrauen – wissen, dass Ben mich nicht verlassen hatte, weil er bei ihr etwas gefunden hatte, eine Liebe als Ersatz für die, die mir weggenommen worden war –, denn ihr zu vertrauen hieße, auch meinem Mann vertrauen zu können. »Crouch End?«, sagte ich.

»Okay«, sagte sie. »Und, wie geht's? Wie läuft's bei dir so?«

»Tja, wenn ich das mal wüsste«, sagte ich. »Ich kann's mir ums Verrecken nicht merken.«

Wir lachten beide. Wie gut das tat, dieser Ausbruch eines Gefühls, das nicht Kummer war, aber er währte nur kurz, dann folgte Schweigen.

»Du klingst gut«, sagte sie nach einer Weile. »Richtig gut.« Ich sagte ihr, ich würde wieder schreiben. »Ehrlich? Toll. Super. Woran arbeitest du? An einem Roman?«

»Nein«, sagte ich. »Ein Roman wäre ein bisschen schwierig, wenn ich mich von einem Tag zum anderen an nichts mehr erinnern kann.« Schweigen. »Ich schreibe bloß auf, was mir so alles passiert.«

»Okay«, sagte sie, dann nichts. Ich fragte mich, ob sie meine Situation vielleicht nicht richtig erfasste, und störte mich an ihrem Tonfall. Er klang unterkühlt. Ich fragte mich, wie unser Verhältnis gewesen war, als wir uns das letzte Mal gesehen hatten. »Und, was passiert dir so alles?«, fragte sie dann.

Was sollte ich antworten? Ich spürte den Drang, ihr mein Tagebuch zu zeigen, es ihr zum Lesen zu geben, aber das konnte ich natürlich nicht. Zumindest noch nicht. Es gab einfach zu viel zu sagen, zu viel, das ich wissen wollte. Mein ganzes Leben.

»Ich weiß nicht«, sagte ich. »Es ist schwierig …«

Ich hatte wohl aufgewühlt geklungen, denn sie sagte: »Chrissy, Liebes. Was hast du denn?«

»Nichts«, sagte ich. »Mir geht's gut. Bloß …« Der Satz verlor sich.

»Chrissy?«

»Ich weiß nicht«, sagte ich. Ich dachte an Dr. Nash, daran, was ich alles zu ihm gesagt hatte. Konnte ich sicher sein, dass er nicht mit Ben sprechen würde? »Ich bin einfach durcheinander. Ich glaube, ich hab was Blödes gemacht.«

»Ach was, bestimmt nicht.« Wieder Schweigen – ein Lauern? –, und dann sagte sie: »Hör mal. Kann ich kurz mit Ben sprechen?«

»Der ist unterwegs«, sagte ich. Ich war erleichtert, dass das Gespräch auf etwas Konkretes, Sachliches geschwenkt war. »Arbeiten.«

»Okay«, sagte Claire. Erneutes Schweigen. Das Telefonat nahm plötzlich etwas Absurdes an.

»Ich muss dich sehen«, sagte ich.

»Du ›musst‹?«, sagte sie. »Willst du es denn nicht?«

»Nein«, setzte ich an. »Natürlich will ich …«

»Ganz ruhig, Chrissy«, sagte sie. »Das sollte ein Witz sein. Ich will dich auch sehen. Kann's kaum erwarten.«

Ich war erleichtert. Ich hatte befürchtet, dass unser Gespräch ins Stocken geraten könnte, dass wir uns mit dem vagen Versprechen, irgendwann mal wieder zu telefonieren, höflich voneinander verabschieden würden und eine weitere Tür in meine Vergangenheit für immer zuschlagen würde.

»Danke«, sagte ich. »Danke …«

»Chrissy«, sagte sie. »Du hast mir wahnsinnig gefehlt. Jeden Tag. Jeden Tag habe ich gehofft, dass das verdammte Telefon klingelt und du dran bist, obwohl ich nicht mehr damit gerechnet habe.« Sie stockte. »Wie … wie geht's deinem Gedächtnis inzwischen? Wie viel weißt du?«

»Ich bin mir nicht sicher«, sagte ich. »Mehr als vorher, glaube ich. Aber an viel kann ich mich noch immer nicht erinnern.« Ich dachte an all die Dinge, die ich aufgeschrieben hatte, all die Bilder von mir und Claire. »Ich erinnere mich an eine Party«, sagte ich. »Ein Feuerwerk auf einem Dach. Du malst. Ich studiere. Aber danach eigentlich nichts mehr.«

»Ah!«, sagte sie. »Die Nacht der Nächte! Mensch, ist das lange her! Da muss ich ja jede Menge Lücken bei dir füllen! Jede Menge.«

Ich hätte gern gewusst, was sie meinte, fragte aber nicht nach. Das kann warten, dachte ich. Mir brannten wichtigere Dinge unter den Nägeln.

»Bist du je weggezogen?«, sagte ich. »Ins Ausland?«

Sie lachte. »Allerdings«, sagte sie. »Für knapp sechs Monate. Mit einem Typen, ist Jahre her. Es war ein einziges Desaster.«

»Wohin?«, fragte ich. »Wohin seid ihr gezogen?«

»Barcelona«, erwiderte sie. »Warum?«

»Ach, nur so«, sagte ich. Ich fühlte mich verunsichert, schämte mich, solche Einzelheiten aus dem Leben meiner Freundin nicht zu kennen. »Mir hat bloß jemand erzählt, du wärst nach Neuseeland gegangen. Muss wohl ein Irrtum gewesen sein.«

»Neuseeland?«, sagte sie lachend. »Nein. Da war ich noch nie. Niemals.«

Dann war also auch das eine von Bens Lügen. Ich wusste noch immer nicht, konnte mir keinen Grund denken, warum er es für nötig erachten sollte, Claire so komplett aus meinem Leben auszuschließen. Ging es dabei wieder um mein Wohl, so wie bei all seinen anderen Lügen und Unterschlagungen?

Auch das werde ich ihn fragen müssen, wenn wir das Gespräch führen, das jetzt dringender denn je geworden ist. Wenn ich ihm erzähle, was ich alles weiß und woher.

Wir unterhielten uns noch eine Weile, das Gespräch durchsetzt von längeren Pausen und hektischen Wortschwallen. Claire erzählte mir, dass sie verheiratet gewesen war und jetzt mit Roger zusammenlebte. »Er ist an der Uni«, sagte sie. »Psychologe. Der Kerl will, dass ich ihn heirate, was ich so bald bestimmt nicht tue. Aber ich liebe ihn.«

Es war schön, mit ihr zu reden, ihre Stimme zu hören. Es war irgendwie locker, vertraut. Fast wie nach Hause kommen. Sie verlangte wenig, schien zu verstehen, dass ich wenig zu geben hatte. Schließlich stockte sie, und ich dachte schon, sie wollte das Telefonat beenden. Mir fiel auf, dass weder sie noch ich Adam erwähnt hatte.

»Also«, sagte sie stattdessen. »Erzähl mir von Ben. Wie lange seid ihr, na ja …«

»Wieder zusammen?«, sagte ich. »Ich weiß es nicht. Ich hab nicht mal gewusst, dass wir je getrennt waren.«

»Ich hab versucht, ihn anzurufen«, sagte sie. Ich spürte, dass ich mich verkrampfte, obwohl ich nicht wusste, warum.

»Wann?«

»Heute Nachmittag. Nach deinem Anruf. Ich hab mir gedacht, dass er dir meine Nummer gegeben haben muss. Ich hab ihn nicht erreicht, aber ich hab ja auch nur eine alte Nummer von seiner Arbeit. Die haben mir gesagt, dass er nicht mehr da arbeitet.«

Furcht beschlich mich. Ich sah mich im Schlafzimmer um, fremd und unvertraut. Ich war sicher, dass sie log.

»Sprichst du oft mit ihm?«, fragte ich.

»Nein. In letzter Zeit nicht mehr.« Ihre Stimme nahm einen neuen Ton an. Gedämpft. Das gefiel mir nicht. »Schon seit ein paar Jahren nicht mehr.« Sie zögerte. »Ich hab mir solche Sorgen um dich gemacht.«

Ich bekam Angst. Angst, dass Claire Ben von unserem Telefonat erzählen würde, ehe ich Gelegenheit hatte, mit ihm zu sprechen.

»Bitte ruf ihn nicht an«, sagte ich. »Bitte erzähl ihm nicht, dass ich dich angerufen habe.«

»Chrissy!«, sagte sie. »Aber warum denn nicht?«

»Es wäre mir einfach lieber.«

Sie seufzte schwer, klang dann gereizt. »Hör mal. Was zum Teufel ist eigentlich los?«

»Ich kann dir das nicht erklären«, sagte ich.

»Versuch es.«

Ich konnte mich nicht durchringen, von Adam zu sprechen, aber ich erzählte ihr von Dr. Nash und von der Erinnerung an das Hotelzimmer und dass Ben behauptete, ich hätte einen Autounfall gehabt. »Ich glaube, er verschweigt mir die Wahrheit, um mich nicht zu beunruhigen«, sagte ich. Sie antwortete nicht. »Claire?«, sagte ich. »Was könnte ich in Brighton gemacht haben?«

Das Schweigen zwischen uns zog sich in die Länge. »Chrissy«, sagte sie. »Wenn du es wirklich wissen willst, dann erzähl ich es dir. Jedenfalls das, was ich weiß. Aber nicht am Telefon. Wenn wir uns sehen. Versprochen.«

Die Wahrheit. Sie hing vor mir, glänzend, so nah, dass ich meinte, nur die Hand nach ihr ausstrecken zu müssen, um sie zu ergreifen.

»Wann kannst du herkommen?«, fragte ich. »Heute? Heute Abend?«

»Ich würde lieber nicht zu dir kommen«, sagte sie. »Okay?

»Warum nicht?«

»Ich … na ja … ich finde es einfach besser, wenn wir uns woanders treffen. Kann ich dich zum Kaffee einladen?«

In ihrer Stimme lag eine Heiterkeit, die aber aufgesetzt klang. Falsch. Ich fragte mich, wovor sie Angst hatte, sagte aber: »Okay.«

»Alexandra Palace?«, sagte sie. »Einverstanden? Da müsstest du von Crouch End aus gut hinkommen.«

»Einverstanden«, sagte ich.

»Super. Freitag? Um elf? Geht das?«

Ich bejahte. Es würde gehen müssen. »Kein Problem«, sagte ich. Sie nannte mir die Busverbindungen, und ich notierte mir alles auf einem Zettel. Dann plauderten wir noch ein Weilchen, und nachdem wir aufgelegt hatten, holte ich mein Tagebuch hervor und fing an zu schreiben.

* * *

»Ben?«, sagte ich, als er nach Hause gekommen war. Er saß in einem Sessel im Wohnzimmer und las Zeitung. Er sah müde aus, als hätte er nicht gut geschlafen. »Vertraust du mir?«

Er blickte auf. Seine Augen strahlten plötzlich lebendig, hell vor Liebe, aber es leuchtete auch noch etwas anderes in ihnen. Fast so etwas wie Furcht. Verständlicherweise, vermute ich. Auf diese Frage folgt meistens ein Eingeständnis, dass ein solches Vertrauen verfehlt ist. Er strich sich das Haar aus der Stirn.

»Natürlich, Schatz«, sagte er. Er kam zu mir und setzte sich auf die Armlehne meines Sessels, nahm meine Hand zwischen seine. »Natürlich.«

Plötzlich war ich mir unsicher, ob ich weitermachen wollte. »Sprichst du gelegentlich mit Claire?«

Er sah mir in die Augen. »Claire?«, sagte er. »Du erinnerst dich an sie?«

Ich hatte vergessen, dass sie bis vor kurzem – genauer gesagt, bis zu der Erinnerung an die Feuerwerksparty – für mich überhaupt nicht existiert hatte. »Vage«, sagte ich.

Er schaute weg, zu der Uhr auf dem Kaminsims.

»Nein«, sagte er. »Ich glaube, sie ist weggezogen. Vor Jahren.«

Ich verzog das Gesicht, wie vor Schmerz. »Bist du sicher?«, sagte ich. Ich konnte nicht fassen, dass er mich noch immer anlog. Irgendwie kam mir diese Lüge fast noch schlimmer vor als alle anderen. In diesem Fall hätte er doch einfach ehrlich sein können, oder nicht? Die Tatsache, dass Claire noch in London war, würde mir keinen Kummer bereiten, im Gegenteil, sie könnte meinem Gedächtnis vielleicht sogar auf die Sprünge helfen, wenn ich Kontakt zu ihr hätte. Wieso also die Unehrlichkeit? Ein dunkler Gedanke schlich sich in meinen Kopf – derselbe finstere Verdacht –, doch ich verdrängte ihn wieder.

»Bist du ganz sicher? Wohin ist sie gezogen?« *Sag's mir*, dachte ich. *Es ist nicht zu spät.*

»Ich weiß nicht mehr genau«, sagte er. »Neuseeland, glaube ich. Oder Australien.«

Ich spürte, wie mir die Hoffnung weiter entglitt, wusste aber, was ich zu tun hatte. »Bist du sicher?«, sagte ich. Ich riskierte es. »Ich hab so eine merkwürdige Erinnerung, dass sie mir mal erzählt hat, sie würde überlegen, eine Zeitlang in Barcelona zu leben. Muss Jahre her sein.« Er sagte nichts. »Bist du sicher, dass sie nicht dahin gegangen ist?«

»Daran hast du dich erinnert?«, sagte er. »Wann?«

»Ich weiß nicht«, sagte ich. »Ist bloß so ein Gefühl.«

Er drückte meine Hand. Ein Trost. »Das hast du dir wahrscheinlich nur eingebildet.«

»Es fühlte sich aber ganz real an«, sagte ich. »Bist du sicher, dass es nicht Barcelona war?«

Er seufzte. »Nein. Nicht Barcelona. Es war eindeutig Australien. Adelaide, glaube ich, bin mir aber nicht sicher. Es ist lange her.« Er schüttelte den Kopf. »Claire«, sagte er lächelnd. »Ich habe ewig nicht mehr an sie gedacht. Schon seit Jahren nicht mehr.«

Ich schloss die Augen. Als ich sie wieder öffnete, grinste er mich an. Er sah beinahe dämlich aus. Jämmerlich. Ich hätte ihn am liebsten geohrfeigt. »Ben«, sagte ich, meine Stimme kaum lauter als ein Flüstern. »Ich habe mit ihr gesprochen.«

Ich wusste nicht, wie er reagieren würde. Er tat nichts, fast so, als hätte ich gar nichts gesagt, doch dann loderten seine Augen auf.

»Wann?«, sagte er. Seine Stimme war hart wie Glas.

Ich konnte ihm die Wahrheit sagen, zugeben, dass ich Tagebuch führte. »Heute Nachmittag«, sagte ich. »Sie hat mich angerufen.«

»Sie hat dich angerufen?«, sagte er. »Wie das? Woher hat sie deine Nummer?«

Ich beschloss zu lügen. »Sie hat gesagt, du hast sie ihr gegeben.«

»So ein Quatsch! Das ist lächerlich! Wie käme ich dazu? Bist du sicher, dass sie es war?«

»Sie hat gesagt, ihr hättet gelegentlich miteinander gesprochen. Noch bis vor gar nicht so langer Zeit.«

Er ließ meine Hand los, und sie fiel auf meinen Schoß, ein totes Gewicht. Er stand auf, stellte sich vor mich. »Sie hat was gesagt?«

»Sie hat gesagt, ihr beide hättet Kontakt gehalten. Bis vor ein paar Jahren.«

Er beugte sich dicht an mein Gesicht. Ich roch Kaffee in seinem Atem. »Diese Frau hat dich einfach so aus heiterem Himmel angerufen? Bist du überhaupt sicher, dass sie es war?«

Ich verdrehte die Augen. »Ach, Ben!«, sagte ich. »Wer soll es denn sonst gewesen sein?« Ich versuchte zu lächeln. Ich hatte immer gewusst, dass dieses Gespräch nicht einfach werden würde, aber es schien von einer Ernsthaftigkeit durchdrungen, die mir nicht behagte. Er zuckte mit den Schultern. »Du weißt das nicht. Es haben immer mal wieder Leute versucht, an dich ranzukommen, in der Vergangenheit. Die Presse. Journalisten. Leute, die über dich gelesen hatten, die wussten, was passiert ist, und die deine Version der Geschichte hören wollten oder einfach nur rumschnüffeln und rausfinden, wie schlecht es dir wirklich ging, oder sehen, wie sehr du dich verändert hast. Manchmal hat sich einer als jemand anderes ausgegeben, bloß um dich zum Reden zu bringen. Da waren Ärzte dabei. Quacksalber, die glaubten, dir helfen zu können. Homöopathie. Alternativmedizin. Sogar Medizinmänner.«

»Ben«, sagte ich. »Sie war viele Jahre meine beste Freundin. Ich hab ihre Stimme erkannt.« Seine Miene erschlaffte, besiegt. »Du hast mit ihr gesprochen, nicht wahr?« Ich sah, dass er die rechte

Hand schloss und öffnete, sie immer wieder zur Faust ballte. »Ben?«, sagte ich noch einmal.

Er sah auf. Sein Gesicht war rot, die Augen feucht. »Okay«, sagte er. »Okay. Ich hab mit Claire gesprochen. Sie hatte mich gebeten, mich ab und an zu melden, sie auf dem Laufenden zu halten, wie es dir geht. Wir telefonieren alle paar Monate, ganz kurz.«

»Warum hast du mir das nicht gesagt?« Er antwortete nicht. »Ben. Warum?« Schweigen. »Du hast einfach beschlossen, es wäre leichter, sie von mir fernzuhalten? Mir vorzumachen, sie wäre weggezogen? Ja? Genau wie du mir vorgemacht hast, dass ich nie einen Roman geschrieben habe?«

»Chris –«, setzte er an, dann: »Was –«

»Das ist nicht fair, Ben«, sagte ich. »Du hast kein Recht, solche Dinge für dich zu behalten. Mich zu belügen, nur weil es leichter für dich ist. Kein Recht.«

Er richtete sich auf. »Leichter für mich?«, sagte er, und seine Stimme wurde lauter. »Leichter für mich? Du denkst, ich habe dir erzählt, Claire würde im Ausland leben, weil es leichter für mich war? Da liegst du falsch, Christine. Völlig falsch. Nichts von all dem hier ist leicht für mich. Nichts. Ich erzähle dir nichts von deinem Roman, weil ich die Erinnerung daran nicht ertrage, wie sehr du darauf branntest, einen zweiten zu schreiben, oder den Schmerz, wenn dir klar wird, dass du nie mehr dazu in der Lage sein wirst. Ich habe dir erzählt, Claire würde im Ausland leben, weil ich es nicht ertrage, den Schmerz in deiner Stimme zu hören, wenn dir klar wird, dass sie dich in der Einrichtung im Stich gelassen hat. Dich einfach deinem Schicksal überlassen hat, wie alle anderen.« Er wartete auf eine Reaktion. »Hat sie dir das erzählt?«, fuhr er fort, als keine kam, und ich dachte, *Nein, nein, hat sie nicht, und außerdem habe ich heute in meinem Tagebuch gelesen, dass sie mich die ganze Zeit besucht hat.*

Er wiederholte es. »Hat sie dir das erzählt? Dass sie dich nicht

274

mehr besucht hat, als sie erfuhr, dass du, schon fünfzehn Minuten nachdem sie gegangen war, vergessen hattest, dass sie überhaupt existiert? Klar, sie hat Weihnachten mal angerufen und gefragt, wie es dir geht, aber ich war es, der dir beigestanden hat, Chris. Ich war es, der dich jeden Tag besucht hat. Ich war es, der da war, der gewartet hat, gebetet hat, es möge dir bald wieder so gut gehen, dass ich dich da rausholen konnte, nach Hause, um mit mir zu leben, in Sicherheit. Ich. Ich habe dich nicht belogen, weil es leicht für mich war. Mach niemals den Fehler, das zu glauben. Glaub das ja nicht!«

Ich erinnerte mich an meinen Tagebucheintrag über das, was Dr. Nash mir erzählt hatte. Ich sah ihm in die Augen. *Es stimmt nicht*, dachte ich. *Du hast mir nicht beigestanden.*

»Claire hat gesagt, du hast dich von mir scheiden lassen.«

Er erstarrte, trat dann zurück, als hätte er einen Schlag abbekommen. Sein Mund öffnete sich, klappte dann wieder zu. Es war fast komisch. Schließlich kam ein einziges Wort heraus.

»Die Schlampe.«

Sein Gesicht verzerrte sich vor Wut. Ich dachte, er würde mich schlagen, merkte aber, dass es mir egal war.

»Hast du dich von mir scheiden lassen?«, sagte ich. »Ist das wahr?«

»Schatz −«

Ich stand auf. »Sag's mir«, verlangte ich. »Sag's mir!« Wir standen da, Auge in Auge. Ich wusste nicht, was er machen würde, wusste nicht, was ich mir wünschte. Ich wusste nur, dass er ehrlich zu mir sein musste. Mich nicht länger belügen durfte. »Ich will bloß die Wahrheit wissen.«

Er trat näher und fiel vor mir auf die Knie, umklammerte meine Hände. »Schatz −«

»Hast du dich von mir scheiden lassen? Ist das wahr, Ben? Sag's mir!« Er ließ den Kopf hängen, dann blickte er zu mir hoch, mit großen, furchtsamen Augen. »Ben!«, schrie ich. Er begann zu weinen. »Ben. Sie hat mir auch von Adam erzählt. Sie hat mir erzählt, dass wir einen Sohn hatten. Ich weiß, dass er tot ist.«

»Verzeih mir«, sagte er. »Bitte verzeih mir. Ich dachte, es ist so am besten.« Und dann, leise schluchzend, sagte er, er würde mir alles erzählen.

Das Licht war vollkommen verschwunden, die Dämmerung war der Dunkelheit gewichen. Ben schaltete die Lampe über dem Esstisch ein, und wir setzten uns in ihrem rosigen Schein einander gegenüber. Zwischen uns lag ein Stapel Fotos, dieselben, die ich mir am Nachmittag angesehen hatte. Bei jedem, das er mir reichte, heuchelte ich Überraschung, ließ mir sagen, wann und wo es entstanden war. Bei den Fotos von unserer Hochzeit erzählte er ausführlicher – was für ein toller, ganz besonderer Tag das gewesen war, wie schön ich ausgesehen hatte –, wurde aber dann sehr aufgewühlt. »Ich habe nie aufgehört, dich zu lieben, Christine«, sagte er. »Das musst du mir glauben. Es war wegen deiner Krankheit. Du musstest in diese Einrichtung, und na ja ... ich hab ... ich hab das einfach nicht ertragen. Ich wäre ja weiterhin gekommen. Ich hätte alles getan, um dich zurückzuholen. Alles. Aber sie ... sie wollten nicht, dass ... ich durfte dich nicht sehen ... sie haben gesagt, es wäre besser so ...«

»Wer?«, sagte ich. »Wer hat das gesagt?« Er schwieg. »Die Ärzte?«

Er blickte zu mir auf. Er weinte jetzt, seine Augen waren rot gerändert.

»Ja«, sagte er. »Ja. Die Ärzte. Sie meinten, es wäre besser so. Es wäre die einzige Möglichkeit ...« Er wischte sich eine Träne weg. »Ich hab nur getan, was die gesagt haben. Ich wünschte, ich hätte es nicht getan. Ich wünschte, ich hätte um dich gekämpft. Ich war schwach und dumm.« Seine Stimme wurde leiser, flüsternd. »Ich habe dich nicht mehr besucht, ja«, sagte er, »aber um deinetwillen. Obwohl es mich fast umgebracht hat. Ich hab es für dich getan, Christine. Das musst du mir glauben. Für dich und unseren

Sohn. Aber ich habe mich nicht von dir scheiden lassen. Nicht richtig. Nicht hier drin.« Er beugte sich vor und nahm meine Hand, drückte sie an sein Hemd. »Hier drin waren wir immer verheiratet, immer zusammen.« Ich spürte warme Baumwolle, klamm vor Schweiß. Das rasche Schlagen seines Herzens. Liebe.

Ich bin so dumm gewesen, dachte ich. Ich habe mir ernsthaft eingeredet, dass er das alles getan hat, um mir weh zu tun, wo er es doch in Wahrheit aus Liebe getan hat, wie er sagt. Ich sollte ihn nicht verurteilen. Ich sollte stattdessen versuchen, ihn zu verstehen.

»Ich verzeihe dir«, sagte ich.

Donnerstag, 22. November

Als ich heute Morgen wach wurde und die Augen aufschlug, sah ich einen Mann auf einem Stuhl in dem Zimmer sitzen, in dem ich war. Er saß völlig reglos da. Beobachtete mich. Wartete.

Ich geriet nicht in Panik. Ich wusste nicht, wer er war, aber ich geriet nicht in Panik. Ein Teil von mir wusste, dass alles in Ordnung war. Dass es sein gutes Recht war, da zu sein.

»Wer bist du?«, fragte ich. »Wie bin ich hierhergekommen?« Er erklärte es mir. Ich verspürte weder Entsetzen noch Skepsis. Ich verstand. Ich ging ins Bad und näherte mich meinem Spiegelbild wie einer längst vergessenen Angehörigen oder dem Geist meiner Mutter. Vorsichtig. Neugierig. Ich zog mich an, gewöhnte mich an die neuen Dimensionen und unerwarteten Verhaltensweisen meines Körpers und frühstückte dann in dem vagen Bewusstsein, dass an dem Tisch einmal drei Plätze besetzt gewesen sein könnten. Ich gab meinem Mann zum Abschied einen Kuss, was mir nicht falsch vorkam, öffnete dann den Schuhkarton im Kleiderschrank und fand dieses Tagebuch. Ich wusste auf Anhieb, was das war. Ich hatte danach gesucht.

Die Wahrheit über meine Situation liegt nun dichter unter der Oberfläche. Eines Tages werde ich womöglich aufwachen und sie bereits kennen. Dinge werden allmählich Sinn ergeben. Selbst dann, das weiß ich, werde ich niemals normal sein. Meine Vergangenheit ist unvollständig. Jahre sind verschwunden, spurlos. Manche Dinge über mich, über meine Geschichte, wird mir niemand erzählen können. Nicht Dr. Nash – der nur das von mir weiß, was ich ihm erzählt habe, was er in meinem Tagebuch gelesen hat und was in meiner Akte steht – und auch nicht Ben. Dinge, die passiert sind, ehe ich ihn kennenlernte. Dinge, die danach passiert sind, die ich ihm aber bewusst nicht erzählt habe. Geheimnisse.

Doch es gibt eine Person, die es wissen könnte. Eine Person, die mir den Rest der Wahrheit erzählen könnte. Mit wem ich mich in Brighton getroffen hatte. Den wahren Grund, warum meine beste Freundin aus meinem Leben verschwand.

Ich habe dieses Tagebuch gelesen. Ich weiß jetzt, dass ich mich morgen mit Claire treffe.

Freitag, 23. November

Ich schreibe das hier zu Hause. In dem Haus, das ich endlich als mein Zuhause begreife, als den Ort, wo ich hingehöre. Ich habe dieses Tagebuch durchgelesen, und ich habe Claire gesehen, und beides zusammen hat mir alles verraten, was ich wissen muss. Claire hat mir versprochen, dass sie jetzt wieder Teil meines Lebens ist und auch bleibt. Vor mir liegt ein zerfleddertes Kuvert mit meinem Namen vorn drauf. Ein Artefakt. Eines, das mich vervollständigt. Endlich ergibt meine Vergangenheit einen Sinn.

Bald wird mein Mann nach Hause kommen, und ich freue mich darauf, ihn zu sehen. Ich liebe ihn. Das weiß ich jetzt.

Ich werde diese Geschichte aufschreiben, und dann werden wir alles besser machen können, gemeinsam.

Es war ein strahlender Tag, als ich aus dem Bus stieg. Das Licht war von der blauen Kühle des Winters durchdrungen, der Boden hart gefroren. Claire hatte gesagt, sie würde oben auf der Anhöhe warten, *an der Haupttreppe des Palace*, und so faltete ich den Zettel zusammen, auf dem ich mir die Wegbeschreibung notiert hatte, stieg durch eine Parkanlage den sanften Hang hinauf. Ich brauchte länger, als ich gedacht hatte, und da mir meine körperlichen Grenzen noch ungewohnt waren, musste ich zwischendurch verschnaufen. Ich muss mal fit gewesen sein, dachte ich. Jedenfalls fitter als jetzt. Ich fragte mich, ob ich Sport machen sollte.

Hinter dem Park öffnete sich eine von asphaltierten Wegen

durchzogene Rasenfläche, auf der vereinzelte Mülleimer standen und Frauen mit Kinderwagen unterwegs waren. Ich merkte, dass ich nervös war. Ich wusste nicht, was mich erwartete. Wie auch? In meinen Visionen trägt Claire meistens Schwarz. Jeans, T-Shirts. Ich sehe sie in schweren Stiefeln und im Trenchcoat. Oder aber sie trägt einen langen Batikrock aus einem Stoff, den man wohl als leicht und luftig bezeichnen würde. Ich konnte mir nicht vorstellen, was wohl an die Stelle dieser beiden Versionen getreten war, ging aber davon aus, dass sie in unserem jetzigen Alter einen anderen Stil pflegte.

Ich sah auf die Uhr. Ich war früh dran. Automatisch sagte ich mir, dass Claire immer zu spät kommt, und fragte mich prompt, woher ich das wusste, welches Erinnerungsrudiment mir das sagte. Da ist so viel, sagte ich mir, knapp unter der Oberfläche. So viele Erinnerungen, die wie silbrige kleine Fische in einem seichten Bach herumflitzen. Ich beschloss, auf einer der Bänke zu warten.

Lange Schatten reckten sich träge über das Gras. Über den Bäumen erstreckten sich Häuserreihen von mir weg, dicht an dicht, klaustrophobisch eng. Erschrocken stellte ich fest, dass eines dieser unterschiedslosen Häuser, die ich sehen konnte, dasjenige war, in dem ich jetzt wohnte.

Ich stellte mir vor, wie ich eine Zigarette anzündete und nervös einen tiefen Zug nahm, kämpfte gegen den Drang, aufzustehen und hin und her zu gehen. Ich war aufgeregt, lächerlich aufgeregt. Dabei hatte ich doch keinen Grund dazu. Claire war meine beste Freundin gewesen. Ich hatte nichts zu befürchten. Ich war sicher.

Farbe blätterte von der Bank ab, und ich zupfte daran, legte mehr von dem feuchten Holz darunter frei. Jemand hatte auf dieselbe Art die Initialen zweier Namen neben meinem Platz in die Bank gekratzt, mit einem Herzen drum herum und dem Datum darunter. Ich schloss die Augen. Werde ich mich irgendwann nicht mehr erschrecken, wenn mir klar wird, in welchem Jahr ich lebe? Ich atmete ein: feuchtes Gras, der Geruch von Hotdogs, Benzin.

Ein Schatten fiel auf mein Gesicht, und ich öffnete die Augen. Eine Frau stand vor mir. Groß, mit fuchsrotem Haar; sie trug eine Hose und eine Schaffelljacke. Ein kleiner Junge hielt ihre Hand, einen Plastikfußball unter den Arm geklemmt. »Entschuldigung«, sagte ich und rückte ein Stück zur Seite, um ihnen Platz zu machen, doch dann sah ich, dass die Frau lächelte.

»Chrissy!«, sagte sie. Es war Claires Stimme. Unverkennbar. »Chrissy, Süße! Ich bin's.« Ich blickte von dem Kind in ihr Gesicht. Es war furchig, wo es einmal glatt gewesen sein musste, die Augen lagen tiefer als in meiner Vorstellung, aber sie war es. Ohne Zweifel. »Mein Gott«, sagte sie. »Was hab ich mir für Sorgen um dich gemacht.« Sie schob mir das Kind entgegen. »Das ist Toby.«

Der Junge sah mich an. »Na los«, sagte Claire. »Sag hallo.« Einen Moment lang dachte ich, sie meinte mich, doch dann kam er einen Schritt näher. Ich lächelte. Mein einziger Gedanke war, *Ist das Adam?*, obwohl ich wusste, dass das nicht sein konnte.

»Hallo«, sagte ich. Toby scharrte mit den Füßen und murmelte etwas, das ich nicht verstand, dann drehte er sich zu Claire um und sagte: »Kann ich jetzt was spielen?«

»Lauf aber nicht zu weit weg. Ja?« Sie strich ihm übers Haar, und er lief in den Park.

Ich stand auf und wandte mich ihr zu. Ich war mir nicht sicher, ob ich nicht auch lieber auf dem Absatz kehrtgemacht hätte und weggelaufen wäre, so gewaltig war die Kluft zwischen uns, doch dann streckte sie die Arme aus. »Chris, Liebes«, sagte sie, und die Plastikarmbänder um ihre Handgelenke klapperten. »Ich hab dich vermisst. Ich hab dich so wahnsinnig vermisst.« Das Gewicht, das auf mir lastete, schlug einen Purzelbaum, hob sich und verschwand, und ich sank ihr schluchzend in die Arme.

Für einen ganz kurzen Moment hatte ich das Gefühl, alles über sie zu wissen und auch alles über mich. Es war, als ob die Leere, der Hohlraum mitten in meiner Seele, von einem Licht erleuchtet worden wäre, das heller war als die Sonne. Eine Vergangenheit – meine Vergangenheit – blitzte vor mir auf, doch zu schnell, um sie richtig zu fassen. »Ich erinnere mich an dich«, sagte ich. »Ich erinnere mich an dich«, und schon war es verschwunden, und die Dunkelheit verschlang wieder alles.

Wir setzten uns auf die Bank und schauten eine ganze Weile schweigend zu, wie Toby mit ein paar Jungs Fußball spielte. Ich war glücklich über die Verbindung mit meiner unbekannten Vergangenheit, trotzdem war da ein Unbehagen zwischen uns, das ich nicht abschütteln konnte. Ein Satz kreiste mir im Kopf. *Es könnte was mit Claire zu tun haben.*

»Wie geht es dir?«, sagte ich schließlich, und sie lachte.

»Ich fühl mich beschissen«, sagte sie. Sie öffnete ihre Handtasche und holte ein Päckchen Tabak heraus. »Du hast noch immer nicht wieder angefangen, oder?«, fragte sie, während sie mir die Packung hinhielt, und ich schüttelte den Kopf, wieder in dem Bewusstsein, dass auch sie jemand ist, der viel mehr über mich weiß als ich selbst.

»Warum denn?«, sagte ich.

Sie holte Blättchen aus der Tabakpackung, deutete mit einem Kopfnicken auf ihren Sohn. »Ach, weißt du, Tobes hat ADHS. Er war die ganze Nacht wach, und demzufolge ich auch.«

»ADHS?«, sagte ich.

Sie lächelte. »Sorry. Der Ausdruck ist wohl noch ziemlich neu. Aufmerksamkeitsdefizit-Hyperaktivitätsstörung. Wir müssen ihm Ritalin geben, was mir echt gegen den Strich geht. Aber anders geht's nicht. Wir haben so gut wie alles probiert, und er ist absolut unerträglich, wenn er das Zeug nicht nimmt. Der reinste Horror.«

Ich sah zu ihm hinüber, wie er in der Ferne herumtobte. Noch so ein defektes, verkorkstes Gehirn in einem gesunden Körper.

»Aber ansonsten ist er gesund?«

»Ja«, sagte sie mit einem Seufzen. Sie balancierte das Zigarettenblättchen auf einem Knie und verteilte den Tabak darauf. »Er ist manchmal einfach bloß verdammt anstrengend. Als hätte die Trotzphase bei ihm kein Ende.«

Ich lächelte. Ich wusste, was sie meinte, aber nur theoretisch. Ich hatte keine Vergleichsmöglichkeit, keine Erinnerung daran, wie Adam gewesen sein mochte, in Tobys Alter oder jünger.

»Toby ist noch ziemlich klein, nicht?«, sagte ich.

Sie lachte. »Du meinst, ich bin ziemlich alt!« Sie leckte die Gummierung des Blättchens an. »Ja. Ich hab ihn spät bekommen. Ich war mir ganz sicher, dass nichts passieren würde, deshalb haben wir nicht besonders aufgepasst ...«

»Oh«, sagte ich. »Du meinst –?«

Sie lachte. »Ich will nicht behaupten, dass er ein Unfall war, aber sagen wir, er war ein kleiner Schock.« Sie klemmte sich die Zigarette zwischen die Lippen. »Kannst du dich an Adam erinnern?«

Ich sah sie an. Sie hatte den Kopf von mir weggedreht, schirmte ihr Feuerzeug gegen den Wind ab, so dass ich weder ihren Gesichtsausdruck sehen noch einschätzen konnte, ob das ein Ausweichmanöver war.

»Nein«, sagte ich. »Vor ein paar Wochen hab ich mich wieder an meinen Sohn erinnert, und seitdem ich das aufgeschrieben habe, kommt es mir so vor, als würde ich das Wissen mit mir herumtragen wie einen schweren Stein in der Brust. Aber nein. Ich kann mich an gar nichts von ihm erinnern.«

Sie blies eine Wolke bläulichen Rauch in den Himmel. »So ein Jammer«, sagte sie. »Das tut mir echt leid. Aber Ben zeigt dir doch wohl Fotos? Hilft dir das nicht?«

Ich überlegte, wie viel ich ihr erzählen sollte. Sie hatten anscheinend Kontakt gehabt, waren einmal befreundet gewesen. Ich musste vorsichtig sein, aber dennoch spürte ich das wachsende Bedürfnis, die Wahrheit nicht nur zu sagen, sondern sie auch zu hören.

»Er zeigt mir Fotos, ja. Aber er hat keine im Haus aufgehängt oder so. Er sagt, das wühlt mich zu sehr auf. Er hat sie versteckt.« Ich hätte fast gesagt *weggeschlossen*.

Sie wirkte erstaunt. »Versteckt? Im Ernst?«

»Ja«, sagte ich. »Er meint, es könnte mich zu sehr aufwühlen, falls mir zufällig eins von ihm in die Hände fallen würde.«

Claire nickte. »Weil du ihn vielleicht nicht erkennst? Nicht weißt, wer er ist?«

»Vermutlich.«

»Das kann ich mir gut vorstellen«, sagte sie. Sie zögerte. »Jetzt, wo er nicht mehr da ist.«

Nicht mehr da, dachte ich. Sie sagte das so, als wäre er nur mal für ein paar Stunden weggegangen, hätte seine Freundin ins Kino eingeladen oder wollte sich neue Schuhe kaufen. Aber ich verstand das. Verstand die stillschweigende Übereinkunft, dass wir nicht über Adams Tod reden würden. Noch nicht. Verstand, dass auch Claire mich schützen will.

Ich sagte nichts. Stattdessen versuchte ich, mir vorzustellen, wie es gewesen sein musste, mein Kind jeden Tag zu sehen, damals, als die Worte *jeden Tag* noch eine Bedeutung hatten, bevor jeder Tag von dem davor abgetrennt wurde. Ich versuchte, mir vorzustellen, jeden Morgen nach dem Aufwachen zu wissen, wer er war, Pläne schmieden zu können, mich auf Weihnachten zu freuen, auf seinen Geburtstag.

Wie lächerlich, dachte ich. Ich weiß nicht mal, wann sein Geburtstag ist.

»Würdest du ihn nicht gern sehen –?«

Mein Herz machte einen Sprung. »Du hast Fotos?«, sagte ich. »Könnte ich –«

Sie blickte überrascht. »Na klar! Haufenweise! Zu Hause.«

»Ich hätte gern eins«, sagte ich.

»Ja«, sagte sie. »Aber —«

»Bitte. Es würde mir so viel bedeuten.«

Sie legte ihre Hand auf meine. »Ja klar. Ich bring dir beim nächsten Mal eins mit, aber —«

Sie wurde von einem Schrei in der Ferne unterbrochen. Ich sah über die Wiese. Toby kam heulend auf uns zugerannt, während hinter ihm das Fußballspiel weiterging.

»Verdammt«, sagte Claire leise. Sie stand auf und rief: »Tobes! Toby! Was hast du denn?« Er rannte einfach weiter. »Scheiße«, sagte sie. »Ich geh ihn mal beruhigen.«

Sie lief zu ihrem Sohn, ging in die Hocke, und fragte ihn wohl, was passiert war. Ich blickte zu Boden. Der Asphaltweg war dicht mit Moos überwuchert, und der ein oder andere Grashalm hatte sich ans Licht gekämpft. Ich fühlte mich gut. Nicht nur, weil Claire mir ein Foto von Adam geben wollte, sondern auch, weil sie gesagt hatte, sie würde es mitbringen, wenn wir uns das nächste Mal trafen. Wir würden uns öfter sehen. Mir wurde klar, dass jedes Treffen für mich wie das erste sein würde. Es ist absurd, aber ich vergesse dauernd, dass ich mein Gedächtnis verloren habe.

Mir wurde noch etwas klar: Aufgrund der Art, wie sie über Ben gesprochen hatte – mit einer gewissen Wehmut –, fand ich den Verdacht, dass sie eine Affäre mit Ben hätte, jetzt geradezu lächerlich.

Sie kam zurück.

»Alles in Ordnung«, sagte sie. Sie schnippte ihre Zigarette zu Boden und trat sie mit dem Absatz aus. »Kleines Missverständnis, wem der Ball gehört. Gehen wir ein paar Schritte?« Ich nickte, und sie drehte sich zu Toby um. »Schätzchen! Lust auf ein Eis?«

Er bejahte, und wir spazierten in Richtung Palace. Toby hielt Claires Hand. Sie sahen sich sehr ähnlich, fand ich, in ihren Augen brannte das gleiche Feuer.

»Ich bin gern hier oben«, sagte Claire. »Die Aussicht ist grandios. Findest du nicht auch?«

Ich blickte auf die grauen Häuser, grün besprenkelt. »Geht so. Malst du noch?«

»Malen wäre zu viel gesagt«, erwiderte sie. »Ich pinsele ein bisschen. Ich bin eine Amateurpinslerin geworden. Die Wände bei uns zu Hause sind mit meinen Bildern tapeziert, aber gekauft hat nie einer eins. Leider.«

Ich lächelte. Ich fing nicht von meinem Roman an, obwohl es mich interessiert hätte, ob sie ihn gelesen hatte, wie sie ihn fand. »Und was machst du dann so?«

»Ich kümmere mich vor allem um Toby«, sagte sie. »Er wird zu Hause unterrichtet.«

»Verstehe«, sagte ich.

»Das war nicht unsere Entscheidung«, fuhr sie fort. »Keine Schule nimmt ihn. Die sagen, er ist zu schwierig. Sie werden nicht mit ihm fertig.«

Ich sah ihren Sohn an, wie er neben uns herging und die Hand seiner Mutter hielt. Er wirkte absolut friedlich. Er fragte, wann er denn das Eis haben könnte, und Claire sagte, bald. Ich konnte mir nicht vorstellen, dass er schwierig war.

»Wie war Adam?«, fragte ich.

»Als Kind?«, sagte sie. »Er war ein lieber Junge. Sehr höflich. Wohlerzogen, weißt du?«

»War ich eine gute Mutter? War er glücklich?«

»Ach, Chrissy«, sagte sie. »Ja. Ja. Mehr Liebe hätte der Junge gar nicht kriegen können. Du erinnerst dich nicht mehr, was? Ihr hattet es schon eine Weile versucht. Du hattest eine Fehlgeburt, ziemlich spät, und dann eine Bauchhöhlenschwangerschaft. Du hattest schon fast die Hoffnung aufgegeben, noch einmal schwanger zu werden, glaube ich, und dann kam Adam. Du warst überglücklich, ihr beide wart überglücklich. Und du warst gern schwanger. Ich überhaupt nicht. Aufgebläht wie ein Ballon, und diese fürchterliche Übelkeit. Grässlich. Aber bei dir war das anders. Du hast es richtig genossen. Du hast gestrahlt, die ganze Schwangerschaft hindurch. Wenn du reinkamst, meinte man, die Sonne geht auf, Chrissy.«

Ich schloss im Gehen die Augen und versuchte zuerst, mich daran zu erinnern, wie es war, schwanger zu sein, und dann, es mir vorzustellen. Es gelang mir beides nicht. Ich sah Claire an.

»Und dann?«

»Dann? Die Geburt. Es war wunderbar. Ben war natürlich dabei. Ich bin so schnell ich konnte ins Krankenhaus.« Sie blieb stehen und wandte sich mir zu. »Und du warst eine tolle Mutter, Chrissy. Wirklich toll. Adam war glücklich und wurde umsorgt und geliebt. Kein Kind hätte es besser haben können.«

Ich versuchte, mich an mich als Mutter zu erinnern, an die Kindheit meines Sohnes. Nichts.

»Und Ben?«

Sie zögerte, sagte dann: »Ben war ein toller Vater. Immer. Er hat den Jungen geliebt. Er konnte nach der Arbeit nicht schnell genug zu ihm nach Hause kommen. Als Adam sein erstes Wort gesprochen hat, hat Ben jeden angerufen und es stolz erzählt. Auch als der Kleine zu krabbeln anfing oder seine ersten Schritte machte. Sobald er laufen konnte, ist Ben mit ihm in den Park, zum Fußballspielen und alles. Und Weihnachten! So viele Spielsachen! Ich glaube, das war so ziemlich das Einzige, worüber ihr euch je gestritten habt – über die vielen Spielsachen, die Ben für Adam kaufte. Du hattest Angst, er würde zu sehr verwöhnt.«

Ich spürte ein stechendes Bedauern, den Wunsch, mich dafür zu entschuldigen, dass ich je versucht hatte, meinem Sohn etwas zu verwehren.

»Heute würde ich ihn alles haben lassen«, sagte ich. »Wenn ich nur könnte.«

Sie blickte mich traurig an. »Ich weiß«, sagte sie. »Ich weiß. Aber freu dich, dass es ihm bei euch nie an irgendwas gefehlt hat.«

Wir gingen weiter. Ein Eiswagen parkte auf dem Weg, und wir steuerten darauf zu. Toby zerrte am Arm seiner Mutter. Sie beugte sich runter und gab ihm aus ihrem Portemonnaie einen Geldschein, ehe sie ihn losließ. »Such dir eins aus!«, rief sie ihm hinterher. »Nur eins! Und warte auf das Wechselgeld!«

Ich sah ihm nach, wie er zu dem Wagen lief. »Claire«, sagte ich. »Wie alt war Adam, als ich mein Gedächtnis verloren hab?«

Sie lächelte. »Da muss er zwei gewesen sein. Knapp drei vielleicht.«

Ich hatte das Gefühl, jetzt neues Terrain zu betreten. Gefährliches. Aber ich musste weitergehen. Musste die Wahrheit erfahren. »Mein Therapeut hat mir erzählt, ich wurde angegriffen«, sagte ich. Sie erwiderte nichts. »In Brighton. Warum war ich dort?«

Ich sah Claire an, musterte ihr Gesicht. Sie schien eine Entscheidung zu treffen, Möglichkeiten abzuwägen, zu überlegen, was sie tun sollte. »Ich weiß es nicht genau«, sagte sie. »Keiner weiß das.«

Sie verstummte, und wir beide schauten eine Weile Toby zu. Er hatte sein Eis in der Hand und packte es jetzt aus, mit einem Ausdruck entschlossener Konzentration im Gesicht. Das Schweigen zog sich vor mir in die Länge. *Wenn ich nichts sage*, dachte ich, *dauert das hier ewig.*

»Ich hatte eine Affäre, nicht wahr?«

Keine Reaktion. Kein lautes Einatmen, kein verneinendes Schnaufen, kein schockierter Blick. Claire sah mich unverwandt an. Seelenruhig. »Ja«, sagte sie. »Du hast Ben betrogen.«

Ihre Stimme war emotionslos. Ich fragte mich, was sie über mich dachte. Damals oder heute.

»Erzähl's mir«, sagte ich

»Okay«, sagte sie. »Aber lass uns dabei einen Kaffee trinken. Ich brauch Koffein.«

Wir gingen auf das Hauptgebäude zu.

Das Café war gleichzeitig eine Bar. Die Stühle waren aus Stahl, die Tische schlicht. Überall standen Palmen herum, ein Versuch, Atmosphäre zu erzeugen, die der kalte Luftzug, der jedes Mal hereinwehte, wenn jemand die Tür öffnete, zunichte machte. Wir setzten uns einander gegenüber an einen Tisch, der mit Kaffee vollgekleckert war, wärmten uns die Hände an unseren Bechern.

»Was ist passiert?«, fragte ich. »Ich muss es wissen.«

»Das ist nicht leicht zu sagen«, sagte Claire. Sie sprach langsam, als würde sie sich einen Weg durch schwieriges Gelände suchen. »Ich glaube, es hat kurz nach Adams Geburt angefangen. Sobald sich die anfängliche Freude gelegt hatte, kam eine Phase, in der es extrem schwer wurde.« Sie stockte. »Es ist verdammt schwer, nicht? Zu erkennen, was los ist, wenn du mitten in was drinsteckst? Oft begreifen wir erst im Rückblick, was wirklich los war.« Ich nickte, verstand aber nicht. So etwas wie Rückblick ist mir nicht möglich. Sie sprach weiter. »Du hast schrecklich viel geweint. Du hattest Angst, du könntest keine richtige Bindung zu dem Baby herstellen. Das Übliche eben. Ben und ich haben getan, was wir konnten, und auch deine Mutter, wenn sie da war, aber es war schwer. Und selbst als das Schlimmste überstanden war, fiel dir alles weiterhin schwer. Du konntest nicht mehr schreiben. Du hast mich mitten am Tag angerufen. Völlig aufgelöst. Du hast gesagt, du kämst dir vor wie eine Versagerin. Nicht als Mutter – du konntest sehen, wie fröhlich Adam war –, aber als Schriftstellerin. Du hast gedacht, du würdest nie wieder in der Lage sein, auch nur eine Zeile zu schreiben. Ich bin dann oft zu dir rüber, und manchmal warst du ein Häufchen Elend. Hast dir die Augen ausgeheult, das volle Programm.« Ich fragte mich, was wohl als Nächstes kam, wie schlimm es werden würde, dann sagte sie: »Du hast dich auch mit Ben gestritten. Du hast es ihm verübelt, wie leicht er das Leben nahm. Er hat angeboten, ein Kindermädchen zu bezahlen, aber, na ja …«

»Aber was?«

»Du hast gesagt, das wäre mal wieder typisch für ihn. Jedes Problem mit Geld lösen zu wollen. Du hattest nicht ganz unrecht, aber … So richtig fair warst du vielleicht auch nicht.«

Vielleicht nicht, dachte ich. Mir fiel auf, dass es uns finanziell gutgegangen sein musste, besser als nach meinem Gedächtnisverlust, besser als jetzt, wie ich vermute. Wie viel Geld meine Krankheit doch geschluckt haben muss.

Ich versuchte, mir ein Bild davon zu machen, wie ich damals war, wie ich mit Ben stritt, mich um das Baby kümmerte, zu schreiben versuchte. Ich stellte mir Milchfläschchen vor oder Adam an meiner Brust. Schmutzige Windeln. Vormittage, an denen ich wahrscheinlich voll davon in Anspruch genommen wurde, mich selbst und mein Baby zu versorgen, und Nachmittage, an denen ich vor lauter Erschöpfung nur noch schlafen wollte, aber noch Stunden durchhalten musste, und der Gedanke ans Schreiben keinen Platz mehr in meinem Kopf fand. Ich konnte das alles sehen und den schleichenden, brennenden Groll spüren.

Aber es war eben alles nur Vorstellung. Erinnern konnte ich mich an nichts. Claires Geschichte fühlte sich an, als hätte sie nicht das Geringste mit mir zu tun.

»Und dann hatte ich eine Affäre?«

Sie blickte auf. »Ich hatte viel Zeit. Ich hab damals gemalt. Ich hab vorgeschlagen, dass ich auf Adam aufpasse, zwei Nachmittage die Woche, damit du schreiben konntest. Ich hab darauf bestanden.« Sie nahm meine Hände. »Es war meine Schuld, Chrissy. Ich hab dir sogar empfohlen, in ein Café zu gehen.«

»Ein Café?«, sagte ich.

»Ich dachte, es täte dir gut, aus dem Haus zu kommen. Mal was anderes zu sehen. Ein paar Stunden die Woche, um etwas Abstand von allem zu kriegen. Nach einigen Wochen ging es dir auch sichtlich besser. Du warst fröhlicher, du hast gesagt, du kämst gut mit der Arbeit voran. Dann bist du fast jeden Tag in das Café gegangen, hast Adam mitgenommen, wenn ich keine Zeit hatte. Aber dann ist mir aufgefallen, dass du dich anders gekleidet hast. Die klassische Nummer, obwohl ich mir zu der Zeit nichts dabei gedacht habe. Ich dachte einfach, du wärst wieder besser drauf. Selbstbewusster. Doch dann, eines Abends, rief Ben mich an. Er hatte getrunken, glaube ich. Er sagte, ihr würdet euch immer öfter streiten und er wüsste nicht mehr weiter. Du hättest auch keine Lust mehr auf Sex. Ich hab gesagt, dass es wahrscheinlich bloß an dem Kind lag, dass er sich wahrscheinlich unnötig Gedanken machte. Aber –«

Ich fiel ihr ins Wort. »Ich hatte eine Affäre.«

»Ich hab dich gefragt. Zuerst hast du es abgestritten, aber ich hab gesagt, ich wäre nicht blöd und Ben auch nicht. Wir haben uns gezofft, und nach einer Weile hast du mir die Wahrheit gestanden.«

Die Wahrheit. Nichts Glamouröses, nichts Aufregendes. Bloß die nackten Fakten. Ich hatte mich in ein Klischee auf zwei Beinen verwandelt, war mit jemandem, den ich in einem Café kennengelernt hatte, ins Bett gestiegen, während meine beste Freundin auf mein Kind aufpasste und mein Ehemann das Geld für die Klamotten und Dessous verdiente, die ich für einen anderen anzog. Ich stellte mir die heimlichen Telefonate vor, die gescheiterten Verabredungen, wenn etwas Unvorhergesehenes dazwischenkam, und wenn es dann klappte, die schäbigen, jämmerlichen Nachmittage im Bett mit einem Mann, der mir vorübergehend besser – aufregender? attraktiver? ein besserer Liebhaber? – erschienen war als mein eigener. War das der Mann, auf den ich in dem Hotelzimmer gewartet hatte, der Mann, der mich schließlich angriff, mir meine Vergangenheit und Zukunft nahm?

Ich schloss die Augen. Ein Erinnerungsblitz. Hände, die mich an den Haaren packen, an der Kehle. Mein Kopf unter Wasser.

Nach Luft schnappend, weinend. Ich erinnere mich, was ich dachte. *Ich will meinen Sohn sehen. Ein letztes Mal. Ich will meinen Mann sehen. Ich hätte ihm das niemals antun dürfen. Ich hätte ihn niemals mit diesem Mann betrügen dürfen. Ich werde ihm niemals sagen können, wie leid es mir tut. Niemals.*

Ich öffnete die Augen. Claire drückte meine Hand. »Alles in Ordnung?«, fragte sie.

»Sag es mir«, sagte ich.

»Ich weiß nicht, ob —«

»Bitte«, sagte ich. »Sag es mir. Wer war es?«

Sie seufzte. »Du hast gesagt, du hättest einen Mann kennengelernt, in dem Café, in das du regelmäßig gegangen bist. Er wäre sympathisch, hast du gesagt. Attraktiv. Du hättest es versucht, aber du hättest nichts dagegen machen können.«

»Wie hieß er?«, sagte ich. »Wer war er?«

»Das weiß ich nicht.«

»Du musst es wissen!«, sagte ich. »Wenigstens seinen Namen! Wer hat mir das angetan?«

Sie blickte mir in die Augen. »Chrissy«, sagte sie mit ruhiger Stimme, »du hast mir nie gesagt, wie er heißt. Du hast bloß gesagt, du hättest ihn in dem Café kennengelernt. Ich schätze, du wolltest nicht, dass ich irgendwelche Einzelheiten erfahre. Jedenfalls nicht mehr, als ich ohnehin schon wusste.«

Ich spürte, wie ein weiterer Hoffnungsstrahl verglühte, für immer erlosch. Ich würde nie wissen, wer mir das angetan hatte.

»Was ist dann passiert?«

»Ich hab dir gesagt, dass du meiner Meinung nach eine Riesendummheit machst. Du solltest an Adam denken, auch an Ben. Ich hab dir geraten, die Sache zu beenden. Den Typen nicht mehr zu sehen.«

»Aber ich hab nicht auf dich gehört.«

»Nein«, sagte sie. »Jedenfalls nicht sofort. Wir haben uns gesetzt. Ich hab gesagt, du würdest mich in eine unmögliche Situation bringen. Ben wäre auch mein Freund. Du würdest von mir verlangen, ihn zu belügen, genau wie du.«

»Und dann? Wie lange lief die Sache?«

Sie schwieg, sagte dann: »Ich weiß nicht. Eines Tages – das muss ein paar Wochen später gewesen sein – hast du auf einmal gesagt, die Sache wäre aus und vorbei. Du hättest diesem Mann gesagt, es würde nicht funktionieren, du hättest einen Fehler gemacht. Es täte dir leid, du wärst bescheuert gewesen. Verrückt.«

»War das gelogen?«

»Ich weiß nicht. Ich glaube nicht. Wir zwei haben uns nicht belogen. Niemals.« Sie blies auf ihren Kaffee. »Wenige Wochen danach wurdest du dann in Brighton gefunden«, sagte sie. »Ich hab keine Ahnung, was in der Zwischenzeit passiert ist.«

Vielleicht waren es diese Worte – *ich hab keine Ahnung, was in der Zwischenzeit passiert ist* –, die der Auslöser dafür waren, für die Erkenntnis, dass ich vielleicht nie erfahren werde, wie es zu dem Angriff kommen konnte, und plötzlich entfuhr mir ein Laut. Ich wollte ihn noch zurückhalten, doch vergebens. Es klang wie etwas zwischen Keuchen und Heulen, der Schrei eines gequälten Tieres. Toby blickte von seinem Malbuch auf. Alle im Café drehten sich zu mir um und starrten mich an, die verrückte Frau ohne Gedächtnis. Claire packte meinen Arm.

»Chrissy!«, sagte sie. »Was hast du?«

Ich schluchzte jetzt, mein Oberkörper hob und senkte sich, ich schnappte nach Luft. Ich weinte um all die Jahre, die ich verloren hatte, und um all die, die ich noch verlieren würde, zwischen dem Heute und dem Tag, an dem ich starb. Weinte, weil Claire, der es doch so schwergefallen war, mir von meiner Affäre und meiner Ehe und meinem Sohn zu erzählen, morgen wieder von vorn anfangen musste. Aber vor allem weinte ich, weil ich das alles selbst heraufbeschworen hatte.

»Es tut mir leid«, sagte ich. »Es tut mir leid.«

Claire stand auf und kam um den Tisch herum. Sie ging

neben mir in die Hocke, einen Arm um meine Schulter, und ich legte meinen Kopf an ihren. »Ist ja gut«, sagte sie, während ich schluchzte. »Keine Angst, Chrissy, Süße. Jetzt bin ich ja da. Ich bin da.«

Wir verließen das Café. Nach meinem Ausbruch war Toby auf einmal ungebärdig und laut geworden, als wollte er sich nicht von mir ausstechen lassen. Er warf seine Malbücher auf den Boden und einen Plastikbecher mit Saft hinterher. Claire räumte alles auf und sagte dann: »Ich brauch frische Luft. Gehen wir?«

Jetzt saßen wir auf einer der Bänke mit Blick über den Park. Unsere Knie waren zueinander gedreht, und Claire hielt meine Hände, rieb sie, als wären sie kalt.

»Hatte ich –«, setzte ich an. »Hatte ich viele Affären?«

Sie schüttelte den Kopf. »Nein. Keine. Klar, an der Uni hatten wir unseren Spaß. Aber auch nicht mehr als die meisten anderen. Und als du dann Ben kennengelernt hast, war damit Schluss. Du warst ihm nie untreu. Bis zu diesem Mann.«

Ich fragte mich, was der Mann in dem Café so Besonderes gehabt hatte. Claire hatte gesagt, ich hätte ihn als *sympathisch* bezeichnet. *Attraktiv.* War das alles? War ich wirklich so oberflächlich?

Mein Mann war auch sympathisch und attraktiv, dachte ich. Wenn ich doch nur mit dem zufrieden gewesen wäre, was ich hatte.

»Wusste Ben von meiner Affäre?«

»Am Anfang nicht. Nein. Erst als du gefunden wurdest. Es war ein entsetzlicher Schock für ihn. Für uns alle. Zuerst sah es so aus, als würdest du nicht durchkommen. Später hat Ben mich gefragt, ob ich wüsste, warum du in Brighton gewesen warst. Ich erzählte es ihm. Ich musste. Ich hatte der Polizei schon alles erzählt, was ich wusste. Ich hatte keine andere Wahl, als es Ben zu erzählen.«

Schuldgefühle durchbohrten mich erneut, als ich an meinen

Mann dachte, an den Vater meines Sohnes, wie er nach einer Erklärung dafür suchte, warum seine Frau meilenweit weg von zu Hause lebensgefährlich verletzt aufgefunden worden war. Wie hatte ich ihm das antun können?

»Er hat dir aber verziehen«, sagte Claire. »Er hat es dir nie nachgetragen. Für ihn zählte nur, dass du lebst, dass du wieder gesund wirst. Dafür hätte er alles gegeben. Alles. Nichts anderes war ihm wichtig.«

Liebe zu meinem Mann wallte in mir auf. Echt. Ungezwungen. Trotz allem hatte er mich zu sich geholt. Für mich gesorgt.

»Sprichst du mal mit ihm?«, fragte ich. Sie lächelte.

»Na klar! Aber worüber?«

»Er sagt mir nicht die Wahrheit«, erklärte ich. »Jedenfalls nicht immer. Er will mich schützen. Er erzählt mir nur das, von dem er meint, dass ich es verkrafte, von dem er meint, dass ich es hören will.«

»Das würde Ben nicht tun«, sagte sie. »Er liebt dich. Er hat dich immer geliebt.«

»Doch, glaub mir«, sagte ich. »Er weiß nicht, dass ich es weiß. Er weiß nicht, dass ich über alles Tagebuch führe. Er erzählt mir nicht von Adam, außer wenn ich mich an ihn erinnere und Fragen stelle. Er erzählt mir nicht, dass er sich von mir getrennt hat. Er hat mir erzählt, du würdest am anderen Ende der Welt leben. Er denkt, ich verkrafte das nicht. Er hat mich aufgegeben, Claire. Ganz gleich, wie er mal war, er hat mich aufgegeben. Er will nicht, dass ich noch mal zu einem Arzt gehe, weil er nicht glaubt, dass sich mein Zustand je verbessern wird, aber ich gehe schon zu einem, Claire. Einem Dr. Nash. Heimlich. Ich kann es Ben nicht mal erzählen.«

Claire verzog das Gesicht. Sie blickte enttäuscht. Enttäuscht von mir, vermutete ich. »Das ist nicht gut«, sagte sie. »Du solltest es ihm erzählen. Er liebt dich. Er vertraut dir.«

»Ich kann nicht. Er hat erst neulich zugegeben, dass er noch

Kontakt zu dir hat. Bis dahin hat er behauptet, er hätte seit Jahren nicht mehr mit dir gesprochen.«

Ihre missbilligende Miene veränderte sich. Zum ersten Mal sah ich ihr an, dass sie überrascht war.

»Chrissy!«

»Es stimmt«, sagte ich. »Ich weiß, er liebt mich. Aber er muss ehrlich zu mir sein. In jeder Beziehung. Ich kenne meine eigene Vergangenheit nicht. Und nur er kann mir helfen. Ich bin auf seine Hilfe angewiesen.«

»Dann solltest du einfach mit ihm reden. Ihm vertrauen.«

»Aber wie kann ich das?«, sagte ich. »Bei all den Lügen, die er mir aufgetischt hat? Wie kann ich das?«

Sie drückte meine Hände. »Chrissy, Ben liebt dich. Das weißt du. Er liebt dich mehr als sein Leben. Schon immer.«

»Aber –«, setzte ich an, doch sie fiel mir ins Wort.

»Du musst ihm vertrauen. Glaub mir. Ihr könnt bestimmt alles klären, aber du musst ihm die Wahrheit sagen. Ihm von Dr. Nash erzählen. Von deinem Tagebuch. Anders geht es nicht.«

Irgendwo, tief in mir, wusste ich, dass sie recht hatte, aber ich konnte mich trotzdem nicht zu der Überzeugung durchringen, dass es gut wäre, Ben von meinem Tagebuch zu erzählen.

»Aber dann will er vielleicht lesen, was ich aufgeschrieben habe.«

Ihre Augen verengten sich. »Da steht doch nichts drin, was er nicht sehen dürfte, oder?« Ich erwiderte nichts. »Oder? Chrissy?«

Ich schaute weg. Wir sprachen nicht, und dann öffnete sie ihre Handtasche.

»Chrissy«, sagte sie. »Ich möchte dir etwas geben. Etwas, das Ben mir gegeben hat, als er beschlossen hatte, dass er dich verlassen muss.« Sie nahm einen Umschlag heraus und gab ihn mir. Er war zerknittert, aber noch zugeklebt. »Er hat gesagt, der Brief würde alles erklären.« Ich starrte darauf. Mein Name stand in Großbuchstaben auf der Vorderseite. »Er hat mich gebeten, ihn dir zu geben, wenn ich irgendwann fände, dass du in der Verfassung wärst, ihn zu lesen.« Ich sah sie an, spürte alle Gefühle gleichzeitig. Aufregung und Angst. »Ich finde, der Zeitpunkt ist gekommen«, sagte sie.

Ich nahm den Brief und steckte ihn in meine Handtasche. Obwohl ich nicht wusste, warum, wollte ich ihn nicht sofort lesen, in Claires Beisein. Vielleicht fürchtete ich, sie könnte den Inhalt aus meinem Mienenspiel ablesen und dann würde er nicht mehr mir allein gehören.

»Danke«, sagte ich. Sie lächelte nicht.

»Chrissy«, sagte sie. Sie blickte nach unten auf ihre Hände. »Es gibt einen Grund, warum Ben dir erzählt hat, ich wäre weggezogen.« Ich spürte, wie meine Welt sich veränderte, obgleich ich noch nicht sicher war, in welcher Weise. »Ich muss dir was sagen. Warum wir keinen Kontakt mehr hatten.«

Da wusste ich es. Ohne dass sie es aussprach, wusste ich es. Das fehlende Puzzleteilchen, der Grund, warum Ben gegangen war, der Grund, warum meine beste Freundin aus meinem Leben verschwunden war und mein Mann mir eine falsche Erklärung dafür gegeben hatte. Ich hatte richtiggelegen. Die ganze Zeit. Ich hatte richtiggelegen.

»Es ist also wahr«, sagte ich. »O Gott. Es ist wahr. Du triffst dich mit Ben. Du schläfst mit meinem Mann.«

Sie blickte entsetzt auf. »Nein!«, sagte sie. »Nein!«

Gewissheit übermannte mich. Ich wollte *Lügnerin!* schreien, tat es aber nicht. Als ich drauf und dran war, sie zu fragen, was sie mir denn sagen wollte, wischte sie sich etwas aus dem Auge. Eine Träne? Ich weiß es nicht.

»Nicht mehr«, flüsterte sie, blickte dann wieder auf ihre Hände im Schoß. »Aber früher.«

Ich hätte mit allen möglichen Emotionen gerechnet, aber Erleichterung zählte nicht dazu. Doch so war es: Ich war erleichtert. Weil sie ehrlich war? Weil ich jetzt eine Erklärung für alles hatte, eine, die ich glauben konnte? Ich bin mir nicht sicher. Aber die

Wut, die ich hätte empfinden können, kam nicht, auch nicht der Schmerz. Vielleicht war ich froh, einen winzigen Funken Eifersucht zu spüren, einen konkreten Beweis dafür, dass ich meinen Mann liebte. Vielleicht war ich bloß erleichtert, dass nicht nur ich, sondern auch Ben einmal untreu gewesen war, dass wir jetzt sozusagen quitt waren.

»Erzähl's mir«, flüsterte ich.

Sie sah nicht auf. »Wir waren immer eng befreundet«, sagte sie leise. »Wir drei, meine ich. Du. Ich. Ben. Und zwischen mir und ihm war nie etwas gewesen. Das musst du mir glauben. Niemals.« Ich sagte, sie solle fortfahren. »Nach deinem Unfall hab ich versucht, so gut ich konnte zu helfen. Du kannst dir vorstellen, wie schwer es für Ben war. Schon allein in praktischer Hinsicht. Mit Adam … ich hab getan, was ich konnte. Wir haben viel Zeit miteinander verbracht. Aber wir haben nicht miteinander geschlafen. Da nicht. Ehrenwort, Chrissy.«

»Wann denn dann?«, fragte ich. »Wann ist es passiert?«

»Kurz bevor du ins Waring House verlegt wurdest«, sagte sie. »Es ging dir schlechter denn je. Adam war schwierig. Es war eine harte Zeit.« Sie blickte weg. »Ben trank. Nicht übermäßig, aber reichlich. Er wurde mit der Situation einfach nicht fertig. Eines Abends kamen wir von einem Besuch bei dir zurück. Ich brachte Adam ins Bett. Ben saß im Wohnzimmer und weinte. »Ich schaff das nicht«, sagte er immer wieder. »Ich schaff das nicht mehr. Ich liebe sie, aber ich halt das nicht aus.«

Eine Windböe fegte den Hügel herauf. Kalt. Schneidend. Ich zog meinen Mantel enger um mich.

»Ich hab mich neben ihn gesetzt. Und …«

Ich hatte alles klar vor Augen. Die Hand auf der Schulter, dann die Umarmung. Die Lippen, die einander durch die Tränen finden, den Augenblick, in dem Schuldgefühle und die Gewissheit, dass es nicht weitergehen darf, dem Verlangen und der Gewissheit weichen, dass es kein Halten mehr gibt.

Und dann? Der Sex. Auf dem Sofa? Auf dem Fußboden? Ich wollte es nicht wissen.

»Und?«

»Es tut mir leid«, sagte sie. »Ich wollte nicht, dass es passiert. Aber es ist passiert, und … ich hab mich total mies gefühlt. Total mies. Wir beide.«

»Wie lange?«

»Was?«

»Wie lange ging das mit euch?«

Sie zögerte, sagte dann: »Ich weiß nicht. Nicht lange. Ein paar Wochen. Wir hatten … wir hatten nur ein paarmal Sex. Es war nicht richtig. Wir haben uns beide danach mies gefühlt.«

»Wie ging es weiter?«, fragte ich. »Wer hat es beendet?«

Sie zuckte die Achseln, flüsterte dann: »Wir beide. Wir haben darüber geredet. Es konnte nicht weitergehen. Ich fand, dass ich es dir – und Ben – schuldig war, mich von da an fernzuhalten. Ich schätze, aus schlechtem Gewissen.«

Ein schrecklicher Gedanke kam mir.

»Hat er daraufhin beschlossen, mich zu verlassen?«

»Chrissy, nein«, sagte sie rasch. »Denk das nicht. Er hat sich auch furchtbar gefühlt. Aber er hat dich nicht meinetwegen verlassen.«

Nein, dachte ich. *Vielleicht nicht direkt. Aber vielleicht hat ihn die Sache mit dir daran erinnert, wie viel ihm entging.*

Ich sah sie an. Ich empfand noch immer keine Wut. Ich konnte es nicht. Vielleicht wäre es anders gewesen, wenn sie mir erzählt hätte, dass sie immer noch miteinander schliefen. Was sie mir erzählt hatte, kam mir vor, als gehörte es in eine andere Zeit. Prähistorisch. Ich hatte große Mühe zu glauben, dass es überhaupt irgendetwas mit mir zu tun hatte.

Claire blickte auf. »Danach hatte ich noch eine Weile Kontakt zu Adam, aber dann muss Ben ihm erzählt haben, was passiert war. Jedenfalls wollte er mich nicht mehr sehen. Er hat gesagt, ich sollte mich von ihm fernhalten und auch von dir. Aber das konnte ich nicht, Chrissy. Ich konnte es einfach nicht. Ben hatte mir den Brief gegeben, mich gebeten, auf dich aufzupassen. Also hab ich dich weiterhin besucht. Im Waring House. Zuerst alle paar Wochen, dann alle zwei Monate. Aber es hat dich aufgeregt. Es hat dich furchtbar aufgeregt. Ich weiß, es war egoistisch von mir, aber ich konnte dich nicht einfach da allein lassen. Ich bin weiter regelmäßig gekommen. Nur um zu sehen, wie es dir ging.«

»Und hast du Ben erzählt, wie es mir ging?«

»Nein. Wir hatten keinen Kontakt mehr.

»Hast du mich deshalb schon länger nicht mehr besucht? Zu Hause? Weil du Ben nicht sehen wolltest?«

»Nein. Als ich dich vor ein paar Monaten wieder im Waring House besuchen wollte, haben sie gesagt, du wärst nicht mehr da. Ben hätte dich nach Hause geholt. Ich wusste, dass Ben umgezogen war. Ich hab sie um deine Adresse gebeten, aber sie wollten sie mir nicht geben. Das würde gegen ihre Vorschriften verstoßen, meinten sie. Sie haben gesagt, sie würden dir meine Telefonnummer geben, und falls ich dir schreiben wollte, würden sie die Briefe weiterleiten.«

»Und? Hast du mir geschrieben?«

»Ich habe an Ben geschrieben. Ich habe ihm gesagt, dass es mir leidtut, dass ich bereue, was passiert ist. Ich habe ihn angefleht, dich besuchen zu dürfen.«

»Aber er hat gesagt, das ginge nicht?«

»Nein. Du hast zurückgeschrieben, Chrissy. Du hast gesagt, du würdest dich viel besser fühlen. Du hast gesagt, du wärst glücklich, mit Ben.« Sie schaute weg, über den Park. »Du hast gesagt, du würdest mich nicht sehen wollen. Deine Erinnerung käme manchmal wieder, und dann wüsstest du, dass ich dich verraten hätte.« Sie wischte sich eine Träne ab. »Du hast gesagt, ich sollte nicht mehr in deine Nähe kommen, nie wieder. Dass es besser wäre, du würdest mich vergessen und ich dich.«

Mir wurde kalt. Ich versuchte, mir die Wut vorzustellen, die mich offenbar dazu getrieben hatte, so einen Brief zu schreiben, doch im selben Moment wurde mir klar, dass ich vielleicht gar nicht wütend gewesen war. Für mich hatte Claire ja kaum noch existiert, war die Freundschaft, die wir mal gehabt hatten, vergessen.

»Das tut mir leid«, sagte ich. Ich konnte mir nicht vorstellen, dass ich in der Lage gewesen war, mich an ihren Verrat zu erinnern. Ben musste mir bei dem Brief geholfen haben.

Sie lächelte. »Nein. Es muss dir nicht leidtun. Du hattest ja recht. Aber ich hab die Hoffnung nicht aufgegeben, dass du deine Meinung irgendwann ändern würdest. Ich wollte dich unbedingt wiedersehen. Ich wollte dir alles beichten, von Angesicht zu Angesicht.« Ich sagte nichts. »Es tut mir so leid«, sagte sie dann. »Kannst du mir je verzeihen?«

Ich nahm ihre Hand. Wie hätte ich ihr böse sein können? Oder Ben? Mein Zustand war für uns alle eine unglaubliche Belastung.

»Ja«, sagte ich. »Ja. Ich verzeihe dir.«

Kurz danach gingen wir. Am Fuße des Hangs blickte sie mich an.

»Sehe ich dich wieder?«, sagte sie.

Ich lächelte. »Das hoffe ich doch!«

Sie blickte erleichtert. »Du hast mir so gefehlt, Chrissy. Du kannst dir gar nicht vorstellen, wie.«

Es stimmte. Ich konnte es mir nicht vorstellen. Aber mit ihrer Hilfe und mit Hilfe dieses Tagebuchs hatte ich die Chance, mir wieder ein lebenswertes Leben aufzubauen. Ich dachte an den Brief in meiner Handtasche. Eine Botschaft aus der Vergangenheit. Das letzte Puzzleteilchen. Die Antworten, die ich brauchte.

»Ich ruf dich an«, sagte sie. »Anfang nächster Woche. Okay?«

»Okay«, sagte ich. Sie umarmte mich, und meine Stimme verlor sich in ihren Locken. Sie war meine einzige Freundin, das Einzige, worauf ich mich verlassen konnte, zusammen mit Ben.

Meine Schwester. Ich drückte sie fest. »Danke, dass du ehrlich zu mir warst«, sagte ich. »Danke. Für alles. Ich hab dich lieb.« Als wir uns voneinander lösten und uns ansahen, weinten wir beide.

* * *

Zu Hause setzte ich mich hin, um Bens Brief zu lesen. Ich war nervös – würde ich daraus erfahren, was ich wissen musste? Würde ich dann endlich verstehen, warum Ben mich verlassen hatte? –, aber gleichzeitig auch froh. Ich war mir sicher, alles zu erfahren. War mir sicher, dass ich mit dem Brief und Ben und Claire alles haben würde, was ich brauchte.

Christine, meine Liebste,

diesen Brief zu schreiben ist das Schwerste, was ich je in meinem Leben tun musste. Schon dieser Auftakt klingt ziemlich abgedroschen, aber ich bin nun mal kein Schriftsteller – das war immer Dein Metier! –, also entschuldige, aber ich werde mein Bestes tun.

Wenn Du diese Zeilen irgendwann liest, weißt Du es bereits, aber ich bin zu dem Schluss gelangt, dass ich Dich verlassen muss. Ich bin kaum fähig, es hinzuschreiben oder auch nur zu denken, aber ich muss. Ich habe verzweifelt nach einem anderen Weg gesucht, aber keinen gefunden. Glaub mir.

Du sollst wissen, dass ich Dich liebe. Immer geliebt habe. Immer lieben werde. Es ist mir egal, was passiert ist oder warum. Es geht hier nicht um Rache oder so etwas. Und ich habe auch keine andere Frau kennengelernt. Als Du im Koma lagst, wurde mir klar, wie sehr Du ein Teil von mir bist – jedes Mal, wenn ich Dich ansah, hatte ich das Gefühl, zu sterben. Ich begriff, dass mir egal war, was Du in der Nacht in Brighton gemacht hast oder mit wem Du dort zusammen warst. Ich wollte bloß, dass Du zu mir zurückkommst.

Und dann bist Du aufgewacht, und ich war überglücklich. Du kannst Dir nicht vorstellen, wie glücklich ich war, als man mir sagte, Du seist außer Gefahr, Du würdest nicht sterben. Dass Du mich nicht verlassen wür-

dest. Das heißt, uns. Adam war noch so klein, aber ich glaube, er hat es verstanden.

Als sich herausstellte, dass Du keine Erinnerung daran hattest, was passiert war, dachte ich, dass das gut wäre. Ist das zu fassen? Heute schäme ich mich dafür, aber ich dachte, es wäre besser so. Doch dann stellte sich heraus, dass Du anfingst, auch andere Dinge zu vergessen. Nach und nach, mit der Zeit. Zuerst die Namen von den anderen Patientinnen in Deinem Zimmer, von den Ärzten und Krankenschwestern. Aber es wurde immer schlimmer. Du wusstest nicht mehr, dass Du im Krankenhaus warst, warum Du nicht mit mir nach Hause gehen durftest. Du hast Dir eingeredet, die Ärzte würden mit Dir Versuche machen. Als ich Dich übers Wochenende nach Hause holte, hast Du unsere Straße nicht wiedererkannt, unser Haus. Deine Cousine kam Dich besuchen, und Du hattest keine Ahnung, wer sie war. Als wir Dich zurück ins Krankenhaus brachten, wusstest Du nicht, wohin wir mit Dir wollten.

Ich glaube, das war der Moment, von dem an es richtig schwierig wurde. Du liebtest Adam so sehr. Das sah man daran, wie Deine Augen strahlten, wenn wir Dich besuchen kamen, und wenn er dann zu Dir lief, in Deine Arme, und Du ihn hochhobst, wusstest Du auf Anhieb, wer er war. Aber dann – es tut mir leid, Chris, aber ich muss es Dir sagen – glaubtest Du auf einmal, Adam wäre Dir als Baby weggenommen worden. Jedes Mal, wenn wir zu Besuch kamen, dachtest Du, Du würdest ihn das erste Mal wiedersehen, seit er ein paar Monate alt war. Ich hab ihn immer gebeten, Dir zu sagen, wann er Dich zuletzt gesehen hatte, und er sagte dann: »Gestern, Mummy«, oder »letzte Woche«, doch Du wolltest ihm nicht glauben. »Was hast Du ihm da eingeredet?«, hast Du zu mir gesagt. »Das ist eine Lüge.« Du hast mich bezichtigt, ich würde Dich dort einsperren. Du hast gedacht, eine andere Frau würde Adam als ihren Sohn großziehen, während Du im Krankenhaus warst.

Als ich eines Tages mit Adam kam, hast Du mich nicht erkannt. Du bist durchgedreht. Du hast Adam gepackt, als ich gerade nicht hinschaute, und bist zur Tür gerannt, um ihn zu retten, denke ich, aber er hat angefangen zu brüllen. Er verstand nicht, warum Du das gemacht hast. Zu

Hause habe ich versucht, es ihm zu erklären, aber er verstand es nicht. Von da an hatte er richtig Angst vor Dir.

Eine Zeitlang ging das so weiter, wurde aber allmählich schlimmer. Eines Tages rief ich im Krankenhaus an. Ich wollte wissen, wie Du warst, wenn ich nicht da war, wenn Adam nicht da war. »Beschreiben Sie mir, wie sie jetzt gerade ist, in diesem Moment«, sagte ich. Sie sagten, Du seist ruhig. Zufrieden. Du würdest in dem Sessel neben Deinem Bett sitzen. »Was macht sie?«, fragte ich. Sie sagten, Du würdest Dich mit einer anderen Patientin unterhalten, mit der Du Dich angefreundet hättest. Manchmal würdet ihr zusammen Karten spielen.

»Karten spielen?«, sagte ich. Ich konnte es nicht glauben. Sie sagten, Du könnest gut Karten spielen. Sie müssten Dir die Regeln jeden Tag neu erklären, aber dann würdest Du fast immer gewinnen.

»Ist sie glücklich?«, fragte ich.

»Ja«, sagten sie. »Ja. Sie ist immer glücklich.«

»Erinnert sie sich an mich?«, sagte ich. »An Adam?«

»Nur wenn Sie beide hier sind«, sagten sie.

Ich glaube, in dem Moment wusste ich, dass ich Dich eines Tages würde verlassen müssen. Ich habe für Dich eine Einrichtung gesucht, in der Du so lange bleiben kannst, wie es nötig ist. Wo Du glücklich sein kannst. Denn Du wirst glücklich sein, ohne mich, ohne Adam. Du wirst nicht wissen, wer wir sind, und uns daher auch nicht vermissen.

Ich liebe Dich sehr, Chrissy. Das musst Du wissen. Ich liebe Dich über alles. Aber ich muss unserem Sohn ein Leben bieten, ein Leben, das er verdient. Bald wird er alt genug sein, um zu verstehen, was los ist. Ich werde ihn nicht belügen, Chris. Ich werde ihm die Entscheidung erklären, die ich getroffen habe. Ich werde ihm sagen, dass es ein enormer Schock für ihn sein könnte, wenn er Dich besucht, auch wenn er das noch so gern möchte. Vielleicht wird er mich dafür hassen. Mir Vorwürfe machen. Ich hoffe nicht. Aber ich möchte, dass er glücklich wird. Ich möchte auch, dass Du glücklich bist. Auch wenn Du dieses Glück nur ohne mich finden kannst.

Du bist jetzt schon eine ganze Weile im Waring House. Du hast

keine Panikattacken mehr. Du hast eine gewisse Alltagsroutine ent-
wickelt. Das ist gut. Und deshalb wird es Zeit, dass ich gehe.

Ich werde Claire diesen Brief geben. Ich werde sie bitten, ihn für mich
aufzubewahren und ihn Dir zu geben, wenn es Dir gut genug geht, um
ihn zu lesen und zu verstehen. Ich kann ihn nicht selbst verwahren, ich
würde bloß ständig darüber nachdenken und der Versuchung nicht wider-
stehen können, ihn Dir nächste Woche zu geben oder nächsten Monat
oder vielleicht auch nächstes Jahr. In jedem Fall zu früh.

Trotz allem gebe ich die Hoffnung nicht auf, dass wir eines Tages wie-
der zusammen sein können. Wenn Du wieder gesund bist. Wir drei. Als
Familie. Ich muss einfach glauben, dass dieser Tag kommen wird. Ich
muss einfach, sonst sterbe ich vor Kummer.

Ich gebe Dich nicht auf, Chris. Ich werde Dich niemals aufgeben. Da-
für liebe ich Dich zu sehr.

Glaub mir, es ist die richtige Entscheidung, die einzige, die ich treffen
kann.

Hasse mich nicht. Ich liebe Dich.

Ben

* * *

Ich habe ihn jetzt noch einmal gelesen und falte das Papier zusammen. Es fühlt sich frisch an, als wäre der Brief erst gestern geschrieben worden, doch der Umschlag, in den ich ihn stecke, ist
weich, an den Ecken ausgefasert, behaftet mit einem süßen Geruch, nach Parfüm. Hat Claire ihn die ganze Zeit in ihrer Handtasche herumgetragen? Oder, was wahrscheinlicher ist, hat sie ihn
zu Hause in einer Schublade verwahrt, außer Sicht, aber nie ganz
vergessen? Jahrelang hat er auf den richtigen Zeitpunkt gewartet,
um gelesen zu werden. Jahre, in denen ich nicht wusste, wer mein
Mann war, nicht einmal, wer ich selbst war. Jahre, in denen ich
die Kluft zwischen uns niemals hätte überbrücken können, weil
ich von der Existenz der Kluft nichts wusste.

Ich schiebe den Umschlag zwischen die Seiten meines Tagebuchs. Ich weine, während ich dies schreibe, aber ich bin nicht unglücklich. Ich verstehe alles. Warum er mich verließ, warum er mich belogen hat.

Denn belogen hat er mich. Er hat mir nichts von meinem Roman erzählt, damit ich nicht am Boden zerstört bin, wenn mir klarwird, dass ich nie wieder einen zweiten schreiben werde. Er hat mir erzählt, meine beste Freundin wäre ausgewandert, um mich vor der Tatsache zu schützen, dass die beiden mich betrogen haben. Weil er nicht darauf vertraut hat, dass ich sie beide viel zu sehr liebe, um ihnen nicht zu verzeihen. Er hat mir erzählt, ich wäre von einem Auto angefahren worden, dass es ein Unfall war, damit ich nicht damit fertigwerden muss, dass ich angegriffen wurde, dass ich das Opfer einer Gewalttat bin, die nur durch extremen Hass motiviert gewesen sein kann. Er hat mir erzählt, wir hätten keine Kinder bekommen, nicht nur um mich vor dem Wissen zu schützen, dass mein einziger Sohn tot ist, sondern auch, um mich davor zu bewahren, jeden einzelnen Tag meines Lebens aufs Neue um ihn zu trauern. Und er hat mir nicht erzählt, dass er, nachdem er jahrelang vergeblich versucht hatte, einen Weg zu finden, damit wir als Familie zusammen sein können, keine andere Möglichkeit mehr sah, als unseren Sohn zu nehmen und zu gehen, um wieder glücklich werden zu können.

Als er den Brief schrieb, muss er gedacht haben, unsere Trennung wäre endgültig, doch so ganz hatte er die Hoffnung offenbar nicht aufgegeben, warum hätte er ihn sonst schreiben sollen? Was war ihm durch den Kopf gegangen, als er sich hinsetzte, in seinem Haus, das auch mal mein Haus war? Als er den Stift zur Hand nahm und sich daranmachte, seiner Frau, die es vielleicht niemals würde verstehen können, zu erklären, warum er meinte, keine andere Wahl zu haben, als sie zu verlassen? *Ich bin kein Schriftsteller*, hat er geschrieben, aber dennoch finde ich seine Worte wunderschön, tiefgründig. Sie lesen sich, als würde er von einem anderen Menschen sprechen, und doch weiß ich irgendwo in mir drin, unter der Haut und den Knochen, dem Gewebe und Blut, dass das nicht der Fall ist. Er spricht von und mit mir. Christine Lucas. Seine gebrochene Frau.

Aber unsere Trennung war nicht endgültig. Seine Hoffnung hat sich erfüllt. Irgendwie hat mein Zustand sich gebessert, oder die Trennung von mir fiel ihm noch schwerer, als er gedacht hatte, und er ist zu mir zurückgekommen.

Alles wirkt jetzt verändert. Das Zimmer, in dem ich mich befinde, kommt mir nicht vertrauter vor als heute Morgen, als ich nach dem Aufwachen hier hereinstolperte, auf der Suche nach der Küche, nach einem Schluck Wasser lechzend und von dem verzweifelten Wunsch beseelt, mir auf das, was am Abend vorher wohl passiert war, einen Reim zu machen. Und doch ist es irgendwie nicht mehr durchdrungen von Schmerz und Traurigkeit. Es ist nicht mehr symbolisch für ein Leben, das zu leben ich mir nicht vorstellen kann. Das Ticken der Uhr markiert nicht mehr nur das Verstreichen der Zeit. Es spricht zu mir. *Entspann dich*, sagt es. *Entspann dich und nimm es, wie es kommt.*

Ich habe mich geirrt. Ich habe einen Fehler gemacht. Ich habe ihn wieder und wieder und wieder gemacht. Wer weiß, wie oft? Mein Mann ist mein Beschützer, ja, aber auch mein Geliebter. Und jetzt wird mir klar, dass ich ihn liebe. Ich habe ihn immer geliebt, und wenn ich jeden Tag aufs Neue lernen muss, ihn zu lieben, dann sei es so. Genau das werde ich tun.

Ben wird bald nach Hause kommen – ich spüre schon, wie er sich nähert –, und sobald er da ist, werde ich ihm alles erzählen. Ich werde ihm erzählen, dass ich mich mit Claire getroffen habe – und mit Dr. Nash und Dr. Paxton – und dass ich seinen Brief gelesen habe. Ich werde ihm sagen, dass ich verstehe, warum er das damals getan hat, warum er mich verlassen hat, und dass ich ihm verzeihe. Ich werde ihm sagen, dass ich von dem Angriff auf mich weiß, dass ich aber nicht mehr wissen muss, was passiert ist, dass es mich nicht mehr interessiert, wer mir das angetan hat.

Und ich werde ihm sagen, dass ich von Adam weiß. Ich weiß, was mit ihm passiert ist, und obwohl mich bei dem Gedanken, mich dem jeden Tag aufs Neue zu stellen, das kalte Grauen packt, bleibt mir keine andere Wahl. Die Erinnerung an unseren Sohn muss in diesem Haus wach bleiben dürfen, genau wie in meinem Herzen, so schmerzhaft sie auch ist.

Und ich werde ihm von diesem Tagebuch erzählen, ihm sagen, dass ich endlich in der Lage bin, mir selbst eine Geschichte zu geben, ein Leben, und ich werde es ihm zeigen, wenn er fragt, ob er es lesen darf. Und dann kann ich es weiterführen, um meine Geschichte zu erzählen, meine Autobiographie. Um mich aus dem Nichts zu erschaffen.

»Keine Geheimnisse mehr«, werde ich zu meinem Mann sagen. »Kein einziges. Ich liebe dich, Ben, und ich werde dich immer lieben. Wir haben einander unrecht getan. Aber verzeih mir bitte. Es tut mir leid, dass ich dich vor all den Jahren verlassen habe, um mit jemand anderem zusammen zu sein, und es tut mir leid, dass wir nie wissen werden, mit wem ich mich in dem Hotelzimmer treffen wollte oder was genau dort passiert ist. Aber eins sollst du wissen, ich bin fest entschlossen, es jetzt wiedergutzumachen.«

Und dann, wenn zwischen uns nichts anderes mehr ist als Liebe, können wir anfangen, einen Weg zu finden, um wirklich zusammen zu sein.

Ich habe Dr. Nash angerufen. »Ich möchte Sie noch einmal sehen«, sagte ich. »Ich möchte, dass Sie mein Tagebuch lesen.« Ich glaube, er war überrascht, aber er sagte ja. »Wann?«, fragte er.

»Nächste Woche«, sagte ich. »Holen Sie es sich nächste Woche ab.«

Er sagte, er würde am Dienstag zu mir kommen.

Teil drei

HEUTE

Ich blättere die Seite um, aber da steht nichts mehr. An dieser Stelle endet die Geschichte. Ich habe stundenlang gelesen.

Ich zittere, kann kaum atmen. Ich habe das Gefühl, in den letzten Stunden nicht nur ein ganzes Leben gelebt, sondern mich auch verändert zu haben. Ich bin nicht mehr dieselbe Person, die heute Mittag Dr. Nash gesehen hat, die sich hingesetzt hat, um das Tagebuch zu lesen. Ich habe jetzt eine Vergangenheit. Ein Bewusstsein meiner selbst. Ich weiß, was ich habe und was ich verloren habe. Ich merke, dass ich weine.

Ich schließe das Tagebuch. Ich zwinge mich, ruhig zu werden, und die Gegenwart setzt sich allmählich wieder durch. Der dunkel werdende Raum, in dem ich sitze. Der Bohrlärm, den ich noch von irgendwo draußen auf der Straße hören kann. Die leere Kaffeetasse zu meinen Füßen.

Ich sehe auf die Uhr neben mir, und ein Schreck durchfährt mich. Erst jetzt wird mir klar, dass es dieselbe Uhr ist wie die in dem Tagebuch, in dem ich gelesen habe, dass ich mich in demselben Wohnzimmer befinde, ich derselbe Mensch bin. Erst jetzt begreife ich richtig, dass die Geschichte, die ich gelesen habe, meine ist.

Ich gehe mit dem Tagebuch und der Tasse in die Küche. Dort, an der Wand, hängt die Wischtafel, die ich heute Morgen gesehen hatte, dieselbe Liste mit Vorschlägen in akkuraten Großbuchstaben, dieselbe Notiz, die ich selbst hinzugefügt hatte: *Für heute Abend packen?*

Ich starre darauf. Irgendetwas daran beunruhigt mich, aber ich komme nicht dahinter, warum.

313

Ich denke an Ben. Wie schwierig das Leben für ihn gewesen sein muss. Nie zu wissen, mit wem er aufwacht. Nie sicher sein zu können, woran ich mich erinnere, wie viel Liebe ich ihm geben kann.

Aber jetzt? Jetzt verstehe ich es. Jetzt weiß ich so viel, dass wir beide wieder leben können. Ich frage mich, ob ich das Gespräch, das ich vorhatte, auch wirklich mit ihm geführt habe. Ganz bestimmt, weil ich mir meiner Entscheidung so sicher war, aber in meinem Tagebuch habe ich nichts darüber geschrieben. Ich habe sogar schon seit einer Woche nichts mehr geschrieben. Vielleicht ging das nicht, weil ich mein Tagebuch Dr. Nash gegeben hatte und sich vorher keine Gelegenheit bot. Vielleicht hatte ich nicht mehr das Bedürfnis, etwas aufzuschreiben, nachdem ich Ben alles erzählt hatte.

Ich schlage die erste Seite des Tagebuchs auf. Da steht es, in derselben blauen Tinte. Die drei Wörter, in Großbuchstaben unter meinem Namen. *VERTRAUE BEN NICHT.*

Ich nehme einen Stift und streiche sie durch. Zurück im Wohnzimmer sehe ich das Album auf dem Tisch liegen. Noch immer sind keine Fotos von Adam darin. Noch immer hat er ihn heute Morgen mit keinem Wort erwähnt. Noch immer hat er mir nicht gezeigt, was in der Metallschatulle ist.

Ich denke an meinen Roman – *Für die Vögel des Morgens* – und blicke dann auf das Tagebuch in meiner Hand. Ein ungebetener Gedanke kommt mir. *Was, wenn ich das alles erfunden habe?*

Ich stehe auf. Ich brauche Beweise. Ich brauche eine Verbindung zwischen dem, was ich gelesen habe, und dem, was ich lebe, ein Zeichen, dass die Vergangenheit, von der ich gelesen habe, keine erfundene ist.

Ich stecke das Tagebuch in die Handtasche und gehe aus dem Wohnzimmer. Der Garderobenständer ist da, unten an der Treppe, daneben ein Paar Pantoffeln. Wenn ich nach oben gehe, finde ich dann das Arbeitszimmer, den Aktenschrank? Finde ich die graue Metallschatulle in der unteren Schublade, versteckt unter dem Handtuch? Liegt der Schlüssel in der unteren Nachttischschublade?

Und wenn ja, finde ich dann meinen Sohn?

Ich muss es wissen. Ich laufe die Treppe hoch, nehme zwei Stufen auf einmal.

Das Arbeitszimmer ist kleiner, als ich dachte, und sogar noch ordentlicher, als ich erwartet habe, aber der Aktenschrank ist da, stahlgrau.

In der unteren Schublade liegt ein Handtuch, darunter eine Schatulle. Ich nehme sie heraus. Ich komme mir blöd vor, überzeugt, dass sie entweder abgeschlossen oder leer ist.

Weder noch. In ihr finde ich meinen Roman. Nicht die Ausgabe, die Dr. Nash mir geschenkt hat – vorne auf dem Umschlag ist kein Kaffeering, und die Seiten sehen neu aus. Die hier muss Ben die ganze Zeit aufbewahrt haben. Für den Tag, an dem ich genug weiß, um wieder etwas damit anfangen zu können. Ich frage mich, wo meine Ausgabe ist, die, die Dr. Nash mir geschenkt hat.

Ich nehme den Roman heraus, und darunter liegt ein einzelnes Foto. Ich und Ben lächeln in die Kamera, sehen aber beide traurig aus. Es muss relativ neu sein, mein Gesicht ist das, das ich vom Blick in den Spiegel wiedererkenne, und Ben sieht so aus wie heute Morgen, als er zur Arbeit ging. Im Hintergrund ist ein Haus zu sehen, eine Kieszufahrt, Kübel mit leuchtendroten Geranien. Auf die Rückseite hat jemand *Waring House* geschrieben. Es muss an dem Tag aufgenommen worden sein, als er mich abholte, um mich hierherzubringen.

Doch das ist alles. Es sind keine weiteren Fotos drin. Keins von Adam. Nicht mal die, die ich schon einmal hier gefunden und in meinem Tagebuch erwähnt habe.

Es gibt eine Erklärung, sage ich mir. Es muss eine geben. Ich sehe den Stapel auf dem Schreibtisch durch: Zeitschriften, Werbekataloge für Computersoftware, ein Schulstundenplan, auf dem einige Unterrichtstermine gelb markiert sind. Ich finde einen verschlossenen Umschlag – den ich spontan nehme –, aber keine Fotos von Adam.

Ich gehe nach unten und mache mir einen Tee. Wasser kochen, Teebeutel. Nicht zu lange ziehen lassen und nicht mit dem Löffel auf den

Beutel drücken, sonst tritt zu viel Tanninsäure aus und der Tee wird bitter. *Wieso erinnere ich mich an so was, aber nicht daran, ein Kind geboren zu haben?* Ein Telefon klingelt, irgendwo im Wohnzimmer. Ich eile hin, nehme es aus meiner Handtasche – nicht das aufklappbare, sondern das, das mein Mann mir gegeben hat – und gehe ran. Ben.

»Christine? Alles in Ordnung? Bist du zu Hause?«

»Ja«, sage ich. »Ja. Danke.«

»Warst du heute unterwegs?«, fragt er. Seine Stimme klingt vertraut, aber irgendwie kalt. Ich denke an das letzte Mal, dass wir miteinander gesprochen haben. Ich glaube, er hat nicht erwähnt, dass ich einen Termin bei Dr. Nash hatte. Vielleicht weiß er es wirklich nicht, denke ich. Oder vielleicht stellt er mich auf die Probe, will wissen, ob ich es ihm erzählen werde. Ich denke an den Zettel in meinem Notizbuch, auf dem der Termin steht, und darunter: *Nicht Ben sagen.* Das muss ich geschrieben habe, als ich noch nicht wusste, dass ich ihm vertrauen kann.

Ich will ihm jetzt vertrauen. Keine Lügen mehr.

»Ja«, sage ich. »Ich war bei einem Arzt.« Er sagt nichts. »Ben?«, sage ich.

»Entschuldigung, ja«, sagt er. »Ich hab's gehört.« Ich stelle fest, dass er nicht überrascht klingt. Dann hat er es also gewusst, hat gewusst, dass ich mich regelmäßig mit Dr. Nash getroffen habe. »Ich bin im Auto«, sagt er. »Ziemlich dichter Verkehr. Hör mal, ich wollte bloß fragen, ob du daran denkst zu packen? Wir fahren weg …«

»Natürlich«, sage ich und schiebe dann nach: »Ich freu mich drauf!«, und ich merke, dass das stimmt. Es wird uns beiden guttun, mal rauszukommen, denke ich. Es kann ein Neuanfang für uns werden.

»Ich bin bald zu Hause«, sagt er. »Meinst du, du hast dann schon fertig gepackt? Ich helf dir gern, sobald ich da bin, aber es wäre besser, wenn wir früh wegkämen.«

»Ich will's versuchen«, sage ich.

»Im Gästezimmer sind zwei Reisetaschen. Im Kleiderschrank. Nimm die.«

»Okay.«

»Ich liebe dich«, sagt er.

Und dann, nach einem zu langen Moment, einem Moment, in dem er bereits aufgelegt hat, sage ich, dass ich ihn auch liebe.

* * *

Ich gehe auf die Toilette. Ich bin eine Frau, sage ich mir. Eine erwachsene Frau. Ich habe einen Mann. Einen, den ich liebe. Ich denke zurück an das, was ich gelesen habe. An den Sex. Daran, wie er mit mir geschlafen hat. Ich hatte nicht geschrieben, dass es mir Spaß gemacht hat.

Kann ich Sex genießen? Mir wird klar, dass ich noch nicht mal das weiß. Ich drücke auf die Toilettenspülung, ziehe Hose, Strümpfe, Slip aus. Ich setze mich auf den Badewannenrand. Wie fremd mir mein Körper ist. Wie unbekannt. Wie kann ich ihn mit Freude jemandem darbieten, wenn ich ihn selbst nicht wiedererkenne?

Ich schließe die Badezimmertür ab, spreize dann die Beine. Zuerst ein wenig, dann mehr. Ich hebe meine Bluse an und schaue nach unten. Ich sehe die Schwangerschaftsstreifen, die ich an dem Tag bemerkt habe, als ich mich an Adam erinnerte, das krause Schamhaar. Ich frage mich, ob ich es je rasiere, ob ich es nicht tue, weil es mir oder meinem Mann so besser gefällt. Vielleicht spielen solche Dinge keine Rolle mehr. Jetzt.

Ich lege eine Hand flach auf den Venushügel. Meine Finger liegen auf den Schamlippen, teilen sie ein wenig. Ich berühre die Spitze von dem, was die Klitoris sein muss, und drücke leicht, bewege dabei sacht die Finger. Schon spüre ich ein leichtes Prickeln. Eher die Verheißung von Erregung als Erregung selbst.

Ich frage mich, was passieren wird, später.

Die Reisetaschen sind im Gästezimmer, da, wo er gesagt hat. Beide sind strapazierfähig, stabil, die eine größer als die andere. Ich nehme sie mit in das Schlafzimmer, in dem ich heute Morgen aufgewacht bin, und stelle sie aufs Bett. Ich öffne die oberste Schublade und sehe meine Unterwäsche, neben seiner.

Ich wähle Wäsche für uns aus, Socken für ihn, Strümpfe für mich. Ich erinnere mich an meinen Tagebucheintrag über die Nacht, in der wir Sex hatten, und mir wird klar, dass ich Seidenstrümpfe und Hüfthalter haben muss, irgendwo. Ich denke, dass es schön wäre, sie jetzt zu finden, sie mitzunehmen. Es könnte gut für uns beide sein.

Ich gehe zum Kleiderschrank. Ich suche ein Kleid aus, einen Rock. Eine Stoffhose, eine Jeans. Ich bemerke den Schuhkarton auf dem Schrankboden – der, in dem ich immer das Tagebuch versteckt haben muss –, jetzt leer. Ich frage mich, was für eine Art Paar wir sind, wenn wir in Urlaub fahren. Ob wir abends in Restaurants gehen oder lieber in gemütlichen Kneipen sitzen und in der wohligen Wärme eines Kaminfeuers entspannen. Ich frage mich, ob wir viel zu Fuß unternehmen, die Stadt und ihre Umgebung erkunden oder mit dem Taxi zu irgendwelchen sorgfältig ausgesuchten Veranstaltungen fahren. Das sind die Dinge, die ich nicht weiß, noch nicht. Und ich habe den Rest meines Lebens Zeit, diese Dinge herauszufinden, zu genießen.

Ich nehme fast wahllos einige Sachen für uns beide aus dem Schrank, falte sie zusammen und packe sie in die Reisetaschen. Plötzlich spüre ich innerlich einen Ruck, einen Energiestoß, und ich schließe die Augen. Ich habe eine Vision, hell, aber flirrend. Sie ist zunächst undeutlich, als schwebe sie außer Reichweite, verschwommen, und ich versuche, mich innerlich zu öffnen, sie kommen zu lassen.

Ich sehe mich selbst vor einem Koffer stehen, einem Koffer aus weichem, abgegriffenem Leder. Ich bin aufgeregt. Ich fühle mich wieder jung, wie als Kind vor der Fahrt in die Ferien oder wie als junge Frau, wenn ich mich für ein Date hübsch machte, mich fragte, wie es laufen wird, ob er mich zu sich nach Hause einladen wird, ob wir miteinander ins Bett gehen werden. Ich spüre das Neue, die Vorfreude, kann sie schmecken. Ich lasse sie mir auf der Zunge zergehen, koste sie genüsslich aus, weil ich weiß, dass sie nicht von Dauer sein wird. Ich öffne der Reihe nach meine Schubladen, wähle Blusen aus, Netzstrümpfe, Unterwäsche. Aufregende sexy Unterwäsche. Unterwäsche, die nur mit der Erwartung getragen wird, wieder ausgezogen zu werden. Ich packe ein Paar Stilettos ein, zusätzlich zu den flachen Schuhen, die ich anhabe, nehme sie heraus, packe sie wieder ein. Sie gefallen mir nicht, aber heute Abend geht es um Phantasie, ums Schickmachen, darum, anders zu sein, als wir sind. Erst dann widme ich mich den praktischen Dingen. Ich nehme einen wattierten Kulturbeutel aus knallrotem Leder und packe Parfüm, Duschgel, Zahnpasta ein. Ich möchte heute Abend schön aussehen, für den Mann, den ich liebe, für den Mann, den ich um ein Haar verloren hätte. Ich tue auch noch Badesalz hinein. Orangenblüte. Mir wird klar, dass ich mich an den Abend erinnere, an dem ich meine Sachen packte, um nach Brighton zu fahren.

Die Erinnerung verfliegt. Meine Augen öffnen sich. Damals konnte ich nicht wissen, dass ich für den Mann packte, der mir alles nehmen würde.

Ich packe weiter für den Mann, den ich noch habe.

Ich höre einen Wagen vorfahren. Der Motor geht aus. Eine Tür öffnet und schließt sich. Ein Schlüssel im Schloss. Ben. Er ist da.

Ich bin nervös. Ängstlich. Ich bin nicht derselbe Mensch, von dem er sich heute Morgen verabschiedet hat. Ich habe meine eigene Geschichte erfahren. Ich habe mich selbst entdeckt. Was wird er denken, wenn er mich sieht? Was wird er sagen?

Ich muss ihn fragen, ob er von meinem Tagebuch weiß. Ob er es gelesen hat. Was er denkt.

Als er die Tür hinter sich schließt, ruft er: »Christine? Chris? Ich bin da.« Aber seine Stimme hat keinen Schwung, er klingt erschöpft. Bestimmt zieht er sich jetzt seine Pantoffeln an, und dann kommt er hoch zu mir. Ich spüre, wie in mir Freude aufsteigt, weil ich seine Gewohnheiten kenne – mein Tagebuch hat sie mir verraten, auch wenn meine Erinnerung das nicht kann –, aber als ich seine Schritte auf der Treppe höre, erfasst mich ein anderes Gefühl. Furcht. Ich denke daran, was ich vorn in mein Tagebuch geschrieben habe. *Vertraue Ben nicht.*

Er öffnet die Schlafzimmertür. »Schatz!«, sagt er. Ich habe mich nicht von der Stelle bewegt. Ich sitze noch immer auf der Bettkante, die offenen Reisetaschen hinter mir. Er verharrt in der Tür, bis ich aufstehe und die Arme ausbreite, erst dann kommt er zu mir und küsst mich.

»Wie war dein Tag?«, sage ich.

Er nimmt seine Krawatte ab. »Ach«, sagt er. »Lass uns nicht darüber reden. Wir haben Wochenende!«

Er fängt an, sein Hemd aufzuknöpfen. Ich unterdrücke den Impuls, den Blick abzuwenden, sage mir, dass er mein Mann ist, dass ich ihn liebe.

»Ich hab die Taschen gepackt«, sage ich. »Ich hoffe, ich habe für dich das Richtige ausgesucht. Ich wusste nicht, was du mitnehmen willst.«

Er steigt aus der Hose und faltet sie zusammen, ehe er sie in den Schrank hängt. »Es wird schon richtig sein.«

»Ich weiß ja nicht genau, wo wir hinfahren. Deshalb war ich mir unsicher, was ich einpacken sollte.«

Er dreht sich zu mir um, und ich meine, in seinen Augen Verärgerung aufblitzen zu sehen. »Ich schau's mir an, bevor wir die Taschen zum Wagen bringen. Wird schon in Ordnung sein. Danke für deine Mühe.« Er setzt sich auf den Stuhl an der Frisierkommode und zieht sich eine verwaschene Bluejeans an. Mir fällt auf, dass die Hosenbeine perfekte Bügelfalten haben, und mein Mittzwanziger-Ich muss den Drang unterdrücken, ihn lächerlich zu finden.

»Ben?«, sage ich. »Du weißt, wo ich heute war.«

Er sieht mich an. »Ja«, sagte er. »Weiß ich.«

»Du weißt von Dr. Nash?«

Er wendet sich von mir ab. »Ja«, sagt er. »Du hast es mir erzählt.« Ich kann ihn in den Spiegeln der Frisierkommode sehen. Drei Versionen des Mannes, den ich geheiratet habe. Des Mannes, den ich liebe. »Alles«, sagt er. »Du hast mir alles erzählt. Ich weiß alles.«

»Und du hast nichts dagegen? Dass ich zu ihm gehe?«

Er dreht sich nicht zu mir um. »Ich wünschte, du hättest es mir erzählt. Aber, nein. Nein, ich habe nichts dagegen.«

»Und mein Tagebuch? Weißt du von meinem Tagebuch?«

»Ja«, sagt er. »Du hast mir davon erzählt. Du hast gesagt, es würde dir helfen.«

Mir kommt ein Gedanke. »Hast du es gelesen?«

»Nein«, sagt er. »Du hast gesagt, es wäre persönlich. Ich würde nie in deinen persönlichen Sachen rumschnüffeln.«

»Aber das mit Adam? Weißt du, dass ich von Adam weiß?«

Ich sehe, wie er zusammenzuckt, als hätten ihn meine Worte mit Wucht getroffen. Ich bin überrascht. Ich hätte gedacht, er wäre froh. Froh, dass er mir nicht länger von Adams Tod erzählen muss, wieder und wieder.

Er sieht mich an.

»Ja«, sagt er.

»Es sind keine Fotos da«, sage ich. Er fragt, was ich meine. »Hier sind überall Fotos, aber noch immer keins von ihm.«

Er steht auf und kommt zu mir, setzt sich neben mich aufs Bett. Er nimmt meine Hand. Ich wünschte, er würde aufhören, mich zu behandeln, als wäre ich fragil und schwach. Als würde die Wahrheit mich zerbrechen.

»Ich wollte dich überraschen«, sagt er. Er greift unters Bett und holt ein Fotoalbum hervor. »Ich hab sie hier reingetan.«

Er reicht mir das Album. Es ist schwer, dunkel, mit einem Einband, der wie schwarzes Leder aussehen soll, es aber nicht tut. Ich öffne den Deckel, und darunter ist ein Stapel Fotos.

»Ich wollte sie ordentlich einkleben«, sagt er. »Und dir das Album heute Abend als Geschenk geben, aber ich bin nicht mehr dazu gekommen. Tut mir leid.«

Ich sehe die Fotos durch. Sie sind unsortiert. Fotos von Adam als Baby, als kleiner Junge. Es müssen die aus der Metallschatulle sein. Eines hebt sich von den anderen ab. Adam als junger Mann, der neben einer Frau sitzt. »Seine Freundin?«, frage ich.

»Eine von ihnen«, sagt Ben. »Die, mit der er am längsten zusammen war.«

Sie ist hübsch, blond, das Haar kurz geschnitten. Sie erinnert mich an Claire. Auf dem Foto lacht Adam direkt in die Kamera, und sie blickt ihn halb an, das Gesicht eine Mischung aus Belustigung und Tadel. Sie haben etwas Verschwörerisches, als hätten sie mit der Person hinter der Kamera einen Witz gemacht. Sie sind glücklich. Der Gedanke macht mich froh. »Wie war ihr Name?«

»Helen. Sie heißt Helen.«

Ich zucke innerlich zusammen, als mir klar wird, dass ich in der Vergangenheitsform an sie gedacht habe, mir vorgestellt habe, sie wäre auch gestorben. Ein Gedanke regt sich; was, wenn sie stattdessen gestorben wäre, doch ich unterdrücke ihn, ehe er sich ausformen und Gestalt annehmen kann.

»Waren sie noch zusammen, als er starb?«

»Ja«, sagt er. »Sie hatten vor, sich zu verloben.«

Sie sieht so jung aus, so hungrig, die Augen voller Möglichkeiten, voll von allem, was die Zukunft ihr noch zu bieten hat. Sie weiß noch nichts von dem unsäglichen Schmerz, der ihr bevorsteht.

»Ich würde sie gern kennenlernen«, sage ich.

Ben nimmt mir das Foto aus der Hand. Er seufzt.

»Wir haben keinen Kontakt«, sagt er.

»Warum?«, frage ich. Ich hatte es mir schon ausgemalt; wir würden uns gegenseitig stützen. Wir würden etwas teilen, ein Verständnis, eine Liebe, die jede durchdrang, wenn nicht füreinander, dann zumindest für das, was wir verloren haben.

»Es gab Streit«, sagte er. »Auseinandersetzungen.«

Ich blicke ihn an. Ich kann sehen, dass er es mir nicht erzählen will. Der Mann, der den Brief geschrieben hat, der Mann, der an mich glaubte und sich um mich kümmerte und der mich am Ende aus Liebe verließ und aus Liebe zu mir zurückkam, scheint verschwunden zu sein.

»Ben?«

»Es gab Streit«, sagt er wieder.

»Bevor Adam starb oder danach?«

»Sowohl als auch.«

Die Illusion, füreinander eine Stütze zu sein, löst sich in nichts auf, wird ersetzt durch ein ungutes Gefühl. Was, wenn Adam und ich uns auch gestritten haben? Er hätte doch bestimmt zu seiner Freundin gehalten, gegen seine Mutter?

»Waren Adam und ich uns nahe?«, frage ich.

»O ja«, sagte Ben. »Bis du ins Krankenhaus musstest. Bis du dein Gedächtnis verloren hast. Selbst da wart ihr euch noch nahe. Soweit das noch möglich war.«

Seine Worte treffen mich wie ein Schlag ins Gesicht. Mir wird klar, dass Adam noch ganz klein war, als er seine Mutter an die Amnesie verlor. Natürlich hatte ich die Verlobte meines Sohnes nicht kennengelernt; jeder Tag, an dem ich ihn sah, muss wie der erste gewesen sein.

Ich schließe das Album.

»Können wir es mitnehmen?«, frage ich. »Ich würde mir die Fotos später gern noch mal anschauen.«

* * *

Wir trinken jeder eine Tasse Tee, den Ben in der Küche für uns gemacht hat, während ich zu Ende packte, und dann gehen wir zum Auto. Ich sehe nach, ob ich meine Handtasche dabeihabe, in der noch immer mein Tagebuch steckt. Ben hat in die Reisetasche, die ich für ihn vorbereitet habe, noch ein paar zusätzliche Sachen getan, und er nimmt außerdem die Ledertasche mit – die, mit der er heute Morgen zur Arbeit gegangen ist – sowie zwei Paar Wanderschuhe, die hinten im Kleiderschrank standen. Ich habe beim Wagen gewartet, während er das Gepäck im Kofferraum verstaute und anschließend noch kontrollierte, ob die Türen vom Haus abgeschlossen und die Fenster fest verriegelt sind. Jetzt frage ich ihn, wie lange die Fahrt wohl dauert.

Er zuckt die Achseln. »Kommt auf den Verkehr an«, sagt er. »Nicht allzu lange, wenn wir erst aus London raus sind.«

Eine als Antwort getarnte Weigerung, eine Antwort zu geben. Ich frage mich, ob er immer so ist. Ich frage mich, ob er durch all die Jahre, in denen er mir immer wieder das Gleiche erzählen musste, zermürbt ist, so gelangweilt, dass er sich nicht mehr aufraffen kann, mir überhaupt noch etwas zu erzählen.

Er ist ein vorsichtiger Fahrer, wie ich feststelle. Er fährt langsam, schaut häufig in den Rückspiegel, bremst schon bei der kleinsten Andeutung einer Gefahrensituation.

Ich frage mich, ob Adam einen Führerschein hatte. Ich vermute, dass das in der Army verlangt wurde, aber fuhr er auch Auto, wenn er Urlaub hatte? Hat er mich schon mal abgeholt, seine kranke Mutter, und mit mir einen Ausflug gemacht, irgendwohin, wo er dachte, dass es mir gefallen würde? Oder hat er keinen Sinn darin gesehen, weil jedes Vergnügen, das ich möglicherweise dabei empfunden hätte, über Nacht aus meiner Erinnerung verschwunden wäre wie Schnee, der auf einem warmen Dach schmilzt?

Wir sind auf der Autobahn, lassen die Stadt hinter uns. Es hat angefangen zu regnen. Dicke Tropfen klatschen auf die Windschutzscheibe, halten einen Moment lang ihre Form, ehe sie rasch nach unten rutschen. In der Ferne geht die Sonne unter, taucht unter den Wolken hervor, wirft ein sanft orangegelbes Licht auf Beton und Glas. Es ist schön und schrecklich zugleich, doch ich kämpfe innerlich. Ich möchte so gern nicht nur abstrakt an meinen Sohn denken, doch ohne eine konkrete Erinnerung an ihn ist mir das unmöglich. Ich kehre immer wieder zu der einzigen Wahrheit zurück: Ich kann mich nicht an ihn erinnern, und somit könnte er genauso gut nie existiert haben.

Ich schließe die Augen. Ich denke daran zurück, was ich heute Nachmittag über unseren Sohn gelesen habe, und ein Bild flammt vor meinem geistigen Auge auf – Adam als kleiner Knirps, wie er das blaue Dreirad einen Weg entlangschiebt. Doch noch während ich darüber staune, weiß ich, dass es nicht real ist. Ich weiß, ich erinnere mich nicht an etwas, was wirklich passiert ist, ich erinnere mich an das Bild, das ich heute Nachmittag im Kopf geformt habe, während ich davon las, und selbst das war eine Erinnerung an eine frühere Erinnerung. Erinnerungen an Erinnerungen, bei den meisten Menschen reichen sie Jahre zurück, Jahrzehnte, bei mir dagegen nur ein paar Stunden.

Da ich mich nicht an meinen Sohn erinnern kann, tue ich das Nächstbeste, das Einzige, das den Aufruhr in meinem Kopf beruhigt. Ich denke an nichts. An gar nichts.

Benzingeruch, stark und süßlich. Mein Nacken schmerzt. Ich öffne die Augen. Direkt vor mir sehe ich die nasse Windschutzscheibe, beschlagen von meinem Atem, und dahinter sind ferne Lichter, verschwommen, unscharf. Ich begreife, dass ich eingedöst sein muss. Ich lehne am Seitenfenster, den Kopf unangenehm verdreht. Das Auto ist still, der Motor aus. Ich blicke über die Schulter.

Ben sitzt neben mir. Er ist wach, sieht geradeaus, nach draußen. Er bewegt sich nicht, scheint nicht mal zu bemerken, dass ich wieder wach bin, sondern starrt weiter vor sich hin, das Gesicht ausdruckslos, in der Dunkelheit unergründlich. Ich wende den Kopf, um zu sehen, was er anschaut.

Vor der regennassen Frontscheibe ist die Kühlerhaube und davor ein niedriger Holzzaun, schwach erhellt vom Licht der Straßenlampen hinter uns. Vor dem Zaun sehe ich nur Schwärze, gewaltig und mysteriös, und in ihrer Mitte hängt der Mond, voll und tief.

»Ich liebe das Meer«, sagt Ben, ohne mich anzusehen, und mir wird klar, das wir oben auf einer Klippe stehen, bis zur Küste gefahren sind.

»Du nicht auch?« Er wendet sich mir zu. Seine Augen sehen unfassbar traurig aus. »Du liebst das Meer doch auch, nicht, Chris?«, sagt er.

»Ja«, antworte ich. »Ja.« Er sagt das so, als ob er es nicht weiß, als ob wir noch nie vorher an der Küste gewesen sind, als ob wir noch nie zusammen Urlaub gemacht haben. Angst glimmt in mir auf, doch ich unterdrücke sie. Ich versuche hierzubleiben, in der Gegenwart, bei meinem Mann. Ich versuche, mich an all das zu erinnern, was ich heute Nachmittag aus meinem Tagebuch erfahren habe. »Das weißt du doch, Schatz.«

Er seufzt. »Ich weiß. Ich wusste es immer, aber ich weiß es einfach nicht mehr. Du veränderst dich. Du hast dich verändert, im Laufe der Jahre. Seit die Sache passiert ist. Manchmal weiß ich nicht, wer du bist. Ich wache jeden Morgen auf, und ich weiß nicht, wie du sein wirst.«

Ich schweige. Mir fällt nichts ein, was ich sagen könnte. Wir wissen beide, wie sinnlos es wäre, wenn ich versuchen würde, mich zu verteidigen, zu sagen, dass er sich irrt. Wir wissen beide, dass ich selbst wohl am wenigsten beurteilen kann, wie sehr ich mich von Tag zu Tag verändere.

»Es tut mir leid«, sage ich.

Er sieht mich an. »Ach. Schon gut. Du musst dich nicht entschuldigen. Ich weiß, es ist nicht deine Schuld. Nichts von alldem ist deine Schuld. Ich bin ungerecht. Egoistisch.«

Er richtet die Augen wieder aufs Meer. In der Ferne glimmt ein einzelnes Licht. Ein Boot auf den Wellen. Licht in einem Meer aus zähflüssiger Schwärze. Ben sagt: »Wir kriegen das hin, nicht wahr, Chris?«

»Natürlich«, sage ich. »Natürlich kriegen wir das hin. Das hier ist ein Neuanfang für uns. Ich habe jetzt mein Tagebuch, und Dr. Nash hilft mir. Mein Zustand wird besser, Ben. Das weiß ich. Ich glaube, ich fange wieder mit dem Schreiben an. Es gibt keinen Grund, der dagegenspricht. Es müsste gehen. Und außerdem hab ich ja jetzt auch wieder Kontakt zu Claire, und sie kann mir helfen.« Mir kommt eine Idee. »Wir könnten uns mal treffen, meinst du nicht? So wie früher? Wie an der Uni? Wir drei. Und ihr Mann – ich glaube, sie hat gesagt, sie lebt mit einem Mann zusammen. Wir können uns treffen und was unternehmen. Das wird schön.« Ich muss an die Lügen denken, von denen ich gelesen habe, an all die Male, die ich ihm nicht habe vertrauen können, doch ich verdränge es. Ich sage mir, dass all das nun aus der Welt geschafft ist. Jetzt ist es an mir, stark zu sein. Positiv. »Solange wir uns versprechen, immer ehrlich zueinander zu sein«, sage ich. »Dann wird alles gut.«

Er blickt mich wieder an. »Du liebst mich doch, oder?«

»Natürlich. Natürlich tu ich das.«

»Und du verzeihst mir? Dass ich dich verlassen habe? Ich wollte es nicht. Ich hatte keine andere Wahl. Es tut mir leid.«

Ich nehme seine Hand. Sie fühlt sich warm und kalt zugleich an, leicht klamm. Ich will sie zwischen beide Hände nehmen, doch er hilft mir weder dabei, noch sträubt er sich dagegen. So bleibt seine Hand reglos auf seinem Knie liegen. Ich drücke sie, und erst da scheint er zu merken, dass ich sie halte.

»Ben. Ich verstehe das. Ich verzeihe dir.« Ich sehe ihm in die Augen. Sie wirken stumpf und leblos, als hätten sie schon so viel Grauen gesehen, dass sie mehr nicht verkraften können.

»Ich liebe dich, Ben«, sage ich.

Seine Stimme senkt sich zu einem Flüstern. »Küss mich.«

Ich tue, was er verlangt, und als ich mich wieder von ihm gelöst habe, flüstert er: »Noch mal. Küss mich noch mal.«

Ich küsse ihn ein zweites Mal. Doch obwohl er mich darum bittet, kann ich ihn nicht noch ein drittes Mal küssen. Stattdessen schauen wir hinaus über das Meer, auf den Mond, der sich im Wasser spiegelt, auf die Regentropfen an der Windschutzscheibe, die das gelbe Scheinwerferlicht vorbeifahrender Autos reflektiert. Nur wir beide, händchenhaltend. Zusammen.

Ich habe das Gefühl, als würden wir stundenlang so dasitzen. Ben, neben mir, starrt hinaus aufs Meer. Er lässt die Augen über das Wasser schweifen, als suche er etwas, irgendeine Antwort in der Dunkelheit, und er spricht kein Wort. Ich frage mich, warum er hierhergefahren ist, was er zu finden hofft.

»Ist heute wirklich unser Jahrestag?«, frage ich. Ich erhalte keine Antwort. Er hat mich anscheinend nicht gehört, also wiederhole ich die Frage.

»Ja«, antwortet er leise.

»Unser Hochzeitstag?«

»Nein«, sagt er. »Der Tag, an dem wir uns kennengelernt haben.«

Ich möchte ihn fragen, ob das kein Grund zum Feiern wäre, und ihm sagen, dass mir die Stimmung nicht besonders feierlich vorkommt, doch das wäre gemein.

Der starke Verkehr auf der Straße hinter uns hat nachgelassen, der Mond steht jetzt hoch am Himmel. Allmählich befürchte ich, dass wir die ganze Nacht hierbleiben und aufs Meer schauen werden, im strömenden Regen. Ich täusche ein Gähnen vor.

»Ich bin müde«, sage ich. »Können wir jetzt zu unserem Hotel fahren?«

Er schaut auf die Uhr. »Ja«, sagt er. »Klar. Entschuldige. Ja.« Er lässt den Motor an. »Wir fahren jetzt direkt hin.«

Ich bin erleichtert. Ich sehne mich ebenso nach Schlaf, wie mir davor graut.

Die Küstenstraße steigt an und fällt wieder ab, als wir an einem Dorf vorbeifahren. Die Lichter eines anderen, größeren Ortes kommen langsam näher, werden in der nassen Scheibe schärfer. Der Verkehr nimmt zu, ein Jachthafen taucht auf, mit seinen vertäuten Booten und Geschäften und Nachtclubs, und dann sind wir in der Stadt selbst. Zu unserer Rechten reiht sich Hotel an Hotel, weiße Schilder, die im Wind schaukeln, bieten freie Zimmer an. Die Straßen sind belebt; es ist offenbar doch nicht so spät, wie ich gedacht habe, oder es ist eine Stadt, die die Nacht zum Tag macht.

Ich schaue aufs Meer. Ein riesiger Pier ragt aufs Wasser hinaus, hell erleuchtet, mit einem Vergnügungspark am Ende. Ich sehe einen Pavillon mit Kuppel, eine Achterbahn, eine Riesenrutsche. Ich kann fast das Gejauchze und Gekreische der Leute hören, die über dem pechschwarzen Meer herumgeschleudert werden.

Eine Angst, die ich nicht benennen kann, macht sich in meiner Brust breit.

»Wo sind wir?«, frage ich. Über dem Eingang zum Pier prangt ein Schriftzug in grellweißen Lichtern, aber durch die verregnete Scheibe hindurch kann ich ihn nicht lesen.

»Wir sind da«, sagt Ben, als wir in eine Seitenstraße biegen und vor einem Reihenhaus halten. Auf der Markise über dem Eingang steht: *Rialto Guest House.*

Eine Treppe führt zur Eingangstür, und ein dekorativer Zaun trennt das Gebäude von der Straße. Neben der Tür steht ein kleiner, gesprungener Kübel, der wahrscheinlich mal einen Zierstrauch enthielt, jetzt aber leer ist. Heftige Furcht packt mich.

»Waren wir schon mal hier?«, frage ich. Er schüttelt den Kopf. »Bist du sicher? Das kommt mir irgendwie bekannt vor.«

»Ich bin ganz sicher«, sagt er. »Könnte sein, dass wir mal in einem Hotel hier in der Nähe gewohnt haben. Vermutlich erinnerst du dich daran.«

Ich versuche, mich zu entspannen. Wir steigen aus dem Wagen. Neben dem Hotel ist eine Bar, und durch die Fenster kann ich Gedränge an der Theke und im hinteren Teil eine pulsierende Tanzfläche sehen. Dumpfe Musik, gedämpft durch die Scheiben. »Wir checken ein, und dann hol ich das Gepäck aus dem Wagen. Okay?«

Ich ziehe meinen Mantel enger um mich. Der Wind ist jetzt kalt, und es regnet in Strömen. Ich haste die Stufen hoch und öffne die Tür. An der Scheibe hängt ein Schild. *Belegt.* Ich gehe hinein.

»Du hast doch reserviert?«, frage ich, als Ben nachkommt. Wir stehen in einer Art Diele. Ein Stück weiter ist eine Tür angelehnt, und dahinter läuft ein Fernseher so laut, als sollte er die Musik von nebenan übertönen. Es gibt keine Rezeption, stattdessen steht auf einem kleinen Tisch eine Glocke, und ein Schild daneben verrät, dass man sie läuten soll, um auf sich aufmerksam zu machen.

»Ja, natürlich«, sagt Ben. »Keine Sorge.« Er läutet die Glocke.

Einen Moment lang passiert nichts, und dann kommt ein junger Mann aus einem Raum irgendwo hinten im Haus. Er ist groß und linkisch, und mir fällt auf, dass sein viel zu weites Hemd aus der Hose gerutscht ist. Er begrüßt uns, als hätte er uns erwartet, aber nicht herzlich, und ich stehe dabei, während er und Ben die Formalitäten erledigen.

Das Hotel hat eindeutig schon bessere Tage gesehen. Der Teppichboden ist stellenweise verschlissen, der Lack an den Türrahmen verschrammt und fleckig. Von der Diele geht eine weitere Tür ab, mit der Aufschrift *Speisesaal*, und weiter hinten sind noch einige Türen, hinter denen ich die Küche und die Privaträume der Inhaber vermute.

»Ich bring Sie dann jetzt auf Ihr Zimmer, ja?«, sagt der große Mann, als er und Ben fertig sind. Ich merke, dass er mich meint; Ben ist schon auf dem Weg nach draußen, wohl um das Gepäck zu holen.

»Ja«, sage ich. »Danke.«

Er reicht mir einen Schlüssel, und wir steigen die Treppe hoch. Im ersten Stock sind etliche Zimmer, doch wir gehen daran vorbei und eine weitere Treppe hoch. Das Haus scheint mit jedem Stockwerk zu schrumpfen, die Decken werden niedriger, die Flure enger. Wir kommen an einem weiteren Zimmer vorbei und bleiben vor einer letzten Treppe stehen, die ins Dachgeschoss des Hauses führen muss.

»Ihr Zimmer ist da oben«, sagt er. »Es ist das Einzige.«

Ich bedanke mich, dann dreht er sich um und verschwindet wieder nach unten, während ich zu unserem Zimmer hinaufgehe.

* * *

Ich öffne die Tür. Der Raum ist dunkel und größer, als ich so hoch unterm Dach erwartet habe. An der Wand gegenüber sehe ich ein Fenster, durch das gedämpftes graues Licht dringt, in dem ich schemenhaft eine Frisierkommode, ein Bett, einen Tisch und einen Sessel erkennen kann. Von der Musik aus dem Club nebenan ist nur noch ein dröhnender, dumpfer Bass zu vernehmen.

Ich bleibe reglos stehen. Wieder hat mich die Furcht gepackt. Die gleiche Furcht, die mich draußen vor dem Hotel überkam, aber irgendwie schlimmer. Mir wird eiskalt. Irgendetwas stimmt nicht, aber ich kann nicht sagen, was. Ich atme tief ein, kann aber nicht genug Luft in meine Lunge saugen. Ich fühle mich, als würde ich ertrinken.

Ich schließe die Augen, als hoffte ich, dass das Zimmer anders aussieht, wenn ich sie wieder öffne, aber natürlich bleibt alles, wie es ist. Ich habe entsetzliche Angst davor, was passieren wird, wenn ich das Licht einschalte, als müsste diese simple Handlung Unheil heraufbeschwören, das Ende von allem.

Was wird passieren, wenn ich den Raum so lasse, wie er ist, in Dunkelheit gehüllt, und stattdessen nach unten gehe? Ich könnte seelenruhig an dem großen Mann vorbeigehen, durch die Diele, vorbei an Ben, falls nötig, und nach draußen, ins Freie.

Aber natürlich würden sie dann denken, ich wäre verrückt geworden. Sie würden mich suchen und zurückholen. Und was könnte ich ihnen sagen? Dass die Frau, die sich an nichts erinnert, ein ungutes Gefühl hatte, eine dunkle Ahnung? Sie würden mich lächerlich finden.

Ich bin mit meinem Mann zusammen. Ich bin hergekommen, um ihm wieder nah zu sein. Bei Ben bin ich sicher.

Also schalte ich das Licht ein.

Es wird gleißend hell, und dann, als meine Augen sich angepasst haben, sehe ich das Zimmer. Es ist unscheinbar. Da ist nichts, wovor ich Angst haben müsste. Der Teppichboden ist mausgrau, sowohl die Vorhänge als auch die Tapeten haben ein Blumenmuster, passen aber trotzdem nicht zusammen. Die zerschrammte Frisierkommode hat drei Spiegel, darüber hängt ein vergilbtes Gemälde von einem Vogel. Der Sessel ist aus Korb und hat ein geblümtes Sitzkissen, und auf dem Bett liegt eine orangefarbene Tagesdecke mit Rautenmuster gebreitet.

Ich kann mir vorstellen, wie enttäuscht jemand sein muss, der dieses Zimmer für einen Urlaub gebucht hat, doch obwohl Ben es für unser Wochenende gebucht hat, empfinde ich keine Enttäuschung. Meine Furcht hat sich zu Grauen verdichtet.

Ich schließe die Tür hinter mir und versuche, mich zu beruhigen. Ich verhalte mich albern. Paranoid. Ich muss mich beschäftigen. Irgendetwas tun.

Es ist kalt im Zimmer, und ein leichter Luftzug bewegt die Vorhänge. Das Fenster steht offen, und ich gehe hin, um es zu schließen. Bevor ich das tue, werfe ich einen Blick nach draußen. Wir sind sehr hoch; die Straßenlampen, auf denen still Möwen hocken, sind weit unter uns. Ich schaue über die Dächer, sehe den kalten Mond am Himmel hängen, in der Ferne das Meer. Ich kann den Pier erkennen, die Riesenrutsche, die blinkenden Lichter.

Und dann sehe ich ihn, den Schriftzug über dem Eingang zum Pier. *BRIGHTON PIER.*

Trotz der Kälte spüre ich, wie mir Schweißperlen auf die Stirn treten, obwohl ich gleichzeitig fröstele. Jetzt wird mir alles klar. Ben hat mich nach Brighton gebracht, an den Ort, wo mein Verhängnis seinen Lauf nahm. Aber warum? Glaubt er, ich könnte mich eher daran erinnern, was passiert ist, wenn ich wieder in der Stadt bin, in der mir mein Leben geraubt wurde? Glaubt er, ich werde mich daran erinnern, wer mir das angetan hat?

Ich erinnere mich, in meinem Tagebuch gelesen zu haben, dass Dr. Nash einmal vorgeschlagen hat, mit mir hierherzufahren, und dass ich kategorisch abgelehnt habe.

Ich höre Schritte auf der Treppe, Stimmen. Bestimmt führt der große Mann jetzt Ben nach oben, zu unserem Zimmer. Sie tragen wahrscheinlich zusammen das Gepäck, schleppen es die Treppe herauf und um enge Absätze herum. Bald werden sie hier sein.

Was soll ich ihm sagen? Dass er sich täuscht, dass es mir nicht helfen wird, hier in der Stadt zu sein? Dass ich nach Hause will?

Ich wende mich zur Tür. Ich werde ihm helfen, die Taschen hereinzutragen, und dann werde ich sie auspacken, und wir werden schlafen und morgen dann –

Ich stocke. Morgen werde ich nichts mehr wissen. Ich ahne, was Ben in seiner Ledertasche hat. Fotos. Das Sammelalbum. Er wird das alles brauchen, um mir erneut zu erklären, wer er ist und wo wir sind.

Ich frage mich, ob ich mein Tagebuch mitgenommen habe, dann fällt mir ein, dass ich es selbst eingepackt, in meine Tasche gesteckt habe. Ich versuche, mich zu beruhigen. Heute Abend werde ich es unters Kopfkissen legen, und morgen werde ich es finden und lesen. Alles wird gut.

Ich kann Ben draußen auf dem Flur hören. Er redet mit dem großen Mann, bestellt unser Frühstück. »Wir werden wahrscheinlich auf dem Zimmer frühstücken«, höre ich ihn sagen. Eine Möwe kreischt draußen vor dem Fenster, erschreckt mich.

Ich gehe auf die Tür zu, als ich es sehe. Rechts von mir. Da ist ein Badezimmer, die Tür steht offen. Eine Wanne, eine Toilette, ein Waschbecken. Aber was meinen Blick bannt, mich mit Entsetzen erfüllt, ist der Boden. Er ist gefliest, und das Muster ist ungewöhnlich; abwechselnd schwarz-weiß in harten Diagonalen.

Mir klappt der Unterkiefer herunter. Ich spüre, wie mir kalt wird. Ich meine, mich aufschreien zu hören.

Plötzlich weiß ich es. Ich erkenne das Muster.

Ich habe nicht nur Brighton wiedererkannt.

Ich war schon einmal hier. In diesem Zimmer.

Die Tür geht auf. Ich sage nichts, als Ben hereinkommt, aber meine Gedanken überschlagen sich. Ist das hier das Zimmer, in dem ich angegriffen wurde? Wieso hat er mir nicht gesagt, dass wir herkommen würden? Wie kann es sein, dass er mir nicht mal von dem Angriff erzählen wollte und mich jetzt in das Zimmer bringt, in dem es passiert ist?

Ich sehe den großen Mann draußen vor der Tür stehen, und ich will ihm zurufen, er soll doch noch bleiben, aber er macht auf dem Absatz kehrt, und Ben schließt die Tür. Jetzt sind wir beide allein.

Er sieht mich an. »Alles in Ordnung, Liebling?«, fragt er. Ich nicke und sage ja, doch das Wort klingt, als wäre es aus mir herausgepresst worden. Ich spüre, wie sich Hass in meiner Magengegend regt.

Er nimmt meinen Arm. Er drückt ihn ein kleines bisschen zu fest;

noch ein wenig stärker, und ich würde etwas sagen, ein wenig schwächer, und ich würde wahrscheinlich gar nichts merken. »Ehrlich?«

»Ja«, sage ich. Warum macht er das? Er muss wissen, wo wir sind, was das bedeutet. Er muss es die ganze Zeit geplant haben. »Ja, mir geht's gut. Ich bin bloß ein bisschen müde.«

Und dann geht mir ein Licht auf. Dr. Nash. Er muss etwas damit zu tun haben. Wieso sollte Ben sonst ausgerechnet jetzt beschließen, mich herzubringen, wo er es in all den Jahren längst hätte tun können, aber nicht getan hat?

Die beiden müssen Kontakt gehabt haben. Vielleicht hat Ben ihn angerufen, nachdem ich ihm von unseren Treffen erzählt habe. Vielleicht haben sie das Ganze irgendwann letzte Woche geplant – in der Woche, über die ich nichts weiß.

»Dann leg dich doch hin«, sagt Ben.

Ich höre mich selbst sprechen. »Ich glaub, das mach ich auch.« Ich wende mich dem Bett zu. Vielleicht hatten sie ja schon die ganze Zeit Kontakt? Dr. Nash könnte mich die ganze Zeit belogen haben. Ich stelle ihn mir vor, wie er Ben anruft, nachdem er sich von mir verabschiedet hat, ihm erzählt, was ich für Fortschritte mache oder auch nicht.

»Braves Mädchen«, sagt Ben. »Ich hab vergessen, Champagner mitzubringen. Ich glaube, ich geh rasch welchen besorgen. Ich hab da einen Laden gesehen. Nicht weit von hier.« Er lächelt. »Dann bin ich ganz für dich da.«

Ich drehe mich zu ihm um, und er küsst mich. Jetzt, hier, küsst er mich lange. Er liebkost meine Lippen mit seinen, greift mir mit einer Hand ins Haar, streichelt mir mit der anderen den Rücken. Ich unterdrücke den Drang, mich loszureißen. Seine Hand gleitet über meinen Rücken nach unten und verweilt oben auf meinen Pobacken. Ich schlucke schwer.

Ich kann niemandem trauen. Nicht meinem Ehemann. Nicht dem Mann, der behauptet hat, mir zu helfen. Sie haben sich zusammengetan, auf diesen Tag hingearbeitet, den sie zu dem Tag bestimmt haben, an dem ich mich dem Schrecken meiner Vergangenheit stellen soll.

Was fällt ihnen ein? Was fällt ihnen bloß ein?

»Okay«, sage ich. Ich wende den Kopf ein wenig zur Seite, schiebe Ben sachte weg, damit er mich loslässt.

Er dreht sich um und geht aus dem Zimmer. »Ich schließ lieber ab«, sagt er, als er die Tür hinter sich zuzieht. »Man kann nicht vorsichtig genug sein …« Ich höre, wie sich draußen der Schlüssel im Schloss dreht, und gerate in Panik. Will er wirklich Champagner holen? Oder trifft er sich mit Dr. Nash? Ich komme nicht darüber hinweg, dass er mich in dieses Zimmer gebracht hat, ohne mir etwas zu sagen. Eine weitere Lüge nach so vielen anderen. Ich höre ihn die Treppe hinuntergehen.

Händeringend setze ich mich auf die Bettkante. In meinem Kopf tobt es, so viele Gedanken rasen durcheinander, dass ich keinen bestimmten fassen kann, als hätte in einem Verstand ohne Erinnerung jeder einzelne von ihnen zu viel Platz, um zu wachsen und herumzuwirbeln, um mit anderen in einem Funkenschauer zu kollidieren und sich dann in seiner eigenen Einsamkeit zu verlieren.

Ich stehe auf. Wutschäumend. Die Vorstellung, dass er zurückkommt, Champagner einschenkt, sich zu mir ins Bett legt, ist unerträglich. Ebenso unerträglich wie die Vorstellung, in der Nacht seine Haut an meiner zu spüren oder seine Hände auf mir, wie sie mich begrapschen, mich drücken, mich bedrängen, mich ihm hinzugeben. Wie kann ich das, wo es doch kein Ich gibt, das sich ihm hingeben könnte?

Ich würde alles tun, denke ich. Alles, nur das nicht.

Ich kann nicht hierbleiben, an diesem Ort, wo mein Leben zerstört und mir alles genommen wurde. Ich überlege, wie viel Zeit mir bleibt. Zehn Minuten? Fünf? Ich gehe zu Bens Tasche hinüber und öffne sie. Ich weiß nicht, warum; ich denke nicht mehr, warum oder wie, nur dass ich etwas tun muss, solange Ben weg ist, ehe er zurückkommt und sich wieder alles ändert. Vielleicht will ich die Autoschlüssel finden, die Tür aufbrechen und nach unten gehen, hinaus auf die verregnete Straße, zum Wagen. Obwohl ich nicht sicher bin, ob ich überhaupt Auto fahren kann, würde ich es vielleicht versuchen, würde einsteigen und ganz weit wegfahren.

Vielleicht will ich aber auch ein Foto von Adam finden. Ich weiß, dass sie da drin sind. Ich werde nur eines nehmen und dann werde ich das Zimmer verlassen und loslaufen. Ich werde laufen und laufen und dann, wenn ich nicht mehr laufen kann, werde ich Claire anrufen oder sonst wen, und ich werde sagen, dass ich es nicht mehr aushalte, und um Hilfe flehen.

Ich schiebe beide Hände tief in die Tasche. Ich fühle Metall und Plastik. Etwas Weiches. Und dann einen Umschlag. Ich ziehe ihn heraus, denke, es könnten Fotos drin sein, und sehe, dass es der ist, den ich zu Hause im Arbeitszimmer gefunden habe. Ich muss ihn beim Packen in Bens Tasche getan haben, vielleicht, um ihn daran zu erinnern, dass er noch ungeöffnet ist. Ich drehe ihn um und lese auf der Vorderseite das handschriftliche Wort *privat*. Ohne zu überlegen, reiße ich den Umschlag auf und nehme den Inhalt heraus.

Papier. Zahllose Seiten. Ich erkenne es. Die blassblauen Linien, der rote Rand. Es sind die gleichen Seiten wie in meinem Tagebuch.

Und dann erkenne ich meine eigene Handschrift und beginne zu begreifen.

Ich habe nicht meine ganze Geschichte gelesen. Es fehlt noch etwas. Diese Seiten.

Ich hole das Tagebuch aus meiner Tasche. Ich hatte es bisher nicht bemerkt, aber nach der letzten beschriebenen Seite ist ein ganzer Teil entfernt worden. Die Seiten sind säuberlich herausgetrennt worden, mit einem Skalpell oder einer Rasierklinge, ganz dicht an der Bindung.

Von Ben herausgetrennt.

Ich setze mich auf den Fußboden, die Seiten vor mir ausgebreitet. Sie umfassen die fehlende Woche meines Lebens. Ich lese den Rest meiner Geschichte.

* * *

Der erste Eintrag ist datiert. **Freitag, 23. November** steht da. Der Tag, an dem ich mich mit Claire traf. Ich muss das am Abend geschrieben haben, nach meinem Gespräch mit Ben. Vielleicht haben wir das Gespräch, das ich mir vorgenommen hatte, ja doch geführt.

Ich sitze hier auf dem Boden im Badezimmer, in dem Haus, in dem ich angeblich seit Jahren jeden Morgen aufwache. Ich habe dieses Tagebuch vor mir liegen, diesen Stift in der Hand. Ich schreibe, weil ich nicht weiß, was ich sonst tun soll.

Um mich herum liegen zerknüllte Papiertaschentücher, getränkt mit Tränen. Und Blut. Wenn ich blinzele, sehe ich alles rot. Blut tropft mir ebenso schnell wieder ins Auge, wie ich es wegwische.

Im Spiegel habe ich gesehen, dass die Haut über meinem Auge aufgeplatzt ist, meine Lippe auch. Wenn ich schlucke, habe ich den metallischen Geschmack von Blut im Mund.

Ich möchte schlafen. Einen sicheren Ort finden, irgendwo, und die Augen schließen und mich ausruhen, wie ein Tier.

Genau das bin ich. Ein Tier. Ich lebe von Augenblick zu Augenblick, von Tag zu Tag, versuche vergeblich, die Welt zu begreifen, in der ich mich befinde.

Mein Herz rast. Ich überfliege den Abschnitt erneut, bleibe immer wieder an dem Wort *Blut* hängen. Was war passiert?

Ich lese jetzt schneller, mein Verstand stolpert über Worte, taumelt von Zeile zu Zeile. Ich weiß nicht, wann Ben zurückkommt, und ich kann nicht riskieren, dass er mir diese Seiten wegnimmt, ehe ich alles gelesen habe. Das hier ist vielleicht meine einzige Chance.

Ich hatte beschlossen, dass ich am besten nach dem Abendessen mit ihm spreche. Wir aßen im Wohnzimmer – Braten, Kartoffelpüree, die Teller auf den Knien balancierend –, und als wir beide fertig waren, bat ich ihn, den Fernseher auszumachen. Er wollte nicht. »Ich muss mit dir reden«, sagte ich.

»Schatz«, sagte Ben und stellte seinen Teller auf den Couchtisch zwischen uns. Ein angeschnittenes Stück Fleisch lag auf dem Tellerrand, ein paar Erbsen schwammen in dünner Soße. »Ist alles in Ordnung?«

»Ja«, sagte ich. »Es ist alles bestens.« Ich wusste nicht, wie ich fortfahren sollte. Er sah mich an, mit großen Augen, wartete. »Du liebst mich doch, oder?«, sagte ich. Ich hatte fast das Gefühl, als wollte ich Beweise sammeln, mich gegen eventuellen späteren Widerspruch absichern.

»Ja«, sagte er. »Natürlich. Worum geht's denn? Was ist los?«

»Ben«, sagte ich. »Ich liebe dich auch. Und ich verstehe die Gründe für dein Verhalten, aber ich weiß, dass du mich belügst.«

Kaum hatte ich den Satz ausgesprochen, bereute ich ihn auch schon. Ich sah, wie er zusammenzuckte. Er blickte mich an, die Lippen geöffnet, als wollte er etwas sagen, die Augen gekränkt.

»Was soll das heißen?«, fragte er. »Schatz –«

Ich musste weitermachen. Jetzt gab es keinen Ausweg mehr aus dem Strom, in den ich hineingewatet war.

»Ich weiß, du verschweigst mir bestimmte Dinge, um mich zu schützen, aber damit muss Schluss sein. Ich muss alles wissen.«

»Was soll das heißen?«, sagte er. »Ich belüge dich nicht.«

Erste Wut stieg in mir hoch. »Ben«, sagte ich. »Ich weiß von Adam.«

Da veränderte sich sein Gesicht. Ich sah, wie er schluckte und wegschaute, in die Ecke des Zimmers. Er wischte sich irgendwas vom Ärmel seines Pullovers. »Was?«

»Adam«, sagte ich. »Ich weiß, dass wir einen Sohn hatten.«

Ich rechnete halb mit der Frage, woher ich das wusste, doch dann wurde mir klar, dass dieses Gespräch nicht neu war. Wir hatten es schon öfter geführt, an dem Tag, an dem ich meinen

Roman sah, und auch an anderen Tagen, wenn ich mich an Adam erinnert hatte.

Ich sah ihm an, dass er etwas sagen wollte, aber ich wollte keine Lügen mehr hören.

»Ich weiß, dass er in Afghanistan gestorben ist«, sagte ich.

Sein Mund klappte zu, öffnete sich wieder, fast komisch.

»Woher weißt du das?«

»Du hast es mir erzählt«, sagte ich. »Vor Wochen. Du hast einen Keks gegessen, und ich war im Bad. Ich bin nach unten gekommen und hab dir erzählt, dass ich mich an unseren Sohn erinnert hatte, sogar an seinen Namen, und dann haben wir uns hingesetzt, und du hast mir erzählt, wie er ums Leben gekommen ist. Du hast mir Fotos gezeigt, aus dem Arbeitszimmer. Fotos von mir und ihm, und Briefe, die er geschrieben hat. Einen Brief an den Weihnachtsmann −« Trauer durchflutete mich. Ich verstummte.

Ben starrte mich an. »Daran hast du dich erinnert? Wie −?«

»Ich schreibe mir Sachen auf. Schon seit ein paar Wochen. Alles, woran ich mich erinnern kann.«

»Wo?«, sagte er. Seine Stimme war lauter geworden, klang fast wütend, obwohl ich nicht verstand, warum er wütend sein sollte. »Wo schreibst du dir Sachen auf? Ich versteh das nicht, Christine. Wo schreibst du dir Sachen auf?«

»In einem Notizbuch.«

»Notizbuch?« Aus seinem Munde klang es richtig banal, als hätte ich es benutzt, um Einkaufszettel zu schreiben und mir Telefonnummern zu notieren.

»Ich führe Tagebuch«, sagte ich.

Er rutschte in seinem Sessel nach vorne, als wollte er aufstehen. »Tagebuch? Wie lange genau?«

»Ich weiß nicht. Zwei Wochen?«

»Kann ich es sehen?«

Ich war gereizt und erbost. Ich war fest entschlossen, es ihm nicht zu zeigen. »Nein«, sagte ich. »Noch nicht.«

Er wurde wütend. »Wo ist es? Zeig es mir.«

»Ben. Es ist persönlich.«

Er schleuderte mir das Wort entgegen. »Persönlich? Was soll das heißen, persönlich?«

»Ich meine, es ist vertraulich. Mir wäre nicht wohl dabei, wenn du es lesen würdest.«

»Wieso nicht?«, sagte er. »Hast du was über mich geschrieben?«

»Natürlich.«

»Was hast du geschrieben? Was?«

Wie sollte ich darauf antworten? Ich dachte daran, wie oft ich ihn hintergangen habe. Was ich alles zu Dr. Nash gesagt und wie ich über ihn gedacht habe. Wie oft ich meinem Mann misstraut habe, was ich ihm alles zugetraut habe. Ich dachte daran, wie oft ich ihn belogen habe, an meine heimlichen Treffen mit Dr. Nash – und Claire.

»So allerhand, Ben. Ich habe so allerhand aufgeschrieben.«

»Aber warum? Warum schreibst du dir Sachen auf?«

Dass er mich das tatsächlich fragte, verschlug mir beinahe die Sprache. »Ich möchte mein Leben verstehen«, sagte ich. »Ich möchte einen Tag mit dem nächsten verbinden können, genau wie du das kannst. Wie das jeder kann.«

»Aber warum? Bist du unglücklich? Liebst du mich nicht mehr? Willst du nicht mit mir zusammen sein, hier?«

Die Frage verblüffte mich. Wie kam er darauf, dass der Wunsch, mein zerstückeltes Leben zu verstehen, gleichbedeutend damit war, dass ich es irgendwie ändern wollte?

»Ich weiß nicht«, sagte ich. »Was ist Glück? Ich bin glücklich, wenn ich aufwache, glaube ich, obwohl, wenn heute Morgen ein Maßstab ist, bin ich verwirrt. Aber ich bin nicht glücklich, wenn ich in den Spiegel schaue und sehe, dass ich zwanzig Jahre älter bin, als ich dachte, dass ich graues Haar habe und Falten um die Augen. Ich bin nicht glücklich, wenn mir klarwird, dass all die Jahre verloren sind, mir weggenommen wurden. Also kann ich wohl sagen, dass ich sehr oft nicht glücklich bin, nein. Aber das ist nicht deine Schuld. Ich bin glücklich mit dir. Ich liebe dich. Ich brauche dich.«

Daraufhin kam er zu mir und setzte sich neben mich. Seine Stimme wurde weicher. »Es tut mir leid«, sagte er. »Ich werde einfach nicht damit fertig, was der Autounfall alles zerstört hat.«

Ich spürte erneut Wut in mir aufkochen, hielt sie aber im Zaum. Ich hatte kein Recht, wütend auf ihn zu sein; er wusste nicht, was ich erfahren hatte und was nicht.

»Ben«, sagte ich. »Ich weiß, was passiert ist. Ich weiß, dass es kein Autounfall war. Ich weiß, dass ich angegriffen wurde.«

Er rührte sich nicht. Er sah mich aus ausdruckslosen Augen an. Ich dachte, er hätte mich vielleicht nicht verstanden, doch dann sagte er: »Was für ein Angriff?«

Ich wurde lauter. »Ben!«, sagte ich. »Hör auf damit!« Ich konnte nicht anders. Ich hatte ihm von dem Tagebuch erzählt, hatte ihm erzählt, dass ich dabei war, die Einzelteile meiner Geschichte zusammenzufügen, und obwohl ich die Wahrheit offensichtlich kannte, wollte er mich weiterhin anlügen. »Hör endlich mit der Lügerei auf, verdammt nochmal! Ich weiß, dass ich keinen Autounfall hatte. Ich weiß, was mit mir passiert ist. Es hat keinen Sinn, mir was anderes vorzumachen. Leugnen bringt uns nicht weiter. Du musst aufhören, mich zu belügen!«

Er stand auf. Er wirkte riesig, wie er da vor mir aufragte, mir die Sicht versperrte.

»Wer hat dir das erzählt?«, fragte er. »Wer? Etwa Claire, diese blöde Kuh? Hat sie mal wieder ihre dämliche Klappe aufgerissen, dir Lügen aufgetischt? Sich in Sachen eingemischt, die sie nichts angehen?«

»Ben —«, setzte ich an.

»Die hat mich nie leiden können. Sie würde vor nichts zurückschrecken, um dich gegen mich aufzuhetzen. Vor nichts! Sie lügt, mein Schatz. Sie lügt!«

»Es war nicht Claire«, sagte ich. Ich senkte den Kopf. »Es war jemand anders.«

»Wer?«, schrie er. »Wer?«

»Ich gehe seit einiger Zeit zu einem Arzt«, flüsterte ich. »Wir reden miteinander. Er hat es mir erzählt.«

Er stand völlig reglos da, nur der Daumen seiner rechten Hand beschrieb langsame Kreise auf dem Knöchel seiner linken. Ich konnte die Wärme seines Körpers spüren, sein langsames Einatmen hören, das kurze Anhalten, das Ausatmen. Als er wieder sprach, war seine Stimme so leise, dass ich die Worte nur mit Mühe verstehen konnte. »Was soll das heißen, ein Arzt?«

»Er heißt Dr. Nash. Anscheinend hat er vor ein paar Wochen Kontakt zu mir aufgenommen.« Noch während ich das sagte, hatte ich das Gefühl, nicht meine Geschichte zu erzählen, sondern die einer anderen.

»Und was hat er da gesagt?«

Ich versuchte, mich zu erinnern. Hatte ich unser erstes Gespräch aufgeschrieben?

»Ich weiß nicht«, sagte ich. »Ich glaube, ich hab mir nicht aufgeschrieben, was er gesagt hat.«

»Und der hat dir geraten, Tagebuch zu führen?«

»Ja.«

»Warum?«, sagte er.

»Ich will wieder gesund werden, Ben.«

»Und? Funktioniert es? Was macht ihr denn so alles? Hat er dir Medikamente gegeben?«

»Nein«, sagte ich. »Wir haben ein paar Tests gemacht, ein paar Übungen. Ich hatte eine MRT —«

Der Daumen verharrte auf der Stelle. Er sah mich an.

»Eine MRT?« Seine Stimme war wieder lauter.

»Ja. Er hat gesagt, es könnte helfen. In der ersten Zeit meiner Krankheit gab es die Technik noch nicht. Oder sie war noch nicht so fortgeschritten wie heute —«

»Wo? Wo habt ihr die Tests gemacht? Red schon!«

Ich war inzwischen leicht verwirrt. »In seiner Praxis«, sagte ich. »In London. Die MRT wurde auch dort gemacht. Ich weiß nicht mehr genau.«

»Wie kommst du dahin? Wie kommt jemand in deinem Zustand zu einer Arztpraxis?« Seine Stimme klang jetzt gepresst und drängend. »Wie?«

Ich bemühte mich, ruhig zu sprechen. »Er holt mich mit dem Auto von hier ab«, sagte ich. »Und bringt mich —«

Enttäuschung blitzte in seinem Gesicht auf und dann Wut. Das Gespräch war aus dem Ruder gelaufen, schwieriger geworden, als ich gedacht hatte.

Ich musste versuchen, ihm alles zu erklären. »Ben —«, setzte ich an.

Was als Nächstes geschah, kam für mich völlig unerwartet. Ein dumpfes Stöhnen begann in Bens Kehle, irgendwo ganz tief. Es gewann rasch an Kraft, bis er es nicht mehr bremsen konnte und einen schrecklichen Laut ausstieß, wie Nägel auf Glas.

»Ben!«, sagte ich. »Was hast du denn?«

Er drehte sich taumelnd um, wandte das Gesicht von mir ab. Ich fürchtete, er könnte irgendeine Art Anfall haben. Ich stand auf und streckte die Hand aus, damit er sie ergriff. »Ben!«, sagte ich wieder, doch er ließ meine Hand unbeachtet, fand selbst wieder das Gleichgewicht. Als er sich erneut zu mir umdrehte, war sein Gesicht knallrot, die Augen weit aufgerissen. Ich sah, dass sich in seinen Mundwinkeln Speichel gesammelt hatte. Es war, als hätte er eine fratzenhafte Maske aufgesetzt, so verzerrt waren seine Gesichtszüge.

»Du dumme Schlampe«, sagte er und kam dabei auf mich zu. Ich zuckte zusammen. Sein Gesicht war dicht vor meinem. »Wie lange geht das schon?«

»Ich —«

»Na los! Raus mit der Sprache, du Nutte. Wie lange?«

»Da ist nichts!«, sagte ich. Furcht stieg in mir auf, höher und höher. Sie verharrte einen Moment an der Oberfläche und sank dann wieder nach unten. »Nichts!«, sagte ich wieder. Ich konnte das Essen in seinem Atem riechen. Fleisch und Zwiebeln. Speicheltröpfchen flogen, trafen mein Gesicht, die Lippen. Ich konnte seinen warmen, nassen Zorn schmecken.

»Du schläfst mit ihm. Gib's zu.«

Meine Waden drückten mit der Rückseite gegen den Rand der Couch, und ich versuchte, mich an ihr entlangzuschieben, von ihm weg, doch er packte meine Schultern und schüttelte mich. »Du bist und bleibst eine blöde, verlogene Schlampe«, sagte er. »Ich weiß nicht, wie ich mir einbilden konnte, du würdest dich bei mir ändern. Was hast du gemacht, hä? Dich aus dem Haus geschlichen, wenn ich arbeiten war? Oder hast du ihn herkommen lassen? Oder habt ihr's vielleicht in seinem Auto getrieben, auf einem einsamen Parkplatz?«

Ich spürte den festen Griff seiner Hände, die Finger und Nägel, die sich mir sogar durch den Baumwollstoff meiner Bluse in die Haut gruben.

»Du tust mir weh!«, schrie ich, hoffte, ihn so aus seiner Wut reißen zu können. »Ben! Lass los!«

Er hörte auf, mich zu schütteln, und lockerte seinen Griff minimal. Es schien mir unvorstellbar, dass der Mann, der meine Schultern umklammert hielt und dessen Gesicht eine Mischung aus Zorn und Hass war, derselbe Mann sein sollte, von dem der Brief stammte, den Claire mir gegeben hatte. Wie hatte ein solcher Argwohn zwischen uns entstehen können? Wie viele Missverständnisse musste es gegeben haben, dass wir an diesen Punkt kommen konnten?

»Ich hab nichts mit ihm«, sagte ich. »Er hilft mir. Er hilft mir, wieder gesund zu werden, damit ich ein normales Leben führen kann. Hier, mit dir. Willst du das denn nicht?«

Seine Augen begannen, im Raum hin und her zu huschen.

»Ben?«, sagte ich wieder. »Sag was!« Er erstarrte. »Willst du denn nicht, dass ich gesund werde? Hast du das nicht immer gewollt, immer gehofft?« Er fing, an, den Kopf zu schütteln, ihn hin und her zu wiegen. »Doch, das hast du, das weiß ich«, sagte ich. »Ich weiß, dass du dir das die ganze Zeit gewünscht hast.« Heiße Tränen liefen mir über die Wangen, aber ich sprach trotzdem weiter, während meine Stimme sich in Schluchzen auflöste. Er hielt mich noch immer fest, jetzt jedoch sanft, und ich legte meine Hände auf seine.

»Ich hab mich mit Claire getroffen«, sagte ich. »Sie hat mir deinen Brief gegeben. Ich hab ihn gelesen, Ben. Nach all den Jahren hab ich ihn endlich gelesen.«

An der Stelle ist ein Fleck auf der Seite. Tinte, mit Wasser zu einem Klecks verschmiert, der aussieht wie ein Stern. Ich muss beim Schreiben geweint haben. Ich lese weiter.

Ich weiß nicht, was ich als Nächstes erwartet hatte. Vielleicht dachte ich, er würde mir in die Arme sinken, erleichtert schluchzen, und wir würden dastehen, einander halten, schweigend, so lange, bis wir uns wieder beruhigt hätten, tastend zueinander zurückfänden. Und dann würden wir uns hinsetzen und über alles reden. Vielleicht würde ich den Brief, den Claire mir gegeben hatte, von oben holen, und wir würden ihn zusammen lesen und dann anfangen, unser Leben ganz allmählich auf einem Fundament der Wahrheit neu aufzubauen.

Stattdessen schien die Welt ringsherum für eine Sekunde stillzustehen, ganz ruhig zu werden. Kein Atemgeräusch, kein Verkehrsrauschen von der Straße. Ich hörte nicht einmal das Ticken der Uhr. Es war, als würde das Leben in der Schwebe hängen, auf der Nahtstelle zwischen zwei Zuständen verharren.

Und dann war der Moment vorüber. Ben wich ein Stück von mir zurück. Ich dachte schon, er wollte mich küssen, doch stattdessen nahm ich aus dem Augenwinkel etwas Verschwommenes wahr, und dann flog mein Kopf zur Seite. Mein Kiefer strahlte vor Schmerz. Ich fiel, das Sofa kam auf mich zu, und ich schlug mit dem Hinterkopf auf etwas Hartes und Spitzes. Ich schrie auf. Wieder traf mich ein Schlag, und dann noch einer. Ich schloss die Augen, wartete auf den nächsten – doch er kam nicht. Stattdessen hörte ich, wie sich Schritte entfernten und dann eine Tür knallte.

Ich öffnete die Augen und sog mit einem wütenden Keuchen die Luft ein. Der Teppichboden erstreckte sich jetzt vertikal vor mir. Ein zerbrochener Teller lag neben meinem Kopf, und Bratensoße tropfte auf den Boden, tränkte den Teppich. Erbsen und ein Reststück Braten waren in den Flor getreten. Die Haustür wurde aufgerissen, knallte dann zu. Schritte auf dem Weg. Ben war gegangen.

Ich atmete aus. Ich schloss die Augen. Ich darf nicht einschlafen, dachte ich. Ich darf nicht.

Ich schlug sie wieder auf. Dunkle Wirbel weit vor mir und der Geruch von wundem Fleisch. Ich schluckte und schmeckte Blut.

Was hab ich getan? Was hab ich getan?

Ich vergewisserte mich, dass er fort war, ging dann nach oben und holte mein Tagebuch hervor. Blut tropfte von meiner geplatzten Lippe auf den Teppich. Ich weiß nicht, was passiert ist. Ich weiß nicht, wo mein Mann ist oder ob er wiederkommen wird oder ob ich das überhaupt will.

Aber ich brauche ihn. Ohne ihn kann ich nicht leben.

Ich habe Angst. Ich will Claire sehen.

Ich höre auf zu lesen und betaste mit einer Hand meine Stirn. Sie ist schmerzempfindlich. Der Bluterguss, den ich heute Morgen gesehen und mit Make-up abgedeckt habe. Ben hatte mich geschlagen. Ich schaue noch einmal auf das Datum. *Freitag, 23. November.* Das war vor einer Woche. Eine ganze Woche habe ich geglaubt, es wäre alles in Ordnung.

Ich stehe auf und blicke in den Spiegel. Der Bluterguss ist noch da, ein schwacher blauer Fleck. Der Beweis, dass das, was ich geschrieben habe, wahr ist. Ich frage mich, welche Lügen ich mir eingeredet habe, um die Verletzung zu erklären, oder welche Lügen er mir eingeredet hat.

Aber jetzt kenne ich die Wahrheit. Ich schaue auf die Tagebuchseiten in meiner Hand, und mit einem Schlag begreife ich. Er hat gewollt, dass ich sie finde. Er weiß, selbst wenn ich sie heute lese, werde ich morgen alles wieder vergessen haben.

Plötzlich höre ich ihn auf der Treppe, und fast zum ersten Mal begreife ich so richtig, dass ich hier bin, in diesem Hotelzimmer. Mit Ben. Mit dem Mann, der mich geschlagen hat. Ich höre den Schlüssel im Schloss.

Ich muss erfahren, was passiert ist, daher stehe ich auf, schiebe rasch die Seiten unters Kopfkissen und lege mich aufs Bett. Als er ins Zimmer tritt, schließe ich die Augen.

»Alles in Ordnung, Schatz?«, fragt er. »Bist du wach?«

Ich schlage die Augen auf. Er steht an der Tür, eine Flasche in der Hand. »Ich konnte nur Sekt auftreiben«, sagt er. »Geht der auch?«

Er stellt die Flasche auf die Kommode und küsst mich. »Ich glaube, ich dusch noch eben«, flüstert er. Er verschwindet im Bad und dreht den Wasserhahn auf.

Als er die Tür geschlossen hat, hole ich die Seiten hervor. Mir bleibt nicht viel Zeit – er braucht höchstens fünf Minuten –, daher muss ich so schnell lesen, wie ich kann. Meine Augen fliegen über die Seiten, erfassen nicht mal alle Wörter, sehen aber genug.

Das war vor zwei Stunden. Ich sitze in der dunklen Diele unseres leeren Hauses, in einer Hand einen Zettel, in der anderen ein Telefon. Tinte auf Papier. Eine verwischte Telefonnummer. Es hat sich niemand gemeldet, trotz des endlos langen Klingelns. Ich frage mich, ob sie ihren Anrufbeantworter ausgestellt hat oder ob das Band voll ist. Ich versuche es erneut. Und noch einmal. Das hab ich schon einmal erlebt. Ich bin in einer Zeitschleife. Claire ist nicht da, um mir zu helfen.

Ich sah in meine Handtasche und fand das Telefon, dass Dr. Nash mir gegeben hatte. Es ist spät, dachte ich. Er ist bestimmt nicht mehr in der Praxis. Er wird mit seiner Freundin zusammen sein, mit ihr den Abend verbringen, wie immer das bei den beiden auch aussehen mag. Was normale Menschen so machen. Ich hab keine Ahnung, was.

Seine Privatnummer stand vorn in meinem Tagebuch. Es klingelte und klingelte und hörte dann einfach auf. Keine Stimme vom Band, die mich bat, es später noch einmal zu versuchen oder eine Nachricht zu hinterlassen. Ich versuchte es erneut. Das Gleiche. Jetzt blieb mir nur noch die Nummer von seiner Praxis.

Ich blieb eine ganze Weile so sitzen. Hilflos. Starrte die Haustür an, einerseits, weil ich hoffte, Bens schemenhafte Gestalt in der Milchglasscheibe auftauchen zu sehen und zu hören, wie er den Schlüssel ins Schloss steckte, andererseits, weil ich genau davor Angst hatte.

Schließlich konnte ich nicht länger warten. Ich ging nach oben und zog mich aus, legte mich dann ins Bett und schrieb das hier. Das Haus ist noch leer. Gleich werde ich dieses Buch zuklappen und es verstecken, dann das Licht ausschalten und schlafen.

Und dann werde ich vergessen, und dieses Tagebuch wird alles sein, das mir bleibt.

Ich blicke ängstlich auf die nächste Seite, fürchte, sie könnte leer sein, aber nein.

Er hat mich am Freitag geschlagen. Zwei Tage, und ich habe nichts geschrieben. Habe ich die ganze Zeit gedacht, es wäre alles in Ordnung?

Mein Gesicht ist grün und blau. Ich muss doch gewusst haben, dass irgendwas nicht stimmt?

Heute hat er gesagt, ich wäre gefallen. Ein abgeschmacktes Klischee, und ich habe ihm geglaubt. Wieso auch nicht? Er hatte mir schon erklären müssen, wer ich bin und wer er ist und wieso ich in einem fremden Haus aufgewacht bin, Jahrzehnte älter, als ich meinte zu sein, warum also sollte ich den Grund, den er mir für mein blaues Auge und meine aufgeplatzte Lippe nannte, in Zweifel ziehen?

Und so tat ich, was ich wohl immer tue. Ich hab ihm einen Kuss gegeben, als er zu Arbeit ging. Ich habe den Frühstückstisch abgeräumt. Ich habe mir ein Bad einlaufen lassen.

Und dann bin ich hier hereingegangen, habe das Tagebuch gefunden und die Wahrheit erfahren.

Eine Lücke. Ich merke, dass ich Dr. Nash nicht erwähnt habe. Hatte er mich im Stich gelassen? Hatte ich das Tagebuch ohne seine Hilfe gefunden?

Oder hatte ich es nicht mehr versteckt? Ich lese weiter.

Später rief ich Claire an. Das Telefon, das Ben mir gegeben hatte, funktionierte nicht – wahrscheinlich war der Akku leer, dachte ich –, und deshalb nahm ich das, das Dr. Nash mir gegeben hatte. Es nahm niemand ab, und so ging ich ins Wohnzimmer. Ich konnte mich nicht entspannen. Ich blätterte ein paar Zeitschriften durch, legte sie wieder weg. Ich schaltete den Fernseher ein und starrte eine halbe Stunde auf den Bildschirm, ohne auch nur wahrzunehmen, was lief. Ich sah in mein Tagebuch, unfähig, mich zu konzentrieren, unfähig, zu schreiben. Ich versuchte es wieder bei Claire, mehrmals, hörte jedes Mal dieselbe Aufforderung, eine Nachricht zu hinterlassen. Kurz nach Mittag ging sie endlich ran.

»Chrissy«, sagte sie. »Wie geht's dir?« Im Hintergrund hörte ich Toby spielen.

»Ganz gut«, sagte ich, obwohl das nicht stimmte.

»Ich wollte dich auch schon anrufen«, sagte sie. »Mir geht's beschissen, und dabei ist erst Montag!«

Montag. Tage bedeuteten mir nichts; jeder schmolz dahin, ohne Unterschied zum vorangegangenen.

»Ich muss dich sehen«, sagte ich. »Kannst du herkommen?«

Sie klang überrascht. »Zu dir nach Hause?«

»Ja«, sagte ich. »Bitte? Ich muss mit dir reden.«

»Ist alles in Ordnung, Chrissy? Hast du den Brief gelesen?«

Ich holte tief Luft, und meine Stimme sank zu einem Flüstern. »Ben hat mich geschlagen.« Ich hörte ein überraschtes Aufkeuchen.

»Was?«

»Neulich Abend. Ich bin grün und blau. Er hat gesagt, ich wäre gestürzt, aber ich hab aufgeschrieben, dass er mich geschlagen hat.«

»Chrissy, Ben würde dich doch niemals schlagen. Nie im Leben. Dazu ist er einfach nicht fähig.«

Zweifel durchströmten mich. War es möglich, dass ich mir das alles ausgedacht hatte?

»Aber ich hab's in mein Tagebuch geschrieben«, sagte ich.

Einen Moment lang sagte sie nichts, dann: »Aber welchen Grund hätte er haben sollen, dich zu schlagen?«

Ich betastete mein Gesicht, spürte die Schwellung um die Augen. Wut flammte in mir auf. Es war klar, dass sie mir nicht glaubte.

Ich dachte daran, was ich geschrieben hatte. »Ich hab ihm von meinem Tagebuch erzählt. Ich hab ihm erzählt, dass ich mich mit dir getroffen habe, und von Dr. Nash. Ich hab ihm erzählt, dass ich von Adam weiß. Ich hab ihm von seinem Brief erzählt, den du mir gegeben hast, dass ich ihn gelesen habe. Und da hat er mich geschlagen.«

»Einfach so?«

Ich dachte an seine üblen Beschimpfungen, seine Verdächtigungen. »Er hat mich als Schlampe bezeichnet.« Ich spürte ein Schluchzen in der Brust aufsteigen. »Er – er hat mich beschuldigt, mit Dr. Nash zu schlafen. Ich hab gesagt, das ist nicht wahr, und dann –«

»Dann?«

»Dann hat er mich geschlagen.«

Schweigen, dann fragte Claire: »Hat er dich vorher schon mal geschlagen?«

Woher sollte ich das wissen? Vielleicht ja? Möglicherweise war Gewalt in unserer Beziehung schon immer an der Tagesordnung. Eine Erinnerung blitzte in mir auf: Claire und ich, auf einer Demo, selbstgemalte Schilder in der Hand – *Frauen, wehrt euch, Schluss mit häuslicher Gewalt*. Ich erinnerte mich, dass ich immer auf Frauen herabgeschaut hatte, die von ihren Männern geschlagen wurden und sie trotzdem nicht verließen. Sie waren schwach, fand ich. Schwach und dumm.

War es möglich, dass ich in dieselbe Falle getappt war wie sie?

»Ich weiß nicht«, sagte ich.

»Ich kann mir zwar nicht vorstellen, dass Ben gewalttätig wird, aber unmöglich ist es wohl nicht. Menschenskind! Sogar mir hat er früher oft Schuldgefühle eingeredet. Erinnerst du dich?«

»Nein«, sagte ich. »Nein. Ich erinnere mich an gar nichts.«

»Scheiße«, sagte sie. »Entschuldige. Hatte ich vergessen. Es ist einfach so schwer vorstellbar. Er hat mich damals davon überzeugt, dass Fische genauso ein Recht auf Leben haben wie Tiere mit Beinen. Er hat ja nicht mal Spinnen getötet!«

Der Wind lässt die Vorhänge wehen. In der Ferne höre ich einen Zug. Gekreische vom Pier. Unten auf der Straße ruft jemand »Verdammte Scheiße!«, und ich höre, wie Glas klirrend zerspringt. Ich will nicht weiterlesen, aber ich weiß, ich muss.

Ein Frösteln durchlief mich. »Ben war Vegetarier?«

»Veganer«, erwiderte sie lachend. »Sag nicht, das hast du nicht gewusst?«

Ich dachte an den Abend, als er mich geschlagen hatte. *Ein Stück Fleisch*, hatte ich geschrieben, *Erbsen, die in dünner Soße schwammen.*

Ich ging ans Fenster. »Ben isst Fleisch …«, sagte ich mit leiser Stimme. »Er ist kein Vegetarier … Jedenfalls nicht mehr. Vielleicht hat er seine Überzeugung geändert?«

Wieder langes Schweigen.

»Claire?« Sie sagte nichts. »Claire? Bist du noch dran?«

»Okay«, sagte sie. Sie klang jetzt wütend. »Ich ruf ihn sofort an. Ich klär das. Wo ist er?«

Ich antwortete, ohne nachzudenken. »In der Schule, vermute ich. Er hat gesagt, er ist nicht vor fünf zu Hause.«

»In der Schule?«, sagte sie. »Meinst du die Uni? Hat er jetzt eine Dozentenstelle?«

Furcht erwachte in mir. »Nein«, sagte ich. »Er unterrichtet an einer Schule hier in der Nähe. Ich hab den Namen vergessen.«

»Er ist Lehrer?«

»Ja. Fachbereichsleiter für Chemie, hat er gesagt, glaub ich.« Ich fühlte mich schuldig, weil ich nicht wusste, was genau mein Mann beruflich macht, mich nicht erinnern konnte, womit er das Geld verdient, von dem wir uns dieses Haus leisten können. »Ich weiß nicht mehr.«

Ich blickte auf und sah mein verquollenes Gesicht in dem Fenster vor mir. Das Schuldgefühl verflog.

»An welcher Schule?«, fragte sie.

»Keine Ahnung«, sagte ich. »Ich glaube, das hat er mir nicht erzählt.«

»Was denn? Nie?«

»Heute Morgen nicht, nein«, sagte ich. »Für mich ist das so gut wie nie.«

»Entschuldige, Chrissy. Ich wollte dich nicht ärgern. Es ist bloß, na ja –« Ich spürte, dass sie sich irgendetwas anders überlegte, den Satz abbrach. »Könntest du rausfinden, wie die Schule heißt?«

Ich dachte an das Arbeitszimmer oben. »Ich glaub schon. Wieso?«

»Ich würde Ben gern anrufen, mich vergewissern, dass er nach Hause kommt, wenn ich heute Nachmittag da bin. Ich will die Fahrt ja nicht umsonst machen!«

Ich hörte den aufgesetzt heiteren Tonfall in ihrer Stimme, sprach sie aber nicht darauf an. Ich hatte das Gefühl, die Kontrolle verloren zu haben, wusste nicht, was das Beste war, was ich tun sollte, und daher beschloss ich, mich meiner Freundin zu überlassen. »Ich seh mal nach«, sagte ich.

Ich ging nach oben. Das Arbeitszimmer war aufgeräumt, Unterlagen ordentlich auf dem Schreibtisch sortiert. Ich brauchte nicht lange, um ein Blatt mit einem Briefkopf zu finden, eine Einladung zu einem Elternabend, der inzwischen stattgefunden hatte.

»Die Schule heißt St. Anne«, sagte ich. »Willst du die Telefonnummer?« Sie sagte, sie würde sie selbst rausfinden.

»Ich ruf dich zurück«, sagte sie. »Ja?«

Wieder durchzuckte mich Panik. »Was willst du ihm sagen?«, fragte ich.

»Ich klär die Sache«, sagte sie. »Vertrau mir, Chrissy. Es muss eine Erklärung geben. Okay?«

»Ja«, sagte ich und legte auf. Ich setzte mich, mir zitterten die Beine. Was, wenn mein erster Verdacht richtig gewesen war? Was, wenn Claire und Ben noch immer miteinander schliefen?

Vielleicht rief sie ihn jetzt an, um ihn zu warnen. *Sie ahnt was,* sagte sie vielleicht zu ihm. *Sei vorsichtig.*

Ich erinnerte mich an einen früheren Eintrag in meinem Tagebuch. Dr. Nash hatte mir gesagt, dass ich einmal Symptome von Paranoia gezeigt hatte. *Sie dachten, die Ärzte hätten sich gegen Sie verschworen,* hatte er gesagt. *Eine Neigung zu konfabulieren. Sachen zu erfinden.*

Was, wenn das gerade wieder passiert? Was, wenn ich das jetzt erfinde, alles? Alles in meinem Tagebuch könnte Phantasie sein. Paranoia.

Ich dachte daran, was Dr. Wilson gesagt hatte, als ich mit Dr. Nash zu Besuch in der Klinik war. *Sie waren gelegentlich gewalttätig.* Ben hatte in seinem Brief Ähnliches beschrieben. Mir kam der Gedanke, dass ich selbst es gewesen sein könnte, die den Streit am Freitagabend angefangen hatte. Hatte ich Ben zuerst geschlagen? Vielleicht hatte er zurückgeschlagen, und ich hatte dann oben im Bad zum Stift gegriffen und mir eine Erklärung zusammenphantasiert, die mich in ein besseres Licht rückte.

Was, wenn dieses Tagebuch nichts anderes beweist, als dass sich mein Zustand wieder verschlechtert? Dass ich auf dem besten Weg zurück ins Waring House bin?

Mich fröstelte. Ich war plötzlich der festen Überzeugung, dass Dr. Nash deshalb mit mir dorthin wollte. Um mich auf meine erneute Einweisung vorzubereiten.

Jetzt kann ich nur auf Claires Rückruf warten.

Eine weitere Lücke. Ist es jetzt so weit, denke ich? Hat Ben vor, mich zurück ins Waring House zu bringen? Ich werfe einen Blick zur Badezimmertür. Das werde ich nicht zulassen.

Es gibt noch einen letzten Eintrag, den ich später am selben Tag geschrieben habe. **Montag, 26. November.** Ich habe auch die Uhrzeit notiert. **18.55.**

Claire rief keine halbe Stunde später an. Und jetzt schwankt mein Verstand hin und her, pendelt von einem Gedanken zum anderen und dann wieder zurück. *Ich weiß, was ich tun muss. Ich weiß nicht, was ich tun muss. Ich weiß, was ich tun muss.* Aber es gibt auch noch einen dritten Gedanken. Mit einem Schauder erkenne ich die Wahrheit: *Ich bin in Gefahr.*

Ich schlage die erste Seite dieses Tagebuchs auf, will VER-TRAUE BEN NICHT hinschreiben, doch wie ich sehe, steht es da bereits.

Ich erinnere mich nicht, es geschrieben zu haben. Aber ich erinnere mich ja auch an sonst nichts.

Eine Lücke, und dann geht es weiter.

Sie klang zögerlich, als sie zurückrief.

»Chrissy«, sagte sie. »Hör gut zu.«

Ihr Ton machte mir Angst. Ich setzte mich. »Was ist?«

»Ich hab in Bens Schule angerufen.«

Ich hatte das überwältigende Gefühl, auf einer außer Kontrolle geratenen Fahrt zu sein, von Stromschnellen mitgerissen zu werden. »Was hat er gesagt?«

»Ich hab nicht mit ihm gesprochen. Ich wollte mich bloß vergewissern, ob er da arbeitet.«

»Wieso?«, sagte ich. »Vertraust du ihm nicht?«

»Er hat auch schon in anderer Hinsicht gelogen.«

Das musste ich zugeben. »Aber wieso sollte er mir erzählen, er würde irgendwo arbeiten, wenn das gar nicht stimmt?«, sagte ich.

»Ich war einfach überrascht, dass er an einer Schule arbeitet. Du weißt, dass er Architekt ist? Als ich zuletzt mit ihm gesprochen habe, hatte er vor, ein eigenes Büro aufzumachen. Ich fand es einfach ein bisschen merkwürdig, dass er jetzt angeblich als Lehrer arbeitet.«

»Was haben sie an der Schule gesagt?«

»Sie meinten, sie könnten ihn nicht stören. Er wäre im Unterricht.« Ich war erleichtert. Wenigstens das mit der Schule war nicht gelogen.

»Er muss sich neu orientiert haben«, sagte ich. »Beruflich.«

»Chrissy? Ich hab denen gesagt, ich wollte ihm ein paar Unterlagen zuschicken. Einen Brief. Und ob ich ihn zu seinen Händen schicken sollte, als Fachbereichsleiter für Chemie.«

»Und?«, sagte ich.

»Er ist nicht Fachbereichsleiter für Chemie. Er ist nicht mal richtiger Lehrer. Sie haben gesagt, er wäre Laborassistent.«

Ich spürte einen Ruck, der durch meinen ganzen Körper ging. Vielleicht schnappte ich nach Luft; ich erinnere mich nicht.

»Bist du sicher?«, fragte ich. Meine Gedanken überschlugen sich auf der hektischen Suche nach einem Grund für diese neue Lüge. War es ihm möglicherweise peinlich? Fürchtete er, ich würde ihn weniger achten, wenn ich wüsste, dass er kein erfolgreicher Architekt mehr war, sondern Laborassistent an einer Mittelschule? Hielt er mich wirklich für so oberflächlich, dass ich ihn weniger oder mehr lieben würde, je nachdem, was er beruflich machte?

Und dann verstand ich.

»O Gott«, sagte ich. »Es ist meine Schuld!«

»Nein!«, sagte sie. »Es ist nicht deine Schuld!«

»Doch!«, sagte ich. »Es liegt an der Belastung, sich ständig um mich kümmern zu müssen. Sich dauernd mit mir auseinandersetzen zu müssen, tagein, tagaus. Er muss nervlich am Ende sein. Vielleicht weiß er selbst nicht mehr, was wahr ist und was nicht.« Mir kamen die Tränen. »Es muss unerträglich sein«, sagte ich. »Sogar die Trauer muss er ganz allein bewältigen, jeden Tag.«

Es wurde still in der Leitung, und dann sagte Claire: »Trauer? Was für Trauer?«

»Adam«, sagte ich. Es war eine Qual für mich, seinen Namen auszusprechen.

»Was ist mit Adam?«

Da begriff ich. Die Erkenntnis brach wild über mich herein, wie aus dem Nichts. *O Gott*, dachte ich. *Sie weiß es nicht. Ben hat ihr nichts gesagt.*

»Er ist tot«, sagte ich.

Sie keuchte auf. »Tot? Wann? Wie?«

»Ich weiß nicht genau wann«, sagte ich. »Ich glaube, Ben hat gesagt, letztes Jahr. Er wurde im Krieg getötet.«

»Im Krieg? Was für ein Krieg?«

»Afghanistan?«

Und dann sagte sie es. »Chrissy, was soll er denn in Afghanistan gemacht haben?« Ihre Stimme klang seltsam. Fast erfreut.

»Er war in der Army«, erwiderte ich, doch noch während ich es aussprach, bezweifelte ich selbst, was ich da sagte. Es war, als würde ich mir endlich etwas eingestehen, was ich die ganze Zeit geahnt hatte. Ich hörte Claire schnauben, beinahe so, als fände sie etwas amüsant. »Chrissy«, sagte sie. »Chrissy, Schätzchen. Adam war nicht in der Army. Er war nie in Afghanistan. Er lebt in Birmingham, mit einer Frau namens Helen. Er ist in der Computerbranche. Er hat mir nicht verziehen, aber ich rufe ihn trotzdem von Zeit zu Zeit an. Es wäre ihm wahrscheinlich lieber, wenn ich es nicht täte, aber ich bin seine Patentante, erinnerst du dich?« Ich brauchte einen Moment, bis ich merkte, dass sie das Präsens benutzte, und im selben Augenblick sagte sie es.

»Ich hab ihn letzte Woche nach unserem Treffen angerufen«, sagte sie. Jetzt lachte sie fast. »Er war nicht da, aber ich hab mit Helen gesprochen. Sie hat gesagt, sie würde ihn bitten, mich rückzurufen. Adam lebt.«

Ich höre auf zu lesen. Ich fühle mich leicht. Leer. Mir ist, als könnte ich einfach umfallen oder davonschweben. Darf ich das glauben? Will ich es glauben? Ich stütze mich an der Kommode ab und lese weiter, nehme nur vage wahr, dass ich die Dusche im Bad nicht mehr laufen höre.

Ich muss gestolpert sein, hielt mich an einem Stuhl fest. »Er lebt?« Mir drehte sich der Magen um, ich erinnere mich, wie mir Galle in die Kehle stieg und ich sie runterschlucken musste. »Er lebt wirklich?«

»Ja«, sagte sie. »Ja!«

»Aber —«, stammelte ich. »Aber — ich hab eine Zeitung gesehen. Einen Ausschnitt. Da stand, dass er getötet wurde.«

»Der kann nicht echt gewesen sein, Chrissy«, sagte sie. »Unmöglich. Er lebt.«

Ich wollte etwas sagen, doch in diesem Moment traf mich alles auf einmal, jede Emotion verwoben mit jeder anderen. Freude. Ich erinnere mich an Freude. Das pure Glück zu wissen, dass Adam lebt, perlte auf meiner Zunge, wenn auch vermischt mit dem bitteren, beißenden Beigeschmack der Furcht. Ich dachte an meine Prellungen, die davon zeugten, mit welcher Brutalität Ben mich geschlagen haben musste. Vielleicht misshandelt er mich nicht nur körperlich, vielleicht macht er sich an manchen Tagen einen Spaß daraus, mir zu erzählen, dass mein Sohn tot ist, damit er mit ansehen kann, welchen Schmerz der Gedanke mir bereitet. War vielleicht auch denkbar, dass er mir an anderen Tagen, an denen ich mich daran erinnere, schwanger gewesen zu sein oder ein Kind geboren zu haben, lediglich erzählt, dass Adam weggezogen ist, im Ausland arbeitet, auf der anderen Seite der Stadt wohnt?

Und falls ja, wieso findet sich dann von diesen alternativen Wahrheiten keine einzige in meinem Tagebuch?

Bilder kamen mir in den Sinn, von Adam, wie er jetzt sein könnte, Bruchstücke von Szenen, die ich vielleicht verpasst hatte, doch ich konnte nichts davon länger festhalten. Jedes Bild glitt durch mich hindurch und war gleich darauf verschwunden. Das Einzige, was ich denken konnte, war, dass er am Leben ist. Am Leben. Mein Sohn ist am Leben. Ich kann mich mit ihm treffen.

»Wo ist er?«, fragte ich. »Wo ist er? Ich will ihn sehen!«

»Chrissy«, sagte Claire. »Bleib ganz ruhig.«

»Aber —«

»Chrissy!«, fiel sie mir ins Wort. »Ich komme zu dir. Bleib, wo du bist.«

»Claire! Sag mir, wo er ist!«

»Ich mach mir wirklich Sorgen um dich, Chrissy. Bitte —«

»Aber —«

Sie wurde laut. »Chrissy, beruhige dich!«, sagte sie, und dann drang eine Erkenntnis durch den Nebel meiner Verwirrung: Ich bin hysterisch. Ich atmete durch und versuchte, mich wieder zu fangen, als Claire weitersprach.

»Wie gesagt, Adam lebt in Birmingham«, sagte sie.

»Aber er muss doch wissen, wo ich jetzt wohne«, sagte ich. »Warum kommt er mich nicht besuchen?«

»Chrissy …«, setzte sie an.

»Warum? Warum besucht er mich nicht? Versteht er sich nicht gut mit Ben? Kommt er deshalb nicht her?«

»Chrissy«, sagte sie mit sanfter Stimme. »Birmingham ist ganz schön weit weg. Er hat viel zu tun …«

»Du meinst —«

»Vielleicht kann er nicht so oft nach London kommen?«

»Aber —«

»Chrissy. Du denkst, Adam kommt nie zu Besuch. Aber das kann ich mir nicht vorstellen. Vielleicht kommt er ja, wenn er Zeit hat.«

Ich verstummte. Das ergab alles keinen Sinn. Doch sie hatte recht. Ich führe erst seit zwei Wochen Tagebuch. Davor könnte alles Mögliche passiert sein.

»Ich muss ihn sehen«, sagte ich. »Ich will ihn sehen. Meinst du, das ließe sich arrangieren?«

»Ich wüsste nicht, was dagegenspräche. Aber wenn Ben dir wirklich weismacht, dass Adam tot ist, sollten wir erst mal mit ihm reden.«

Natürlich, dachte ich. Aber was wird er sagen? Er denkt, dass ich ihm seine Lügen noch immer glaube.

»Er müsste bald hier sein«, sagte ich. »Kommst du trotzdem her? Hilfst du mir, die Sache zu klären?«

»Ja klar«, sagte sie. »Ja klar. Ich weiß nicht, was los ist. Aber wir reden mit Ben. Versprochen. Ich komme jetzt sofort.«

»Sofort? Auf der Stelle?«

»Ja. Ich mach mir Sorgen, Chrissy. Irgendwas stimmt da nicht.«

Ihr Ton beunruhigte mich, aber gleichzeitig war ich erleichtert und aufgeregt bei dem Gedanken, meinen Sohn vielleicht schon bald treffen zu können. Ich wollte ihn sehen, ein Foto von ihm sehen, auf der Stelle. Ich erinnerte mich, dass wir kaum welche hatten und die wenigen, die wir hatten, weggeschlossen waren. Ein Verdacht nahm Gestalt an.

»Claire«, sagte ich. »Hat es bei uns mal gebrannt?«

»Gebrannt?« Sie klang verwirrt.

»Ja. Wir haben kaum Fotos von Adam. Und so gut wie keine von unserer Hochzeit. Ben hat gesagt, wir haben sie bei einem Hausbrand verloren.«

»Ein Hausbrand?«, sagte sie. »Was für ein Hausbrand?«

»Ben sagt, in einem früheren Haus von uns hat es mal gebrannt. Wir haben eine ganze Menge Sachen verloren.«

»Wann?«

»Ich weiß nicht. Vor Jahren.«

»Und du hast keine Fotos von Adam?«

Ich merkte, dass ich ungehalten wurde. »Doch, wir haben ein paar. Aber nicht viele. Auf den meisten ist er noch ein Baby. Ein Kleinkind. Und es gibt keine Urlaubsfotos, nicht mal von unseren Flitterwochen. Oder von irgendeinem Weihnachtsfest. Nichts dergleichen.«

»Chrissy«, sagte sie. Ihre Stimme war jetzt leise, bedächtig. Ich meinte, etwas darin mitschwingen zu hören, ein neues Gefühl. Furcht. »Beschreib mir Ben mal.«

»Was?«

»Beschreib ihn mir. Ben. Wie sieht er aus?«

»Was ist mit dem Feuer?«, fragte ich. »Nun sag schon.«

»Es hat kein Feuer gegeben«, sagte sie.

»Aber ich hab aufgeschrieben, dass ich mich daran erinnert habe«, sagte ich. »Eine Fritteuse. Das Telefon hat geklingelt …«

»Das musst du dir eingebildet haben«, sagte sie.

»Aber –«

Ich spürte ihre Unruhe. »Chrissy! Es hat bei euch nicht gebrannt. Jedenfalls nicht vor Jahren. Das hätte Ben mir erzählt. So, und jetzt beschreib mir Ben. Wie sieht er aus? Ist er groß?«

»Nicht besonders.«

»Schwarzes Haar?«

Mein Kopf war plötzlich wie leergefegt. »Ja. Nein. Ich weiß nicht. Er wird langsam grau. Er hat einen Bauch, glaube ich. Vielleicht auch nicht.« Ich stand auf. »Ich muss mir ein Foto von ihm ansehen.« Ich ging nach oben. Da waren sie, rings um den Spiegel geklebt. Ich und mein Mann. Glücklich. Zusammen.

»Sein Haar wirkt bräunlich«, sagte ich. Ich hörte einen Wagen vor dem Haus halten.

»Bist du sicher?«

»Ja«, sagte ich. Der Motor wurde abgestellt, die Tür schlug. Ein helles Piepsen. Ich senkte die Stimme. »Ich glaube, Ben ist da.«

»Scheiße«, sagte Claire. »Schnell. Hat er eine Narbe?«

»Eine Narbe?«, sagte ich. »Wo?«

»Im Gesicht, Chrissy. Eine Narbe, auf einer Wange. Er hatte einen Unfall. Beim Felsklettern.«

Ich überflog die Fotos, blieb an dem hängen, auf dem mein Mann und ich in unseren Morgenmänteln an einem Frühstückstisch sitzen. Er lächelt glücklich, doch abgesehen von einem Bartschatten sind seine Wangen makellos. Blanke Angst packte mich.

Ich hörte die Haustür aufgehen. Eine Stimme. »Christine! Schatz! Ich bin wieder da!«

»Nein«, sagte ich. »Nein, er hat keine.«

Ein Laut. Irgendwo zwischen Keuchen und Stöhnen.

»Der Mann, mit dem du zusammenlebst«, sagte Claire. »Ich weiß nicht, wer er ist. Aber er ist nicht Ben.«

Entsetzen packt mich. Ich höre die Klospülung, doch ich kann nicht anders, ich muss weiterlesen.

Ich weiß nicht, was dann passierte. Ich kann es nicht zusammenfügen. Claire sagte: »Verdammt!«, schrie es fast, wieder und wieder. In meinem Kopf drehte sich alles vor Panik. Ich hörte, wie die Haustür geschlossen wurde, das Klicken des Schlosses.

»Ich bin im Bad«, rief ich dem Mann zu, den ich für meinen Ehemann gehalten hatte. Meine Stimme klang brüchig. Verzweifelt. »Ich bin gleich unten.«

»Ich komme zu dir«, sagte Claire. »Ich hol dich da raus.«

»Ist alles in Ordnung, Schatz?«, rief der Mann, der nicht Ben ist. Ich hörte seine Schritte auf der Treppe, und mir fiel ein, dass ich die Badezimmertür nicht abgeschlossen hatte. Ich senkte die Stimme.

»Er ist da«, sagte ich. »Komm morgen. Wenn er in der Schule ist. Ich packe meine Sachen. Ich ruf dich an.«

»Scheiße«, sagte sie. »Okay. Aber schreib alles in dein Tagebuch. Schreib es auf, sobald du kannst. Vergiss es nicht.«

Ich dachte an mein Tagebuch, das im Kleiderschrank versteckt war. Ich muss die Ruhe bewahren, dachte ich. Ich muss so tun, als wenn nichts wäre, zumindest bis ich es holen und aufschreiben kann, in was für einer Gefahr ich bin.

»Hilf mir«, sagte ich. »Hilf mir.«

Ich legte auf, als er die Badezimmertür aufdrückte.

* * *

Damit endet der Eintrag. Hektisch blättere ich die restlichen Seiten durch, aber sie sind leer, nur von den blassblauen Linien durchzogen, und warten auf die Fortsetzung meiner Geschichte. Doch sie geht nicht weiter. Ben hatte das Tagebuch gefunden, die Seiten entfernt, und Claire war nicht gekommen, um mich zu holen. Als Dr. Nash das Tagebuch dann mitnahm – das muss am Dienstag gewesen sein –, wusste ich nicht, dass etwas nicht stimmte.

Mit einem Schlag sehe ich alles, begreife, was mich an der Tafel in der Küche so irritiert hat. Die Handschrift. Die akkuraten, gleichmäßigen Großbuchstaben sahen ganz anders aus als die schwer leserliche Schrift in dem Brief, den Claire mir gegeben hatte. Irgendwo, tief in meinem Innern, hatte ich da gewusst, dass sie nicht von derselben Person stammen konnten.

Ich blicke auf. Ben, das heißt, der Mann, der sich als Ben ausgibt, ist aus der Dusche gekommen. Er steht im Türrahmen, gekleidet wie zuvor, und betrachtet mich. Ich weiß nicht, wie lange er schon da steht und mich beim Lesen beobachtet. In seinen Augen liegt lediglich eine Art ausdruckslose Leere, als würde ihn das, was er sieht, kaum interessieren, als würde es ihn nichts angehen.

Ich höre, wie ich nach Luft schnappe. Ich lasse die Blätter fallen. Lose verteilen sie sich auf dem Fußboden. »Wer bist du?«, frage ich. »Wer?« Er sagt nichts. Er blickt auf die Blätter vor mir. »Antworte!«, sage ich. In meiner Stimme liegt eine Autorität, die ich gar nicht empfinde.

Mir dreht sich alles im Kopf, während ich überlege, wer er sein könnte. Vielleicht jemand aus der Einrichtung, in der ich zuletzt untergebracht war. Ein Patient? Nichts ergibt einen Sinn. Ich spüre, wie Panik in mir erwacht, als mir ein anderer Gedanke kommt, der aber gleich wieder verschwindet.

Dann sieht er mir in die Augen. »Ich bin Ben«, sagt er. Er spricht langsam, als würde er mir eine Selbstverständlichkeit erklären. »Ben. Dein Mann.«

Ich rutsche über den Boden von ihm weg, versuche mit aller Kraft, mich daran zu erinnern, was ich gelesen habe, was ich weiß.

»Nein«, sage ich, und dann noch einmal, lauter: »Nein!«

Er kommt näher. »Doch, das bin ich, Christine. Und das weißt du.«

Angst überkommt mich. Panik. Sie hebt mich hoch, hält mich in der Schwebe und wirft mich dann zurück in ihr eigenes Grauen. Claires Worte kommen mir wieder in den Sinn. *Er ist nicht Ben.* Und dann geschieht etwas Seltsames. Ich merke, dass ich mich nicht erinnere, gelesen zu haben, dass sie die Worte gesagt hat, ich erinnere mich an die Situation selbst. Ich kann mich an die Bestürzung in ihrer Stimme erinnern, daran, dass sie mehrmals *Verdammt* sagte, nachdem sie mir gesagt hatte, was ihr klargeworden war: *Er ist nicht Ben.*

Ich erinnere mich.

»Das stimmt nicht«, sage ich. »Du bist nicht Ben. Claire hat es mir erzählt! Wer bist du?«

»Erinnerst du dich nicht an die Fotos, Christine? Die Fotos rings um den Badezimmerspiegel? Moment, ich hab sie mitgebracht, um sie dir zu zeigen.«

Er macht einen Schritt auf mich zu und greift dann nach seiner Tasche auf dem Fußboden neben dem Bett. Er holt ein paar wellige Fotos hervor. »Schau mal!«, sagt er, und als ich den Kopf schüttele, nimmt er das erste, wirft einen kurzen Blick darauf und hält es mir hin.

»Das sind wir«, sagt er. »Schau mal. Du und ich.« Auf dem Foto sitzen wir in einer Art Boot, auf einem Fluss oder Kanal. Hinter uns dunkles, trübes Wasser, und im Hintergrund ist unscharf Schilf zu erkennen. Wir sehen beide jung aus, die Haut glatt, wo sie jetzt schlaff ist, die Augen ohne Krähenfüße und ganz groß vor Glück. »Verstehst du nicht?«, sagt er. »Sieh hin! Das sind wir. Du und ich. Vor Jahren. Wir sind seit Jahren ein Paar, Chris. Seit vielen Jahren.«

Ich konzentriere mich auf das Foto. Bilder steigen in mir auf. Wir beide an einem sonnigen Nachmittag. Wir hatten ein Boot gemietet, irgendwo. Ich weiß nicht, wo.

Er hält mir ein weiteres Foto hin. Jetzt sind wir deutlich älter. Wir stehen vor einer Kirche. Der Tag ist verhangen, und er trägt einen Anzug und schüttelt einem Mann, ebenfalls im Anzug, die Hand. Ich habe einen Hut auf, mit dem ich anscheinend so meine Mühe habe; ich halte ihn fest, als hätte ich Angst, er könnte mir vom Kopf geweht werden. Ich schaue nicht in die Kamera.

»Das war erst vor ein paar Wochen«, sagt er. »Freunde hatten uns zur Hochzeit ihrer Tochter eingeladen. Erinnerst du dich?«

»Nein«, sage ich schroff. »Nein, ich erinnere mich nicht.«

»Es war ein schöner Tag«, sagt er und dreht das Foto wieder zu sich um, damit er es sich anschauen kann. »Richtig schön –«

Ich erinnere mich, gelesen zu haben, was Claire gesagt hatte, als ich ihr von dem ausgeschnittenen Zeitungsartikel über Adams Tod erzählte. *Der kann nicht echt gewesen sein.*

»Zeig mir eins von Adam«, sage ich. »Na los! Zeig mir ein einziges Foto von ihm.«

»Adam ist tot«, sagt er. »Als Soldat gefallen. Er ist als Held –«

Ich schreie: »Du wirst doch wohl ein Foto von ihm haben! Zeig's mir!«

Er holt das Foto von Adam mit Helen hervor. Dasjenige, das ich bereits gesehen habe. Wut kocht in mir hoch. »Zeig mir ein Foto von Adam, auf dem du auch drauf bist. Bloß eins. Du musst doch eins haben. Wenn du sein Vater bist!«

Er sieht die Fotos in seiner Hand durch, und ich denke, dass er tatsächlich eines von ihnen beiden zutage fördern wird, aber nein. Er lässt die Arme sinken. »Ich hab keins dabei«, sagt er. »Die müssen zu Hause sein.«

»Du bist nicht sein Vater, oder?«, sage ich. »Welcher Vater hätte keine Fotos von sich zusammen mit seinem Sohn?« Seine Augen verengen sich, wie vor Zorn, aber ich kann mich nicht bremsen. »Und was für ein Vater würde seiner Frau weismachen, ihr Sohn wäre tot, wenn das gar nicht stimmt? Gib's zu! Du bist nicht Adams Vater! Du bist nicht Ben.« Und als ich den Namen ausspreche, erscheint ein Bild vor meinem inneren Auge. Ein Mann mit einer schmalen, dunklen Brille und schwarzem Haar. *Ben.* Ich sage seinen Namen erneut, als wollte ich mir das Bild ins Gehirn einbrennen. »Ben.«

Der Name zeigt Wirkung bei dem Mann, der da vor mir steht. Er sagt etwas, aber so leise, dass ich es nicht verstehe, und daher bitte ich ihn, es zu wiederholen. »Du brauchst Adam nicht«, sagt er.

»Was?«, sage ich, und er spricht mit mehr Nachdruck, blickt mir direkt in die Augen.

»Du brauchst Adam nicht. Du hast jetzt mich. Wir sind ein Paar. Du brauchst Adam nicht. Du brauchst Ben nicht.«

Als er das sagt, spüre ich, wie mich all meine Kraft verlässt und er dadurch an Kraft zu gewinnen scheint. Er lächelt.

»Reg dich nicht auf«, sagt er strahlend. »Was soll's? Ich liebe dich. Das ist das Einzige, was zählt. Hab ich recht? Ich liebe dich, und du liebst mich.«

Er geht in die Hocke, streckt mir seine Hände hin. Er lächelt, als wäre ich ein Tier, das er aus der Höhle zu locken versucht, in die es sich verkrochen hat.

»Na komm«, sagt er. »Komm zu mir.«

Ich weiche weiter zurück, rutsche auf dem Hintern, bis ich gegen etwas Hartes stoße und den warmen, leicht klebrigen Heizkörper im Rücken spüre. Ich registriere, dass ich unter dem Fenster am hinteren Ende des Raumes bin. Er kommt langsam näher.

»Wer bist du?«, sage ich wieder, mit bemüht ruhiger, gelassener Stimme. »Was willst du?«

Er verharrt, hockt sich vor mich. Wenn er eine Hand ausstrecken würde, könnte er meinen Fuß berühren, mein Knie. Wenn er näher käme, könnte ich ihm einen Tritt versetzen, falls nötig, aber ich bin nicht sicher, ob ich richtig treffen würde, und außerdem bin ich barfuß.

»Was ich will?«, sagt er. »Ich will gar nichts. Ich will bloß, dass wir glücklich sind, Chris. Wie früher. Erinnerst du dich?«

Schon wieder dieses Wort. *Erinnern*. Einen Moment lang denke ich, er meint das sarkastisch.

»Ich weiß nicht, wer du bist«, sage ich, nahezu hysterisch. »Wie soll ich mich da erinnern können? Ich hab dich noch nie gesehen!«

Da erstirbt sein Lächeln. Ich sehe, wie sein Gesicht vor Schmerz in sich zusammenfällt. Für einen Moment entsteht ein Schwebezustand, als ob das Gleichgewicht der Kräfte sich von ihm zu mir verschiebt und für einen Sekundenbruchteil zwischen uns ausgewogen ist.

Dann löst er sich aus seiner Starre. »Aber du liebst mich«, sagt er. »Ich habe es gelesen, in deinem Tagebuch. Da steht, dass du mich liebst. Du willst, dass wir zusammen sind, das weiß ich. Wieso kannst du dich daran nicht erinnern?«

»Mein Tagebuch!«, sage ich. Ich weiß, dass er davon gewusst haben muss – wie hätte er sonst die entscheidenden Seiten heraustrennen können? –, doch mir wird klar, dass er es schon eine Weile gelesen haben muss, zumindest seit ich ihm vor einer Woche davon erzählt habe. »Wie lange hast du mein Tagebuch gelesen?«

Er scheint mich nicht gehört zu haben. Er hebt die Stimme, fast triumphierend. »Sag mir, dass du mich nicht liebst«, fordert er mich auf. Ich sage nichts. »Siehst du? Du kannst es nicht, oder? Du kannst es nicht sagen. Weil du mich liebst. Du hast mich immer geliebt, Chris. Immer.«

Er lässt sich nach hinten sinken, und jetzt sitzen wir beide auf dem Boden, einander gegenüber. »Ich weiß noch, wie wir uns kennengelernt haben«, sagt er. Ich denke daran, was er mir erzählt hat – verschütteter Kaffee in der Unibibliothek –, und frage mich, was jetzt kommt.

»Du hast an irgendwas gearbeitet. Du bist jeden Tag in dasselbe Café gegangen. Du hast immer am Fenster gesessen, an demselben Tisch. Manchmal hattest du ein Kind dabei, aber meistens nicht. Du hattest immer ein aufgeschlagenes Notizbuch vor dir liegen, entweder hast du was geschrieben oder bloß aus dem Fenster gestarrt. Ich fand dich so schön. Ich bin immer an dir vorbeigegangen, jeden Tag, auf dem Weg zum Bus, und irgendwann hab ich mich richtig auf den Nachhauseweg gefreut, weil ich dann einen kurzen Blick auf dich werfen konnte. Ich hab immer versucht, mir vorzustellen, was du wohl anhaben würdest oder ob du das Haar nach hinten gebunden oder offen tragen würdest oder ob du was essen würdest, ein Stück Torte oder ein Sandwich. Manchmal hattest du ein Stück Kuchen vor dir stehen, manchmal bloß einen Teller voll Krümel oder auch gar nichts, bloß eine Tasse Tee.«

Er lacht, schüttelt traurig den Kopf, und ich erinnere mich, dass Claire mir von dem Café erzählt hat, und weiß, dass er die Wahrheit sagt. »Ich bin jeden Tag immer genau um die gleiche Zeit an dem Café vorbeigegangen«, sagt er, »und ich bin einfach nicht dahintergestiegen, wie du entschieden hast, wann du was isst. Zuerst dachte ich, es würde vom Wochentag abhängen, aber da konnte ich kein Muster feststellen, und dann dachte ich, es hätte vielleicht mit dem Datum zu tun. Aber auch das kam nicht hin. Ich hab mich gefragt, um welche Uhrzeit genau du dir was zu essen bestellt. Ich dachte, das hätte vielleicht damit zu tun, um welche Uhrzeit du im Café ankamst, also hab ich angefangen, etwas früher Feierabend zu machen und mich zu beeilen, damit ich mitkriegte, wann du kamst. Und dann, eines Tages, warst du nicht da. Ich hab gewartet, bis ich dich die Straße runterkommen sah. Du hast einen Buggy geschoben, und als du am Eingang vom Café warst, hattest du Probleme, durch die Tür zu kommen. Du sahst so hilflos aus, kamst nicht vor und zurück, und da bin ich ganz spontan über die Straße und hab dir die Tür aufgehalten. Und du hast mich angelächelt und gesagt: ›Herzlichen Dank.‹ Du sahst wunderschön aus, Christine. Ich wollte dich auf der Stelle küssen, aber das ging natürlich nicht, und damit du nicht dachtest, ich wäre nur deshalb über die Straße gelaufen, um dir zu helfen, bin ich mit ins Café und hab mich hinter dich in die Schlange an der Theke gestellt. Du hast mich angesprochen, während wir gewartet haben. ›Ganz schön viel los heute, was?‹, hast du gesagt, und ich hab gesagt: ›Ja‹, obwohl für die Tageszeit eigentlich nicht besonders viel los war. Ich wollte einfach nur weiter mit dir reden. Ich hab mir einen Tee bestellt und denselben Kuchen wie du, und ich hatte vor, dich zu fragen, ob ich mich zu dir setzen kann, aber als ich meine Bestellung bekam, warst du schon mit jemand anderem ins Gespräch gekommen, mit einem von den Besitzern des Cafés, glaube ich, also hab ich mich an einen Tisch in der Ecke gesetzt.

Von da an bin ich fast jeden Tag in das Café gegangen. Es fällt einem leichter, Dinge zu tun, die man schon mal gemacht hat. Manchmal habe ich gewartet, bis du kamst, oder aber mich vergewissert, dass du schon da warst, ehe ich reinging, aber manchmal bin ich einfach so reingegangen. Und du hast mich bemerkt, das weiß ich genau. Du hast angefangen, hallo zu mir zu sagen, oder du hast irgendeine Bemerkung über das Wetter gemacht. Und dann, als ich mal auf der Arbeit aufgehalten worden war, hast du tatsächlich gesagt: ›Sie sind heute aber spät dran!‹, als ich mit meinem Tee und Kuchen an dir vorbeiging, und als du gesehen hast, dass kein Tisch mehr frei war, hast du gesagt: ›Setzen Sie sich doch zu mir‹, und hast auf den Stuhl an deinem Tisch gezeigt, dir gegenüber. Das Kind hattest du an dem Tag nicht dabei, und ich hab gesagt: ›Stör ich Sie denn nicht?‹, und dann hab ich mich geärgert, weil ich das gesagt hatte, und ich hatte Angst, du könntest sagen, dass ich dich eigentlich, bei genauem Nachdenken, doch stören würde. Aber stattdessen hast du gesagt: ›Nein! Überhaupt nicht! Ehrlich gesagt, läuft es gerade ohnehin nicht besonders. Ein bisschen Ablenkung täte mir ganz gut!‹, und da wusste ich, dass du Lust hattest, mit mir zu reden, und mir nicht bloß einen Platz anbieten wolltest, damit ich schweigend meinen Tee trinke und meinen Kuchen esse. Erinnerst du dich?«

Ich schüttele den Kopf. Ich habe beschlossen, ihn reden zu lassen. Ich will alles erfahren, was er zu sagen hat.

»Also hab ich mich zu dir gesetzt, und wir haben uns unterhalten. Du hast mir erzählt, du seist Schriftstellerin. Du hast gesagt, du hättest schon ein Buch veröffentlicht und würdest an deinem zweiten schreiben, hättest aber einige Probleme damit. Ich hab gefragt, wovon es handelt, aber du wolltest es mir nicht verraten. ›Es ist ein Roman‹, hast du gesagt, und dann nachgeschoben, ›soll es zumindest sein‹, und dann hast du plötzlich sehr traurig ausgesehen, also hab ich dich zu einem weiteren Kaffee eingeladen. Du hast gesagt, das wäre sehr nett, aber du könntest dich dann nicht revanchieren, weil du kein Geld dabei hättest. ›Ich nehme mein Portemonnaie nie mit, wenn ich hierherkomme‹, hast du gesagt. ›Ich stecke immer nur gerade genug Geld ein, um mir einen Kaffee und was zu essen zu kaufen. So gerate ich nicht in Versuchung, über die Stränge zu schlagen!‹ Ich fand das merkwürdig. Du sahst nicht so aus, als müsstest du dir wegen deiner Figur Gedanken machen. Du warst immer gertenschlank. Jedenfalls, ich hab mich gefreut, weil das hieß, dass es dir Spaß machte, mit mir zu reden, und weil wir beim nächsten Mal bestimmt wieder ins Gespräch kommen würden, wenn du meintest, dich revanchieren zu müssen. Ich hab gesagt, dass ich wirklich keine Gegeneinladung erwarten würde, und hab noch was für uns bestellt. Von da an haben wir uns ziemlich regelmäßig getroffen.«

Langsam kann ich mir ein Bild machen. Ich habe zwar keine Erinnerung, aber irgendwie weiß ich, wie so etwas abläuft. Die zwanglose Begegnung, gegenseitige Einladung zum Kaffee. Der Reiz, mit einem Fremden zu sprechen – sich ihm anzuvertrauen –, jemandem, der nicht urteilt oder Partei ergreift, weil er es nicht kann. Die allmählich wachsenden Vertraulichkeiten und dann … was?

Ich habe die Fotos von uns beiden gesehen, die vor Jahren aufgenommen wurden. Wir sehen glücklich aus. Es ist offensichtlich, wohin die Vertraulichkeiten geführt haben. Und er war attraktiv. Nicht filmstarmäßig attraktiv, aber besser aussehend als die meisten; es ist nicht schwer zu sehen, was ich an ihm anziehend fand. Irgendwann muss ich angefangen haben, nervöse Blicke zur Tür zu werfen, während ich an meinem angestammten Tisch zu arbeiten versuchte, mir genauer überlegt haben, was ich anziehe, wenn ich ins Café ging, ob ich einen Spritzer Parfüm auflegen sollte. Und eines Tages muss einer von uns vorgeschlagen haben, einen Spaziergang zu machen oder in eine Bar zu gehen oder ins Kino, und unsere Bekanntschaft rutschte über eine Grenze, in etwas anderes hinein, etwas, das unendlich gefährlicher war.

Ich schließe die Augen und versuche, es mir vorzustellen, und auf einmal fange ich an, mich zu erinnern. Wir zwei, im Bett, nackt. Sperma, das auf meinem Bauch trocknet, in meinem Haar, ich, wie ich mich zu ihm drehe, während er anfängt zu lachen und mich wieder zu küssen. »Mike!«, sage ich. »Lass das! Du musst jetzt gehen. Ben kommt heute wieder nach Hause, und ich muss Adam abholen!« Aber er achtet nicht auf mich. Stattdessen drückt er sein schnurrbärtiges Gesicht an meines, und wir küssen uns wieder, vergessen alles andere, meinen Mann, mein Kind. Mir dreht sich der Magen um, als ich begreife, dass ich schon einmal eine Erinnerung an diesen Tag hatte. An dem Tag, als ich in der Küche des Hauses stand, in dem ich früher mit meinem Ehemann gelebt hatte. Ich hatte mich nicht an meinen Mann erinnert, sondern an meinen Liebhaber. Den Mann, mit dem ich ins Bett ging, während mein Ehemann arbeitete. Deshalb musste er an dem Tag weg. Nicht nur, um einen Zug zu erwischen – sondern auch, weil der Mann, mit dem ich verheiratet war, nach Hause kommen würde.

Ich öffne die Augen. Ich bin wieder in dem Hotelzimmer, und er sitzt noch immer vor mir.

»Mike«, sage ich. »Du heißt Mike.«

»Du erinnerst dich!«, sagt er. Er freut sich. »Chris! Du erinnerst dich!«

Hass sprudelt in mir hoch. »Ich erinnere mich an deinen Namen«, sage ich. »An mehr nicht. Bloß an deinen Namen.«

»Erinnerst du dich nicht daran, wie sehr wir uns geliebt haben?«

»Nein«, sage ich. »Ich glaube nicht, dass ich dich mal geliebt haben kann, sonst würde ich mich bestimmt an mehr erinnern.«

Ich sage das, um ihm weh zu tun, doch seine Reaktion überrascht mich. »Du erinnerst dich auch nicht an Ben, oder? Dann kannst du ihn ja nicht geliebt haben. Und auch Adam nicht.«

»Du bist widerlich«, sage ich. »Was fällt dir ein, verdammt nochmal? Natürlich habe ich ihn geliebt! Er war mein Sohn!«

»Ist. Er ist dein Sohn. Aber du würdest ihn nicht erkennen, wenn er jetzt zu Tür hereinkäme. Oder? Nennst du das Liebe? Und wo ist er? Und wo ist Ben? Sie haben dich im Stich gelassen, Christine. Beide. Ich bin der Einzige, der nie aufgehört hat, dich zu lieben. Nicht mal, als du mich verlassen hast.«

Mit einem Mal fällt es mir wie Schuppen von den Augen, endlich. Wie sonst hätte er von diesem Zimmer, von so vielem aus meiner Vergangenheit wissen können?

»Mein Gott«, sage ich. »Du warst es! Du warst es, der mir das angetan hat! Du hast mich angegriffen!«

Sofort kommt er ganz nah zu mir. Er legt die Arme um mich, als wollte er mich umarmen, und fängt an, mir übers Haar zu streichen. »Christine, Schatz«, murmelt er, »sag das nicht. Denk nicht daran. Das regt dich nur auf.«

Ich will ihn wegstoßen, doch er ist stark. Er umschlingt mich fester.

»Lass mich los!«, sage ich. »Bitte lass mich los!« Meine Worte werden durch den Stoff seines Hemdes erstickt.

»Liebste«, sagt er. Er hat angefangen, mich zu wiegen, als würde er ein Baby beruhigen. »Meine Liebste. Meine Süße, mein Schatz. Du hättest mich nie verlassen sollen. Verstehst du das nicht? Das alles wäre nie passiert, wenn du nicht gegangen wärst.«

Die Erinnerung kommt zurück: Wir sitzen in einem Auto, nachts. Ich weine, und er starrt zum Fenster hinaus, völlig verstummt. »Sag was«, sage ich. »Irgendwas. Mike?«

»Das ist nicht dein Ernst«, sagt er. »Das kann nicht dein Ernst sein.«

»Es tut mir leid. Ich liebe Ben. Wir haben unsere Probleme, ja, aber ich liebe ihn. Er ist der Mensch, mit dem ich zusammen sein will. Es tut mir leid.«

Mir ist bewusst, dass ich versuche, die Dinge klar und einfach zu halten, damit er es versteht. Ich habe in den letzten paar Monaten mit Mike festgestellt, dass es so besser ist. Komplizierte Dinge verwirren ihn. Er mag Ordnung. Gewohntes. Präzise Mischungsverhältnisse mit kalkulierbaren Ergebnissen. Außerdem will ich mich nicht in Details verzetteln.

»Du sagst das, weil ich zu dir nach Hause gekommen bin, nicht? Verzeih mir, Chris. Das mach ich nie wieder. Versprochen. Ich wollte dich einfach nur sehen, und ich wollte deinem Mann erklären –«

Ich falle ihm ins Wort. »Ben. Du kannst ruhig seinen Namen sagen. Er heißt Ben.«

»Ben«, sagt er, als würde er das Wort zum ersten Mal in den Mund nehmen und es unangenehm finden. »Ich wollte ihm alles erklären. Ich wollte ihm die Wahrheit sagen.«

»Welche Wahrheit?«

»Dass du ihn nicht mehr liebst. Dass du jetzt mich liebst. Dass du mit mir zusammen sein willst. Mehr wollte ich nicht sagen.«

Ich seufze. »Selbst wenn das stimmen würde, und es stimmt nicht, wäre ich diejenige, die ihm das hätte sagen müssen, nicht du. Begreifst du das denn nicht? Du hattest kein Recht, einfach bei uns aufzukreuzen.«

Während ich rede, denke ich, wie knapp ich noch mal davongekommen bin. Ben stand gerade unter der Dusche, Adam spielte im Esszimmer, und ich konnte Mike abwimmeln, ehe einer von beiden mitbekam, dass jemand an der Tür war. An dem Abend beschloss ich, die Affäre zu beenden.

»Ich muss jetzt gehen«, sage ich. Ich öffne die Autotür, trete hinaus auf den Kies. »Verzeih mir.«

Er beugt sich herüber, um mich anzublicken. Ich denke, wie attraktiv er aussieht, dass er eine ernste Gefahr für meine Ehe hätte sein können, wenn er nicht so gestört wäre. »Seh ich dich wieder?«, sagt er.

»Nein«, antworte ich. »Nein. Es ist vorbei.«

Dennoch sind wir jetzt hier, so viele Jahre später. Er hält mich wieder in den Armen, und mir wird klar, dass die Angst, die ich vor ihm hatte, zwar groß war, aber nicht groß genug. Ich schreie los.

»Schatz«, sagt er. »Sei ruhig.« Er legt mir eine Hand auf den Mund, und ich schreie lauter. »Sei ruhig! Sonst hört dich noch jemand!« Mein Kopf schnellt nach hinten, knallt gegen den Heizkörper. Die Bässe im Club nebenan dröhnen im selben Rhythmus weiter – klingen jetzt höchstens noch lauter. *Niemand,* denke ich, *niemand wird mich hören.* Ich schreie wieder.

373

»Hör auf!«, sagt er. Er hat mich geschlagen, glaube ich, oder geschüttelt. Ich gerate in Panik. »Hör auf!« Mein Kopf prallt wieder gegen das warme Metall, und ich verstumme vor Schreck. Ich beginne zu schluchzen.

»Lass mich los«, flehe ich ihn an. »Bitte –« Er lockert seinen Griff, doch nicht so weit, dass ich mich ihm entwinden könnte. »Wie hast du mich gefunden? So viele Jahre später? Wie hast du mich gefunden?«

»Dich gefunden?«, sagt er. »Ich habe dich nie verloren.« Mir schwirrt der Kopf, ich verstehe nicht. »Ich hab auf dich aufgepasst. Immer. Ich hab dich beschützt.«

»Du hast mich besucht? In den Einrichtungen? In der Klinik, im Waring House?«, sage ich. »Aber –«

Er seufzt. »Nicht immer. Das hätten sie nicht erlaubt. Aber manchmal hab ich gesagt, ich wollte jemand anderen besuchen oder ich wäre ein ehrenamtlicher Helfer. Nur damit ich dich sehen konnte, mich vergewissern, dass es dir gutging. In der letzten Einrichtung war es einfacher. Die vielen Fenster …«

Es überläuft mich kalt. »Du hast mich beobachtet?«

»Ich musste doch sichergehen, dass du es gut hattest, Chris. Ich musste dich beschützen.«

»Und dann bist du mich abholen gekommen? Ja? Hat das, was du mir hier, in diesem Zimmer, angetan hast, nicht gereicht?«

»Als ich erfuhr, dass das Schwein dich verlassen hatte, konnte ich dich doch nicht einfach deinem Schicksal überlassen. Ich wusste, du würdest bei mir sein wollen. Ich wusste, dass es das Beste für dich wäre. Ich musste eine Weile abwarten, abwarten, bis ich wusste, dass niemand mehr da war, der versuchen würde, mich aufzuhalten, aber wer hätte sich denn sonst um dich gekümmert?«

»Und die haben mich einfach mit dir mitgehen lassen?«, sage ich. »Die hätten mich doch bestimmt nicht mit irgendeinem Fremden mitgehen lassen!«

Ich frage mich, welche Lügen er ihnen erzählt hat, um mich mitnehmen zu können, dann erinnere ich mich an meinen Tagebucheintrag über das, was Dr. Nash mir von der Mitarbeiterin im Waring House erzählt hatte. *Sie hat sich sehr gefreut, als sie hörte, dass Sie wieder zu Hause bei Ben sind.* Ein Bild entsteht in meinem Kopf, eine Erinnerung. Meine Hand in Mikes, während er ein Formular unterschreibt. Eine Frau hinter einem Schreibtisch lächelt mich an. »Sie werden uns fehlen, Christine«, sagt sie. »Aber zu Hause wird es Ihnen gutgehen.« Sie sieht Mike an. »Bei Ihrem Mann.«

Ich folge ihrem Blick. Ich erkenne den Mann nicht, der meine Hand hält, aber ich weiß, er ist der Mann, den ich geheiratet habe. Er muss es sein. Er hat es mir gesagt.

»Mein Gott!«, sage ich jetzt. »Wie lange hast du dich als Ben ausgegeben?«

Er wirkt überrascht. »Ausgegeben?«

»Ja«, sage ich. »Als meinen Mann ausgegeben.«

Er blickt verwirrt. Ich frage mich, ob er vergessen hat, dass er nicht Ben ist. Dann verzieht sich sein Gesicht. Er ist aufgebracht.

»Meinst du etwa, ich hab das gern getan? Ich musste es tun. Das war die einzige Möglichkeit.«

Seine Arme entspannen sich leicht, und dann geschieht etwas Sonderbares. Mir dreht sich nicht mehr alles im Kopf, und obwohl ich noch immer Angst habe, erfüllt mich ein bizarres Gefühl von Seelenruhe. Aus dem Nichts kommt mir ein Gedanke. *Ich werde ihn bezwingen. Ich werde hier rauskommen. Ich muss einfach.*

»Mike?«, sage ich. »Ich versteh das, weißt du? Es muss wirklich schwer gewesen sein.«

Er sieht mich an. »Du verstehst das?«

»Ja, natürlich. Ich bin froh, dass du mich da rausgeholt hast. Mir ein Zuhause gegeben hast. Dich um mich gekümmert hast.«

»Ehrlich?«

»Ja. Stell dir nur vor, wo ich wäre, wenn du das nicht für mich getan hättest! Ich könnte es nicht ertragen.« Ich spüre, wie er nachgibt. Der Druck auf meinen Armen und Schultern lässt nach, und gleichzeitig beginnt ein zartes, aber doch deutliches Streicheln, das ich fast noch unangenehmer finde, aber ich weiß, dass es meine Chancen auf Flucht erhöht. Denn Flucht ist alles, woran ich denken kann. Ich muss hier raus. Wie dumm von mir, denke ich jetzt, dass ich, während er unter der Dusche war, hier auf dem Boden sitzen geblieben bin, um den Teil zu lesen, den er aus meinem Tagebuch gestohlen hat. Wieso bin ich nicht einfach damit abgehauen? Dann fällt mir ein, dass ich erst ganz am Ende des Tagebuchs begriffen habe, in welcher Gefahr ich schwebe. Wieder meldet sich die leise Stimme. *Ich werde entkommen. Ich habe einen Sohn, an den ich mich nicht erinnern kann. Ich werde entkommen.* Ich bewege den Kopf so, dass ich ihm in die Augen sehe, und beginne, seine Hand zu streicheln, die auf meiner Schulter ruht.

»Lass mich doch los, dann können wir darüber reden, wie es mit uns weitergeht.«

»Aber was ist mit Claire?«, sagt er. »Sie weiß, dass ich nicht Ben bin. Du hast es ihr verraten.«

»Daran wird sie sich nicht erinnern«, sage ich verzweifelt.

Er lacht, ein hohler, erstickter Laut. »Du hast mich schon immer für blöd gehalten. Aber ich bin nicht blöd, weißt du? Ich weiß, was jetzt passieren wird! Du hast es ihr verraten. Du hast alles kaputtgemacht!«

»Nein«, sage ich rasch. »Ich kann sie doch anrufen. Ich kann ihr sagen, dass ich durcheinander war. Dass ich vergessen hatte, wer du bist. Ich kann ihr sagen, dass ich gedacht habe, du wärst Ben, aber dass ich mich geirrt habe.«

Ich denke schon fast, dass er das für machbar hält, doch dann sagt er: »Das würde sie dir niemals abkaufen.«

»Doch, würde sie«, beteure ich, obwohl ich weiß, dass sie das nicht tun würde. »Versprochen.«

»Warum musstest du sie auch anrufen?« Sein Gesicht verdunkelt sich vor Zorn, seine Hände packen mich fester. »Warum? Warum, Chris? Es ging uns doch gut, bis dahin. Richtig gut.« Er schüttelt mich wieder. »Warum?«, schreit er. »Warum?«

»Ben«, sage ich. »Du tust mir weh.«

Da schlägt er mich. Ich höre, wie seine Hand gegen mein Gesicht klatscht, ehe ich den brennenden Schmerz spüre. Mein Kopf schleudert herum, mein Unterkiefer fliegt hoch, meine Zähne prallen schmerzhaft aufeinander.

»Wage es ja nicht, mich je wieder so zu nennen, verdammt«, zischt er.

»Mike«, sage ich rasch, als könnte ich meinen Fehler ungeschehen machen. »Mike –«

Er überhört mich.

»Ich bin's satt, Ben zu sein«, sagt er. »Von jetzt ab nennst du mich Mike. Okay? Ich heiße Mike. Deshalb sind wir noch mal hergekommen. Damit wir die ganze Sache hinter uns lassen können. Du hast in dein Tagebuch geschrieben, wenn du dich bloß erinnern könntest, was damals hier passiert ist, dann würdest du dein Gedächtnis wiederfinden. So, nun sind wir hier. Ich hab dich hierhergebracht, Chris. Also erinnere dich gefälligst!«

Ich bin fassungslos. »Du *willst*, dass ich mich erinnere?«

»Ja! Natürlich will ich das! Ich liebe dich, Christine. Ich will, dass du dich daran erinnerst, wie sehr du mich liebst. Ich will, dass wir wieder zusammen sind. Richtig. Wie wir es sein sollten.« Er stockt, seine Stimme senkt sich zu einem Flüstern. »Ich will nicht mehr Ben sein.«

»Aber –«

Er sieht mich wieder an. »Wenn wir morgen zurück nach Hause fahren, nennst du mich Mike.« Er schüttelt mich wieder, sein Gesicht dicht vor meinem. »Okay?« Ich kann etwas Säuerliches in seinem Atem riechen und auch noch irgendetwas anderes. Ich frage mich, ob er getrunken hat. »Wir schaffen das, nicht, Christine? Wir schauen nach vorn.«

»Nach vorn schauen?«, sage ich. Mein Kopf tut höllisch weh, und etwas kommt aus meiner Nase. Blut, denke ich, obwohl ich nicht sicher bin. Die Ruhe verschwindet. Ich hebe die Stimme, schreie, so laut ich kann. »Ich soll mit dir zurück nach Hause? Nach vorne schauen?

Bist du denn total übergeschnappt?« Er bewegt die Hand zu meinem Gesicht, um mir den Mund zuzuhalten, und ich merke, dass er meinen Arm losgelassen hat. Ich schlage nach ihm, treffe ihn seitlich am Gesicht, wenn auch nicht fest. Trotzdem habe ich ihn überrumpelt. Er fällt nach hinten und lässt auch meinen anderen Arm los.

Ich rappele mich hoch. »Du Miststück!«, keucht er, doch ich steige über ihn hinweg und versuche, zur Tür zu kommen.

Ich schaffe drei Schritte, ehe er mich am Knöchel packt. Ich stürze zu Boden. Vor der Kommode steht ein Hocker, und ich schlage mit dem Kopf auf der Kante auf. Zum Glück ist der Hocker gepolstert und dämpft den Aufprall, aber er reißt meinen Körper herum, so dass ich verdreht lande. Schmerz schießt mir den Rücken hoch bis in den Hals, und ich fürchte, ich hab mir etwas gebrochen. Ich robbe weiter Richtung Tür, doch er hält mich noch immer am Knöchel fest. Er zieht mich mit einem Ächzen zu sich, und dann ist sein volles Gewicht auf mir, seine Lippen dicht an meinem Ohr.

»Mike«, schluchze ich. »Mike –«

Vor mir auf dem Boden liegt das Foto von Adam und Helen, das er fallen gelassen hat. Selbst in dieser Situation frage ich mich, wie er darangekommen ist, und dann weiß ich es. Adam hatte es mir ins Waring House geschickt, und Mike hat es mitgenommen, zusammen mit all den anderen Fotos, als er mich abholte.

»Du blödes verdammtes Miststück«, spuckt er mir förmlich ins Ohr. Eine Hand hat er um meine Kehle gelegt, die andere hält ein Büschel von meinen Haaren. Er zieht meinen Kopf nach hinten, reißt meinen Nacken hoch. »Warum hast du das gemacht?«

»Es tut mir leid«, schluchze ich. Ich kann mich nicht bewegen. Eine Hand steckt unter meinem Oberkörper, die andere klemmt zwischen meinem Rücken und seinem Bein.

»Wo wolltest du denn hin, hä?«, sagt er. Er knurrt jetzt, ein Tier. So etwas wie Hass bricht aus ihm hervor.

»Es tut mir leid«, sage ich wieder, weil mir nichts anderes einfällt. »Es tut mir leid.« Ich erinnere mich an die Zeit, als diese Worte immer funktionierten, immer ausreichen, um mich aus allen erdenklichen Schwierigkeiten zu retten.

»Hör auf mit deinem dämlichen ›Es tut mir leid‹«, sagt er. Mein Kopf wird nach hinten gerissen und dann nach vorn gestoßen. Ich schlage mit Stirn, Nase, Mund auf dem Teppichboden auf. Es gibt ein Geräusch, ein widerliches Knirschen, und es riecht schal nach Zigaretten. Ich schreie auf. Ich spüre Blut im Mund. Ich habe mir auf die Zunge gebissen. »Was glaubst du denn, wie weit du kommst? Du kannst nicht Auto fahren. Du kennst kein Schwein. Du weißt ja die meiste Zeit nicht mal, wer du bist. Du kannst nirgendwohin, *nirgend*wohin. Du bist jämmerlich.«

Ich weine, weil er recht hat. Ich bin jämmerlich. Claire ist nicht gekommen, ich habe keine Freunde. Ich bin mutterseelenallein, völlig abhängig von dem Mann, der mir das angetan hat, und morgen früh werde ich sogar das vergessen haben, falls ich noch am Leben bin.

Falls ich noch am Leben bin. Die Worte kreischen durch mich hindurch, als mir klar wird, wozu dieser Mann fähig ist und dass ich diesmal vielleicht nicht lebend aus diesem Zimmer herauskomme. Das Entsetzen trifft mich mit voller Wucht, doch dann höre ich wieder die leise Stimme. *Du wirst nicht hier sterben. Nicht bei ihm. Nicht jetzt. Auf gar keinen Fall.*

Ich krümme unter Schmerzen den Rücken und schaffe es, einen Arm freizubekommen. Ich greife nach vorn und packe ein Bein des Hockers. Er ist schwer, und mein Körper liegt in einem ungünstigen Winkel, aber es gelingt mir trotzdem, mich zu drehen und den Hocker über den Kopf zu schwingen, dorthin, wo ich Mikes Kopf vermute. Der Hocker trifft irgendetwas mit einem befriedigenden Knacken, und ich höre ein Keuchen im Ohr. Mike lässt meine Haare los.

Ich drehe mich um. Er ist nach hinten gerutscht, eine Hand an die Stirn gepresst. Blut quillt zwischen seinen Fingern hervor. Er sieht mich verwundert an.

Später werde ich denken, dass ich ein zweites Mal hätte zuschlagen sollen. Mit dem Hocker oder mit den bloßen Händen. Mit irgendetwas. Ich hätte ihn außer Gefecht setzen sollen, um weglaufen zu können, nach unten, oder wenigstens bis zur Tür, um sie aufzureißen und um Hilfe zu schreien.

Aber ich tue es nicht. Ich rappele mich in eine sitzende Position hoch und stehe dann auf, sehe ihn vor mir auf dem Boden. Egal, was ich jetzt auch mache, denke ich, er hat gewonnen. Er wird immer gewonnen haben. Er hat mir alles genommen, sogar die Fähigkeit, mich genau daran zu erinnern, was er mir angetan hat. Ich drehe mich um und mache einen Schritt zur Tür.

Mit einem Knurren stürzt er sich auf mich. Sein ganzer Körper prallt gegen meinen. Gemeinsam fallen wir gegen die Kommode, stolpern in Richtung Tür. »Christine!«, sagt er. »Chris! Verlass mich nicht!«

Ich greife nach der Tür. Wenn ich sie aufkriege, dann wird uns doch wohl irgendwer trotz des Lärms von nebenan hören und angelaufen kommen?

Er hält meine Taille umklammert. Wie ein groteskes, zweiköpfiges Monster bewege ich mich Zentimeter für Zentimeter vorwärts, schleife ihn mit. »Chris! Ich liebe dich!«, sagt er. Er jammert jetzt, was mich ebenso weitertreibt wie die Absurdität seiner Worte. Ich bin fast da. Gleich bin ich an der Tür.

Und da passiert es. Ich erinnere mich an die Nacht, damals. Ich, in diesem Zimmer, wie ich an derselben Stelle stehe. Ich strecke eine Hand nach derselben Tür aus. Ich bin glücklich, lächerlich glücklich. Die Wände schimmern in dem sanft orangegoldenen Schein der brennenden Kerzen, die im ganzen Raum verteilt waren, als ich ankam, der Strauß aus Rosen und Gerbera, der auf dem Bett lag, erfüllt die Luft mit einem süßen Duft. *Ich bin gegen sieben oben, mein Schatz*, stand auf dem Zettel, der an den Strauß geheftet war, und obwohl ich mich kurz frage, was Ben noch unten macht, bin ich froh, ein paar Minuten allein für mich zu haben, ehe er eintrifft. Das gibt mir Gelegenheit, meine Gedanken zu ordnen, mir klarzumachen, dass ich ihn um ein Haar verloren hätte, was für eine Erleichterung es ist, die Affäre mit Mike beendet zu haben, wie froh ich sein kann, dass Ben und ich jetzt einen Neuanfang gemacht haben. Wie konnte ich mir nur einbilden, dass ich Mike wollte? Mike wäre nie auf die Idee gekommen, mir so eine Überraschung zu bereiten, wie Ben sie für mich arrangiert hat: eine Nacht in einem Hotel an der Küste, um mir zu zeigen, wie sehr er mich liebt und mich immer lieben wird, trotz der Probleme, die wir in letzter Zeit hatten. Für so was war Mike zu ichbezogen, wie ich festgestellt habe. Bei ihm ist alles ein Test, Zuneigung wird gemessen, was man gibt, wird mit dem aufgewogen, was man gegeben hat, und meistens hat er das Gefühl, zu kurz zu kommen.

Ich berühre den Türknauf, drehe ihn, ziehe ihn zu mir. Ben hat Adam zu den Großeltern gebracht. Wir haben das ganze Wochenende für uns, eine unbeschwerte Zeit. Bloß wir zwei.

»Liebling«, setze ich an, doch das Wort erstirbt mir auf der Zunge. Nicht Ben steht da. Sondern Mike. Er schiebt sich an mir vorbei, kommt ins Zimmer, und noch während ich ihn frage, was ihm denn einfällt – mit welchem Recht er mich hergelockt hat, in dieses Zimmer, was er sich davon verspricht –, denke ich, *Du hinterhältiges Schwein. Wie kannst du es wagen, dich als meinen Mann auszugeben. Hast du denn keinen Funken Stolz mehr im Leib?*

Ich denke an Ben und Adam, zu Hause. Inzwischen wundert Ben sich bestimmt, wo ich bleibe. Womöglich verständigt er bald die Polizei. Wie konnte ich so blöd sein, in den Zug zu steigen und hierherzufahren, ohne irgendwem Bescheid zu geben? Wie konnte ich so blöd sein, zu glauben, ein getippter Brief, auch wenn er mit meinem Lieblingsparfüm besprüht war, wäre von meinem Mann?

Mike sagt: »Wärst du gekommen, wenn du gewusst hättest, dass ich dich erwarte?«

Ich lache. »Natürlich nicht! Es ist vorbei. Das hab ich dir doch wohl klipp und klar gesagt.«

Ich blicke auf die Blumen, die Flasche Champagner in seiner Hand. Alles signalisiert Romantik, Verführung. »Mein Gott!«, sage ich. »Hast du im Ernst gedacht, du musst mich bloß herlocken, mir Blumen und Champagner bieten, und das wär's schon? Dass ich dir in die Arme fallen würde und alles wäre wieder so, wie es mal war? Du bist verrückt, Mike. Verrückt. Ich gehe jetzt, gehe zurück zu meinem Mann und meinem Sohn.«

An mehr will ich mich nicht erinnern. Ich glaube, in dem Moment muss er mich das erste Mal geschlagen haben, aber ich weiß nicht, was danach passierte, wie ich von dort ins Krankenhaus gekommen bin. Und jetzt bin ich wieder hier, in diesem Zimmer. Wir sind wieder da, wo alles angefangen hat, obwohl mir sämtliche Tage dazwischen gestohlen wurden. Es ist, als wäre ich nie fort gewesen.

Ich kann die Tür nicht erreichen. Er zieht sich hoch. Ich schreie los: »Hilfe! Hilfe!«

»Sei still!«, sagt er. »Halt die Klappe!«

Ich schreie lauter, und er reißt mich herum, stößt mich gleichzeitig nach hinten. Ich falle, und die Zimmerdecke und sein Gesicht gleiten vor mir weg. Mit dem Schädel schlage ich auf etwas Hartes und Unnachgiebiges auf. Ich begreife, dass er mich ins Bad gestoßen hat. Ich wende den Kopf und sehe den gefliesten Boden, der sich vor mir ausstreckt, die Unterseite der Toilette, den Wannenrand. Auf dem Boden liegt ein Stück Seife, klebrig und zerdrückt. »Mike!«, sage ich. »Nicht …«, doch er kauert schon über mir, die Hände um meinen Hals.

»Halt die Klappe!«, sagt er, wieder und wieder, obwohl ich jetzt kein Wort mehr sage, bloß noch weine. Ich schnappe nach Luft, meine Augen und mein Mund sind nass, von Blut und Tränen und ich weiß nicht, wovon sonst noch.

»Mike –«, röchele ich. Ich kriege keine Luft. Seine Hände sind um meinen Hals, und ich kriege keine Luft. Wieder rauscht die Erinnerung heran. Ich kann mich daran erinnern, wie er mir den Kopf unter Wasser drückt. Ich erinnere mich daran, wie ich aufwache, in einem weißen Bett, bekleidet mit einem Krankenhaushemd, und neben mir sitzt Ben, der echte Ben, der, den ich geheiratet habe. Ich erinnere mich daran, wie eine Polizistin mir Fragen stellt, die ich nicht beantworten kann. Ein Mann in einem hellblauen Schlafanzug sitzt auf der Kante meines Krankenhausbetts und lacht mit mir, während er mir erzählt, dass ich ihn jeden Tag so begrüße, als hätte ich ihn noch nie gesehen. Ein kleiner Junge mit blondem Haar und einer Zahnlücke nennt mich Mummy. Die Bilder kommen eins nach dem anderen. Sie strömen durch mich hindurch. Mit brutaler Wirkung. Ich schüttele den Kopf, versuche, ihn klarzubekommen, doch Mike packt mich fester. Sein Kopf ist jetzt über meinem, seine Augen wild und starr, während er mir die Kehle zudrückt, und ich kann mich daran erinnern, das schon einmal erlebt zu haben, in diesem Raum. Ich schließe die Augen. »Wie kannst du es wagen?«, sagt er, und ich weiß nicht, welcher Mike da spricht; der, der jetzt hier ist, oder der, der nur in meiner Erinnerung existiert. »Wie kannst du es wagen?«, sagt er wieder. »Wie kannst du es wagen, mir mein Kind wegzunehmen?«

Und da erinnere ich mich. Als er mich damals angriff, war ich schwanger. Nicht von Mike, sondern von Ben. Das Kind sollte unser Neuanfang sein.

Es hat genauso wenig überlebt wie ich.

* * *

Ich muss bewusstlos geworden sein. Als ich wieder zu mir komme, sitze ich in einem Sessel. Ich kann die Hände nicht bewegen, habe einen pelzigen Geschmack im Mund. Ich schlage die Augen auf. Das Zimmer ist dämmrig, nur erhellt vom Mondlicht, das durch die offenen Vorhänge strömt, und vom Widerschein der Straßenlampen. Mike sitzt mir gegenüber auf der Bettkante. Er hat etwas in der Hand.

Ich versuche, zu sprechen, kann es aber nicht. Ich merke, dass etwas Zusammengeknülltes in meinem Mund steckt. Eine Socke vielleicht. Sie wird irgendwie an Ort und Stelle gehalten, festgebunden, und ich merke, dass meine Hände ebenso gefesselt sind wie meine Füße.

So hat er mich die ganze Zeit haben wollen, denke ich. Stumm und reglos. Ich winde mich, und er erkennt, dass ich aufgewacht bin. Er blickt auf, sein Gesicht eine Maske aus Schmerz und Traurigkeit, und starrt mir in die Augen. Ich empfinde nichts als Hass.

»Du bist wach.« Ich frage mich, ob er noch etwas sagen will, ob er fähig ist, noch etwas zu sagen. »So hab ich das nicht gewollt. Ich dachte, wir kommen her und du erinnerst dich vielleicht wieder. Erinnerst dich, wie es mal zwischen uns war. Und dann könnten wir reden, und ich könnte dir erklären, was damals hier passiert ist. Ich hab das wirklich nicht gewollt, Chris. Aber manchmal werde ich so furchtbar wütend. Ich kann nichts dagegen machen. Es tut mir leid. Ich wollte dir nicht weh tun, niemals. Ich habe alles kaputtgemacht.«

Er blickt nach unten, auf seinen Schoß. Ich hatte eigentlich so viel mehr wissen wollen, doch ich bin erschöpft, und es ist zu spät. Ich habe das Gefühl, ich könnte die Augen schließen und kraft meines Willens alles vergessen, alles auslöschen.

Trotzdem will ich heute Nacht nicht schlafen. Und falls mich der Schlaf doch überkommt, will ich morgen nicht aufwachen.

»Es ist passiert, als du mir erzählt hast, du würdest ein Kind bekommen.« Er hebt nicht den Kopf. Stattdessen spricht er leise in die Falten seiner Kleidung hinein, und ich muss genau hinhören, um zu verstehen, was er sagt. »Ich hätte nie gedacht, dass ich mal ein Kind haben könnte. Nie. Alle haben immer gesagt –« Er zaudert, als würde er es sich anders überlegen, beschließen, manche Dinge lieber unausgesprochen zu lassen. »Du hast gesagt, es wäre nicht von mir. Aber ich wusste, dass es von mir war. Und ich konnte den Gedanken nicht ertragen, dass du mich trotzdem verlassen wolltest, mir mein Kind wegnehmen, dass ich es vielleicht niemals sehen würde. Das konnte ich nicht ertragen, Chris.«

Ich weiß noch immer nicht, was er von mir will.

»Denkst du etwa, es tut mir nicht leid? Was ich getan habe? Jeden Tag sehe ich dich so verwirrt und verloren und unglücklich. Manchmal liege ich im Bett. Ich höre, wie du wach wirst. Und du siehst mich an, und ich weiß, du hast keine Ahnung, wer ich bin, und ich kann spüren, dass du enttäuscht bist, dich schämst. Du strahlst es förmlich aus. Das tut weh. Zu wissen, dass du jetzt nie mit mir schlafen würdest, wenn du die Wahl hättest. Und dann stehst du auf und gehst ins Bad, und ich weiß, in ein paar Minuten kommst du zurück, und dann bist du ganz durcheinander und unglücklich und voller Kummer.«

Er stockt. »Und jetzt weiß ich, dass selbst das bald vorbei sein wird. Ich habe dein Tagebuch gelesen. Ich weiß, dein Arzt wird inzwischen dahintergekommen sein. Oder er findet es bald heraus. Claire auch. Ich weiß, sie werden mich holen kommen.« Er hebt den Blick. »Und sie werden versuchen, dich mir wegzunehmen. Aber Ben will dich nicht. Ich will dich. Ich will mich um dich kümmern. Bitte, Chris. Bitte erinnere dich daran, wie sehr ich dich geliebt habe. Dann kannst du ihnen sagen, dass du bei mir bleiben willst.« Er deutet auf die letzten Seiten meines Tagebuchs, die verstreut auf dem Boden liegen. »Du kannst ihnen sagen, dass du mir verzeihst. Das hier. Und dann können wir zusammen sein.«

Ich schüttele den Kopf. Ich kann nicht glauben, dass er *will*, dass ich mich erinnere. *Will*, dass ich weiß, was er getan hat.

Er lächelt. »Weißt du, manchmal denke ich, es wäre vielleicht gnädiger gewesen, wenn du in der Nacht damals gestorben wärst. Gnädiger für uns beide.« Er blickt zum Fenster hinaus. »Ich würde mit dir gehen, Chris. Wenn du das wolltest.« Er senkt wieder den Blick. »Es wäre ganz einfach. Du könntest zuerst gehen. Und ich verspreche, ich würde dir folgen. Du vertraust mir doch, oder?« Er sieht mich erwartungsvoll an. »Möchtest du das?«, sagte er. »Es wäre schmerzlos.«

Ich schüttele den Kopf, versuche zu sprechen, vergebens. Mir brennen die Augen, und ich kriege kaum Luft.

»Nein?« Er blickt enttäuscht. »Nein. Ich schätze, jedes Leben ist wohl besser als keins. Na schön. Du hast wahrscheinlich recht.« Ich beginne zu weinen. Er schüttelt den Kopf. »Chris. Es wird alles gut. Siehst du, dieses Buch ist das Problem.« Er hält mein Tagebuch hoch. »Wir waren glücklich, bis du angefangen hast, dir alles aufzuschreiben. Jedenfalls so glücklich, wie wir sein konnten. Und das war doch glücklich genug, oder? Wir sollten es einfach loswerden, und dann könntest du ihnen vielleicht erklären, du wärst durcheinander gewesen, und wir könnten so weitermachen wie zuvor. Wenigstens ein Weilchen.«

Er steht auf und zieht den Metallmülleimer unter der Kommode hervor, nimmt den leeren Plastikbeutel heraus und wirft ihn beiseite. »Dann ist alles ganz einfach«, sagt er. Er stellt den Mülleimer auf den Boden zwischen seine Beine. »Ganz einfach.« Er wirft mein Tagebuch in den Eimer, sammelt die letzten Seiten vom Boden auf und wirft sie ebenfalls hinein. »Wir müssen es loswerden«, sagt er. »Alles. Ein für alle Mal.«

Er zieht eine Streichholzschachtel aus der Hosentasche, zündet ein Streichholz an und nimmt ein loses Blatt aus dem Eimer.

Ich blickte ihn entsetzt an. »Nein!«, versuche ich zu sagen, bringe aber nur ein gedämpftes Brummen heraus. Er sieht mich nicht an, als er das Blatt ansteckt und dann in den Eimer wirft.

»Nein!«, sage ich wieder, doch diesmal ist es ein lautloser Schrei in meinem Kopf. Ich sehe zu, wie meine Geschichte langsam in Flammen aufgeht, meine Erinnerungen sich in Asche verwandeln. Mein Tagebuch, der Brief von Ben, alles. Ich bin nichts ohne dieses Tagebuch, denke ich. Nichts. Und er hat gewonnen.

Was ich dann tue, ist ungeplant. Instinktiv. Ich hechte auf den Eimer zu. Mit gefesselten Händen kann ich den Sturz nicht abfangen, und ich falle ungelenk dagegen, höre, wie irgendetwas knackt, als ich mich verdrehe. Schmerz schießt mir durch den Arm, und ich meine, ohnmächtig zu werden, was aber nicht passiert. Der Eimer kippt um, brennendes Papier verteilt sich über den Fußboden.

Mike schreit auf – ein Kreischen – und fällt auf die Knie, schlägt mit flachen Händen auf den Boden, um die Flammen zu löschen. Ich sehe, dass ein brennender Fetzen unter dem Bett gelandet ist, unbemerkt von Mike. Schon züngeln Flammen am Saum der Tagesdecke, doch ich bin dazu verdammt, hilflos und stumm zuzusehen, wie die Tagesdecke Feuer fängt. Sie beginnt zu qualmen, und ich schließe die Augen. Das Zimmer wird brennen, denke ich, und Mike wird brennen, und ich werde brennen, und niemand wird je wirklich erfahren, was hier passiert ist, in diesem Zimmer, genau wie niemand je wirklich erfahren wird, was damals hier geschehen ist, und die Vergangenheit wird sich in Asche verwandeln und durch Mutmaßungen ersetzt werden.

Ich huste, ein trockenes Würgen, verschluckt von der zusammengeknüllten Socke in meinem Mund. Ich ersticke allmählich. Ich denke an meinen Sohn. Jetzt werde ich ihn niemals wiedersehen, aber zumindest sterbe ich in dem Wissen, dass ich einen Sohn hatte, dass er lebt und glücklich ist. Darüber bin ich froh.

Ich denke an Ben. Den Mann, den ich geheiratet und dann vergessen habe. Ich möchte ihn sehen. Ich möchte ihm sagen, dass ich mich jetzt, am Ende, an ihn erinnern kann. Ich kann mich daran erinnern, wie ich ihn auf der Party auf dem Dach kennengelernt habe und er mir auf einem Berg mit Blick über eine Stadt einen Heiratsantrag gemacht hat, und ich kann mich an unsere Hochzeit in einer Kirche in Manchester erinnern, wie wir im Regen fotografiert wurden.

Und ja, ich kann mich daran erinnern, dass ich ihn liebte. Ich weiß, dass ich ihn jetzt liebe und immer geliebt habe.

Es wird alles dunkel. Ich kriege keine Luft. Ich kann das Lodern von Flammen hören und ihre Hitze auf meinen Lippen und Augen spüren.

Für mich sollte es nie ein Happy End geben, das weiß ich jetzt. Aber das ist in Ordnung.

Es ist in Ordnung.

* * *

Ich liege. Ich habe geschlafen, aber nicht lange. Ich kann mich erinnern, wer ich bin, wo ich gewesen bin. Ich kann Geräusche hören, Verkehrsrauschen, eine Sirene, deren Tonhöhe nicht steigt und fällt, sondern gleich bleibt. Irgendetwas ist auf meinem Mund – ich denke an eine zusammengeknüllte Socke –, doch ich merke, dass ich atmen kann. Ich bin zu verängstigt, um die Augen zu öffnen. Ich weiß nicht, was ich sehen werde.

Aber ich muss sie öffnen. Ich habe keine andere Wahl, als mich meiner Realität zu stellen, wie immer sie jetzt auch aussehen mag.

Das Licht ist grell. Ich kann eine Neonröhre an der niedrigen Decke sehen und parallel dazu zwei Metallstangen. Die Wände sind auf beiden Seiten ganz nah, und sie sind hart, aus glänzendem Metall und Plexiglas. Ich kann Schubladen und Regale erkennen, voll mit Flaschen und Packungen, und ich sehe blinkende Apparate. Alles bewegt sich, ganz leicht, vibriert, auch, wie mir klarwird, das Bett, in dem ich liege.

Das Gesicht eines Mannes taucht von irgendwo hinter mir auf, über meinem Kopf. Er trägt ein grünes Hemd. Ich erkenne ihn nicht.

»Sie ist wach, Leute«, sagte er, und dann tauchen noch mehr Gesichter auf. Ich lasse rasch den Blick über sie schweifen. Mike ist nicht dabei, und ich werde etwas ruhiger.

»Christine«, sagt eine Stimme. »Chrissy. Ich bin's.« Es ist eine Frauenstimme, eine, die ich erkenne. »Wir sind auf dem Weg ins Krankenhaus. Du hast dir das Schlüsselbein gebrochen, aber du wirst wieder gesund. Alles wird gut. Er ist tot. Mike ist tot. Er kann dir nichts mehr tun.«

Dann sehe ich die Frau, die spricht. Sie lächelt und hält meine Hand. Es ist Claire. Dieselbe Claire, die ich erst kürzlich gesehen habe, nicht die junge Claire, mit der ich vielleicht gleich nach dem Aufwachen gerechnet hätte, und mir fällt auf, dass sie dieselben Ohrringe trägt wie bei unserem letzten Treffen.

»Claire?«, sage ich, doch sie fällt mir ins Wort.

»Nicht sprechen«, sagt sie. »Versuch einfach, dich zu entspannen.« Sie lässt meine Hand nicht los. Und dann beugt sie sich vor und streicht mir übers Haar und flüstert mir etwas ins Ohr, aber ich verstehe nicht, was. Es klingt wie, *Es tut mir leid*.

»Ich erinnere mich«, sage ich. »Ich erinnere mich.«

Sie lächelt, und dann tritt sie zurück, und ein junger Mann nimmt ihren Platz ein. Er hat ein schmales Gesicht und trägt eine Brille mit einem dicken Gestell. Einen Moment lang denke ich, es ist Ben, bis mir klarwird, dass Ben jetzt in meinem Alter sein muss.

»Mum?«, sagt er. »Mum?«

Er sieht genauso aus wie auf dem Foto von ihm und Helen, und mir wird klar, dass ich mich auch an ihn erinnere.

»Adam?«, sage ich. Worte bleiben mir in der Kehle stecken, als er mich umarmt.

»Mum«, sagt er. »Dad ist auf dem Weg hierher. Er muss bald da sein.«

Ich ziehe ihn an mich und atme den Geruch meines Jungen ein, und ich bin glücklich.

* * *

Ich kann nicht länger warten. Es ist Zeit. Ich muss schlafen. Ich habe ein Einzelzimmer und muss mich deshalb nicht an die strengen Abläufe des Krankenhauses halten, aber ich bin erschöpft, kann kaum noch die Augen offen halten. Es ist Zeit.

Ich habe mit Ben gesprochen. Mit dem Mann, den ich wirklich geheiratet habe. Es kommt mir vor, als hätten wir stundenlang geredet, obwohl es vielleicht nur einige Minuten waren. Er hat gesagt, dass er sich gleich nach dem Anruf von der Polizei ins nächste Flugzeug gesetzt hatte.

»Von der Polizei?«

»Ja«, sagte er. »Als sie begriffen, dass der Mann, mit dem du zusammenlebtest, ein anderer war, als die im Waring House dachten, haben sie mich ausfindig gemacht. Keine Ahnung, wie. Ich schätze, irgendwie mit Hilfe meiner alten Adresse.«

»Wo warst du denn?«

Er schob seine Brille ein Stück höher. »Ich bin seit ein paar Monaten in Italien«, sagte er. »Hab da einen Auftrag angenommen.« Er hielt inne. »Ich dachte, du wärst gut untergebracht.« Er nahm meine Hand. »Es tut mir leid …«

»Du konntest das doch nicht wissen«, sagte ich.

Er sah weg. »Ich habe dich verlassen, Chrissy.«

»Ich weiß. Ich weiß alles. Claire hat es mir erzählt. Ich hab deinen Brief gelesen.«

»Ich dachte, es wäre am besten so«, sagte er. »Ehrlich. Ich dachte, es würde helfen. Dir helfen. Adam helfen. Ich habe versucht, wieder nach vorn zu schauen. Das hab ich wirklich.« Er zögerte. »Ich dachte, das ginge nur, wenn ich mich von dir scheiden ließe. Ich dachte, das würde mich befreien. Adam hat das nicht akzeptiert, auch nicht, als ich ihm erklärt habe, dass du es ja gar nicht mitbekommen würdest, dich nicht mal daran erinnern konntest, mit mir verheiratet zu sein.«

»Und?«, sagte ich. »Hat es dir geholfen, nach vorn zu schauen?«

Er sah mich an. »Ich will dir nichts vormachen, Chrissy. Es hat andere Frauen gegeben. Nicht viele, aber einige. Es war eine lange Zeit, viele Jahre. Am Anfang nichts Ernstes, aber vor zwei Jahren dann hab ich jemanden kennengelernt. Wir sind zusammengezogen. Aber –«

»Aber?«

»Na ja, es ist vorbei. Sie hat gesagt, ich würde sie nicht lieben. Ich hätte nie aufgehört, dich zu lieben …«

»Und hatte sie recht?«

Er erwiderte nichts, und daher sagte ich aus Angst vor der Antwort: »Und was passiert jetzt? Morgen? Bringst du mich wieder ins Waring House?«

Er sah mich an.

»Nein«, sagte er. »Sie hatte recht. Ich habe nie aufgehört, dich zu lieben. Und ich werde dich nicht dahin zurückbringen. Ich möchte, dass du morgen nach Hause kommst.«

Jetzt betrachte ich ihn. Er sitzt auf einem Stuhl neben meinem Bett, und obwohl er bereits schnarcht, den Kopf in einem unbequemen Winkel nach vorn gekippt, hält er noch immer meine Hand. Ich kann seine Brille sehen, die Narbe auf seiner Wange. Mein Sohn hat den Raum verlassen, um seine Freundin anzurufen und seiner ungeborenen Tochter gute Nacht zuzuflüstern, und meine beste Freundin ist draußen auf dem Parkplatz und raucht eine Zigarette. Ganz gleich, was kommt, bin ich von den Menschen umgeben, die ich liebe.

Irgendwann davor habe ich mit Dr. Nash gesprochen. Er erzählte mir, dass ich Waring House vor knapp vier Monaten verlassen habe, kurz nachdem Mike mit seinen Besuchen angefangen hatte, als Ben. Ich wurde auf eigenen Wunsch hin entlassen, unterschrieb sämtliche Papiere eigenhändig. Ich ging aus freien Stücken. Sie hätten mich nicht daran hindern können, nicht mal, wenn sie einen triftigen Grund dafür gehabt hätten, es zu versuchen. Als ich ging, nahm ich die wenigen Fotos und persönlichen Habseligkeiten mit, die ich noch besaß.

»Daher hatte Mike die Fotos«, sagte ich. »Die von mir und Adam. Und auch Adams Brief an den Weihnachtsmann. Seine Geburtsurkunde.«

»Genau«, sagte Dr. Nash. »Sie hatten das alles im Waring House und haben es natürlich mitgenommen, als Sie gingen. Irgendwann muss Mike sämtliche Fotos, auf denen Sie mit Ben zu sehen waren, vernichtet haben. Womöglich noch vor Ihrer Entlassung – das Personal wechselt ziemlich häufig, und keiner wusste, wie Ihr Mann wirklich aussah.«

»Aber wie kann er an die Fotos rangekommen sein?«

»Die waren in einem Album in einer Schublade in Ihrem Zimmer. Es dürfte für ihn ein Kinderspiel gewesen sein, sie bei irgendeinem Besuch herauszunehmen. Vielleicht hat er sogar ein paar Fotos reingetan, auf denen er mit Ihnen zusammen drauf war. Er hatte doch bestimmt noch welche aus … na ja, aus der gemeinsamen Zeit mit Ihnen, damals. Das Personal im Waring House war jedenfalls überzeugt, dass der Mann, der Sie ständig besucht hat, derselbe Mann war wie der im Fotoalbum.«

»Dann habe ich also meine eigenen Fotos mit in Mikes Haus gebracht, und er hat sie in der Metallschatulle versteckt? Und dann hat er das mit dem Brand erfunden, als Erklärung dafür, warum es nur so wenige waren?«

»Ja«, sagte er. Er sah müde aus und schuldbewusst. Ich fragte mich, ob er sich wegen der Geschehnisse Vorwürfe machte. Ich hoffte es nicht. Er hatte mir schließlich geholfen. Er hatte mich gerettet. Ich hoffte, dass er seine Arbeit nach wie vor schreiben und meinen Fall darlegen konnte. Ich hoffte, er würde für das, was er für mich getan hatte, Anerkennung ernten. Immerhin wäre ich ohne ihn –

Ich möchte nicht daran denken, wo ich wäre.

»Wie haben Sie mich gefunden?«, fragte ich. Er erzählte, dass Claire nach dem Telefonat mit mir außer sich vor Sorge gewesen sei, aber auf meinen Anruf am nächsten Tag gewartet habe. »In derselben Nacht muss Mike die Seiten aus Ihrem Tagebuch entfernt haben. Deshalb haben Sie sich auch nichts dabei gedacht, als Sie mir das Tagebuch am Dienstag gaben, und ich auch nicht. Als Sie Claire nicht anriefen, hat sie versucht, Sie zu erreichen, aber sie hatte nur die Nummer für das Handy, das ich Ihnen gegeben hatte, und das hatte Mike Ihnen auch weggenommen. Ich hätte mir denken müssen, dass da was nicht stimmt, als ich Sie heute Morgen unter der Nummer angerufen habe und Sie nicht rangegangen sind. Aber ich hab mir nichts gedacht und einfach Ihre andere Nummer gewählt ...« Er schüttelte den Kopf.

»Schon gut«, sagte ich. »Erzählen Sie weiter ...«

»Wir können davon ausgehen, dass er Ihr Tagebuch mindestens die letzte Woche oder so gelesen hat, wahrscheinlich länger. Zuerst konnte Claire Adam nicht erreichen, und sie hatte auch von Ben keine Nummer, deshalb hat sie im Waring House angerufen. Die hatten nur eine Telefonnummer, von der sie dachten, es wäre Bens, aber in Wirklichkeit war es die von Mike. Claire hatte weder meine Nummer noch wusste sie meinen Namen. Sie rief in der Schule an, wo er gearbeitet hat, und konnte sie überreden, ihr seine Adresse und Telefonnummer zu geben, aber beide waren falsch. Sie steckte in einer Sackgasse.«

Ich stelle mir vor, wie dieser Mann mein Tagebuch findet, es jeden Tag liest. Wieso hat er es nicht vernichtet?

Weil ich geschrieben hatte, dass ich ihn liebe. Und weil er wollte, dass ich das weiter glaube.

Vielleicht bin ich ihm gegenüber aber auch zu gnädig. Vielleicht wollte er es bloß vor meinen Augen verbrennen.

»Wieso hat Claire nicht die Polizei angerufen?«

»Das hat sie«, sagte er mit einem Nicken. »Aber es hat ein paar Tage gedauert, bis die das Ganze wirklich ernst genommen haben. Inzwischen hatte sie Adam erreicht, und der hatte ihr erzählt, dass Ben schon länger im Ausland war und Sie seines Wissens noch immer im Waring House lebten. Also hat sie erneut dort angerufen. Ihre Privatadresse wollten sie noch immer nicht rausrücken, aber sie erklärten sich dann wenigstens bereit, Adam meine Telefonnummer zu geben. Wahrscheinlich hielten sie das für einen guten Kompromiss, da ich Arzt bin. Claire konnte mich erst heute Nachmittag erreichen.«

»Heute Nachmittag?«

»Ja. Claire hat mich davon überzeugt, dass irgendwas nicht stimmte, was natürlich dadurch bestätigt wurde, dass Adam am Leben war. Wir sind zu Ihnen nach Hause gefahren, aber da waren Sie schon unterwegs nach Brighton.«

»Woher wussten Sie, wo Sie mich finden würden?«

»Heute Morgen haben Sie mir erzählt, Ben – Entschuldigung, Mike – hätte gesagt, Sie würden übers Wochenende wegfahren. An die Küste, hätte er gesagt. Sobald Claire mir erzählt hatte, was los war, habe ich mir gedacht, wo er mit Ihnen hinwollte.«

Ich lehnte mich zurück. Ich war müde. Erschöpft. Ich wollte nur noch schlafen, hatte aber Angst davor. Angst davor, was ich vergessen könnte.

»Aber Sie haben mir erzählt, Adam wäre tot«, sagte ich. »Sie haben gesagt, er wäre getötet worden. Als wir in Ihrem Auto in der Tiefgarage saßen. Und auch das mit dem Brand. Sie haben gesagt, es hätte einen Brand gegeben.«

Er lächelte traurig. »Weil Sie mir das erzählt hatten.« Ich wusste nicht, was er meinte, und sagte das auch. »Irgendwann, etwa zwei Wochen nach unserem ersten Treffen, haben Sie mir erzählt, Adam wäre tot. Offensichtlich hatte Mike Ihnen das erzählt, und Sie hatten ihm geglaubt und es mir erzählt. Als Sie mich in der Tiefgarage fragten, hab ich Ihnen das geantwortet, was ich für die Wahrheit hielt. Bei

dem Brand war es genauso. Ich habe geglaubt, es hätte einen gegeben, weil Sie mir das erzählt hatten.«

»Aber ich hab mich an Adams Beerdigung erinnert«, sagte ich. »An
seinen Sarg …«

Wieder lächelte er traurig. »Ihre Phantasie …«

»Aber ich habe Fotos gesehen«, sagte ich. »Dieser Mann« – ich
brachte es nicht über mich, Mikes Namen auszusprechen – »hat
mir Fotos von ihm und mir zusammen gezeigt, von unserer Hochzeit.
Ich hab ein Foto von einem Grabstein gefunden. Mit Adams Namen
drauf.«

»Die muss er gefälscht haben«, sagte er.

»Gefälscht?«

»Ja. Am Computer. Es ist heutzutage kinderleicht, Fotos zu fäl-
schen. Er muss geahnt haben, dass Sie langsam misstrauisch wurden,
und hat die Fotos da deponiert, wo Sie sie finden würden. Höchst-
wahrscheinlich waren auch ein paar von den Fotos gefälscht, auf denen Sie mit ihm zu sehen waren.«

Ich dachte daran, wie oft ich in meinem Tagebuch erwähnt hatte,
dass Mike in seinem Arbeitszimmer war. Unterrichtsvorbereitungen.
Hatte er da am Computer die Manipulationen vorgenommen? Wie
gründlich er mich hintergangen hatte.

»Alles klar?«, fragte Dr. Nash.

Ich lächelte. »Ja«, sagte ich. »Ich glaub schon.« Ich sah ihn an und
merkte, dass ich ihn mir in einem anderen Anzug vorstellen konnte,
mit einem deutlich kürzeren Haarschnitt.

»Ich kann mich an Verschiedenes erinnern«, sagte ich.

Sein Ausdruck veränderte sich nicht. »Was zum Beispiel?«, fragte
er.

»Ich erinnere mich an Sie mit einer anderen Frisur«, sagte ich. »Und
ich habe auch Ben erkannt. Und Adam und Claire, im Krankenwagen.
Und ich kann mich daran erinnern, dass ich mich neulich mit Claire getroffen habe. Wir sind in das Café im Alexandra Palace gegangen. Wir
haben Kaffee getrunken. Ihr Sohn heißt Toby.«

Er lächelte, aber es war wieder ein trauriges Lächeln.

»Haben Sie heute Ihr Tagebuch gelesen?«, fragte er.

»Ja«, sagte ich. »Aber verstehen Sie nicht? Ich kann mich an Dinge erinnern, die ich nicht aufgeschrieben habe. Ich kann mich an die Ohrringe erinnern, die Claire getragen hat. Es sind dieselben wie die, die sie heute trägt. Ich hab sie gefragt. Sie hat gesagt, das stimmt. Und ich kann mich daran erinnern, dass Toby einen blauen Parka anhatte, und er hatte Zeichentrickfiguren auf den Söckchen, und ich erinnere mich daran, dass er einen Aufstand gemacht hat, weil er Apfelsaft wollte und es nur Orangen- oder Johannisbeersaft gab. Verstehen Sie? Das alles hab ich nicht aufgeschrieben. Ich kann mich daran erinnern.«

Er blickte erfreut, wenn auch immer noch zurückhaltend.

»Dr. Paxton konnte ja keine offensichtliche organische Ursache für Ihre Amnesie feststellen. Er hat gesagt, wahrscheinlich sei Ihr Zustand nicht nur durch das physische Trauma ausgelöst worden, sondern zumindest teilweise auch durch das emotionale Trauma. Ich halte es für möglich, dass ein erneutes Trauma das rückgängig machen könnte, zumindest bis zu einem gewissen Grad.«

Ich nahm seinen Gedanken gierig auf. »Dann bin ich vielleicht geheilt?«, sagte ich.

Er blickte mich eindringlich an. Ich hatte das Gefühl, dass er genau abwog, was er sagen sollte, wie viel Wahrheit ich vertragen konnte.

»Leider halte ich das für unwahrscheinlich«, sagte er. »Ihr Zustand hat sich zwar in den letzten Wochen verbessert, aber von einer vollständigen Rückkehr des Erinnerungsvermögens kann keine Rede sein. Aber es ist möglich, ja.«

Jähe Freude durchströmte mich. »Aber ich kann mich doch daran erinnern, was vor einer Woche passiert ist. Heißt das nicht auch, dass ich neue Erinnerungen bilden und sie auch speichern kann?«

Er sprach verhalten. »Die Vermutung liegt nahe, ja. Aber Christine, seien Sie bitte darauf gefasst, dass die Wirkung vielleicht nur vorübergehend ist. Genaueres wissen wir erst morgen.«

»Wenn ich aufwache?«

»Ja. Es ist absolut möglich, dass Sie im Schlaf wieder alle Erinnerungen an heute vergessen. Alle neuen und alle alten.«

»Es könnte also sein, dass alles ist wie gehabt, wenn ich morgen früh aufwache?«

»Ja«, sagte er. »Das könnte sein.«

Der Gedanke, dass ich aufwachen und Adam und Ben vergessen haben könnte, war mir einfach unerträglich. Dann könnte ich genauso gut tot sein.

»Aber –«, setzte ich an.

»Führen Sie weiter Tagebuch, Christine«, sagte er. »Haben Sie es noch?«

Ich schüttelte den Kopf. »Er hat es verbrannt. Das war die Ursache für das Feuer.«

Dr. Nash blickte enttäuscht. »So ein Jammer«, sagte er. »Aber es ist keine Katastrophe. Christine, Sie kommen auch so klar. Sie können ein neues anfangen. Die Menschen, die Sie lieben, sind zu Ihnen zurückgekommen.«

»Aber ich will auch zu ihnen zurückgekommen sein«, sagte ich. »Ich will zu ihnen zurückgekommen sein.«

Wir unterhielten uns noch eine Weile, doch er wollte mich möglichst bald wieder mit meiner Familie allein lassen. Ich weiß, dass er bloß versuchte, mich auf das Schlimmste vorzubereiten – auf die Möglichkeit, dass ich morgen aufwache, ohne zu wissen, wo ich bin oder wer der Mann ist, der neben mir sitzt oder die Person, die behauptet, mein Sohn zu sein –, aber ich muss daran glauben, dass er sich irrt. Dass meine Erinnerungen wieder da sind. Ich muss es einfach glauben.

Ich betrachte meinen schlafenden Mann, dessen Silhouette sich im Halbdunkel abzeichnet. Ich erinnere mich daran, wie wir uns kennengelernt haben, an die Nacht mit der Party, die Nacht, in der ich mit Claire auf dem Dach war und dem Feuerwerk zuschaute. Ich erinnere mich daran, wie er mir seinen Heiratsantrag machte, während eines

Urlaubs in Verona, und an die prickelnde Erregung, die mich erfasste, als ich ja sagte. Und auch an unsere Hochzeit, unsere Ehe, unser Leben. Ich erinnere mich an alles. Ich lächele.

»Ich liebe dich«, flüstere ich, und ich schließe die Augen, und ich schlafe.

Anmerkung

Die Idee zu diesem Buch geht unter anderem auf die Schicksale einiger Amnesiepatienten zurück, vor allem auf Henry Gustav Molaison und Clive Wearing, dessen Geschichte von seiner Frau Deborah Wearing in ihrem Buch *Gefangen im Augenblick. Die Geschichte einer Amnesie – und einer unbesiegbaren Liebe* erzählt wurde.

Die eigentliche Handlung ist jedoch frei erfunden.

Danksagung

Unendlichen Dank an meine wunderbare Agentin Clare Conville, an Jake Smith-Bosanquet, alle bei Conville & Walsh und an meine Verleger und Lektoren Claire Wachtel, Selina Walker, Michael Heyward und Iris Tupholme.

Danke und alles Liebe an meine Familie und Freunde, dafür, dass Ihr mich auf dieser Reise begleitet, frühe Fassungen gelesen und mich immer unterstützt habt. Besonderen Dank an Margaret und Alistair Peacock, Jennifer Hill, Samantha Lear und Simon Graham, die Ihr noch vor mir selbst an mich geglaubt habt. An Andrew Dell, Anzel Britz, Gillian Ib, Jamie Gambino, der später dazukam, und an Nicholas Ib, der immer da gewesen ist. Danke auch an alle bei GSTT.

Danke schön an alle von der Faber Academy, ganz besonders Patrick Keogh. Dieses Buch wäre nicht geschrieben worden ohne den Input meiner Gang – Richard Skinner, Amy Cunnah, Damien Gibson, Antonia Hayes, Simon Murphy und Richard Reeves. Ich bin sehr dankbar für Eure Freundschaft und Unterstützung – mögen die FAGs noch lange die Kontrolle über ihre wilden Erzähler behalten.

S. J. Watson
Tu es. Tu es nicht.
Thriller
480 Seiten. Broschur

Sie liebt ihren Mann.
Sie ist besessen von einem Fremden.

Sie ist eine gute Mutter.
Sie würde ihre Familie aufgeben.

Sie weiß, was sie tut.
Sie gerät außer Kontrolle.

Sie lebt zwei Leben.
Sie kann beide verlieren.

Das gesamte Programm gibt es unter
www.fischerverlage.de